O IMPERADOR
Campo de Espadas

Obras do autor publicadas pela Editora Record

O livro perigoso para garotos (com Hal Iggulden)
Tollins — Histórias explosivas para crianças

Série O *Imperador*

Os portões de Roma (vol. 1)
A morte dos reis (vol. 2)
Campo de espadas (vol. 3)
Os deuses da guerra (vol. 4)
Sangue dos deuses (vol. 5)

Série O *conquistador*

O lobo das planícies (vol. 1)
Os senhores do arco (vol. 2)
Ossos das colinas (vol. 3)
Império da prata (vol. 4)
Conquistador (vol. 5)

CONN IGGULDEN

O IMPERADOR
Campo de Espadas

Tradução de
ALVES CALADO

11ª EDIÇÃO

EDITORA RECORD
RIO DE JANEIRO • SÃO PAULO
2014

CIP-Brasil. Catalogação na fonte
Sindicato Nacional dos Editores de Livros, RJ.

I26c   Iggulden, Conn
11ª ed.   Campo de espadas / Conn Iggulden; tradução de Alves Calado. –
11ª ed. – Rio de Janeiro: Record, 2014.
(O imperador; v.3)

Tradução de: Emperor field of swords
Continuação de: A morte dos reis
ISBN 978-85-01-07085-2

1. César, Júlio – Ficção. 2. Roma – História militar, 265-30 a.C. – Ficção. 3. Romanos – Grã-Bretanha – Ficção. 4. Romanos – França – Ficção. 5. Romance inglês. I. Alves-Calado, Ivanir, 1953-. II. Título. III. Série.

05-2780
CDD – 823
CDU – 821.111-3

Título original em inglês:
EMPEROR – FIELD OF SWORDS

Copyright © Conn Iggulden 2005

O autor se reserva o direito moral de ser identificado como tal.

Design tipográfico: Daniel Morena

Todos os direitos reservados. Proibida a reprodução, no todo ou em parte, através de quaisquer meios.

Todas as personagens desta obra são fictícias. Qualquer semelhança com pessoas reais, vivas ou mortas, é mera coincidência.

Direitos exclusivos de publicação em língua portuguesa para o Brasil adquiridos pela
EDITORA RECORD LTDA.
Rua Argentina 171 – Rio de Janeiro, RJ – 20921-380 – Tel.: 2585-2000, que se reserva a propriedade literária desta tradução.

Impresso no Brasil

ISBN 978-85-01-07085-2

Seja um leitor preferencial Record.
Cadastre-se e receba informações sobre nossos lançamentos e nossas promoções.

Atendimento e venda direta ao leitor:
mdireto@record.com.br ou (21) 2585-2002.

Para minha filha Mia e minha mulher Ella

Parte do prazer de escrever uma série de quatro livros é ser capaz de agradecer a todos os que precisam de agradecimentos antes do fim da história. Susan Watt é uma dessas pessoas — uma grande dama cujo conhecimento e energia tornaram suave o caminho agreste.

Além disso gostaria de agradecer a Toni e Italo D'Urso, que me deixaram usar o velho computador Amstrad em seu corredor durante anos e anos sem uma palavra de reclamação. Por fim, por bons modos, casei-me com a filha deles. Eu lhes devo.

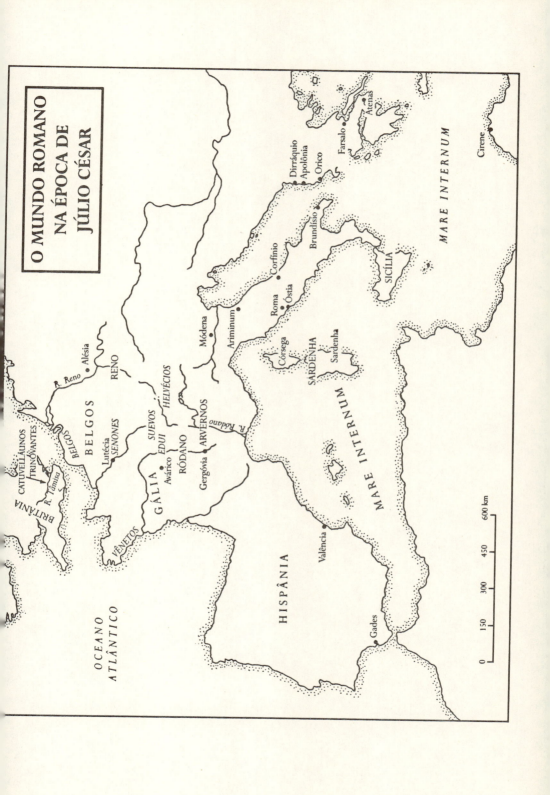

PRIMEIRA PARTE

CAPÍTVLO I

JÚLIO ESTAVA PERTO DA JANELA, OLHANDO POR SOBRE AS COLINAS DA Espanha. O sol poente borrava de ouro uma crista distante que parecia pairar sem sustentação, uma veia de luz à distância. Atrás dele o murmúrio de conversa subia e descia sem interromper seus pensamentos. Sentia cheiro de madressilva na brisa, e o toque do perfume nas narinas tornava seu suor fétido ainda pungente enquanto a delicada fragrância se agitava no ar e desaparecia.

Tinha sido um dia longo. Quando apertou uma das mãos contra os olhos sentiu um jorro de exaustão subindo por dentro como água escura. As vozes na sala de campanha se misturavam ao rangido das cadeiras e ao farfalhar dos mapas. Quantas centenas de tardes havia passado no último andar da fortaleza com aqueles homens? A rotina se tornara um conforto para todos no fim de cada dia, e mesmo quando não havia o que discutir reuniam-se nas salas de campanha para beber e conversar. Isso mantinha Roma viva em suas mentes, e às vezes quase podiam esquecer que não viam seus lares há mais de quatro anos.

A princípio Júlio tinha se envolvido com os problemas daquelas regiões e mal pensava em Roma durante meses seguidos. Os dias haviam passado enquanto ele acordava e dormia com o sol, e a Décima criava cidades nos ermos. No litoral, Valência fora transformada com calcário, madeira e tinta até tornar-se quase uma nova cidade envernizada sobre a antiga. Tinham construído estradas para ligar a terra e pontes que abriam os morros selvagens aos colonos. Júlio trabalhara com uma energia frenética e espasmódica naqueles primeiros anos, usando a exaustão como uma droga que expulsasse as lembranças. Então ia dormir e Cornélia surgia. Aquelas eram as noites em que deixava a cama encharcada de suor e cavalgava até os postos de vigia, surgindo da escuridão sem ser anunciado, até que a Décima ficasse tão nervosa e cansada quanto ele próprio.

Como para zombar de sua indiferença, os engenheiros tinham encontrado ouro em dois novos veios, mais ricos do que jamais haviam conhecido. O metal amarelo tinha atração, e quando Júlio viu o primeiro lote derramado de um pedaço de pano sobre sua mesa olhou para aquilo com ódio pelo que representava. Viera à Espanha sem nada, mas o chão lhe dava seus segredos, e com a riqueza vinha o puxão da velha cidade e da vida que ele quase esquecera.

Suspirou ao pensar. A Espanha tinha tesouros tão grandes que seria difícil deixá-la, mas parte dele sabia que não podia se perder ali por muito mais tempo. A vida era preciosa demais e curta demais para ser desperdiçada.

A sala estava quente com a proximidade dos corpos. Os mapas das novas minas estavam abertos em mesas baixas, seguros por pesos. Júlio podia ouvir Rênio discutindo com Brutus e a cadência grave dos risos de Domício. Apenas o gigante Ciro estava em silêncio. Mas mesmo os que falavam estavam marcando o tempo até que Júlio se juntasse a eles. Eram bons homens. Cada um tinha permanecido ao seu lado contra inimigos e passado pelo sofrimento, e havia ocasiões em que Júlio podia imaginar como seria atravessar o mundo com eles. Eram homens para percorrer um belo caminho e não para ser esquecidos na Espanha, e Júlio não suportava a simpatia que via nos olhos deles. Sabia que merecia apenas o desprezo por tê-los trazido a esse lugar e se enterrado num trabalho mesquinho.

Se Cornélia tivesse sobrevivido, ele a teria levado à Espanha. Teria sido um recomeço longe das intrigas da cidade. Baixou a cabeça enquanto a brisa do início da noite tocava seu rosto. Era uma dor velha, e havia dias inteiros em que não pensava nela. Mas logo a culpa chegava à superfície e os sonhos eram terríveis, como uma punição pela falha.

— Júlio? O guarda está na porta para falar com você — disse Brutus, tocando-o no ombro. Júlio assentiu e se virou para os homens na sala, os olhos procurando o estranho entre eles.

O legionário pareceu nervoso enquanto espiava as mesas cheias de mapas e as jarras de vinho, claramente num temor respeitoso pelas pessoas ali dentro.

— E então? — perguntou Júlio.

O soldado engoliu em seco enquanto encarava os olhos escuros de seu general. Não havia gentileza naquele rosto duro, descarnado, e o jovem legionário gaguejou ligeiramente.

— Há um jovem espanhol no portão, general. Diz ser quem estávamos procurando.

As conversas na sala morreram e o guarda desejou estar em outro local que não fosse sob o escrutínio daqueles homens.

— Vocês o revistaram em busca de armas?

— Sim, senhor.

— Então traga-o. Quero falar com o homem que me causou tantos problemas.

Júlio ficou parado no topo da escada e o espanhol foi trazido. Suas roupas eram pequenas demais para os membros desengonçados, e o rosto estava apanhado na mudança entre menino e homem, mas não havia suavidade no maxilar ossudo. Quando os olhos dos dois se encontraram, o espanhol hesitou, tropeçando.

— Qual é o seu nome, garoto? — perguntou Júlio quando os dois estavam no mesmo nível.

— Adàn — respondeu o espanhol com esforço.

— *Você* matou meu oficial? — perguntou Júlio com um riso de desprezo.

O rapaz se imobilizou, depois assentiu, a expressão hesitando entre medo e determinação. Podia ver os rostos virados em sua direção, e a coragem pareceu abandoná-lo ao pensar que estava entre eles. Podia ter recuado se o guarda não o empurrasse pela porta.

— Espere embaixo — disse Júlio ao legionário, subitamente irritado.

Adàn se recusou a baixar a cabeça diante dos olhares hostis dos romanos, mas não conseguia se lembrar de ter sentido mais medo na vida. Quando Júlio fechou a porta ele estremeceu em silêncio, xingando o próprio nervosismo. Ficou observando o general sentar-se diante dele, e um terror opaco o dominou. Será que deveria manter as mãos ao lado do corpo? De repente elas pareciam desajeitadas e ele pensou em fechá-las ou em cruzar os dedos às costas. O silêncio era doloroso enquanto esperava, e os olhos dos homens continuavam fixos nele. Adàn engoliu com dificuldade, decidido a não demonstrar o medo.

— Você conseguiu me dizer seu nome. Consegue me entender?

Adàn se esforçou por colocar saliva na boca seca.

— Consigo — disse. Pelo menos a voz não tinha saído esganiçada como de um garoto. Ajeitou os ombros ligeiramente e olhou para os outros, quase se encolhendo com a animosidade explícita vinda de um deles, parecido com um urso e tendo apenas um braço, que parecia estar praticamente rosnando de fúria.

— Você falou aos guardas que era aquele que estamos procurando, o que matou o soldado — disse Júlio.

O olhar de Adàn voltou-se rapidamente para ele.

— Fui eu. Eu o matei — respondeu, as palavras saindo num jorro.

— Você o torturou — acrescentou Júlio.

Adàn engoliu em seco de novo. Tinha imaginado esta cena enquanto caminhava pelos campos escuros até a fortaleza, mas não conseguia invocar o desafio que tinha visualizado. Sentia como se estivesse confessando ao pai, e precisava fazer força para não arrastar os pés com vergonha, apesar das intenções.

— Ele estava tentando estuprar minha mãe. Eu o levei para o mato. Ela tentou me impedir, mas não obedeci — disse Adàn rapidamente, tentando se lembrar das palavras que tinha ensaiado.

Alguém na sala murmurou um palavrão, mas Adàn não conseguia afastar os olhos do general. Sentia um obscuro alívio por contar a eles. Agora iriam matá-lo e seus pais seriam libertados.

Pensar na mãe foi um erro. Lágrimas brotaram do nada, enchendo seus olhos, e o rapaz piscou furiosamente para afastá-las. Ela desejaria que ele se mostrasse forte diante daqueles homens.

Júlio o observou. O jovem espanhol estava visivelmente trêmulo, e com motivo. Ele só precisava dar a ordem e Adàn seria levado ao pátio e executado diante das fileiras. Seria o fim, mas uma lembrança conteve sua mão.

— Por que se entregou, Adàn?

— Minha família foi presa para interrogatório, general. Eles são inocentes. É a mim que o senhor quer.

— Acha que sua morte vai salvá-los?

Adàn hesitou. Como poderia explicar que apenas uma débil esperança o fizera vir?

— Eles não fizeram nada de errado.

Júlio levantou a mão para coçar a sobrancelha, depois pousou o cotovelo no braço da cadeira enquanto pensava.

— Quando era mais novo do que você, Adàn, fiquei diante de um romano chamado Cornélio Sila. Ele havia assassinado meu tio e destruído tudo que eu valorizava no mundo. Disse que eu ficaria livre se deixasse minha mulher de lado e a envergonhasse diante do pai dela. Ele *adorava* esses pequenos atos de maldade.

Por um momento Júlio olhou para a distância inimaginável do passado e Adàn sentiu o suor brotar na testa. Por que aquele homem estava falando isso? Ele já havia confessado; não restava mais nada. Apesar do medo sentiu o interesse aguçar. Os romanos pareciam possuir apenas um rosto na Espanha. Ouvir que eles tinham rivalidades e inimigos em suas próprias fileiras era uma revelação.

— Odiei aquele homem, Adàn. Se me dessem uma arma, eu a teria usado contra ele, mesmo que isso significasse minha vida. Imagino que você entenda esse tipo de ódio.

— O senhor não abriu mão de sua esposa?

Júlio piscou diante da pergunta súbita, depois deu um sorriso amargo.

— Não. Recusei-me e ele me deixou viver. O chão aos seus pés estava sujo do sangue das pessoas que ele havia matado e torturado, no entanto me deixou viver. Freqüentemente me pergunto o motivo.

— Ele não o considerou uma ameaça — disse Adàn, surpreso pela própria coragem em falar ao general. Júlio balançou a cabeça, lembrando.

— Duvido. Eu lhe disse que dedicaria minha vida a acabar com ele, se me libertasse. — Por um momento Júlio quase contou em voz alta como seu amigo tinha envenenado o ditador, mas essa parte da história jamais poderia ser contada, nem mesmo aos outros homens na sala.

Deu de ombros.

— Ele acabou morrendo pelas mãos de outro. É uma das coisas que lamento, não poder ter feito isso pessoalmente e olhar a vida desaparecer de seus olhos.

Adàn teve de afastar os olhos do fogo que viu no romano. Acreditou, e o pensamento naquele homem ordenando sua morte com tamanho rancor o fez estremecer.

Júlio não falou de novo por longo tempo e Adàn sentiu-se fraco com a tensão. Sua cabeça se ergueu bruscamente quando por fim o general rompeu o silêncio.

— Há assassinos nas celas daqui e de Valência. Um deles será enforcado pelos crimes que você cometeu, bem como pelos dele. Sim, vou perdoá-lo. Vou assinar meu nome na ordem e você voltará para casa com sua família e jamais atrairá minha atenção de novo.

Rênio fungou, pasmo.

— Eu gostaria de trocar uma palavra em particular, general — resmungou, olhando venenosamente para Adàn. O jovem espanhol ficou parado, boquiaberto.

— Não, Rênio. Minha palavra ficará — respondeu Júlio sem olhá-lo. Observou o garoto por um momento e sentiu um peso sair das costas. Tinha tomado a decisão correta, tinha certeza. Vira-se nos olhos do espanhol e era como levantar um véu da memória. Como Sila tinha parecido amedrontador! Para Adàn, Júlio seria outra figura daquele tipo cruel, envolvido numa armadura de metal e de pensamentos mais duros ainda. Como tinha chegado perto de mandar Adàn ser empalado, queimado ou pregado ao portão da fortaleza, como Sila fizera com tantos inimigos! Era uma ironia que o antigo capricho de Sila tivesse salvado Adàn, mas Júlio havia se contido antes da ordem mortal e pensado no que estava se tornando. Não seria um daqueles homens que ele odiava. A idade não iria encaixá-lo no molde, se tivesse força. Levantou-se e encarou Adàn.

— Espero que não desperdice esta chance, Adàn. Você não terá outra, vinda de mim.

Adàn quase irrompeu em lágrimas, com as emoções rolando e dominando-o. Tinha se preparado para a morte, e vê-la arrancada junto com a vinda da liberdade era demais. Num impulso deu um passo adiante e se abaixou sobre um dos joelhos antes que alguém pudesse reagir.

Júlio se levantou devagar, olhando o rapaz.

— Nós não somos o inimigo, Adàn. Lembre-se disso. Mandarei um escriba preparar o perdão. Espere por mim lá embaixo.

Adàn se levantou e encarou os olhos escuros do romano por um último momento antes de sair da sala. Quando a porta se fechou ele se encostou frouxo na parede, enxugando o suor do rosto. Sentia-se tonto de alívio e cada respiração era límpida e fria. Não conseguia entender por que fora poupado.

O guarda na sala embaixo inclinou a cabeça para olhar a figura frouxa de Adàn nas sombras.

— Então, devo esquentar as facas para você? — zombou o romano.

— Hoje, não — respondeu Adàn, desfrutando a expressão confusa que surgiu no rosto do sujeito.

Brutus pôs uma taça na mão de Júlio, derramando o vinho habilmente de uma ânfora.

— Vai nos dizer por que o deixou ir? — perguntou.

Júlio ergueu a taça para interromper o fluxo e bebeu o conteúdo antes de estendê-la de novo.

— Porque ele foi corajoso.

Rênio coçou a barba que começava a crescer no queixo.

— Você sabe que ele será famoso nas cidades. Será o homem que nos enfrentou e sobreviveu. Provavelmente vão torná-lo prefeito quando Del Subió morrer. Os jovens vão se juntar ao redor dele e antes que você perceba...

— Chega — interrompeu Júlio com o rosto vermelho por causa do vinho. — A espada não é resposta para tudo, não importando o quanto você deseje. Temos de viver com eles sem ter de mandar nossos homens em pares vigiar cada beco e procurar emboscadas. — Suas mãos cortavam formas no ar enquanto se esforçava para encontrar as palavras certas para o pensamento. — Eles devem ser tão romanos quanto nós, dispostos a morrer por nossas causas e contra nossos inimigos. Pompeu mostrou o caminho com as legiões que montou aqui. Falei a verdade quando disse que não éramos o inimigo. Vocês conseguem entender isso?

— Eu entendo — respondeu Ciro de repente, sua voz profunda ressoando acima da resposta de Rênio.

O rosto de Júlio se iluminou com a idéia.

— Aí está. Ciro não nasceu em Roma, mas veio a nós livremente e *pertence* a Roma. — Ele lutou para encontrar as palavras, a mente correndo mais depressa do que a língua. — Roma é... uma idéia, mais do que sangue. Devemos fazer a coisa de modo que, para Adàn, nos afastar seja como arrancar o próprio coração. Esta noite ele vai se perguntar por que não foi morto. Saberá que pode haver justiça, mesmo depois da morte de um soldado romano. Contará a história, e os que duvidam vão hesitar. Isso basta como motivo.

— A não ser que ele tenha matado o homem por esporte — disse Rênio — e conte aos amigos que somos fracos e estúpidos. — Rênio não confiava em si mesmo para continuar falando, em vez disso foi até Brutus e pegou a ânfora com ele, segurando-a na dobra do cotovelo para encher sua taça. Com a raiva, um pouco do vinho se derramou.

Júlio estreitou os olhos para o velho gladiador. Respirou lentamente para controlar o mau humor que crescia por dentro.

— Eu não serei Sila. Nem Catão. Entende pelo menos *isso*, Rênio? Não governarei com medo e ódio, tendo de mandar que provem cada refeição para ver se tem veneno. Entende *isso*? — Sua voz tinha subido enquanto falava, e Rênio se virou para encará-lo, percebendo que tinha ido longe demais.

Júlio ergueu o punho fechado, a raiva se irradiando.

— Se eu der a ordem, Ciro arrancará seu coração por mim, Rênio. Ele nasceu num litoral de uma terra diferente, mas é romano. É soldado da Décima e é meu. Eu não o seguro através do medo, e sim do amor. Entende *isso*?

Rênio se imobilizou.

— Sei disso, claro, você...

Júlio o interrompeu com um gesto, sentindo uma dor de cabeça brotar entre os olhos. O medo de um ataque na frente dos outros fez sua raiva se desvanecer e ele ficou com um sentimento de vazio e cansaço.

— Deixem-me, todos. Mandem chamar Cabera. Perdoe minha raiva, Rênio. Eu preciso discutir com você para conhecer minha própria mente.

Rênio assentiu aceitando o pedido de desculpas. Saiu com os outros, deixando Júlio sozinho. A semi-escuridão do fim de tarde tinha quase virado noite, e Júlio acendeu as lâmpadas antes de parar junto à janela aberta, apertando a testa na pedra fria. A dor de cabeça latejou e ele gemeu baixinho, esfregando as têmporas em movimentos circulares, como Cabera tinha ensinado.

Havia muito trabalho a fazer e o tempo todo uma voz interna lhe sussurrava, zombando. Será que estava se escondendo naquelas colinas? Um dia sonhara em ficar de pé na casa do senado, agora se recolhia para longe. Cornélia estava morta, Tubruk também. Sua filha era uma estranha, vivendo numa casa que ele visitara durante apenas uma noite em seis anos. Houvera um tempo em que se sentia faminto por comparar sua força e inteligência com homens como Sila e Pompeu, mas agora a idéia de se lançar de novo nos jogos do poder o deixava nauseado de tanto ódio. Melhor, certamente melhor, era fazer um lar na Espanha, achar uma mulher ali e jamais ver sua casa de novo.

— Não posso voltar — falou alto, a voz embargada.

Rênio achou Cabera no estábulo, lancetando um inchaço na carne macia da pata de um cavalo. Os animais sempre pareciam entender que ele estava tentando ajudá-los, e até os mais agitados ficavam imóveis depois de algumas palavras murmuradas e tapinhas.

Estavam sozinhos, e Rênio esperou até que a agulha de Cabera tivesse liberado o pus da pata do animal, os dedos massageando a carne macia para ajudar a drenagem. O cavalo estremeceu como se houvesse moscas pousando na pele, mas Cabera nunca levara um coice, e a perna estava relaxada em suas mãos firmes.

— Ele quer você — disse Rênio.

Cabera ergueu os olhos ao ouvir o tom de voz do outro.

— Entregue-me aquele pote, por favor.

Rênio passou a tigela de alcatrão pegajoso que lacraria o ferimento. Olhou Cabera trabalhar em silêncio, e, quando o machucado estava coberto, Cabera se virou para ele com a usual neutralidade de humor.

— Você está preocupado com Júlio — disse o velho curandeiro.

Rênio deu de ombros.

— Ele está se matando aqui. Claro que estou preocupado. Júlio não dorme, só passa as noites trabalhando nas minas e nos mapas. Eu... não consigo conversar com ele sem que tudo vire uma discussão.

Cabera estendeu a mão e apertou os músculos de ferro do braço de Rênio.

— Ele sabe que você está aqui para o que der e vier. Vou lhe dar um sonífero para esta noite. Talvez você também devesse tomar um. Está parecendo exausto.

Rênio balançou a cabeça.

— Faça o que puder por ele. Ele merece mais do que isso.

Cabera viu o gladiador maneta afastar-se no escuro

— Você é um homem bom, Rênio — falou baixo demais para ser ouvido.

CAPÍTVLO II

SERVÍLIA ESTAVA JUNTO À AMURADA DO PEQUENO NAVIO MERCANTE, olhando as figuras que corriam de um lado para o outro no cais, à medida que chegavam mais perto. Havia centenas de barquinhos nas águas ao redor do porto de Valência, e o capitão mercante ordenara por duas vezes que as tripulações de pescadores ficassem longe de seu navio. Parecia não haver ordem naquilo, e Servília se pegou sorrindo quando outro jovem espanhol levantou um peixe que tinha apanhado e gritou o preço. Notou que o homem se equilibrava enquanto a canoa se sacudia nas ondas. Ele usava apenas um pano estreito na cintura, com uma faca pendurada num cinto largo, através de uma tira de couro. Servília o achou lindo.

O capitão acenou para afastar o barco e foi ignorado enquanto o pescador farejava uma venda para a mulher que lhe dava um riso tão bonito.

— Vou comprar os peixes dele, capitão — disse Servília.

O mercador romano franziu a testa, as sobrancelhas grossas juntando-se.

— As moedas são suas, mas os preços serão melhores no porto.

Ela estendeu a mão e deu um tapinha no ombro do homem, cujos modos carrancudos desapareceram em confusão.

— Mesmo assim o sol está quente, e depois de tanto tempo a bordo eu adoraria alguma coisa fresca.

O capitão cedeu de má vontade, pegando o grosso rolo de corda e jogando-o por sobre a amurada. O pescador amarrou a ponta numa rede aos seus pés e depois subiu ao navio, passando as pernas sobre a amurada com uma agilidade tranqüila. O jovem espanhol era moreno e endurecido pelo trabalho, com manchas brancas de sal na pele. Fez uma reverência profunda em resposta à avaliação dela e começou a puxar sua rede. Servília olhou o movimento dos músculos dos braços e dos ombros do rapaz, com um olhar de conhecedora.

— Seu barquinho não vai se afastar? — perguntou ela.

O jovem espanhol abriu a boca para responder e o capitão fungou.

— Acho que ele só fala sua própria língua. Eles não têm escolas enquanto nós não construímos.

Servília captou um clarão de escárnio nos olhos do rapaz. Uma corda fina ia da rede até seu barco, e com um gesto do pulso o espanhol a amarrou na amurada, batendo no nó com um dedo, em resposta à pergunta de Servília.

A rede continha uma massa coleante de peixes azuis-escuros. Servília estremeceu e se afastou enquanto eles se sacudiam e pulavam ao entrar em contato com o convés. O pescador riu do desconforto dela e puxou um grande pelo rabo. Era comprido como o braço dele, e ainda muito vivo. Servília viu o olho do peixe se mover loucamente enquanto se sacudia na mão do rapaz. A pele azul era brilhante e perfeita, e havia uma linha mais escura indo da cauda à cabeça. Ela assentiu e levantou cinco dedos diante de um riso de resposta.

— Cinco vão bastar para a tripulação, capitão? — perguntou ela.

O romano grunhiu aprovando e assobiou para dois marinheiros pegarem os peixes.

— Apenas alguns cobres bastarão, senhora — disse ele.

Servília abriu uma faixa larga em volta do pulso, revelando suas pequenas moedas. Escolheu um denário de prata e entregou ao jovem. Ele ergueu as sobrancelhas e acrescentou outro dos peixes maiores que estavam na rede, antes de apertar a corda que a fechava. Em seguida lançou uma expressão de triunfo para o capitão e desamarrou o nó, antes de subir na amurada e mergulhar na água azul. Servília se inclinou para olhá-lo vir à superfície e riu com prazer quando ele subiu no barquinho, brilhando ao sol como seus peixes. Em seguida o rapaz puxou a rede da água e acenou.

— Que início maravilhoso! — ofegou ela. O capitão murmurou algo ininteligível.

Os tripulantes que pegaram os peixes trouxeram porretes de madeira tirados de um armário no convés e, antes que Servília percebesse o que estavam fazendo, bateram nas cabeças luzidias, provocando um ruído desagradável. Os olhos brilhantes desapareceram sob a força dos golpes, empurrados para dentro da cabeça enquanto o sangue espirrava no convés. Servília fez uma careta quando uma gota de sangue caiu no seu braço. Os marinheiros estavam claramente se divertindo, de súbito com mais vitalidade do que tinham estado em qualquer ponto da viagem desde Óstia. Era como se tivessem ficado vivos durante a matança, riam e brincavam uns com os outros enquanto terminavam a tarefa medonha.

Quando o último peixe morreu, o convés estava coberto de sangue e minúsculas escamas prateadas. Servília ficou olhando os marinheiros jogarem ao mar um balde de lona preso a uma corda e lavar as pranchas.

— O porto está apinhado de embarcações, senhora — disse o capitão junto ao seu ombro, franzindo a vista por causa do sol. — Vou levar o navio o mais perto possível, mas teremos de ficar ancorados durante algumas horas até haver lugar no cais. — Servília se virou para olhar Valência outra vez, subitamente desejando estar em terra de novo.

— Como quiser, capitão — murmurou.

As montanhas atrás do porto pareciam preencher o horizonte, verdes e vermelhas de encontro ao azul-escuro do céu. Seu filho, Brutus, estava em algum lugar nelas, e vê-lo depois de tanto tempo seria maravilhoso. Estranhamente seu estômago se apertou, quase doendo, quando pensou no jovem amigo dele. Imaginou como os anos o teriam mudado, e tocou o cabelo inconscientemente, alisando-o onde estava encaracolado, úmido devido ao ar marinho.

A noite havia diminuído o calor do sol, numa suavidade cinzenta, quando o navio mercante romano pôde passar entre as cordas das embarcações ancoradas e ocupar seu lugar no cais. Servília tinha trazido três de suas garotas mais lindas, que se juntaram a ela no convés enquanto a tripulação jogava cordas para os trabalhadores das docas e usava os remos que serviam como lemes para colocá-los em segurança de encontro às enormes vigas de madeira. Era uma manobra delicada e o capitão mostrou sua grande habilidade, enquanto se comunicava com o imediato na proa com uma série de sinais de mão e gritos.

Havia um ar de empolgação geral e as garotas que Servília tinha trazido riam e brincavam enquanto os trabalhadores nas docas as viam e gritavam comentários obscenos. Servília as deixou se divertir sem dizer uma palavra; todas as três eram do tipo raro, em seu negócio, que ainda não tinham perdido o amor pelo trabalho. De fato, Angelina, a mais nova, vivia se apaixonando pelos clientes, e poucos meses se passavam sem que algum romântico se oferecesse para comprá-la para se casar. O preço sempre parecia surpreendê-los, e Angelina ficava carrancuda por dias até que outro atraísse sua atenção.

As garotas estavam vestidas com a modéstia das filhas de qualquer casa importante. Servília tinha tomado um cuidado enorme com a segurança delas, sabendo que mesmo uma curta viagem pelo mar dava aos homens um sentimento de liberdade que poderia ter causado encrenca. Os vestidos eram cortados para disfarçar as curvas dos corpos jovens, mas havia vestimentas mais provocadoras nos baús que Servília tinha trazido. Se as cartas que Brutus mandara eram corretas, haveria um mercado, e as três garotas seriam as primeiras na nova casa que ela iria comprar. Os marinheiros que grunhiam e reclamavam carregando os baús pesados ficariam em choque ao saber do peso em ouro que fora dividido entre eles.

O exame do convés foi interrompido quando Angelina gritou de repente. O olhar rápido de Servília captou o marinheiro correndo para longe e o ultraje satisfeito da jovem antes que ela se virasse de novo. Tinham chegado em terra bem na hora, pensou.

O capitão gritou para os trabalhadores das docas apertarem as cordas e a tripulação gritou de alegria diante do anúncio, já antecipando os prazeres do porto. Servília captou o olhar do capitão e ele se aproximou pelo convés, subitamente mais afável do que ela aprendera a esperar.

— Nós só vamos retirar a carga amanhã de manhã — disse ele. — Posso recomendar alguns lugares, se a senhora quiser ir para terra, e há um primo meu que pode lhe alugar quantas carroças a senhora quiser a um bom preço.

— Obrigada, capitão. Foi um grande prazer. — Servília sorriu para ele, satisfeita em ver um rubor começar no alto das bochechas do sujeito. Angelina não era a única com um círculo de admiradores no navio, pensou com algum prazer.

O capitão pigarreou e levantou o queixo para falar de novo, parecendo subitamente nervoso.

— Mais tarde vou jantar sozinho. Se quiser se juntar a mim... Trarão frutas frescas para o navio, de modo que será melhor do que o de costume.

Servília pôs a mão no braço dele e sentiu o calor da pele por baixo da túnica.

— Terá de ficar para outra vez. Eu gostaria de partir ao amanhecer. Será que o senhor poderia mandar que meus baús fossem tirados primeiro? Vou falar com a legião para conseguir um guarda para eles até que as carroças estejam carregadas.

O capitão assentiu, tentando esconder a frustração. O primeiro-imediato havia dito que aquela mulher era uma prostituta, mas ele teve a impressão intensa de que oferecer dinheiro para ela ficar levaria a uma humilhação medonha. Por um momento pareceu tão terrivelmente solitário que Servília pensou em deixar Angelina levantar seu ânimo. A lourinha adorava homens mais velhos. Eles sempre ficavam desesperadamente gratos, e em troca de um esforço tão pequeno! Olhando-o, Servília adivinhou que o capitão provavelmente recusaria a oferta. Os homens da idade dele costumavam querer a companhia de uma mulher madura, tanto quanto os prazeres físicos, e a franqueza direta de Angelina só iria embaraçá-lo.

— Seus baús serão os primeiros a ir para o cais, senhora. Foi um prazer — disse ele, olhando-a cheio de desejo enquanto ela descia a escada. Vários de seus tripulantes haviam se reunido, para o caso de as jovens se desequilibrarem ao passar pela amurada, e suas sobrancelhas se juntaram enquanto pensava nelas. Depois de um momento, foi atrás de Servília, sabendo instintivamente que deveria estar lá para ajudar os homens.

Júlio estava trabalhando concentrado quando o guarda bateu à porta de seus aposentos.

— O que é?

O legionário parecia estar num nervosismo incomum enquanto saudava.

— Acho melhor o senhor vir ao portão. Precisa ver isso.

Levantando as sobrancelhas Júlio acompanhou o homem escada abaixo e saiu ao forte sol da tarde. Havia uma tensão peculiar afetando os soldados reunidos em volta do portão, e quando eles se separaram para sua passagem Júlio notou que dois tinham o rosto tenso de quem tenta não sorrir. A diversão deles e o calor pareceram alimentar a comichão de raiva que havia se tornado a base de suas horas de vigília.

Do outro lado do portão aberto havia uma fileira de carroças cheias de carga, com os cocheiros levemente cobertos pelo pó da estrada. Uns vinte homens da Décima haviam se posicionado à frente e atrás da estranha procissão. Com os olhos franzidos, Júlio reconheceu o oficial como o que fora despachado para o serviço no porto na véspera, e seu humor se esgarçou ainda mais. Como as carroças, os legionários estavam cobertos de poeira suficiente para mostrar que tinham andado cada passo do caminho.

Júlio os encarou, furioso.

— Eu *não* me lembro de ter dado ordens para vocês escoltarem mercadorias da costa — falou rispidamente. — É melhor que haja um motivo excelente para deixarem o posto e desobedecer às minhas ordens. Não consigo pensar em nenhum, mas talvez vocês me surpreendam.

O oficial empalideceu ligeiramente por baixo da poeira.

— A dama, senhor... — começou ele.

— O quê? Que dama? — replicou Júlio, perdendo a paciência com a hesitação do sujeito. Então outra voz soou, fazendo-o levar um susto ao reconhecê-la.

— Eu disse aos seus homens que você não se oporia a que eles ajudassem uma velha amiga — disse Servília, descendo do assento de uma carroça e indo na direção dele.

Por um momento Júlio não pôde responder. Os cabelos escuros da mulher estavam revoltos ao redor da cabeça, e os olhos dele beberam a visão. Rodeada por homens, ela parecia revigorada e calma, perfeitamente cônscia da sensação que causava. Andava como um gato na caçada, usando um vestido de algodão marrom que deixava os braços e o pescoço descobertos. Não usava jóias além de uma corrente simples, de ouro, que terminava num pendente quase escondido entre os seios.

— Servília. Você não deveria ter presumido coisas a partir de uma amizade — disse Júlio, rigidamente.

Ela deu de ombros e sorriu, como se aquilo não fosse nada.

— Espero que não os castigue, general. O cais pode ser perigoso sem guardas e eu não tinha mais ninguém para me ajudar.

Júlio a encarou com frieza antes de voltar o olhar para o oficial. O homem havia acompanhado a troca de palavras com a expressão vítrea de alguém que esperasse más notícias.

— Minhas ordens foram claras? — perguntou Júlio.

— Sim, senhor.

— Então você e seus homens vão assumir os próximos dois turnos de vigia. Seu posto o torna mais responsável do que eles, não é?

— Sim, senhor — respondeu o soldado infeliz.

Júlio assentiu.

— Quando terminar o serviço, você se apresentará ao seu centurião para ser flagelado. Diga a ele que serão vinte chibatadas, por minhas ordens, e que seu nome deve ser posto nas listas, por desobediência. Agora *corram* de volta.

O oficial fez uma saudação elegante e girou nos calcanhares.

— Meia-volta! — gritou ele para a sua vintena. — Velocidade dupla, retornando ao cais.

Com Júlio ali, ninguém ousou reclamar, mas estariam exaustos antes da metade do caminho até o posto original e durante os próximos turnos despencariam de cansaço.

Júlio olhou-os até estarem longe da fileira de carroças, antes de se virar de novo para Servília. Ela ficou parada rigidamente, tentando esconder a surpresa e a culpa pelo que seu pedido havia provocado.

— Veio ver seu filho? — perguntou ele, franzindo a testa. — Brutus está treinando com a legião e deve retornar ao crepúsculo. — Em seguida olhou para a fileira de carroças e bois mugindo, claramente apanhado entre a irritação diante da chegada inesperada e as exigências da cortesia. Depois de um longo silêncio, cedeu.

— Pode esperar Brutus lá dentro. Mandarei alguém dar água aos seus animais e lhe trazer uma refeição.

— Obrigada pela gentileza. — Servília sorriu para encobrir a confusão. Não conseguia entender as diferenças no jovem general. Toda Roma sabia que ele tinha perdido a esposa, mas era como falar com outro homem, diferente do que ela conhecera. Havia círculos escuros em volta dos olhos, mas era mais do que simples cansaço. Quando o vira pela última vez, Júlio estava pronto para tomar armas contra Espártaco, e o fogo dentro dele mal era controlado. O coração de Servília sofreu pelo que o rapaz havia perdido.

Nesse momento Angelina saltou da carroça no fim da fila e balançou a mão, gritando algo a Servília. Ela e Júlio se enrijeceram quando a voz de menina ressoou.

— Quem é ela? — perguntou Júlio, com os olhos se estreitando diante da claridade.

— Uma companheira, general. Tenho três jovens damas comigo, para a viagem.

Algo no tom de voz fez com que Júlio a olhasse com suspeitas súbitas.

— Elas são...

— Companheiras, general, sim — respondeu Servília em tom afável. — Todas boas meninas. — Pelo preço certo podem ser soberbas, acrescentou em silêncio.

— Vou colocar um guarda à porta delas. Os homens não estão acostumados com... — ele hesitou. — Pode ser necessário manter uma guarda. À porta.

Para o prazer intenso de Servília, um lento rubor havia surgido nas bochechas de Júlio. Ainda existia vida nele, em algum lugar fundo, pensou. Suas narinas se alargaram ligeiramente com a empolgação de uma caçada. Enquanto Júlio marchava de volta pelo portão, ela o olhou e sorriu, apertando entre os dentes o cheio lábio inferior, achando divertido. Não estava velha demais, afinal de contas, disse a si mesma, alisando o cabelo emaranhado.

Brutus alongou os músculos das costas enquanto cavalgava os últimos quilômetros em direção à fortaleza. Sua centúria de *extraordinarii* estava em formação, atrás, e ele sentiu um toque de orgulho ao olhar para cada lado e ver a linha bem-arrumada de cavalos a meio galope. Domício estava posicionado à sua direita e Otaviano se mantinha na fila, um pouco atrás. Trovejavam juntos pela planície, levantando uma pluma de poeira que deixava o gosto de terra amarga na boca. O ar era quente ao redor e o humor era leve. Todos estavam cansados, mas era aquela letargia agradável do trabalho hábil, com comida e uma boa noite de sono logo adiante.

Quando a fortaleza surgiu, Brutus gritou para Domício acima do barulho dos cavalos:

— Vamos fazer um espetáculo para eles. Dividir e girar ao meu sinal.

Os guardas no portão estariam observando-os chegar, ele sabia. Ainda que os *extraordinarii* estivessem juntos há menos de dois anos, Júlio lhe dera o que ele queria, em termos de homens e cavalos, e Brutus quisera o melhor da Décima. Homem por homem, apostaria neles contra qualquer exército do mundo. Eram os rompedores de barreiras, os primeiros a entrar em situações impossíveis. Cada um fora escolhido por sua habilidade com o cavalo e a espada, e Brutus sentia orgulho de todos. Sabia que o resto da Décima os considerava mais espetáculo do que substância, mas afinal de contas a legião não vira uma batalha no tempo passado na Espanha. Quando os *extraordinarii* tivessem seu batismo de sangue e mostrassem o que podiam fazer, justificariam os gastos, tinha certeza. Só as armaduras custavam uma pequena fortuna: bronze atado e tiras de ferro que lhes permitiam maior movimento do que as placas pesadas dos legionários *triarii*. Os *extraordinarii* de Brutus haviam polido os metais até brilhar e, contra a pele brilhante das montarias, luziam ao sol poente.

Levantou a mão e fez gestos incisivos para cada lado. Instigou a montaria até o galope enquanto o grupo se dividia facilmente, como se uma linha invisível fosse desenhada no chão. Agora o vento soprava no rosto de Brutus e ele riu empolgado, sem ter de olhar para saber que a formação era perfeita. Gotas de cuspe branco voavam da boca do cavalo, e ele se inclinou para a frente sobre o arção da sela, prendendo-se com as pernas e sentindo que estava voando.

A fortaleza estava crescendo com rapidez espantosa e, apanhado no momento, Brutus quase deixou atrasar demais o sinal para refazer o quadrado partido. Os dois grupos se juntaram apenas instantes antes de mudar a pegada nas rédeas para parar, mas não houve erros. Como se fossem um homem só, desmontaram dando tapinhas no pescoço fumegante dos garanhões e capões que Júlio trouxera de Roma. Apenas montarias castradas iam nas batalhas contra cavalarias inimigas, já que os garanhões intactos podiam enlouquecer com o cheiro de uma égua no cio. Era um ato de equilíbrio entre pegar os melhores para os *extraordinarii* e manter a linhagem forte. Até mesmo os espanhóis assobiavam e gritavam ao ver aqueles cavalos, já que seu amor pela criação dos animais suplantava a reticência usual demonstrada para com os soldados romanos.

Brutus estava rindo de alguma coisa dita por Domício quando viu sua mãe. Seus olhos se arregalaram por um momento, antes de ele correr por baixo do arco do portão para abraçá-la.

— Suas cartas não mencionaram isso! — disse ele, levantando-a na ponta dos pés e beijando-a nas duas bochechas.

— Achei que você poderia ficar empolgado demais.

Os dois riram e Brutus a pôs de volta no chão.

Servília o afastou um pouco e sorriu ao vê-lo tão cheio de vida. Os anos na Espanha tinham sido bons para seu filho único. Ele tinha uma força vital que fazia os outros homens levantar a cabeça e ficar mais eretos em sua presença.

— Bonito como sempre, estou vendo — disse ela com orgulho. — Acho que você tem uma fila de garotas perseguindo-o.

— Não ouso sair sem uma guarda que me salve das pobres criaturas — respondeu ele.

Domício apareceu de súbito, entrando entre eles para forçar uma apresentação.

— Ah, sim, este é Domício, que limpa os cavalos. Já conheceu Otaviano? É parente de Júlio. — Rindo da expressão pasma de Domício, Brutus teve de sinalizar para que Otaviano se aproximasse.

Otaviano ficou atarantado e tentou uma saudação que terminou em mais confusão ainda, fazendo Brutus rir. Ele estava familiarizado demais com o efeito que sua mãe causava para se surpreender com isso, mas notou que estavam rapidamente se tornando o centro de um círculo de *extraordinarii* em admiração, que se empurravam para ver a recém-chegada.

Servília acenou para eles, adorando a atenção depois do mês monótono no oceano.

Os rapazes tinham uma vibração peculiar, intocados pelos temores da idade ou da morte. Estavam ao redor dela como deuses inocentes e a animavam com sua confiança.

— Já viu Júlio, mãe? Ele... — Brutus parou diante do silêncio súbito que caiu sobre a guarda. Três garotas saíram de uma arcada e a multidão de soldados se dividiu diante delas. Eram todas lindas, de modos diferentes. A mais jovem era loura e magra, as bochechas iluminadas com a cor que subia enquanto andava na direção de Servília. De cada lado estavam outras duas, com feições que fariam homens adultos chorar na taça de vinho.

O feitiço da entrada foi quebrado quando alguém soltou um assovio baixo e a turba retornou à vida.

Servília levantou uma sobrancelha para Angelina quando se encontraram. A garota sabia exatamente o que estava fazendo. Servília tinha visto isso nela desde o início. Era o tipo de mulher que fazia os homens lutarem para protegê-la, e sua presença numa casa onde havia bebida geralmente bastava para provocar tumulto antes do fim da noite. Servília a encontrara servindo vinho e dando de graça aquilo pelo qual os homens pagavam bem. Não fora necessária muita persuasão, considerando as quantias envolvidas. Servília ficava com dois quintos de tudo que Angelina ganhasse na casa em Roma, e mesmo assim a jovem loura estava se tornando uma mulher rica. Se continuasse assim, poderia abrir seu próprio estabelecimento dentro de alguns anos e procuraria Servília para o empréstimo.

— Estávamos preocupadas com a senhora — mentiu Angelina, toda animada.

Brutus a encarou com interesse explícito e ela devolveu o olhar sem embaraço. Sob o exame da garota, ele mal podia confirmar a suspeita que lhe viera à mente. Mesmo tendo dito a si mesmo que estava conformado com a profissão de Servília, a idéia de seus homens saberem mostrava que não se sentia tão seguro quanto imaginava.

— Vai nos apresentar, mamãe? — perguntou.

Angelina arregalou os olhos por uma fração de segundo.

— Este é o seu filho? É exatamente como a senhora disse. Que maravilhoso!

Servília jamais tinha falado de Brutus com Angelina, mas foi apanhada entre a exasperação diante da transparência da garota e uma parte sua mais astuta, que podia farejar dinheiro a ser ganho. A multidão ao redor havia crescido. Aqueles não eram homens acostumados às atenções de mulheres jovens. Começou a suspeitar que, somente com os negócios na legião, Valência seria muito lucrativa.

— Esta é Angelina — falou.

Brutus fez uma reverência e os olhos de Angelina brilharam diante de sua cortesia.

— Junte-se a nós à mesa do general esta noite. Vou revirar o porão atrás de vinho e vamos lavar o pó da estrada em você. — Ele sustentou o olhar de Angelina enquanto falava e conseguiu fazer com que a proposta soasse notavelmente sexual. Servília pigarreou para interrompê-los.

— Vamos entrar, Brutus.

Os *extraordinarii* se separaram de novo para deixar que passassem. A refeição quente que os esperava nos alojamentos não foi nem de longe tão tentadora quanto parecera na cavalgada de volta, sem a companhia das mulheres como tempero extra. Ficaram no pátio, como se estivessem abandonados, até que o pequeno grupo desapareceu dentro da construção. Então o feitiço se quebrou e eles se separaram para cuidar dos cavalos, subitamente rápidos nos movimentos como se não tivessem sido interrompidos.

Apesar dos protestos de Angelina, Servília deixou suas três acompanhantes nos aposentos que haviam recebido. Alguém precisava desfazer os baús e naquela primeira noite Servília queria toda a atenção do filho. Afinal, não as havia trazido a Valência para que Brutus escolhesse uma esposa.

Júlio não desceu com os outros e mandou um curto pedido de desculpas através de seu guarda pessoal quando Brutus perguntou se ele iria se juntar ao grupo. Servília viu que a recusa não surpreendeu nenhum dos homens à mesa e se perguntou de novo sobre as mudanças que a Espanha havia provocado neles.

Em homenagem a Servília, a refeição era uma mistura de pratos locais apresentados numa quantidade de tigelas pequenas. Os temperos e as pimentas fizeram Otaviano tossir até que alguém teve de bater nas suas costas e lhe dar vinho para limpar a garganta. Ele ficara pasmo com Servília desde o primeiro instante no pátio e Brutus o provocava sutilmente, enquanto Servília fingia não notar o desconforto do rapaz.

A sala estava iluminada por lâmpadas quentes e tremulantes, e o vinho era tão bom quanto Brutus havia prometido. Era uma refeição agradável, e Servília descobriu que estava gostando das brincadeiras entre os homens

Domício se deixou ser convencido a contar uma de suas histórias, se bem que o desfecho foi ligeiramente estragado quando Cabera gritou antes da hora, com entusiasmo, e depois bateu na mesa, divertindo-se.

— Esta história já era velha quando eu era garoto — riu o velho, estendendo a mão para pegar um pedaço de peixe numa tigela perto de Otaviano. O rapaz ia pegar o mesmo pedaço. Cabera bateu nos dedos dele para fazê-lo largar e segurou a carne enquanto caía. Otaviano fez uma careta, claramente contendo uma resposta quando se lembrou da presença de Servília à mesa.

— Como veio parar na Décima, Domício? — perguntou Servília.

— Brutus arranjou isso quando estávamos no sul lutando contra Espártaco. Eu deixei que ele ganhasse umas duas lutas, por gentileza, mas no todo ele viu que poderia se beneficiar com meu treinamento.

— Mentira! — disse Brutus, rindo. — Eu lhe perguntei de passagem se ele estaria disposto a se transferir para a nova legião e ele praticamente arrancou meu braço com uma mordida, de puro entusiasmo. Júlio teve de pagar uma fortuna em compensação ao legado. Ainda estamos esperando para ver se valeu a pena.

Domício aguardou com paciência até Brutus estar tomando seu vinho.

— Sou o melhor de minha geração, veja bem — disse a Servília, e olhou divertido Brutus lutando para não se engasgar e ficando vermelho.

O som de passos fez todos olharem para cima e os homens se levantaram juntos para receber Júlio. Ele ocupou seu lugar à cabeceira da mesa e sinalizou para se sentarem. Serviçais trouxeram novos pratos e Brutus encheu uma taça de vinho, sorrindo ao ver Júlio levantar a sobrancelha diante da qualidade.

A conversa recomeçou. Servília atraiu o olhar de Júlio e inclinou a cabeça ligeiramente. Ele copiou o gesto, aceitando-a à mesa, e ela se pegou soltando uma respiração que não percebera que estava segurando.

Havia no rapaz uma autoridade que ela não conseguia se lembrar de ter visto antes. Júlio não se juntava aos risos, meramente sorrindo diante das gargalhadas mais ultrajantes. Castigava o vinho, notou Servília, bebendo-o como se fosse água e sem qualquer efeito óbvio, ainda que tivesse surgido em seu pescoço um pequeno rubor que poderia ser devido ao calor da noite.

A animação à mesa foi restaurada rapidamente. A camaradagem entre os homens era contagiosa e depois de um tempo Servília se envolveu nas histórias e no humor com os outros. Cabera flertava ultrajantemente com ela, piscando em momentos inoportunos e fazendo-a fungar, divertida. Uma vez, ao rir, ela atraiu de novo o olhar de Júlio e o momento pareceu se imobilizar, sugerindo uma realidade mais profunda atrás da fachada alegre da refeição.

Júlio a observava, constantemente surpreso com o efeito que aquela mulher havia provocado na reunião que costumava ser sombria. Ela ria sem afetação e nesses momentos ele se perguntava como algum dia pudera tê-la achado menos do que linda. Sua pele era morena e com sardas do sol; o nariz e o queixo um pouco fortes demais, no entanto Servília tinha alguma coisa que a destacava. A parte calculista dele viu como ela transferia a atenção para quem quer que falasse, lisonjeando-os simplesmente pelo interesse demonstrado. Era uma mulher que gostava de homens e eles sentiam isso, mas era tão diferente de Cornélia que não lhe ocorria qualquer comparação para perturbar seus pensamentos.

Júlio não tivera companhia feminina há muito tempo e, mesmo assim, apenas quando Brutus conseguia enfiar bebida suficiente em sua garganta a ponto de ele não se incomodar mais. Olhar para Servília o lembrou do mundo distante das reuniões ruidosas com seus soldados. Sentia-se desequilibrado com ela, desacostumado. Pensou que deveria tomar o cuidado de manter distância. Uma mulher com a experiência dela poderia muito bem comê-lo vivo.

Balançou a cabeça para desanuviá-la, irritado com a própria fraqueza. Era a primeira mulher a sentar-se à mesa deles em meses, e Júlio estava reagindo com pouco mais de sofisticação do que Otaviano, mas esperava que seus pensamentos não estivessem tão óbvios. Se estivessem, jamais ouviria o fim das chacotas de Brutus. Imaginou com um tremor as provocações divertidas e afastou a taça de vinho com firmeza. Apesar de qualquer coisa, ela teria pouca probabilidade de demonstrar interesse por um amigo do filho. Era ridículo ao menos pensar na idéia.

Otaviano interrompeu as meditações de Júlio enquanto estendia a mão sobre a mesa para oferecer a Servília o último bocado de um prato de ervas. O jovem romano tinha crescido em força e habilidades sob a tutela de Brutus e Domício. Júlio se perguntou se Otaviano teria muito a temer dos aprendizes na cidade, como antigamente. Duvidava. O rapaz parecia prosperar na companhia dos soldados rudes da Décima, e até mesmo copiava o caminhar de Brutus, para diversão do amigo. Parecia jovem demais, e era estranho pensar que Júlio havia se casado quando era apenas um ano mais velho.

— Aprendi uma nova finta esta manhã, senhor — disse Otaviano com orgulho.

Júlio sorriu para ele.

— Terá de me mostrar — falou desalinhando o cabelo do garoto.

Otaviano riu de orelha a orelha em resposta à pequena demonstração de afeto.

— Então vai treinar conosco amanhã? — perguntou preparando-se para o desapontamento.

Júlio balançou a cabeça.

— Vou com Rênio passar alguns dias nas minas de ouro, mas talvez treinemos juntos quando eu voltar.

Otaviano tentou parecer satisfeito, mas todos podiam ver que tinha recebido isso como uma recusa direta. Júlio quase mudou de idéia, mas os humores sombrios que o assolavam voltaram aos pensamentos. Nenhum deles entendia seu trabalho. Tinham o espírito leve dos meninos, e essa despreocupação não era mais um luxo que ele pudesse desfrutar. Esquecendo-se da decisão anterior, estendeu a mão para a taça e a esvaziou.

Brutus viu a depressão se acomodar no amigo e lutou para encontrar alguma coisa que o desviasse daquilo.

— O ferreiro espanhol começará a trabalhar com os homens de nossa legião amanhã. Você não pode adiar a viagem até ver pelo que pagou?

Júlio o encarou, deixando todos desconfortáveis.

— Não, os preparativos estão feitos — falou enchendo de novo a taça e xingando baixo quando derramou um pouco do vinho na mesa. Franziu a testa olhando para as mãos. Haveria um tremor ali? Não dava para dizer. Enquanto a conversa entrecortada recomeçava, observou os outros, procurando algum sinal de terem visto sua fraqueza. Apenas Cabera o encarou e o rosto do velho estava totalmente gentil. Júlio tomou todo o vinho, subitamente com raiva de todos.

Servília mergulhou os dedos na tigela d'água e limpou a boca delicadamente com eles, um gesto que prendeu a atenção de Júlio, mas ela pareceu não notar.

— Gostei tremendamente do jantar, mas a viagem foi cansativa — disse ela sorrindo para todos. — Vou acordar cedo para assistir ao treinamento, Otaviano, se você não se incomodar.

— Claro, venha ver — disse Brutus, satisfeito. — Vou deixar uma carruagem pronta para você no estábulo. Este é um posto luxuoso, comparado a outros. Você vai adorar isto aqui.

— Arranje um bom cavalo e eu não precisarei de carruagem — respondeu Servília, notando o brilho nos olhos de Júlio enquanto ele digeria a informação. Os homens eram criaturas estranhas, mas ela ainda não encontrara um que não gostasse da idéia de uma bela mulher montada a cavalo. — Espero que minhas garotas não distraiam vocês. Vou procurar um lugar na cidade amanhã. Boa noite, senhores. General.

Eles se levantaram também, e de novo ela experimentou aquele estranho frisson quando o olhar de Júlio encontrou o seu.

Júlio se levantou logo depois de ela ter saído, cambaleando ligeiramente.

— Deixei minhas ordens em seus aposentos, Brutus, para o tempo em que eu estiver fora. Certifique-se de que haja uma guarda com aquelas garotas, enquanto elas estiverem sob nossos cuidados. Boa noite. — E saiu sem dizer mais nenhuma palavra, andando com a rigidez exagerada de alguém que tenta esconder os efeitos de vinho demasiado no sangue. Por um momento houve um silêncio dolorido.

— É bom ter uma cara nova aqui — disse Brutus, evitando cuidadosamente assuntos mais difíceis. — Ela vai animar este lugar um pouco. Ultimamente anda quieto demais.

Cabera assoviou baixinho.

— Uma mulher assim... todos os homens viram idiotas perto dela — falou baixo, e seu tom de voz fez Brutus o encarar, perplexo. A expressão do velho era ininteligível enquanto ele balançava um pouco a cabeça e pegava mais vinho.

— Ela é muito... graciosa — concordou Domício, procurando a última palavra.

Brutus fungou.

— O que vocês esperavam, depois de terem me visto com uma espada? Eu não teria saído de uma égua de carroça, não é?

— Sempre achei que havia um jeito feminino em sua postura, sim —

respondeu Domício, coçando a testa, pensativo. — É, agora entendo. Mas fica melhor nela.

— Em mim é uma graça masculina, Domício, *masculina*. Ficarei bem feliz em demonstrar de novo amanhã. — O velho sorriso havia retornado ao rosto de Brutus enquanto ele estreitava os olhos fingindo ofensa.

— Eu tenho uma graça masculina, Domício? — perguntou Otaviano. Domício assentiu lentamente, com os modos tranqüilos.

— Tem, claro, garoto. É só Brutus que luta como uma mulher.

Brutus explodiu numa gargalhada e jogou um prato contra Domício, que se desviou facilmente. Ele se despedaçou no chão de pedras e todos se imobilizaram comicamente antes que a tensão se dissolvesse de novo em humor.

— Por que sua mãe quer uma casa na cidade? — perguntou Otaviano.

Brutus o encarou incisivamente, lamentando de súbito ter de estragar a inocência dele.

— Para negócios, garoto. Acho que as garotas da minha mãe vão divertir a legião dentro de pouco tempo.

Otaviano olhou em volta, confuso por um momento, depois seu rosto se iluminou. Todos estavam observando-o atentamente.

— Elas vão cobrar o preço integral para alguém da minha idade, você acha? — perguntou o garoto.

Brutus jogou outro prato na direção dele, acertando Cabera.

Deitado no catre estreito em seus aposentos em cima, Júlio pôde ouvir os risos e fechou os olhos com força no escuro.

CAPÍTVLO III

Servília já amava a cidadezinha de Valência. As ruas eram limpas e cheias de pessoas. Havia um ar de afluência no local, que fazia as palmas de suas mãos coçarem. No entanto, apesar dos sinais de riqueza, existia uma sensação de frescor que sua cidade antiga perdera há séculos. Este era um lugar mais inocente. Até mesmo encontrar a casa certa fora mais fácil do que ela havia esperado. Não havia autoridades precisando de um pagamento particular antes que os documentos fossem assinados; era simplesmente uma questão de achar o local certo e pagar em ouro ao proprietário atual. Era revigorante, depois da burocracia de Roma, e os soldados que Brutus havia mandado acompanhá-la puderam lhe mostrar três locais possíveis assim que ela perguntou. Os dois primeiros eram perto do mar e tinham probabilidade de atrair mais trabalhadores das docas do que ela queria. O terceiro era perfeito.

Numa rua calma perto do mercado e longe do mar, era uma construção espaçosa com uma impressionante fachada de calcário branco e madeira-de-lei. Servília era há muito familiarizada com a necessidade de apresentar ao mundo uma face agradável. Sem dúvida havia casinhas sujas escondidas nas cidades, onde viúvas e prostitutas ganhavam um dinheirinho extra deitadas de costas, mas o tipo de lugar que ela desejava atrairia dignitários e oficiais da legião, e portanto seria mais caro.

Com tantas casas novas sendo construídas pela Décima, Servilia sentira que o proprietário poderia ser pressionado, e o preço final foi uma pechincha, mesmo com os móveis que seriam postos. Parte deles teria de ser mandada de Roma, mas uma rápida inspeção nas costureiras locais resultou em vários pagamentos e acordos menores.

De posse da casa, pagou a um mercador para levar uma lista de seus pedidos de volta a Roma. Seriam necessárias pelo menos mais quatro mulheres, e Servília tomou muito cuidado em escolher suas características. Era importante estabelecer uma reputação de qualidade.

Depois de três dias havia pouca coisa a fazer além de dar um nome à casa, mas isso foi mais difícil do que ela esperava. Ainda que não houvesse prescrições claras na lei, Servília sabia instintivamente que deveria ser algo discreto e ao mesmo tempo sugestivo. Chamá-la de "Casa dos Aríetes" ou algo do tipo não seria nem um pouco bom.

No fim Angelina a surpreendeu com uma sugestão. "A Mão Dourada" era suficientemente erótico sem ser grosseiro, e Servília se perguntou se a cor clara de Angelina provocara a idéia. Quando ela concordou, Angelina deu um pulo e a beijou nas duas bochechas. A garota podia ser adorável quando lhe faziam a vontade, disso não havia dúvida.

Na terceira manhã depois de entrar na cidade, Servília observou uma placa delicadamente desenhada ser pendurada em ganchos de ferro, e sorriu quando alguns dos homens da Décima aplaudiram. Eles espalhariam a notícia de que a casa estava aberta para negócios, e ela esperava que a primeira noite fosse movimentada. Depois disso o futuro estava garantido, e esperava ter condições de passar o controle a outra pessoa dentro de alguns meses. Era tentador pensar num estabelecimento semelhante em cada cidade da Espanha. As melhores garotas e um gosto de Roma. O mercado estava ali e o dinheiro jorraria em seus cofres.

Virou-se para os guardas do filho e sorriu.

— Espero que vocês consigam passes para esta noite — falou animada.

Eles se entreolharam, sabendo que o turno de trabalho nas docas havia se transformado numa moeda valiosa.

— Talvez seu filho pudesse interceder por nós, senhora — respondeu o oficial.

Servília franziu a testa. Apesar de não terem discutido isso abertamente, ela suspeitava de que Brutus se sentia um tanto desconfortável com seus negócios. Por sinal, perguntava-se se Júlio fora informado sobre a nova casa e imaginava o que ele acharia da idéia. Talvez não tivesse ouvido falar de seus planos enquanto estava longe em suas minas do sul, mas ela não via como o general poderia ser contra.

Passou a mão preguiçosamente pela garganta enquanto pensava nele. Hoje era o dia em que ele voltaria. Provavelmente estava comendo no alojamento agora mesmo, e se ela partisse sem demora poderia estar de volta à fortaleza antes que o dia se exaurisse.

— Realmente vou precisar de guardas permanentes para a casa — falou enquanto o pensamento lhe ocorria. — Se você quiser, peço ao general que o ponha aqui. Afinal de contas, sou cidadã romana.

Os guardas se entreolharam conjecturando loucamente. Por mais que a sugestão parecesse maravilhosa, a idéia de César ouvir seus nomes para guardar um bordel bastava para esfriar o ardor de qualquer homem. Com relutância balançaram a cabeça.

— Acho que ele preferiria homens locais como guardas daqui — disse o oficial por fim.

Servília pegou as rédeas de seu cavalo com um dos homens da Décima e saltou na sela. As calças que usava estavam um tanto frouxas, mas uma saia ou *stola* não seria adequada.

— Montem, rapazes. Vou perguntar a ele e veremos — falou girando o cavalo e instigando-o a galopar. Os cascos faziam barulho na rua e as mulheres locais levantaram as sobrancelhas diante daquela estranha dama romana que cavalgava como um soldado.

Júlio estava cumprimentando um espanhol idoso quando Servília chegou cavalgando diante da fortaleza. Durante o dia os portões eram mantidos abertos e os guardas passaram por eles direto até o pátio, com um simples cumprimento de cabeça. A escolta que a acompanhara da cidade levou as montarias para comer e beber água, deixando-a sozinha. Ser mãe de Brutus estava se mostrando tremendamente útil, percebeu.

— Gostaria de trocar uma palavra com o senhor, general, se for possível — gritou ela, puxando o cavalo até os dois homens.

Júlio franziu a testa numa raiva mal disfarçada.

— Este é o prefeito Del Subió, Servília. Sinto muito mas não tenho tempo para recebê-la esta tarde. Talvez amanhã.

Ele se virou para guiar o homem mais velho entrando no prédio principal, e Servília falou rapidamente, cumprimentando o prefeito com um sorriso rígido:

— Pensei em cavalgar até as cidadezinhas locais. O senhor poderia me recomendar uma rota?

Júlio se virou para o prefeito.

— Por favor, com licença um momento — disse ele.

Del Subió fez uma reverência olhando para Servília por baixo das sobrancelhas grossas. Se ele fosse o general romano não deixaria aquela beldade fazendo beicinho sozinha. Mesmo em sua idade Del Subió sabia apreciar uma bela mulher, e imaginou qual seria o motivo para a irritação de Júlio.

Júlio andou até Servília.

— Estas colinas não são completamente seguras. Há bandidos e viajantes que nem pensariam duas vezes antes de atacá-la. Se tiver sorte, eles apenas roubarão o cavalo e a deixarão caminhar de volta.

Com o aviso dado, tentou voltar ao prefeito.

— Então talvez você queira se juntar a mim, para me proteger — disse ela em voz suave.

Júlio se imobilizou encarando-a. Seu coração martelou no peito antes que ele pudesse recuperar o controle. Não era fácil recusá-la, mas esta tarde estava cheia de trabalho. Seus olhos reviraram o pátio e viram Otaviano saindo do estábulo. Deu um assobio forte para atrair a atenção do garoto.

— Otaviano. Sele um cavalo. Você tem um serviço de escolta.

Otaviano fez uma saudação e desapareceu na escuridão do estábulo.

Júlio olhou inexpressivo para Servília, como se a conversa estivesse terminada.

— Obrigada — disse ela, mas ele não respondeu enquanto levava Del Subió para dentro.

Quando Otaviano reapareceu já havia montado e teve de se abaixar sobre a sela para não esbarrar no arco do estábulo. Seu riso sumiu diante da

O Imperador — Campo de Espadas

expressão de Servília enquanto ela segurava no arção e passava uma perna sobre a sela. O garoto nunca a vira com raiva e, no mínimo, a fúria em seus olhos a tornava mais linda. Sem lhe dirigir uma palavra ela passou pelo portão a galope, obrigando os guardas a se desviarem para não ser derrubados. Arregalado de surpresa, Otaviano foi atrás.

Servília cavalgou em alta velocidade por um quilômetro e meio antes de puxar as rédeas e estabelecer um ritmo mais tranqüilo. Otaviano se aproximou para cavalgar ao lado, demonstrando inconscientemente a habilidade pelo modo como acompanhava com exatidão o passo dela. Notou com o olhar hábil dos *extraordinarii* que ela manobrava bem o cavalo. Pequenos movimentos de rédea guiavam o animal ofegante para a direita e a esquerda rodeando obstáculos, e uma vez ela instigou a montaria a pular uma árvore caída, levantando-se na sela e pousando sem sequer um tremor.

Otaviano ficou em transe e disse a si mesmo que não falaria até achar alguma coisa suficientemente madura e interessante a dizer. A inspiração não veio, mas ela parecia disposta a deixar que o silêncio continuasse, esgotando no cansaço da corrida a raiva contra o desprezo de Júlio. Por fim puxou as rédeas ofegando ligeiramente. Deixou Otaviano se aproximar e sorriu.

— Brutus disse que você é parente de César. Fale sobre ele.

Otaviano sorriu de volta, completamente incapaz de resistir ao charme ou de questionar os motivos.

Júlio havia dispensado o último suplicante há uma hora e estava parado sozinho junto à janela que dava para os morros. Tinha assinado ordens para recrutar mais mil trabalhadores para as minas e dado compensação a três homens cujas terras tinham sido ocupadas pelas novas construções na costa. Quantas outras reuniões haviam acontecido? Dez? Sua mão doía das cartas que escrevera e ele a massageou levemente com a outra, enquanto esperava. Seu último escriba tinha se aposentado há um mês, e ele sentia tremendamente a perda. A armadura estava pendurada no cabide de madeira perto da mesa e o ar da noite era um alívio na túnica encharcada de suor. Bocejou e coçou o rosto com força. Já ia escurecendo, mas Otaviano e Servília ainda estavam por aí, em algum lugar. Imaginou se ela seria capaz de manter o garoto até tarde só para preocupá-lo, ou se algo teria acontecido. Talvez um dos cavalos tivesse machucado a pata e precisasse ser puxado de volta à fortaleza.

Fungou baixinho. Seria uma lição merecida, se fosse o caso. Afora as estradas, a terra era áspera e selvagem. Um cavalo podia facilmente quebrar a perna, especialmente na escuridão do fim de tarde, quando buracos e tocas de animais ficavam escondidos nas sombras.

Era ridículo se preocupar. Por duas vezes perdeu a paciência e se afastou da janela, mas enquanto pensava nas tarefas do dia seguinte pegou-se voltando para a vista das colinas, procurando-os. Longe da brisa a sala podia ser muito quente, disse a si mesmo, cansado demais até para acreditar em suas próprias mentiras.

Quando o sol era pouco mais do que uma linha vermelha contra as montanhas ele ouviu o barulho de cascos no pátio e se afastou rapidamente da janela para não ser visto. Quem *era* aquela mulher para lhe causar tanto desconforto? Imaginou quanto tempo demoraria para os dois escovarem os cavalos e darem água a eles antes de entrar. Será que iriam se juntar de novo aos oficiais para uma refeição? Estava com fome mas não queria fazer sala para uma hóspede. Mandaria que lhe trouxessem a comida e...

Uma batida baixa na porta interrompeu seus pensamentos, dando-lhe um susto. De algum modo soube que era ela no mesmo instante em que pigarreou para gritar:

— Entre.

Servília abriu a porta e entrou. Seu cabelo estava revolto por causa da cavalgada e uma mancha de sujeira marcava o rosto no local onde ela o havia tocado. Cheirava a palha e cavalo. Ele percebeu os próprios sentidos se estimulando ao vê-la. Dava para notar que ela ainda estava com raiva, e Júlio juntou a coragem para resistir ao que quer que Servília tivesse vindo exigir. Na verdade era demais ela entrar sem ao menos se anunciar. O que o guarda estava fazendo lá embaixo? Estaria dormindo? Iria ouvir poucas e boas quando ela tivesse ido embora, prometeu Júlio.

Sem falar, Servília atravessou o piso de madeira até ele. Antes que Júlio pudesse reagir ela apertou a palma da mão em seu peito, sentindo o coração bater por baixo do tecido.

— Então ainda está quente. Eu tinha começado a me perguntar — disse ela em voz baixa. Seu tom tinha uma intimidade que o perturbava, e de al-

---

O IMPERADOR — CAMPO DE ESPADAS

gum modo Júlio não conseguia juntar a raiva que havia esperado. Podia sentir o ponto em que a mão havia encostado, como se tivesse deixado um sinal visível do toque. Ela o encarou, bem de perto, e ele ficou subitamente cônscio da escuridão no quarto.

— Brutus vai ficar se perguntando onde você está — disse ele.

— É, ele me protege bastante. — Servília se virou para sair e Júlio quase estendeu a mão, observando confuso enquanto ela atravessava o quarto.

— Eu não... pensaria que você precisa de muita proteção — murmurou ele. Não pretendera de fato que ela ouvisse, mas viu-a sorrir antes que a porta se fechasse e ele estivesse sozinho, com os pensamentos girando caóticos. Soltou o ar lentamente, balançando a cabeça perplexo com as próprias reações. Sentia como se estivesse sendo caçado, mas não era desagradável. O cansaço parecia ter desaparecido e ele pensou que talvez pudesse se juntar aos outros para o jantar, afinal.

A porta se abriu de novo e ele ergueu os olhos vendo-a, ainda ali.

— Quer cavalgar comigo amanhã? — perguntou ela. — Otaviano disse que você conhece a região melhor do que ninguém.

Ele assentiu devagar, incapaz de se lembrar de que reuniões tinha planejado e não se importando particularmente. Quanto tempo fazia desde que havia tirado um dia de folga?

— Certo, Servília. Amanhã de manhã.

Ela riu sem responder, saiu e fechou a porta sem fazer barulho. Ele esperou um momento até ouvir seu passo leve descendo e relaxou. Estava surpreso ao ver como se sentia ansioso pelo dia seguinte.

À medida que a luz diminuía a fornalha transformava a oficina num local de fogo e sombras. A única luz vinha da forja, e o brilho iluminava os ferreiros romanos que esperavam com impaciência aprender o mistério do ferro duro. Júlio havia pagado uma fortuna em ouro para que um mestre espanhol lhes ensinasse, mas não era uma coisa a ser passada adiante num momento, ou mesmo num único dia. Para a exasperação deles, Cavallo tinha-os levado por todo o processo, passo a passo. A princípio haviam resistido a ser tratados como aprendizes, mas então os mais experientes viram que o espanhol era exato em cada parte de seu conhecimento e começaram a prestar atenção. Tinham cortado madeira de cipreste e amieiro, seguindo as ordens dele, e empilhado as toras embaixo de argila num buraco do tamanho de uma casa durante os quatro primeiros dias. Enquanto a madeira queimava ele lhes mostrou sua fornalha de minério e ensinou a lavar as pedras ásperas antes de lacrá-las com o carvão, para queimar limpas.

Eram todos homens que adoravam o que faziam, e no fim do quinto dia estavam cheios de antecipação empolgada enquanto Cavallo trazia um pedaço de lingote de ferro para a fornalha e derramava o metal derretido em suportes de argila, finalmente colocando as pesadas barras do metal numa bancada para eles examinarem.

— O amieiro queima mais frio do que a maioria das madeiras e torna as mudanças mais lentas. Isso faz um metal mais duro, já que uma parcela maior dele absorve o carvão, mas isso é apenas uma parte — disse ele, enfiando uma das barras no calor amarelo luminoso de sua forja. Praticamente não havia espaço para esquentar duas peças ao mesmo tempo, de modo que os ferreiros se amontoaram em volta da segunda, copiando cada movimento e instrução dada. A oficina apinhada não podia abrigar todos, por isso eles se revezavam entrando e saindo para o ar fresco da noite. Só Rênio ficou o tempo todo, como observador, e produzia suor suficiente para ficar cego, anotando silenciosamente cada estágio do processo.

Também estava fascinado. Apesar de ter usado espadas em toda a vida adulta, jamais as vira ser feitas, e isso o fazia apreciar as habilidades dos homens rudes que trabalhavam a terra para transformá-la em lâminas brilhantes.

Cavallo usou um martelo para bater na barra dando-lhe a forma de uma espada, aquecendo-a repetidamente até que a peça parecesse um gládio preto, com uma crosta de impurezas. Parte da habilidade era avaliar a temperatura segundo a cor, quando o ferro saía da forja. A cada vez que a espada ficava na temperatura correta Cavallo a levantava para que os outros vissem o tom de amarelo antes de desbotar. Em seguida batia o metal macio até seu suor pingar sobre ele, chiando, caindo em gotas gordas que desapareciam ao contato.

A barra dos romanos se igualava à sua em todos os pontos, e quando a luz se ergueu ele assentiu para os outros, satisfeito. Seus filhos tinham acendido uma panela rasa cheia de carvão, comprida como um homem, e antes que a tampa de metal fosse retirada ela brilhava tanto quanto a forja. Enquanto a espada se aquecia de novo, Cavallo sinalizou para uma fileira de aventais de couro pendurados em ganchos. Eram coisas incômodas de usar, grossas e rígidas de velhice. Cobriam o corpo inteiro do pescoço aos pés, deixando apenas os braços nus. Sorriu enquanto os romanos os vestiam, agora acostumado a seguirem suas instruções sem questionar.

— Vocês vão precisar da proteção — disse enquanto os outros lutavam para se mover sob a incômoda veste de couro. Ao seu sinal os filhos usaram tenazes para levantar a tampa da panela de carvão e Cavallo puxou a lâmina amarela da fornalha, com um floreio. Os ferreiros romanos chegaram mais perto, sabendo que estavam vendo um estágio do processo que não reconheciam. Rênio teve de recuar diante de uma súbita onda de calor e se esticar para ver o que estava acontecendo.

No calor incandescente do carvão Cavallo martelou a lâmina de novo, lançando fagulhas e pedaços de fogo para o ar. Um pousou em seu cabelo e ele bateu na chama automaticamente, apagando-a. Batia repetidamente na lâmina, com o martelo trabalhando para cima e para baixo sem a força dos primeiros golpes. O som era quase suave, mas todos podiam ver o carvão se grudando ao metal em crostas escuras.

— Aqui é preciso ser rápido. Não deve esfriar muito antes de ir para a água. Olhem a cor... agora!

A voz de Cavallo tinha ficado mais suave, os olhos cheios de amor pelo metal. À medida que o vermelho escurecia ele ergueu sua tenaz e enfiou a espada num balde d'água, soltando um jorro de vapor que encheu a pequena oficina.

— E de volta ao calor. O estágio mais importante. Se avaliarem errado a cor agora, a espada ficará quebradiça e inútil. Precisam aprender qual é o tom certo, caso contrário tudo que ensinei terá sido desperdiçado. Para mim é a cor de sangue velho de um dia, mas vocês devem achar sua própria memória e fixá-la na mente.

A segunda espada estava pronta, e ele repetiu as batidas no leito de carvão, de novo lançando brasas no ar. Nesse ponto estava suficientemente claro o motivo para usarem as vestes de couro. Um romano grunhiu de dor quando uma lasca incandescente caiu em seu braço antes que ele pudesse afastá-la.

As espadas foram reaquecidas e enfiadas no carvão mais quatro vezes antes que Cavallo finalmente assentisse. Todos estavam suando e praticamente cegos pela névoa úmida na oficina. Só as lâminas cortavam o vapor, com o ar se queimando em trilhas límpidas.

O alvorecer iluminava as montanhas lá fora, mas eles não podiam ver a luz. Todos tinham ficado olhando a fornalha por tanto tempo que, para onde quer que espiassem, havia escuridão.

Os filhos de Cavallo cobriram a bandeja e a puxaram de volta para a parede. Enquanto os romanos respiravam fundo e enxugavam o suor dos olhos, o armeiro fechou a forja e tirou os foles dos buracos de ar, pendurando-os com cuidado em ganchos, prontos para ser usados de novo. O calor ainda era opressivo, mas havia uma sensação de que tudo aquilo estava acabando quando ele os encarou, segurando uma lâmina preta em cada mão, os dedos envolvendo uma haste estreita que seria encaixada no punho, antes do uso.

As lâminas eram foscas e de aparência áspera. Apesar de ter martelado cada uma com a orientação apenas dos olhos, elas eram idênticas em tamanho e largura, e quando ficaram suficientemente frias para ser passadas ao redor os ferreiros romanos sentiram o mesmo equilíbrio em cada uma. Assentiram diante da habilidade, não mais se ressentindo com o tempo que tinham passado longe de suas próprias forjas. Cada um percebia que tinham recebido algo valioso, e sorriam como crianças enquanto sopesavam as lâminas nuas.

Rênio se revezou com eles, mas não tinha experiência para avaliar o peso sem um punho. As lâminas tinham sido tiradas da terra da Espanha, e ele passou um dedo pelo metal áspero, esperando ser capaz de fazer com que Júlio entendesse a glória daquele momento.

— O leito de carvão dá a pele dura sobre um núcleo mais macio. Estas lâminas não vão se partir na batalha, a não ser que vocês deixem impurezas dentro, ou que ponham na água quando estiverem com a cor errada. Deixe-me mostrar — disse Cavallo, com a voz rígida de orgulho. Ele pegou as lâminas com os ferreiros romanos e sinalizou para recuarem. Então bateu com cada uma delas, com força, na beira da forja, provocando um som profundo como um sino ao alvorecer. As espadas permaneceram inteiras, e ele soltou o ar lentamente, satisfeito. — Estas aqui matarão homens. Tornarão a morte uma arte. — Ele falava com reverência e os outros entendiam. — O novo dia começa, senhores. Seu carvão estará pronto ao meio-dia, e voltem às suas forjas para fazer exemplos das novas espadas. Vou querer vê-las, de todos vocês, digamos... em três dias. Deixem-nas sem punhos, e eu farei os punhos com vocês. Agora vou dormir.

Os experientes ferreiros romanos murmuraram agradecimentos e saíram da oficina, olhando para trás, com expressão de desejo, para as lâminas que tinham feito naquela noite.

CAPÍTVLO IV

POMPEU E CRASSO SE LEVANTARAM DE SEUS ASSENTOS À SOMBRA PARA cumprimentar a multidão. Os freqüentadores do Circo Máximo aplaudiram seus cônsules numa onda de som e empolgação que ecoou pela platéia apinhada. Pompeu levantou a mão para eles e Crasso deu um leve sorriso, desfrutando da atenção. Ele merecia, pensou, depois de todo o ouro que aquilo tinha lhe custado. Cada ingresso de argila era estampado com o nome dos dois cônsules e, mesmo sendo dados de graça, Crasso ouvira dizer que os ingressos serviam como moeda nas semanas anteriores ao evento. Muitos dos que esperavam a primeira corrida tinham pagado um bom preço pelo privilégio. Ele nunca deixava de ficar satisfeito em ver como seu povo podia transformar até mesmo presentes em oportunidade para lucrar.

O tempo estava bom e apenas os fiapos mais diáfanos de nuvens pairavam sobre a pista comprida enquanto as pessoas se acomodavam e gritavam umas para as outras. Havia um ar de empolgação nos bancos e Crasso notou como havia poucas famílias. Era um triste fato da vida que as corridas costumassem ser manchadas por brigas nas arquibancadas mais baratas, enquanto os homens discutiam as perdas. Há apenas um mês o circo tivera de ser esvaziado por legionários chamados para restaurar a ordem. Cinco homens foram mortos num pequeno tumulto depois que o favorito perdeu a última corrida do dia.

Crasso franziu a testa ao pensar nisso, esperando que não acontecesse de novo. Esticou-se no banco para notar a posição dos soldados de Pompeu nos portões e nas entradas principais. Era o bastante para intimidar a todos, menos os mais idiotas, esperava. Não queria que a memória de seu ano consular fosse associada a inquietação civil. Como as coisas estavam, seu endosso aos candidatos nas próximas eleições ainda valeria um bocado. Mesmo com mais de metade do mandato ainda por cumprir, as facções no senado se alteravam enquanto os que esperavam ocupar os postos mais elevados começavam a se fazer conhecidos. Era o maior jogo em Roma, e Crasso sabia que os favores que pudesse reunir significariam a moeda do poder no ano seguinte, ou por um tempo muito maior.

Crasso olhou para o outro cônsul, imaginando se Pompeu também estaria planejando o futuro. Sempre que se sentia tentado a maldizer a lei que os continha ele se consolava com o fato de que Pompeu estava atado do mesmo modo. Roma não permitiria outro Mário permanecendo como cônsul repetidamente. Aqueles dias loucos tinham chegado ao fim com a sombra de Sila e a guerra civil. Mesmo assim não havia nada para impedir Pompeu de preparar seus favoritos para sucedê-lo.

Crasso desejava ser capaz de afastar o sentimento de inadequação que o atacava sempre que estava perto de Pompeu. Diferentemente de suas feições afiladas, Pompeu tinha a aparência que se esperava de um cônsul, com rosto largo e forte e o cabelo ficando suavemente grisalho. Em particular Crasso imaginava se a imagem digna era ajudada com um pouco de pó branco nas têmporas. Mesmo sentado perto dele não podia ter certeza.

Como se os deuses não tivessem lhe dado o bastante, Pompeu parecia ter a bênção deles nos empreendimentos militares. Havia prometido ao povo livrar os mares dos piratas, e em apenas alguns meses a frota romana tinha varrido o Mare Internum das aves de rapina. O comércio florescera como Pompeu havia prometido. Ninguém na cidade agradecia a Crasso por financiar o empreendimento ou por suportar os prejuízos dos navios que não sobreviviam. Em vez disso, era forçado a jogar ainda mais ouro ao povo, para não o esquecerem, enquanto Pompeu podia ficar tranqüilo com a adoração das massas.

Bateu com os dedos de uma das mãos na outra enquanto pensava. Os cidadãos de Roma só respeitavam o que podiam ver. Se ele montasse uma legião própria para patrulhar as ruas eles iriam abençoá-lo a cada vez que seus homens pegassem um ladrão ou acabassem com uma briga. Sem a legião ele sabia que Pompeu jamais iria tratá-lo como igual. Não era uma idéia nova, mas tinha hesitado em plantar um novo estandarte no Campo de Marte. Sempre havia o medo particular de que Pompeu estivesse certo na avaliação que fazia a seu respeito. Que vitórias Crasso poderia reivindicar para Roma? Não importando como a vestisse com armaduras brilhantes, uma legião precisava ser bem comandada, e ainda que isso parecesse fácil para Pompeu, a idéia de se arriscar a outra humilhação era mais do que Crasso poderia suportar.

A campanha contra Espártaco fora bastante ruim, pensou frustrado. Tinha certeza de que ainda zombavam dele por ter construído uma muralha atravessando o dedo do pé da Itália. Ninguém do senado mencionava isso em público, mas os boatos tinham se filtrado de volta, vindos dos soldados, e seus espiões lhe diziam que isso ainda era visto como motivo de risos entre as massas fofoqueiras da cidade. Pompeu lhe disse que isso não era nada, mas ele podia se dar ao luxo de ser complacente. Não importando quem fosse eleito no fim do ano, Pompeu ainda seria uma força no senado. Crasso desejou ter a mesma certeza com relação a si mesmo.

Os dois ficaram olhando enquanto os sete ovos de madeira eram trazidos à espinha central da pista. No início de cada volta um deles seria retirado, até que o último sinalizasse o frenesi que marcava o fim de cada disputa.

Enquanto o ritual antes das corridas se aproximava do final, Crasso sinalizou para trás e um escravo bem-vestido se adiantou para repassar suas apostas. Ainda que Pompeu tivesse desdenhado a oportunidade, Crasso passara uma hora útil com os concorrentes e seus cavalos no estábulo escuro construído sob as arquibancadas. Considerava-se um bom avaliador e achava que a quadriga com cavalos brancos espanhóis sob o comando de Paulo era invencível. Hesitou enquanto o escravo esperava para repassar a aposta dele aos seus senhores. O vale entre as colinas geralmente era perfeito para cavalos que preferiam uma pista macia, mas houvera pouca chuva durante quase uma semana e ele podia ver espirais de fumaça no chão abaixo do camarote consular. Sua boca também estava seca quando tomou a decisão. Paulo tinha se mostrado confiante e os deuses adoravam os jogadores. Este era seu dia, afinal de contas.

— Três sestércios na quadriga de Paulo — disse ele depois de uma longa pausa. O escravo assentiu, mas quando ele se virou Crasso segurou seu braço com os dedos ossudos. — Não, só dois. A pista está muito seca.

Enquanto o homem se afastava Crasso sentiu o riso de Pompeu.

— Realmente não sei por que você aposta. Você é tranqüilamente o homem mais rico de Roma, mas coloca dinheiro com menos coragem do que metade das pessoas aqui. O que são dois sestércios para você? Uma taça de vinho?

Crasso fungou diante de um assunto que já ouvira. Pompeu gostava de provocá-lo, mas mesmo assim vinha implorar ouro quando precisava de verbas para suas preciosas legiões. Esse era um prazer secreto para o homem mais velho, mas imaginava se Pompeu já havia pensado nisso. Se Crasso estivesse naquela posição, teria sido como veneno lento, mas Pompeu nunca alterava seus modos alegres. O sujeito não entendia a dignidade da riqueza, de modo nenhum.

— Um cavalo pode torcer uma perna ou um condutor pode cair em qualquer corrida. Você espera que eu desperdice ouro com o simples acaso?

O escravo das apostas voltou e entregou uma ficha que Crasso segurou com força. Pompeu o espiou com seus olhos claros e havia neles um nojo que Crasso fingiu não notar.

— Afora Paulo, quem mais corre na primeira? — perguntou Pompeu ao escravo.

— Mais três, senhor. Uma nova quadriga da Trácia, Dácio, de Módena, e outra mandada da Espanha. Dizem que os cavalos da Espanha passaram por uma tempestade que os deixou inquietos. A maioria das apostas está indo para Dácio, no momento.

Crasso lançou um olhar irado para o sujeito.

— Você não mencionou isso antes — disse rispidamente. — Paulo trouxe seus cavalos da Espanha. Eles estavam no mesmo navio?

— Não sei, senhor — respondeu o escravo baixando a cabeça.

Crasso ficou vermelho enquanto imaginava se deveria retirar a aposta antes do início da corrida. Não, não na frente de Pompeu, a não ser que pudesse arranjar um motivo para sair por alguns instantes.

Pompeu sorriu diante do desconforto do outro cônsul.

— Vou confiar no povo. Cem de ouro em Dácio.

O escravo nem mesmo piscou diante de uma quantia maior do que seu próprio preço, caso fosse vendido.

— Certamente, senhor. Vou lhe trazer a ficha. — Ele parou um momento numa interrogação silenciosa, mas Crasso apenas o olhou irritado.

— Depressa, a corrida já vai começar — acrescentou Pompeu, fazendo o escravo sair correndo. Pompeu tinha visto dois porta-bandeiras se aproximar do longo chifre de bronze na beira da pista. A multidão aplaudiu quando a trombeta soou e o portão do estábulo se abriu.

Primeiro saiu o romano, Dácio, com sua carruagem leve puxada por capões escuros. Crasso se remexeu enquanto notava a pose arrogante e o equilíbrio do sujeito trazendo seus animais numa curva suave até a linha de largada. Ele era baixo e atarracado, e a multidão o aplaudiu loucamente. Dácio fez uma saudação em direção ao camarote consular e Pompeu se levantou para devolver o gesto. Crasso copiou a ação, mas Dácio já havia se virado para terminar seus preparativos.

— Hoje ele parece ávido, Crasso. Seus cavalos estão lutando contra o freio — disse Pompeu, animado, ao colega.

Crasso o ignorou, observando a próxima quadriga. Era a da Trácia, marcada em verde. O condutor barbudo era inexperiente e poucas pessoas da multidão tinham apostado dinheiro nele. Mesmo assim aplaudiram devidamente, ainda que muitos já estivessem esticando o pescoço para ver as últimas duas saírem da semi-escuridão do estábulo.

Paulo sacudiu as rédeas compridas sobre seus cavalos espanhóis que saíram trovejando para a luz. Crasso bateu no corrimão com o punho ao vê-los.

— Dácio terá de trabalhar duro para vencer esses aí. Olhe a condição deles, Pompeu. Gloriosos.

Paulo parecia de fato confiante enquanto saudava os cônsules. Mesmo à distância Crasso viu o clarão de dentes brancos contra sua pele morena, e parte de sua preocupação se desfez. A quadriga ocupou seu lugar com as outras e o último competidor espanhol saiu juntando-se a elas.

Crasso não tinha visto nada de errado com os cavalos em sua primeira visita, mas agora os examinava procurando sinais de fraqueza. Apesar das afirmações feitas a Pompeu, de repente estava convencido de que os garanhões pareciam pouco à vontade em comparação com os outros. Ocupou seu lugar com relutância quando a trombeta soou de novo e as apostas cessaram. O escravo retornou para entregar a ficha a Pompeu e o cônsul ficou brincando preguiçosamente com ela enquanto esperavam.

O silêncio caiu sobre a massa de pessoas. A quadriga de Dácio se assustou com alguma coisa e andou de lado, para cima dos cavalos do trácio, forçando os dois homens a estalar os chicotes acima da cabeça. Um bom condutor era capaz de estalar a ponta a centímetros de qualquer um de seus cavalos a pleno galope, e a ordem foi rapidamente restaurada. Crasso notou a calma do trácio e imaginou se teria perdido uma chance. O sujeitinho não parecia deslocado entre os condutores mais experientes.

O silêncio se manteve enquanto os cavalos pateavam e fungavam no lugar durante um momento, então a trombeta foi soada pela terceira vez e seu lamento se perdeu em meio ao rugido enquanto as quadrigas saltavam para a frente e a corrida tinha início.

— Você fez bem, Crasso — disse Pompeu olhando por cima das cabeças da multidão. — Duvido que haja um homem em Roma que não conheça sua generosidade.

Crasso o olhou incisivamente, procurando algum tom de zombaria. Pompeu estava impassível e não pareceu sentir o olhar.

Abaixo deles os cavalos chegaram trovejando à primeira curva. As carruagens leves marcaram compridos arcos deslizantes na areia ao ser puxadas em círculo pelos cavalos a toda velocidade. Os condutores se inclinaram para se equilibrar, mantidos no local apenas pela habilidade e pela força. Era uma demonstração impressionante e Dácio deslizou facilmente entre duas quadrigas para assumir a liderança precoce. Crasso franziu a testa diante daquilo.

— Você decidiu quem vai apoiar para cônsul no fim do ano? — perguntou, forçando um tom de voz neutro.

Pompeu sorriu.

— É meio cedo para pensar nisso, amigo. Por enquanto estou gostando de ocupar o cargo.

Crasso fungou diante da falsidade explícita. Conhecia Pompeu bem demais para acreditar na negativa. Sob a pressão de seu olhar, Pompeu deu de ombros.

— Acredito que o senador Prando pode ser persuadido a pôr o nome na lista — disse ele.

Crasso olhou as quadrigas em disputa, considerando o que sabia sobre o sujeito.

— Há escolhas piores — disse finalmente. — Ele aceitaria sua...
orientação?

Os olhos de Pompeu estavam brilhantes de empolgação enquanto Dácio continuava na liderança. Crasso se perguntou se ele estaria meramente fingindo interesse para irritá-lo.

— Pompeu? — instigou ele.

— Ele não causaria encrenca.

Crasso escondeu o prazer. Nem Prando nem seu filho Suetônio eram homens de influência no senado, mas ter homens fracos como cônsules significaria que ele e Pompeu poderiam continuar guiando a cidade, meramente trocando o aspecto público pelo privado. Voltar ao anonimato dos bancos dos fundos depois de liderar Roma era uma perspectiva desagradável para os dois. Crasso se perguntou se Pompeu sabia que a família de Prando lhe devia e que ele teria sua própria forma de controle caso o senador fosse eleito.

— Eu poderia aceitar Prando se você tiver certeza com relação a ele — disse acima do barulho da multidão. Pompeu se virou com uma expressão divertida.

— Excelente. Você sabe se Cina se apresentaria?

Crasso balançou a cabeça.

— Ele está praticamente aposentado desde a morte da filha. Você soube de alguma coisa?

Em sua ansiedade Crasso estendeu a mão para segurar o braço de Pompeu e este fez uma careta diante do toque. Crasso sentiu uma pontada de ódio contra o sujeito. Que direito ele tinha de presumir aqueles ares, quando Crasso pagara as contas de suas grandes casas?

— Ainda não soube de nada, Crasso. Mas se não for Cina devemos achar outro que se apresente para o segundo posto. Talvez não seja cedo demais para começar a cultivar um novo nome.

Quando a quarta volta começou, Dácio liderava por um comprimento inteiro, com o trácio mantendo posição atrás dele. Paulo vinha em terceiro, e os cavalos espanhóis enjoados pelo mar em último. A multidão gritava aprovando, e cada olhar estava fixo nas quadrigas que rodeavam a curva mais distante e galopavam pela reta de largada iniciando a quinta volta. O ovo de madeira foi retirado e as vozes que gritavam iam ficando roucas.

— Você pensou em Júlio? O período dele na Espanha está quase terminado — disse Crasso.

Pompeu olhou-o, subitamente cauteloso. Ainda suspeitava que Crasso tivesse uma lealdade que ele não compartilhava com relação ao jovem César. Não tinha perdoado as dívidas da Décima logo depois de Júlio ter assumido o controle? Pompeu balançou a cabeça.

— Ele não, Crasso. Aquele cão tem dentes. Tenho certeza de que você não quer... rupturas, tanto quanto eu.

Dácio tinha aumentado sua liderança e Crasso continuou a falar, satisfeito em poder abalar a calma placidez do colega.

— Dizem que César se saiu muito bem na Espanha. Novas terras sob seu controle, novas cidades. Acho que andam falando num Triunfo para ele.

Pompeu olhou incisivamente para Crasso, com a testa franzindo.

— Não ouvi nada sobre Triunfos, e deixei isso claro. Quando terminar o período dele vou mandá-lo a outro lugar. Talvez à Grécia. O que quer que você esteja planejando deve ser esquecido, Crasso. Eu testemunhei meus próprios homens de pé na chuva diante dele, quando viram sua coroa de louros. Meus próprios homens homenageando um estranho! Você se lembra muito bem de Mário. Não queremos outro na cidade, especialmente como cônsul.

Crasso não respondeu por um longo momento, e Pompeu optou por interpretar o silêncio como concordância.

Abaixo, na pista, Dácio veio por trás da quadriga espanhola e se posicionou para lhe dar uma volta. O condutor hesitante cambaleou violentamente ao ser ultrapassado por Dácio, perdendo o controle por uma fração de segundo. Foi o suficiente. Com um estalo que pôde ser ouvido acima do uivo pasmo da multidão as duas quadrigas se embolaram e num momento as arrumadas fileiras de cavalos se transformaram num caos relinchante. O trácio puxou as rédeas para se afastar da confusão. Seu chicote estalou junto aos cavalos do lado interno, obrigando-os a diminuir o passo para uma curva que quase o fez tombar. A multidão ficou olhando em agonia enquanto o homenzinho os guiava ao redor, mas logo conseguiram passar e muitas pessoas no circo se levantaram para aplaudir sua habilidade.

Pompeu xingou baixinho ao ver Dácio caído na areia. Uma das pernas dele estava torcida de um modo estranho. O joelho fora claramente despedaçado, e apesar de ele ainda viver, jamais disputaria outra corrida.

— Sinalize para os guardas que eu lhe dei, Crasso. Haverá brigas assim que eles se recuperarem do choque.

Crasso trincou os dentes com raiva, atraindo o olhar de um centurião, e levantando o punho fechado. Os guardas desceram pelas arquibancadas, e não sem tempo. Depois da empolgação pela destruição dos cavalos e das carruagens as pessoas tinham percebido as perdas nas apostas e gritavam umas contra as outras numa orgia de frustração. As últimas voltas prosseguiram sem incidentes, com o trácio passando em primeiro lugar pela linha de chegada diante da indiferença geral. Brigas já haviam começado e os legionários agiam depressa, usando a parte chata das espadas para separar os homens.

Pompeu sinalizou para sua guarda pessoal dizendo que estava pronto para ir embora e ela abriu caminho. Enquanto saía trocou um olhar com Crasso e viu o desgosto do outro, pela primeira vez sem disfarce. Quando chegou à rua Pompeu estava perdido em pensamentos, mal ouvindo a confusão cada vez maior atrás de si.

Júlio desmontou no limite do povoado, seu cavalo relinchando baixinho enquanto pastava o capim que crescia entre as pedras de uma estrada antiga. Ele e Servília tinham cavalgado para o interior e não havia sinal de vida nas colinas em volta. Era uma região linda, com vastidões de florestas e penhascos de calcário que mergulhavam em vales verdejantes. O sol havia passado do meio-dia antes de eles chegarem ali. Tinham visto cervos vermelhos pintalgados e javalis que fugiam guinchando de seus cavalos.

Júlio havia escolhido trilhas longas e sinuosas para evitar todos os sinais de pessoas. Parecia contente em ficar sozinho com ela, e Servília se sentiu lisonjeada. Às vezes parecia que os dois eram as únicas pessoas vivas. As florestas estavam cheias de sombras e silêncio enquanto eles passavam pela semi-escuridão quase como se fossem fantasmas. Então as árvores davam lugar à luz forte do sol e a uma planície coberta de capim, e eles galopavam afoitos afastando-se da escuridão, até estarem ofegando e rindo juntos. Servília não conseguia se lembrar de um dia mais perfeito.

O povoado aonde Júlio a levou era um lugar estranho ao pé de um vale.

Um rio passava perto, mas, como nas florestas, não havia vozes para romper o silêncio. As casas eram encurvadas pela idade, samambaias selvagens e hera cresciam saindo pelas janelas. Em toda parte havia sinais de decadência. Portas que tinham sido penduradas com rígidas dobradiças de couro bocejavam escancaradas, e animais selvagens se espalhavam enquanto eles guiavam os cavalos por uma rua em direção ao centro. O silêncio do povoado vazio tornava difícil conversar, como se fosse uma intromissão. Servília se lembrou das abóbadas ecoantes de um templo e se perguntou por que Júlio a teria trazido ali.

— Por que eles foram embora? — perguntou.

Ele deu de ombros.

— Pode ter sido qualquer coisa: invasão, doença. Talvez só quisessem encontrar um novo lar em outro local. Passei dias aqui quando vim pela primeira vez, mas as casas foram saqueadas há muito tempo e resta pouco para mostrar como eles viviam. É um lugar estranho, mas eu adoro. Se alguma vez chegarmos a este vale com nossas pontes e ruas novas, ficarei triste em vê-lo desaparecer.

Seu pé esbarrou num pedaço de cerâmica desbotada que podia ter sido a placa de um estabelecimento comercial e ele se ajoelhou para examinar, soprando o pó. Estava em branco, e era tão fina que ele podia parti-la com as mãos.

— Acho que isto aqui já se pareceu com Valência. Um mercado e produtos para vender, crianças correndo em meio às galinhas. Agora é difícil imaginar.

Servília olhou ao redor e tentou conjurar a imagem de um lugar cheio de gente e agitação. Um lagarto correu ao longo de uma parede ali perto, atraindo seu olhar por um segundo antes de desaparecer sob um beiral meio caído. Havia alguma coisa fantasmagórica em caminhar por um lugar assim, como se a qualquer momento as ruas fossem se encher de vida e barulho outra vez, tendo se esquecido da interrupção da vida.

— Por que veio aqui? — perguntou.

Ele a olhou de lado, dando um sorriso estranho.

— Vou lhe mostrar — falou virando a esquina para uma rua mais larga.

Aqui as casas eram pouco mais do que montes de entulho e Servília pôde ver uma praça mais adiante. O sol tornava o ar quente e leve à medida que se aproximavam, e Júlio apressou o passo ansioso enquanto chegavam à área aberta.

As pedras grandes da praça estavam rachadas, com capim e flores silvestres crescendo nos intervalos, mas Júlio caminhou por elas sem olhar, fixo num pedestal quebrado e numa estátua caída, em pedaços. As feições estavam quase totalmente gastas e a pedra branca era lascada e partida, no entanto Júlio se aproximou dela com reverência. Amarrou os cavalos numa árvore pequena que tinha brotado em meio às pedras da praça e se encostou na estátua, traçando as feições com as mãos. Um braço havia sumido, mas Servília pôde ver que a estátua já tivera uma figura poderosa. Viu onde haviam sido gravadas palavras no grande pedestal e acompanhou os caracteres estranhos com o dedo.

— Quem é? — sussurrou.

— Um dos eruditos locais me disse que está escrito "Alexandre, o Rei".

A voz de Júlio estava áspera de emoção e ela sentiu de novo o desejo de tocá-lo, de compartilhar seus pensamentos. Para sua perplexidade, viu lágrimas se formar nos olhos dele enquanto o rapaz olhava para o rosto de pedra.

— O que é? Não entendo — disse ela estendendo a mão sem pensar. A pele de Júlio estava quente ao contato, e ele não se afastou.

— Vendo-o... — disse ele baixinho, enxugando os olhos. Por um momento Júlio pôs a mão sobre a dela e a apertou contra o corpo, antes de deixá-la cair. Depois de olhar longamente outra vez para a figura de pedra, deu de ombros, tendo encontrado de novo o controle.

— Quando ele tinha a minha idade já havia conquistado o mundo. Diziam que era um deus. Comparado a isso, desperdicei a vida.

Servília sentou-se na laje perto dele, com as coxas se tocando de leve, mas sentia cada parte do contato. Júlio falou de novo depois de um tempo, com a voz distante pelas memórias.

— Quando eu era garoto ouvia as histórias das batalhas e da vida de Alexandre. Ele era... impressionante. Tinha o mundo nas mãos quando era pouco mais do que uma criança. Eu costumava me imaginar... costumava ver o caminho dele.

De novo Servília estendeu a mão para o rosto do rapaz, alisando a pele. Ele pareceu sentir pela primeira vez e levantou a cabeça para olhá-la enquanto ela falava.

— O caminho está aqui para você, se quiser. — Servília não sabia bem se estava oferecendo mais do que apenas uma esperança de glória ou algo mais pessoal. Júlio pareceu ouvir os dois significados nas palavras e segurou a mão dela outra vez. Desta vez seus olhos procuraram os de Servília fazendo uma pergunta silenciosa.

— Eu quero tudo — sussurrou, e ela não poderia dizer qual dos dois se moveu para dar o beijo. Simplesmente aconteceu, e eles sentiram a força daquilo, sentados aos pés de Alexandre.

CAPÍTVLO V

NOS DIAS SEGUINTES O TEMPO PARECIA PASSAR MAIS LENTAMENTE quando Servília não conseguia arranjar uma desculpa para sair com os cavalos de novo. A Mão Dourada ia bem, e ela havia trazido de Roma dois homens suficientemente grandes para aquietar os clientes mais agitados. Em vez de sentir prazer com o sucesso, via os pensamentos constantemente voltando para o estranho rapaz que podia ser vulnerável e amedrontador ao mesmo instante. Tinha se obrigado a não perguntar por ele e depois esperou seu convite. Quando veio, riu em voz alta, divertida consigo mesma, mas incapaz de resistir à empolgação.

Parou para acrescentar mais uma flor à tiara que estava trançando enquanto andavam por um campo de trigo ondulante. Júlio parou com ela, mais relaxado do que se sentia há muito tempo. A depressão que o havia esmagado parecia se desvanecer em sua companhia, e era estranho pensar que a primeira cavalgada dos dois pelas terras ermas tinha acontecido há apenas algumas semanas. Ela vira as partes da vida dele que mais lhe importavam, e Júlio sentia como se sempre tivesse conhecido aquela mulher.

Com ela os pesadelos que tentava afogar como gatinhos no vinho forte tinham se afastado, mas ele ainda os sentia circulando. Ela era a bênção de Alexandre, uma proteção contra as sombras que o comprimiam na direção do desespero. Podia se esquecer de quem havia se tornado, largando o manto da autoridade. Uma hora ou duas a cada dia, ao sol que esquentava algo mais do que a sua pele.

Olhou-a se empertigando e pensou na força dos sentimentos que ela engendrava. Num momento podia revelar um conhecimento sobre a cidade e os senadores que o deixava sem fôlego, e em outro podia ser quase infantil enquanto ria ou escolhia mais uma flor para trançar.

Brutus havia encorajado a amizade depois daquela primeira ida ao povoado da estátua quebrada. Viu que Servília era como um bálsamo para o espírito perturbado do amigo, começando a curar ferimentos que haviam se infeccionado por tempo demais.

— Pompeu estava errado em mandar crucificar os escravos — disse Júlio, lembrando-se da fileira de cruzes e das figuras chorando, torturadas, esperando a morte. As imagens da grande rebelião dos escravos ainda estavam dolorosamente frescas em sua mente, mesmo depois de quatro anos. Os corvos tinham se refestelado até estarem gordos demais para voar e grasnavam furiosos contra seus homens que chutavam os pássaros cambaleantes. Júlio estremeceu ligeiramente.

— Depois do início nós não oferecemos nada além de morte aos escravos. Eles sabiam que não iríamos deixá-los fugir. Eram mal liderados e Pompeu mandou que fossem amarrados e pregados por toda a Via, desde o sul. Então não foi grandeza da parte dele reagir ao terror da turba.

— Você não teria feito isso? — perguntou Servília.

— Espártaco e seus gladiadores tinham de morrer, mas havia homens corajosos nas fileiras, que enfrentaram as legiões e as derrotaram. Não, eu teria formado uma nova legião e a teria temperado com os centuriões mais endurecidos de todas as outras. Seis mil homens corajosos, Servília, todos desperdiçados diante da ambição dele. Teria sido um exemplo melhor do que crucificar todos, mas Pompeu não consegue enxergar além de suas regras e tradições mesquinhas. Ele segura seu lugar enquanto o resto do mundo passa adiante.

— O povo o saudou ao entrar na cidade, Júlio. Pompeu era quem eles realmente queriam como cônsul. Crasso ocupou o segundo lugar, à sombra dele.

— Melhor se tivessem dominado os escravos sozinhos — murmurou Júlio. — Então ficariam eretos, em vez de correr para beijar os pés de Pompeu. É melhor cuidar da própria plantação do que implorar que ho mens como Pompeu nos dêem comida. É uma doença que há em nós, você sabe. Sempre erguemos homens indignos para nos governar.

Lutou para encontrar palavras e Servília parou, virando-se para encará-lo. Naquele dia tão quente ela havia escolhido uma estola de linho fino e usava o cabelo preso com um cordão de prata, revelando o pescoço. Cada dia que Júlio passava com ela parecia trazer alguma faceta à atenção dele. Queria beijar o pescoço de Servília.

— Ele destruiu os piratas, Júlio. Você, principalmente, deveria estar satisfeito com isso.

— Claro que estou — disse ele amargamente —, mas eu queria ter essa tarefa. Pompeu não sonha, Servília. Há terras novas, ricas em pérolas e ouro, mas ele descansa e organiza jogos para o povo que morre de fome nos campos enquanto Pompeu constrói novos templos para que rezem pela riqueza.

— Você faria mais? — perguntou ela, segurando seu braço. O toque era quente e os pensamentos de Júlio voaram para longe sob o ataque de uma súbita paixão que o surpreendeu. Imaginou se seus pensamentos apareciam, enquanto gaguejava uma resposta.

— Eu *faria* mais. Há ouro suficiente para levantar Roma inteira e a chance está aí, para nós, se a aproveitarmos. Não há nada no mundo como a nossa cidade. Dizem que o Egito é mais rico, mas ainda somos suficientemente jovens para encher as mãos. Pompeu está dormindo se acha que as fronteiras permanecerão seguras com as legiões que temos. Precisamos de mais, e temos de pagar por elas com novas terras e ouro.

Ela deixou a mão cair, sentindo um tremor de desejo levantar os pêlos macios da pele. Havia uma enorme força nele, quando não estava trancada sob sofrimento e desespero. Servília viu a escuridão ser afastada por espanto e prazer. O homem que a excitava com um toque não era o que a havia recebido no portão da fortaleza, e ela imaginou o que resultaria do despertar.

Quando se descobriu desejando-o ficara chocada, quase amedrontada. Não era como deveria ser. Os homens que a amavam nunca tocavam mais do que a pele pela qual ansiavam. Podiam se exaurir nela sem mais do que um tremor de reação verdadeira. No entanto esse rapaz estranho a lançava em confusão sempre que seus olhos azuis se fixavam nos dela. Olhos estranhos, com a pupila escura que doía à luz forte. Pareciam ver todos os seus artifícios como o que realmente eram, atravessando a brandura de seus gestos até a privacidade dentro dela.

Suspirou enquanto andavam. Estava sendo boba. Não era a época da vida para estar apaixonada por um homem com a idade de seu filho. Passou a mão inconscientemente pelos cabelos presos. Não que sua idade aparecesse, de modo algum. Tinham-lhe dito que os homens podiam considerá-la com trinta anos, em vez dos trinta e nove que ela admitia. Quarenta e dois. Algumas vezes sentia-se mais velha do que isso, especialmente na cidade, quando Crasso a visitava. Algumas vezes chorava sem motivo, com o humor estranho desaparecendo tão rapidamente quanto havia surgido. Sabia que o rapaz ao seu lado poderia ter qualquer uma das garotas da cidade. Não quereria alguém que carregasse tantas marcas, marcas que ninguém mais conseguia ver.

Cruzou os braços, quase esmagando a tiara de flores trançadas. Não duvidava de que era capaz de excitá-lo até a paixão, se quisesse. Ele era jovem e inocente comparado a ela. Seria fácil, e Servília percebeu que uma parte sua queria isso, gostaria das mãos dele em seu corpo sobre a grama longa da campina. Balançou a cabeça ligeiramente. Garota estúpida. Nunca deveria tê-lo beijado.

Falou rapidamente para encobrir a pausa, imaginando se ele teria notado sua distração ou o rubor que tinha subido às bochechas.

— Você não andou vendo Roma recentemente, Júlio. Agora há muitos pobres. O exército de escravos não deixou quase ninguém para trabalhar nos campos e os mendigos parecem moscas. Pelo menos Pompeu lhes dá um gosto da glória, mesmo com a barriga vazia. O senado não ousaria contestá-lo em nada, caso contrário a multidão poderia se erguer e consumir todos eles. Quando saí havia uma paz frágil, e duvido que algo tenha melhorado desde então. Você não sabe como eles estão próximos do caos. O senado vive no medo de outro levante que se rivalize com as batalhas contra Espártaco. Todo mundo que pode tem guardas, e os pobres se matam uns aos outros nas ruas sem que nada seja feito. Não são tempos fáceis, Júlio.

— Então talvez eu deva retornar. Não vejo minha filha há quatro anos e Pompeu me deve um bocado. Talvez seja hora de cobrar algumas dívidas e garantir que eu faça parte da obra de novo.

Por um momento seu rosto se iluminou com uma paixão que fez o coração de Servília se animar ao ver a imagem do homem que tinha observado durante o julgamento, mantendo o senado num fascínio enquanto fazia a justiça contra seus inimigos. Então, com a mesma rapidez, aquilo desapareceu e ele soltou o ar pelos lábios, exasperado.

— Antes de tudo isso eu tinha uma mulher com quem compartilhar. Tinha Tubruk, que era mais um pai do que um amigo; minha casa. O futuro corria na minha direção com uma espécie de... júbilo. Agora não tenho nada além de novas espadas e minas, e isso parece sem sentido. Daria tudo para ter Tubruk de volta por uma hora, para compartilhar uma bebida, ou a chance de ver Cordélia só um momento, o bastante para pedir desculpa por ter deixado de cumprir as promessas que fiz.

Esfregou os olhos com a mão, antes de continuar andando. Servília qua. se o segurou, sabendo que seu toque poderia lhe trazer conforto. Resistiu com um esforço enorme. O toque levaria a outros, e apesar de estar ansiando por ser também tocada, teve a força para não fazer o jogo que conhecia tão bem, que conhecera durante toda a vida. Uma mulher mais jovem poderia tê-lo agarrado sem pudor no momento de fraqueza, mas Servília sabia demais para não tentar isso. Haveria outros dias.

Então ele se virou e a abraçou com força suficiente para doer, com a boca apertando seus lábios para se abrirem. Ela cedeu, incapaz de se conter.

Brutus deslizou habilmente da sela enquanto passava sob o portão da fortaleza. A Décima havia feito manobras complexas nas colinas e Otaviano tinha se saído bem, usando a força que recebera para flanquear Domício, numa demonstração de capacidade. Brutus não hesitou enquanto corria para as construções. O humor sombrio que lançara uma nuvem sobre todos eles já era uma lembrança, e ele sabia que Júlio ficaria satisfeito ao saber como seu jovem parente estava se saindo bem. Otaviano tinha ombros para comandar, como costumava dizer Mário.

O guarda na base da escada estava fora de posição, de pé e bastante afastado de seu posto. Brutus o ouviu gritar enquanto subia a escada fazendo barulho, mas somente riu.

Júlio estava deitado num divã com Servília, o rosto dos dois ruborizado em pânico diante da chegada súbita e ruidosa de Brutus. Júlio saltou de pé, nu, e encarou o amigo com fúria.

— Saia! — trovejou.

Brutus se imobilizou, incrédulo, então seu rosto se retorceu e ele girou, batendo a porta com força.

Júlio se virou lentamente para encarar Servília, já arrependido da raiva. Vestiu as roupas depressa, sentando-se no comprido divã. O perfume da mulher era inebriante em suas narinas, e ele sabia que cheirava a ela. Quando se levantou, o calor da roupa foi deixado para trás e ele se afastou, pensando no que tinha de fazer.

— Vou procurá-lo — disse ela, ficando de pé.

Envolvido no amargor, Júlio mal percebeu a nudez de Servília. Tinha sido loucura cair no sono quando poderiam ser encontrados, mas não havia sentido em lamentar o passado. Balançou a cabeça enquanto amarrava as sandálias.

— Você não tem de se desculpar. Deixe-me encontrá-lo primeiro

Os olhos dela se endureceram por um momento.

— Você não vai se desculpar... por mim? — perguntou com a voz enganosamente calma.

Júlio ficou de pé e a encarou.

— Por você, nem por um momento — disse em voz suave.

Então ela entrou em seus braços e Júlio descobriu que havia algo indescritivelmente erótico em abraçar uma mulher nua estando totalmente vestido. Separou-se com um riso apesar da preocupação por Brutus.

— Ele vai ficar bem quando se acalmar um pouco — falou para tranqüilizá-la, desejando acreditar. Com as mãos firmes afivelou o gládio à cintura. De repente Servília pareceu sentir medo.

— Não quero que você brigue com ele, Júlio. Você não deve.

Júlio forçou um riso que pareceu ecoar no estômago vazio.

— Ele nunca me machucaria — falou saindo.

Do lado de fora sua expressão se acomodou numa máscara séria enquanto descia a escada. Domício e Cabera estavam ali com Ciro, e ele imaginou que os olhos dos amigos o acusavam.

— Onde ele está? — perguntou rispidamente.

— No pátio de treinamento — disse Domício. — Se fosse você eu o deixaria sozinho por um tempo, general. O sangue dele está quente e não seria bom soltá-lo agora.

Júlio hesitou, depois foi dominado por sua velha afoiteza. Tinha provocado aquilo e deveria pagar o preço.

— Fiquem aqui — disse peremptoriamente. — Ele é meu amigo mais antigo e isso é assunto particular.

Brutus estava sozinho no pátio vazio, com um gládio feito por Cavallo brilhando na mão. Assentiu enquanto Júlio ia até ele, e de novo Júlio hesitou diante da expressão sombria que seguia cada movimento seu. Se a coisa rendesse sangue, não poderia derrotar Brutus. Mesmo que pudesse roubar a vitória, duvidava de que seria capaz de tirar aquela vida, acima de todas as outras.

Brutus ergueu a lâmina brilhante na primeira posição e Júlio esvaziou a mente com a antiga disciplina que Rênio havia ensinado. Ali estava um inimigo que poderia matá-lo.

Desembainhou sua espada.

— Você pagou por ela? — perguntou Brutus em voz baixa, rompendo sua concentração.

Júlio lutou contra a raiva irritante que lhe veio. Os dois tinham aprendido com o mesmo homem e ele sabia que não deveria prestar atenção. Os dois começaram a girar um ao redor do outro.

— Acho que eu sabia, mas não acreditava — começou Brutus de novo. — Pensei que você não iria me envergonhar com ela, por isso não me preocupei.

— Não há vergonha.

— Há, sim — disse Brutus, e se moveu.

Júlio conhecia o estilo dele melhor do que ninguém, mas mal conseguiu desviar a lâmina que veio direto para o seu coração. Era um golpe mortal e ele não pôde desculpá-lo. A raiva lhe subiu por dentro e ele se moveu um pouco mais rápido, o passo um pouco mais firme no chão e seus sentidos acelerados. Então, que fosse.

Adiantou-se rapidamente, abaixando-se sob um clarão de prata e obrigando Brutus a se apoiar no pé de trás. Puxou a lâmina para o lado para cortar, mas Brutus se afastou com um riso zombeteiro, depois respondeu com uma chuva de golpes.

Os dois se afastaram, começando a ofegar ligeiramente. Júlio fechou a mão esquerda para estancar um corte na palma. O sangue pingava lentamente enquanto ele se movia, deixando manchas como olhos vítreos desaparecendo na areia.

— Eu a amo — disse Júlio. — E amo você. É demais para isso. — Com um gesto de nojo, jogou a espada longe e ficou de frente para o amigo.

Brutus levou a ponta da espada à garganta de Júlio e o encarou nos olhos.

— Todo mundo sabe? Cabera, Domício, Otaviano?

Júlio o olhou com firmeza, fazendo força para não tremer.

— Talvez. Nós não planejamos, Brutus. Eu não queria que você nos encontrasse daquele jeito.

A espada era um ponto imóvel num mundo em movimento. Júlio trincou o maxilar, com um vasto sentimento de calma dominando-o. Relaxou conscientemente cada músculo e ficou esperando. Não queria morrer, mas se isso acontecesse trataria a morte com desprezo.

— Não é uma coisa pequena, Marco. Nem para mim nem para ela — falou.

A espada baixou subitamente e a luz maníaca morreu nos olhos de Brutus.

— Há coisa demais entre nós, Júlio, mas se você magoá-la eu o *mato*.

— Vá vê-la. Ela está preocupada com você — respondeu Júlio, ignorando a ameaça.

Brutus sustentou seu olhar por um longo momento antes de se afastar e deixá-lo sozinho no pátio de treinamento. Júlio ficou observando, depois abriu a mão, encolhendo-se de dor. Por um momento a raiva cresceu por dentro. Teria enforcado qualquer um que ousasse erguer uma espada contra ele. Não poderia haver desculpa.

Mas os dois tinham sido crianças juntos, e isso contava. Talvez o bastante para engolir a traição de uma lâmina apontada para seu coração. Estreitou os olhos, pensando. Seria mais difícil confiar naquele homem numa segunda vez.

❖

As seis semanas seguintes foram cheias de uma tensão quase insuportável. Apesar de Brutus ter conversado com a mãe e abençoado de má vontade a união, andava pela fortaleza com a raiva e a solidão parecendo uma capa que o envolvia.

Sem uma palavra de explicação Júlio começou a treinar pessoalmente a Décima de novo. Levava-a sozinho durante dias de cada vez e jamais falava, a não ser para dar ordens. Os legionários lutavam com dor e exaustão só para receber um movimento de cabeça da parte dele, e isso parecia valer mais do que elogios efusivos de qualquer outro.

Quando estava no alojamento Júlio escrevia cartas e ordens até tarde da noite, usando boa parte das reservas de ouro que havia juntado. Mandou cavaleiros de volta a Roma para encomendar novas armaduras na oficina de Alexandria e caravanas de suprimentos abriam caminho pelas montanhas, vindas das cidades espanholas. Novas minas tinham de ser abertas para fornecer minério de ferro para as espadas que eram produzidas com os projetos de Cavallo. Florestas eram derrubadas para fazer carvão, e jamais havia um momento em que qualquer um dos cinco mil soldados da Décima não tinha duas ou três tarefas para realizar.

Seus oficiais eram apanhados entre a dor de ser excluídos e uma espécie de júbilo ao ver o general redescobrir a velha energia. Muito antes de Júlio convocar os subordinados de seus postos em todo o país eles adivinharam que o tempo na Espanha estava chegando ao fim. A Hispânia era simplesmente pequena demais para conter o general da Décima.

Júlio escolheu os questores espanhóis mais hábeis para ocupar seu lugar até que Roma nomeasse um de seus filhos. Entregou o sinete de seu cargo e em seguida voltou a trabalhar dia e noite, algumas vezes ficando três dias sem dormir antes de desmoronar exausto. Depois de um curto descanso levantava-se e recomeçava. Os que estavam nos alojamentos andavam com cuidado ao redor dele e esperavam nervosos o resultado de todo esse trabalho.

Brutus o procurou no alvorecer de um dia, quando o acampamento ainda estava em silêncio ao redor. Bateu à porta e entrou quando Júlio respondeu baixo.

Júlio estava sentado a uma mesa cheia de mapas e tabuletas de argila, com mais ainda no chão aos seus pés. Levantou-se ao ver Brutus e por um momento a frieza entre eles pareceu proibir a fala. O hábito da amizade estava enferrujado.

Brutus engoliu em seco dolorosamente.

— Desculpe — falou.

Júlio permaneceu quieto, observando-o. O rosto que ele apresentava era como de um estranho, sem nada da amizade da qual Brutus sentia falta.

Brutus tentou de novo.

— Fui um idiota, mas você me conhece há tempo suficiente para deixar isso passar. Sou seu amigo. Sua espada, lembra-se?

Júlio assentiu, aceitando-o.

— Eu amo Servília — falou em voz baixa. — Teria contado a você antes de todo mundo, mas a coisa entre nós aconteceu depressa demais. Não há jogos aqui, mas meu relacionamento é particular. Não vou falar dele com você.

— Quando vi vocês dois juntos... — começou Brutus.

Júlio levantou a mão, rígida.

— Não. Não quero ouvir isso de novo. Já passou.

— Deuses, você não vai tornar a coisa fácil para mim, vai? — Brutus balançou a cabeça.

— Eu não deveria. Gosto mais de você do que de qualquer homem que já conheci, e você tentou me matar no pátio de treinamento. É difícil perdoar.

— O quê? — respondeu Brutus rapidamente. — Eu não...

— Eu *sei*, Brutus.

Brutus se encurvou ligeiramente. Sem dizer outra palavra pegou um banco. Depois de um momento Júlio também se sentou.

— Quer que eu fique me desculpando? Eu estava furioso. Pensei que você a estava usando como... Foi um erro, desculpe. O que mais você quer?

— Quero saber que posso confiar em você. Quero que tudo isso seja esquecido.

Brutus se levantou.

— Pode confiar em mim. Você sabe. Eu abri mão da Primogênita por você. Deixe isso para lá.

Quando os dois se entreolharam, um sorriso se esgueirou no rosto de Júlio.

— Notou como eu desviei aquele golpe? Gostaria que Rênio tivesse visto.

— *É*, você foi muito bom — respondeu Brutus sarcasticamente. — Está satisfeito?

— Acho que eu poderia ter vencido — disse Júlio, animado.

Brutus piscou para ele.

— Agora está indo longe demais.

A tensão entre os dois recuou até uma pressão distante.

— Vou levar a legião de volta a Roma — disse Júlio num jorro, aliviado por ter o amigo para compartilhar seus planos de novo. Imaginou se as semanas depois da briga teriam magoado Brutus a metade do que o haviam magoado.

— Todos nós sabemos, Júlio. Os homens fofocam como um bando de velhas. É para desafiar Pompeu? — perguntou Brutus casualmente, como se a vida de milhares de pessoas não dependesse da resposta.

— Não, ele governa bastante bem, com Crasso. Vou apresentar meu nome como candidato a cônsul na próxima eleição.

Esperou a reação de Brutus.

— Você acha que pode ganhar? — respondeu Brutus lentamente, pensando. — Você só terá alguns meses, e as pessoas têm memória curta.

— Sou o último sobrevivente do sangue de Mário. Vou lembrar isso a eles.

Brutus sentiu a antiga empolgação chegando. Refletiu em como seu amigo havia experimentado quase um renascimento nos últimos meses. A raiva brusca havia sumido, e sua mãe tinha representado um papel nisso. Até mesmo sua querida e pequena Angelina estava pasma com Servília, e ele podia começar a entender por quê.

— Está quase amanhecendo. Você deveria dormir um pouco — disse ele.

— Ainda não, há muito a fazer antes de vermos Roma de novo.

— Então vou ficar junto, a não ser que você se incomode. — Brutus conteve outro bocejo.

Júlio sorriu.

— Não me incomodo. Preciso de alguém para escrever o que eu ditar.

CAPÍTVLO VI

Rênio parou no leito seco do rio e ergueu os olhos para a ponte. A estrutura estava apinhada de romanos e homens do local, passando sobre um esqueleto de madeira que balançava e estalava enquanto eles andavam pelas passarelas. Eram sessenta metros desde o leito seco até as pedras da estrada no alto. Quando estivesse pronta, a represa rio acima seria retirada e a água esconderia os enormes pés da ponte, passando ao redor das bordas afiladas muito depois de os construtores terem virado pó. Simplesmente estar à sombra dela era uma sensação estranha para o velho gladiador. Quando as águas viessem, ninguém poderia ficar ali de novo.

Balançou a cabeça num orgulho silencioso, ouvindo as ordens e gritos enquanto as equipes dos guinchos começavam a erguer outro dos blocos que formariam o arco. As vozes ecoavam sob a ponte, e Rênio podia ver que os soldados compartilhavam sua satisfação. Esta ponte jamais cairia, e eles sabiam disso.

A estrada acima de sua cabeça abriria caminho para um vale fértil numa linha direta até o litoral. Cidades seriam construídas e as estradas se estenderiam para atender às necessidades dos novos colonos. Eles viriam pelo solo bom e pelo comércio, e acima de tudo pela água limpa e doce que vinha dos aquedutos subterrâneos que tinham levado três anos para ser construídos.

Rênio observou uma equipe fazer força com as cordas pesadas enquanto a pedra do arco era erguida até a posição correta. As polias guinchavam, e ele viu Ciro inclinado por cima do parapeito para guiar o bloco. Homens ao seu lado colocavam argamassa marrom sobre as superfícies, e então Ciro envolveu o bloco com os braços, cantando junto com os outros num ritmo monótono para as equipes abaixo. Rênio prendeu o fôlego. Ainda que a força do gigante não tivesse igual entre as equipes, um escorregão poderia facilmente esmagar uma mão ou um ombro. Se o bloco saísse da posição, tinha peso suficiente para desmoronar os suportes, levando todos eles juntos.

Mesmo tão lá embaixo Rênio podia ouvir Ciro grunhindo enquanto movia o bloco para o lugar certo, fazendo a argamassa se espremer para fora e cair em nacos úmidos no leito do rio abaixo. Rênio protegeu os olhos para ver se um deles não cairia perto a ponto de obrigá-lo a se afastar, sorrindo do esforço deles.

Gostava do grandalhão. Ciro não falava muito, mas não poupava esforços quando se tratava de trabalho duro, e somente por isso Rênio gostaria dele. A princípio ficara surpreso ao descobrir que gostava de ensinar a Ciro as habilidades que legionários mais experientes consideravam ponto pacífico. Uma legião não podia ser parada por vales ou montanhas. Cada homem no andaime sabia que não havia um rio onde não poderiam fazer uma ponte, nem uma estrada que não poderiam abrir em todo o mundo. Eles construíam Roma onde quer que fossem.

Ciro ficara pasmo com a água e os quilômetros de túneis que tinham aberto para trazê-la das fontes no alto das montanhas. Agora as pessoas que se estabeleciam no vale não enfrentariam as doenças a cada verão, com os poços ficando estragados e com a água densa. Talvez então pensassem nos homens de Roma que os haviam construído.

O ritmo dos pensamentos de Rênio foram interrompidos por um cavaleiro de armadura vindo junto à margem e descendo até onde ele se encontrava. O homem estava suando no calor e esticou o pescoço para olhar para cima, num medo instintivo, enquanto passava sob os arcos. Um martelo pesado caindo daquela altura poderia matar o cavalo bem como o homem que o montava, mas Rênio deu um risinho diante da cautela do sujeito.

— Tem uma mensagem para mim? — perguntou.

O homem trotou à sombra do arco e desmontou.

— Sim, senhor. O general requisita sua presença no alojamento. Disse para levar junto o legionário chamado Ciro.

— O último arco está quase terminado, garoto.

— Ele disse para ir imediatamente, senhor.

Rênio franziu a testa, depois olhou para Ciro lá em cima. Só um idiota gritaria ordens para um homem que carregava uma pedra quase tão pesada quanto ele próprio, mas viu que Ciro estava recuando, enxugando o suor da testa com um trapo. Rênio encheu os pulmões.

— Desça, Ciro. Fomos chamados.

Apesar do sol, Otaviano se arrepiou quando a brisa chicoteou sua pele. Sua meia centúria estava a pleno galope descendo a colina mais íngreme que ele já vira. Se não tivesse examinado cada centímetro dela naquela manhã, jamais ousaria uma velocidade tão grande, mas o terreno era regular e nenhum dos cavaleiros experientes caiu, usando a força das pernas para ficarem presos às selas. Mesmo assim os arções pressionavam contra as virilhas. Otaviano trincou os dentes por causa da dor enquanto o galope o machucava impiedosamente.

Brutus tinha escolhido a colina junto com ele, para mostrar a realidade e o poder de uma carga de cavalaria. Esperava a chegada com uma centúria de *extraordinarii* ao pé da colina, e mesmo àquela distância Otaviano podia ver as montarias se movendo ariscas enquanto tentavam instintivamente se afastar dos cinqüenta que desciam trovejando.

O barulho era incrível, enquanto Otaviano gritava para seus homens manterem as posições. A fileira estava ficando meio irregular, era preciso rugir no volume máximo para atrair a atenção dos cavaleiros ao redor. Eles mostraram sua habilidade quando a linha se formou sem diminuir o passo, e Otaviano desembainhou a espada, prendendo-se furiosamente com os joelhos. Suas pernas estavam se torturando naquele ângulo, mas ele se sustentou.

O terreno se nivelava ligeiramente embaixo e Otaviano mal teve tempo de equilibrar o peso antes que sua meia centúria atravessasse as fileiras abertas que os encaravam. Rostos e cavalos eram turvos na velocidade espantosa enquanto passavam pela centúria e saíam do outro lado no que pareceu um único instante. Otaviano viu um oficial ficando pálido enquanto passava por ele. Se tivesse mantido a espada esticada, a cabeça do sujeito teria voado.

Gritou empolgado enquanto chamava seus homens para fazerem a volta e restabelecer a formação. Alguns riam de alívio enquanto se juntavam a Brutus e viam a expressão tensa dos homens que ele comandava naquele dia.

— Com o terreno certo podemos ser aterrorizadores — disse Brutus erguendo a voz para que todos ouvissem. — Eu praticamente perdi minha espada no final, e *sabia* que vocês só estavam passando por nós.

Os cavaleiros sob o comando de Otaviano aplaudiram aquela confissão, mas não acreditaram. Um deles deu um tapa nas costas de Otaviano enquanto Brutus se virava para encará-los com um risinho de desprezo.

— Agora vocês vão ter o gostinho. Formem-se em fileiras abertas enquanto eu levo os meus morro acima. Segurem-se firmes enquanto nós passamos pelo meio, e vocês vão aprender uma coisa.

Otaviano engoliu em seco, subitamente nervoso, ainda cheio da empolgação louca da carga. Brutus apeou para puxar o cavalo morro acima, e então viu um cavaleiro solitário vindo para eles.

— O que será isso? — murmurou.

O soldado desceu do cavalo e saudou Brutus.

— O general César está chamando Otaviano e o senhor.

Brutus assentiu, com um lento sorriso se abrindo.

— É mesmo? — E se virou para seus amados *extraordinarii*.

— E se os seus oficiais fossem mortos na primeira carga? Haveria caos? Continuem sem nós. Quero um relato completo quando voltarem aos alojamentos.

Otaviano e Brutus foram atrás do mensageiro quando ele montou de novo. Depois de um tempo cansaram-se do ritmo do sujeito e o ultrapassaram galopando.

Cabera passou os dedos por um pedaço de seda, com deleite infantil. Parecia apanhado entre o espanto e os risos diante dos caros móveis que Servília havia mandado trazer para a Mão Dourada, e a paciência dela estava se esgotando. Interrompeu-a de novo para passar adiante e tocar uma delicada peça de estatuária.

— Então veja bem — tentou ela de novo —, eu gostaria de estabelecer uma reputação de casa limpa, e alguns soldados usam pó de giz para cobrir as erupções que eles têm...

— Tudo isto para o prazer! — interrompeu Cabera, piscando sugestivamente para ela. — Quero morrer num lugar assim. — Enquanto Servília franzia a testa, ele se aproximou de uma reentrância cheia de almofadas de seda, abaixo do nível do piso. Olhou-a pedindo permissão e Servília balançou a cabeça com firmeza.

— Júlio disse que você tem um bom conhecimento das doenças da pele, e eu pagaria bem para você ficar disponível para a casa. — Ela foi obrigada a parar de novo enquanto o velho pulava na massa de almofadas e se remexia entre elas, rindo.

— Não é um trabalho difícil — continuou Servília teimosamente. — Minhas garotas reconhecerão um problema quando virem, mas se houver discussão preciso de alguém que possa examinar o... homem em questão. Só até eu conseguir um médico mais permanente vindo da cidade. — Ficou olhando pasma enquanto Cabera rolava de um lado para o outro.

— Eu pago cinco sestércios por mês — disse ela.

— Quinze — respondeu Cabera, subitamente sério. Enquanto Servília piscava de surpresa, ele alisou o velho manto com movimentos rápidos dos dedos.

— Não pagarei mais do que dez, velho. Por quinze posso ter um médico local morando aqui.

Cabera fungou.

— Eles não sabem nada e você desperdiçaria um quarto. Doze, mas não vou cuidar de gravidez. Ache outra pessoa para isso.

— Eu não comando um bordel vagabundo — reagiu Servília rispidamente. — Minhas garotas podem olhar a lua, como qualquer outra mulher. Se ficarem grávidas eu pago para irem embora. A maioria volta para mim quando a criança desmama. Dez é a minha oferta final.

— Examinar as partes podres dos soldados vale doze sestércios — disse Cabera animado. — Além disso eu gostaria de umas almofadas destas.

Servília trincou os dentes.

— Elas custam mais do que os seus serviços, velho. Doze, então, mas as almofadas ficam.

Cabera bateu palmas, de prazer.

— O primeiro pagamento é adiantado e uma taça de vinho para selar o acordo, certo?

Servília abriu a boca para responder e ouviu alguém pigarrear delicadamente, atrás. Era Nádia, uma das novas que ela havia trazido, uma mulher com olhos pintados com kohl tão duros quanto o corpo era macio.

— Senhora, há um mensageiro da legião à porta.

— Traga-o, Nádia — disse Servília forçando um sorriso. Quando a mulher desapareceu ela girou para Cabera.

— Agora saia daqui. Não serei embaraçada por você.

Cabera saiu do poço das almofadas, com os dedos compridos enfiando uma delas sob o manto enquanto Servília se virava para receber o mensageiro. O soldado estava ruborizando furiosamente e Servília pôde ver, pelo riso de Nádia atrás do ombro dele, que ela estivera falando com o sujeito.

— Senhora, César quer sua presença no alojamento. — O olhar dele foi até Cabera. — O senhor também, curandeiro. Eu serei seu acompanhante. Os cavalos estão lá fora.

Servília coçou o canto da boca, pensativa, ignorando o modo como o mensageiro a observava.

— Meu filho estará lá? — perguntou ela.

O mensageiro assentiu.

— Todo mundo está sendo chamado, senhora. Só preciso encontrar o centurião Domício.

— Isso é fácil. Ele está lá em cima — disse ela, olhando com interesse o rubor do soldado descer até o pescoço e sob a túnica. Praticamente podia sentir o calor vindo do sujeito. — Eu esperaria um pouco, se fosse você.

À medida que se sentavam na sala comprida que dava para o pátio, todos sentiam pontadas de empolgação enquanto se entreolhavam. Júlio dominava o cômodo, parado junto à janela, esperando a chegada do último. A brisa das colinas atravessava lentamente a sala e os refrescava, mas a tensão era quase dolorosa. Otaviano riu nervosamente quando Cabera puxou uma almofada de seda de baixo do manto, e Rênio segurava a taça de vinho apertando um pouco demais.

Quando o guarda fechou a porta e desceu a escada, Brutus terminou de beber seu vinho e riu.

— Então, vai dizer por que estamos aqui, Júlio?

Todos olharam o homem à frente. O cansaço familiar havia desaparecido de suas feições e ele estava ereto, com a armadura brilhando de óleo.

— Senhores, Servília. Nós terminamos aqui. É hora de ir para casa.

Houve um momento de silêncio e Servília pulou em sua cadeira quando os outros aplaudiram e riram juntos.

— Vou beber a isso — disse Rênio, inclinando a taça.

Júlio desenrolou um mapa sobre a mesa e eles se amontoaram em volta enquanto ele colocava pesos sobre os cantos. Servília se sentiu excluída. Júlio captou seu olhar e sorriu para ela. Tudo ficaria bem.

Enquanto Júlio discutia os problemas de mover cinco mil homens ela começou a calcular. A Mão de Ouro mal fora inaugurada, e quem iria administrá-la se ela fosse embora? Angelina não tinha mão de ferro. Estaria comandando uma casa gratuita em menos de um ano se Servília a deixasse no comando. Nádia, possivelmente. Coração de sílex e bastante experiente, mas daria para confiar que não roubaria os lucros? Ao ouvir seu nome ela retornou bruscamente dos pensamentos.

— ... então não vamos por terra, nesse tempo. Servília me deu a idéia quando conhecemos o capitão mercante que ela usa. Vou escrever ordens para requisitar cada navio que esteja na passagem. Isso não será discutido a não ser entre nós. Se eles souberem que usaremos seus navios, zarparão logo e nós ficaremos aqui.

— Por que você vai partir antes de terminar aqui? — perguntou Cabera em voz baixa.

A conversa ao redor da mesa morreu e Júlio parou com o dedo sobre o mapa.

— Eu *terminei* aqui. Não é onde devo estar. Você mesmo disse. Se eu esperar o fim do período determinado Pompeu me mandará para outro lugar longe de minha cidade. E se eu recusar, esse será meu último posto em qualquer local. Não há segundas chances com aquele homem. — Júlio bateu o dedo no mapa sobre a minúscula marca da cidade que ele amava.

— Haverá eleições no fim do ano, para dois cargos de cônsul. Vou voltar e me candidatar a um deles.

Cabera deu de ombros, ainda testando.

— E depois? Vai travar uma guerra pela cidade, como Sila?

Júlio ficou imóvel por um momento e seu olhar se cravou em Cabera.

— Não, velho amigo — disse baixinho. — Depois não serei mais mandado para qualquer lugar segundo a vontade de Pompeu. Como cônsul serei intocável. Estarei de novo no centro das coisas.

Cabera queria deixar que o momento passasse, mas sua teimosia o obrigou a falar.

— Mas e depois disso? Deixará Brutus exercitando a Décima enquanto redige novas leis que o povo não vai entender? Vai se perder em mapas e pontes, como fez aqui?

Rênio estendeu a mão e segurou o ombro de Cabera para fazê-lo parar, mas o velho ignorou.

— Você pode fazer mais do que isso, se tiver olhos para ver — disse, encolhendo-se quando Rênio fechou a mão sobre os músculos magros, machucando-o.

— Se eu for cônsul — começou Júlio lentamente —, vou levar o que amo aos lugares mais selvagens que puder encontrar. É isso que você quer que eu diga? Que a Espanha é calma demais para mim? Eu sei. Vou encontrar meu caminho lá, Cabera. Os deuses ouvem com mais atenção quem fala em Roma. Eles simplesmente não conseguem me ouvir aqui. — Júlio sorriu para encobrir a raiva e sentiu Servília observando-o por cima do ombro de Otaviano. Rênio soltou o braço de Cabera, que fez uma careta de desdém para ele.

Brutus falou para aliviar o momento:

— Se começarmos a segurar navios esta noite, quanto tempo se passará até termos o bastante para mover a Décima?

Júlio assentiu levemente, agradecendo.

— Um mês, no máximo. Já espalhei a notícia de que precisamos de capitães para uma grande carga. Acho que não mais do que trinta navios bastarão para desembarcar em Óstia. O senado jamais me deixaria me aproximar de Roma com uma legião inteira, por isso preciso de um acampamento no litoral. Vou levar o ouro na primeira viagem. Temos o bastante para o que tenho em mente.

Servília os observou discutindo até o sol se pôr. Eles mal notaram o guarda entrar na sala para acender mais lâmpadas. Depois de um tempo ela saiu para começar seus preparativos, com o ar da noite fazendo-a se sentir mais viva depois do calor da sala.

Ainda podia ouvir as vozes enquanto atravessava o pátio e via as sentinelas do portão se enrijecer ao vê-la.

— É verdade que vamos para Roma, senhora? — perguntou um deles quando ela passou. Não foi surpresa descobrir que o sujeito ouvira o boato. Algumas de suas melhores informações em Roma vinham dos soldados rasos.

— É.

O homem sorriu.

— Já estava na hora.

Quando a Décima se moveu, moveu-se depressa. Um dia depois da reunião na sala comprida, dez dos maiores navios no porto de Valência tinham guardas impedindo que escapassem. Para fúria dos capitães mercantes, suas preciosas cargas foram retiradas e deixadas nos armazéns do cais para abrir mais espaço para a vasta quantidade de equipamentos e homens que compunham uma legião.

O ouro que estava na fortaleza foi posto em caixotes e levado aos navios, com centúrias totalmente armadas cuidando de cada parte da viagem. As forjas dos armeiros foram desmontadas e amarradas a enormes tablados de madeira que precisaram de juntas de boi para ser postos nos porões escuros. A grande balista e as catapultas foram reduzidas às peças básicas, e os pesados navios ficaram cada vez mais baixos na água, enquanto eram enchidos. Precisariam da maré mais alta para sair do porto, e Júlio marcou o dia para exatamente um mês depois de ter feito o anúncio formal. Se tudo corresse bem, chegariam a Roma pouco mais de cem dias antes da eleição consular.

O questor que Júlio havia promovido era ambicioso, e Júlio sabia que ele trabalharia como um escravo para manter o novo posto. Não haveria perda de disciplina quando a Décima fosse embora. O questor trouxe duas coortes para o leste, sob ordens de Júlio, alguns eram homens locais que tinham entrado para as forças romanas há anos. Era o bastante para manter a paz, e Júlio sentiu prazer porque o problema não era mais seu.

Havia mil coisas para organizar antes que os navios pudessem soltar as amarras. Júlio se empenhava até a exaustão, dormindo apenas uma noite em cada duas, no máximo. Encontrou-se com líderes locais de todo o país para explicar o que estava acontecendo, e os presentes que deixou para eles garantiram sua ajuda e sua bênção.

O questor ficara silenciosamente pasmo quando Júlio lhe disse como as novas minas tinham se tornado produtivas durante seu tempo na Espanha. Eles as haviam percorrido juntos e o sujeito aproveitou a oportunidade para garantir um empréstimo dos cofres da Décima, para ser pago em cinco anos. Não importando quem terminasse no posto de pretor, a dívida permaneceria. As minas seriam desenvolvidas e sem dúvida parte da nova riqueza seria declarada. Não antes que o posto se tornasse permanente, pensou Júlio com desagrado. Não seria bom excitar a fome de homens como Crasso em Roma.

Enquanto saía ao pátio Júlio teve de proteger os olhos contra o sol feroz. O portão estava aberto e a fortaleza tinha um ar vazio que o lembrou do povoado com a estátua de Alexandre. Era um pensamento estranho, mas as novas coortes eram esperadas para a manhã seguinte, e então a fortaleza voltaria à vida.

Na claridade ofuscante não viu o rapaz parado junto ao portão, esperando-o. Júlio estava indo para o estábulo e foi arrancado do devaneio quando o sujeito falou. Sua mão baixou ao gládio, num reflexo.

— General? Tem um momento?

Júlio o reconheceu e estreitou os olhos. Seu nome era Adàn, lembrou-se. O jovem que ele havia poupado.

— O que é? — perguntou impaciente.

Adàn se aproximou dele e Júlio manteve a mão junto ao punho da espada. Não duvidava que poderia dominar o jovem espanhol, mas poderia haver outros, e tinha vivido o suficiente para não baixar a guarda com tanta facilidade. Seus olhos examinaram o portão, em busca de sombras em movimento.

— O prefeito, Del Subió, disse que o senhor precisa de um escriba. Eu sei ler e escrever em latim.

Júlio o encarou cheio de suspeitas.

— Del Subió mencionou o fato de que estou indo para Roma?

Adàn assentiu.

— Todo mundo sabe. Eu gostaria de ver a cidade, mas quero o trabalho.

Júlio o encarou, avaliando. Confiava nos próprios instintos e não podia ver nada escondido no rosto aberto do sujeito. Talvez o jovem espanhol estivesse dizendo a verdade, mas Júlio não conseguia evitar as suspeitas quanto aos seus motivos, com a legião a ponto de viajar.

— Uma viagem de graça até Roma, e então você desaparece nos mercados, Adàn?

O rapaz deu de ombros.

— O senhor tem minha palavra. Não posso oferecer mais nada. Trabalho duro e quero ver mais do mundo. Só isso.

— Por que trabalhar para mim, então? Não faz muito tempo que você teve sangue romano nas mãos.

Adàn ficou vermelho, mas levantou a cabeça, recusando-se a se acovardar.

— O senhor é um homem honrado, general. Ainda que eu preferisse que Roma não pusesse as mãos sobre meu povo, o senhor me deixou curioso. Não vai se arrepender de me contratar, juro.

Júlio franziu a testa. O sujeito parecia não perceber o perigo em suas palavras. Lembrou-se do modo como ele ficou diante dos seus homens na sala comprida, lutando para controlar o medo.

— Preciso ser capaz de confiar em você, Adàn, e isso só virá com o tempo. O que você ouvir de mim valerá dinheiro aos que pagam por informações. Posso confiar em que manterá meus negócios em segredo?

— Como o senhor disse, com o tempo saberá. Minha palavra tem valor.

Júlio chegou a uma decisão e sua testa se franziu.

— Muito bem, Adàn. Vá até meus aposentos e pegue os papéis que estão na mesa. Vou ditar uma carta e avaliar sua letra. Então você terá tempo de se despedir de sua família. Partiremos para Roma dentro de três dias.

CAPÍTVLO VII

Brutus vomitava por cima da amurada no mar turbulento.

— Eu tinha esquecido disso — falou arrasado.

Ciro só conseguia gemer em resposta enquanto as últimas taças de vinho que eles tinham tomado em Valência ficavam retornando. O vento soprava e fez com que parte do líquido fétido voltasse para eles. Brutus se imobilizou, enojado.

— Vá para longe de mim, seu jumento — gritou por cima do vendaval. Apesar de seu estômago estar vazio, os espasmos dolorosos recomeçaram e ele se encolheu com o amargo na boca.

As nuvens tinham vindo do leste enquanto as montanhas espanholas afundavam atrás deles. Os navios haviam se espalhado diante da tempestade, forçados a se distanciar uns dos outros. Os que tinham remos mantinham alguma aparência de controle, mas os conveses balouçantes faziam as pás compridas saírem completamente da água de um dos lados, depois do outro. Os mercadores que dependiam das velas estavam arrastando âncoras flutuantes, grandes amarrados de lona e traves para diminuir a velocidade e dar aos lemes pesados algo contra o qual trabalhar. Isso ajudava pouco. A tempestade trouxe a escuridão mais cedo e eles perderam de vista uns aos outros, cada navio subitamente sozinho para lutar contra as ondas.

Brutus estremeceu na popa quando outra onda feroz jogou água por sobre a amurada num grande jorro de brancura. Segurou o parapeito com força enquanto a onda espumava ao redor de seus joelhos e depois se esvaía. Os remos batiam e saltavam sobre montanhas de água escura, e Brutus imaginou se eles se chocariam com a terra numa pancada súbita.

O negrume era absoluto e mesmo a poucos passos ele mal podia enxergar Ciro. Ouviu o grandalhão gemer baixinho e fechou os olhos, só querendo que tudo aquilo parasse. Estivera se sentindo bem até que haviam se afastado da costa e as grandes ondas começaram a sacudi-los. Então o enjôo começou com um ataque de arrotos e a súbita ânsia de ir para a amurada. Tivera o bom senso de mirar por cima da popa, mas os homens abaixo não puderam se dar a esse luxo. Amontoados como estavam no porão, foi uma cena de pesadelo.

A pequena parte de sua mente que conseguia pensar em alguma coisa além do desconforto percebeu que teriam de ancorar fora de Óstia por um ou dois dias antes de entrar, nem que fosse para lavar o navio e restaurar o brilho da Décima. Se chegassem ao porto naquele momento os estivadores pensariam que eram refugiados de alguma batalha terrível.

Brutus ouviu um passo atrás dele.

— Quem é? — perguntou, esticando o pescoço para tentar ver as feições do sujeito.

— Júlio — respondeu uma voz animada. — Tenho água para você. Vai lhe dar algo para pôr para fora, ao menos.

Brutus deu um sorriso débil, aceitando o odre e apertando o bocal de tubo contra os lábios. Engoliu e cuspiu duas vezes antes de deixar que algum líquido escorresse garganta abaixo. Ciro pegou o odre com ele e engoliu ruidosamente.

Brutus sabia que deveria perguntar sobre os homens ou a rota que estavam fazendo para levá-los por entre a Sardenha e a Córsega, mas simplesmente não conseguia se obrigar. A cabeça estava pesada por causa do enjôo e ele só conseguiu balançar a mão para Júlio, num pedido de desculpas, antes de se dobrar sobre a amurada de novo. Era quase pior quando não estava vomitando. De modo que não havia nada a fazer senão dar livre vazão.

Os três cambalearam quando o navio balançou num ângulo apavorante e algo caiu com estrondo no porão. Júlio perdeu o apoio no convés escorregadio e foi salvo agarrando o braço de Ciro. Em seguida respirou fundo, agradecendo.

— Eu sentia falta disso — falou aos dois. — Estar fora das vistas de terra, no escuro. — Em seguida chegou mais perto de Ciro. — Você vai ficar comigo no último turno de vigia, amanhã. As estrelas vão tirar seu fôlego quando a tempestade for soprada para longe. O enjôo nunca dura mais do que um dia ou dois, no máximo.

— Espero que sim — conseguiu dizer Ciro, em dúvida. Para ele Júlio estava forçando os laços da amizade ao parecer tão obscenamente animado enquanto eles esperavam ser levados pela morte. Daria um mês de salário em troca de uma única hora de calma para acomodar o estômago. Então poderia encarar qualquer coisa, tinha certeza.

Júlio seguiu junto à amurada e foi falar com o capitão. O mercador havia se acomodado numa aceitação carrancuda de seu novo papel, chegando ao ponto de falar com os soldados enquanto eles se apinhavam em seu navio. Tinha-os alertado para ter uma das mãos a postos para o navio e a outra para se salvar, o tempo todo.

— Se caírem no mar — disse aos legionários —, é o fim. Mesmo que eu volte, e não voltarei, é quase impossível ver a cabeça de uma pessoa mesmo quando o mar está calmo. Se houver um pouco de vento é melhor vocês encherem logo os pulmões de água e afundar. Será mais rápido assim.

— Estamos no rumo, capitão? — perguntou Júlio ao chegar perto da figura envolta em sombras, encolhida contra o vento e envolta num grosso oleado.

— Vamos saber se chegarmos à Sardenha, mas eu fiz esta viagem muitas vezes. O vento vem do sudeste e nós o estamos atravessando.

Júlio não conseguia ver as feições dele na escuridão de breu, mas a voz não parecia preocupada. Quando os primeiros vendavais tinham acertado o navio o capitão amarrou os lemes em alguns graus de arco e assumiu seu posto, ocasionalmente gritando ordens à tripulação que se movia invisivelmente pelo convés.

Com a amurada às costas, Júlio balançava no ritmo das ondas, gostando tremendamente daquilo. Seu tempo na *Accipiter* com Gadítico como capitão parecia ter acontecido numa outra vida, mas se deixasse a mente vaguear era quase como se estivesse de volta, num mar diferente, no escuro. Imaginou se Ciro ao menos pensava naqueles tempos. Eles haviam jogado com a vida em incontáveis ocasiões na caça pelo pirata que tinha destruído o pequeno navio.

Fechou os olhos ao pensar nos que tinham morrido durante a caçada. Pélitas, em particular, era um bom homem que se fora há muito. Na época tudo parecia simples demais, como se o caminho estivesse esperando. Agora havia mais opções do que ele desejava. Se conseguisse um posto de cônsul poderia ficar em Roma ou levar sua legião a uma nova terra em qualquer lugar do mundo. Alexandre fizera isso. O menino rei tinha levado seus exércitos para o leste, em direção ao sol nascente, a terras tão distantes que eram pouco mais do que lendas. Parte de Júlio queria a louca liberdade que tinha conhecido na África e na Grécia. Ninguém para persuadir ou a quem prestar contas, só um novo caminho a abrir.

Sorriu no escuro. A Espanha estava lá atrás e todas as suas preocupações, rotinas e reuniões tinham saído de seus ombros com a tempestade.

Enquanto se encostava na amurada, um ruído de passos trouxe mais um para jogar fora a última refeição. Júlio ouviu a exclamação de Adàn ao ver o caminho bloqueado por Ciro xingando, frustrado.

— O que é isso, um elefante? Abra espaço, grandão! — disse o jovem espanhol, e Ciro deu um risinho débil, satisfeito em compartilhar o sofrimento com alguém.

A chuva começou a cair em torrentes, e em algum lugar adiante a lança de um raio fez todos tremerem sob a luz súbita.

Sem ser visto, Júlio ergueu as mãos numa oração silenciosa dando as boas-vindas à tempestade. Roma estava em algum lugar adiante e ele se sentia vivo como não acontecia há anos.

A chuva se derramava do céu escuro sobre a cidade. Ainda que tentasse sentir conforto com seus dois guardas, Alexandria descobriu que estava com medo enquanto a noite caía cedo sob as nuvens. Sem o sol as ruas se esvaziavam rapidamente enquanto as famílias trancavam as portas e acendiam as luzes. As pedras das ruas sumiam rapidamente sob a lenta maré de imundície que redemoinhava e se grudava aos seus pés. Alexandria quase escorregou numa pedra escondida e fez uma careta ao pensar em pôr as mãos naquilo.

Não havia luz nas ruas, e cada figura escura parecia ameaçadora. As gangues de raptores estariam procurando vítimas fáceis para estuprar e roubar, e Alexandria só podia esperar que Tedo e seu filho conseguissem afastá-los.

— Fique perto, senhora. Agora não falta muito — disse Tedo à frente.

Ela mal podia ver a forma dele mancando, mas o som de sua voz ajudava a aplacar o medo.

O vento trouxe o cheiro de excremento humano num jorro súbito, forte, e Alexandria teve de engolir a saliva rapidamente enquanto engasgava. Era difícil não sentir medo. Tedo havia passado há muito seus melhores anos e um velho ferimento na perna lhe dava um passo manco que parecia quase cômico. Seu filho carrancudo jamais falava, e ela não sabia se podia confiar nele.

À medida que seguiam pelas ruas vazias Alexandria ouvia trancas sendo postas nas portas por onde passava enquanto as famílias tentavam se proteger. O bom povo de Roma não tinha proteção contra as quadrilhas, e somente quem tinha guardas ousava percorrer a cidade depois do anoitecer.

Um grupo apareceu numa esquina adiante, sombras que observavam as três figuras e fizeram Alexandria estremecer. Ouviu Tedo sacar sua faca de caça, mas eles teriam de atravessar a rua ou passar pelo grupo, e ela controlou a ânsia de correr. Sabia que morreria caso se afastasse de seus guardas, e apenas esse pensamento a manteve firme enquanto se aproximavam da esquina. O filho de Tedo veio para o lado, roçando seu braço mas sem trazer qualquer sensação de segurança.

— Estamos quase em casa — disse Tedo com clareza, mais para os homens que estavam no canto do que para Alexandria, que conhecia as ruas tão bem quanto ele. O velho parecia despreocupado e mantinha a faca comprida ao lado do corpo enquanto passavam pelos homens. Estava escuro demais para ver os rostos, mas Alexandria pôde sentir o cheiro de lã úmida e alho azedo. Seu coração martelou quando uma sombra esbarrou em seu ombro, fazendo-a tropeçar. O filho de Tedo a guiou para longe com a mão da espada, mostrando a lâmina a eles. Os homens não se moveram e Alexandria pôde sentir os olhares ameaçadores enquanto a situação pendia na balança. Bastaria um escorregão e eles atacariam, tinha certeza, com o coração batendo numa velocidade dolorosa.

Então haviam passado e Tedo segurou seu braço com força, e o filho fez o mesmo do outro lado.

— Não olhe para trás, senhora — murmurou Tedo baixinho.

Ela assentiu, mas sabia que ele não podia vê-la. Será que os homens estariam seguindo-os, trotando como cachorros selvagens? Estava louca para olhar por cima do ombro, mas Tedo a empurrava pelas ruas, afastando-a. O coxear dele estava piorando e a respiração se esforçava dolorosa enquanto deixavam a esquina para trás. O velho jamais falava a respeito, mas a perna tinha de ser esfregada com linimento a cada noite somente para sustentar seu peso de manhã.

Acima deles a chuva batia no telhado das casas apinhadas de pessoas que não ousariam sair às ruas à noite. Alexandria arriscou um olhar para trás, mas não pôde ver nada e desejou não ter feito isso. A raiva se agitou por dentro. Os senadores não precisavam temer como ela. Nunca se movimentavam sem guardas armados e os raptores os evitavam, reconhecendo a presença de uma ameaça maior do que poderiam enfrentar. Os pobres não tinham essa proteção, e mesmo à luz do dia havia ladrões e súbitas escaramuças que deixavam um ou dois mortos e o resto se afastando rigidamente, sabendo que não seriam apanhados e nem mesmo perseguidos.

— Estamos quase chegando, senhora — disse Tedo outra vez, agora a sério.

Alexandria escutou o alívio na voz dele e se perguntou o que teria acontecido se o grupo tivesse sacado as facas. Será que ele teria morrido por ela ou iria deixá-la à mercê da quadrilha? Impossível saber, mas calculou o custo de contratar outro guarda para se juntar a eles. Quem iria vigiá-lo?

Viraram mais duas vezes e chegaram à sua rua. As casas eram maiores do que no labirinto pelo qual tinham passado, mas a imundície era no mínimo mais densa, inchada pela chuva. Fez uma careta quando um borrifo daquilo espirrou por baixo da *stola*, acertando no joelho. Mais um par de sandálias arruinado. O couro jamais cheiraria a limpo outra vez, não importando o quanto ela o encharcasse.

Grunhindo silenciosamente em dor, Tedo chegou primeiro à porta e bateu. Esperaram em silêncio, os dois homens olhando para um lado e outro da rua, para o caso de alguém estar esperando para atacá-los. Isso tinha acontecido a uma pessoa há apenas algumas noites, numa rua não muito distante. Ninguém ousara vir ajudar.

Alexandria ouviu passos se aproximando do outro lado.

— Quem é? — perguntou a voz de Atia, e Alexandria soltou o ar lentamente, aliviada por estar em casa. Conhecia a mulher há anos, e apesar de ela viver na casa e cozinhar, Atia era a coisa mais próxima de uma família que tinha em Roma.

— Sou eu, Ati — disse ela.

A luz se derramou quando a porta foi aberta e eles entraram rapidamente, Tedo esperando até ela estar fora da rua antes de ir atrás. Recolocou a trava com cuidado e finalmente embainhou a faca, com a tensão se esvaindo dos ombros.

— Obrigada a vocês dois — disse Alexandria.

O filho ficou em silêncio, mas Tedo grunhiu uma resposta, batendo a mão na solidez da porta, como se para tranqüilizá-la.

— É para isso que nós somos pagos — disse ele.

Ela viu que a perna fraca do velho estava ligeiramente levantada, para não apoiar o peso, e seu coração se condoeu. Havia diferentes tipos de coragem.

— Vou trazer uma bebida quente depois de você cuidar de sua perna — falou.

Para sua surpresa ele ruborizou ligeiramente.

— Não precisa, senhora. Eu e o menino nos cuidamos. Talvez mais tarde.

Alexandria assentiu, sem saber se deveria tentar de novo. Tedo parecia desconfortável com qualquer coisa que se aproximasse de uma oferta de amizade. Parecia não querer nada dela além do pagamento regular, e ela aceitava sua reserva. Mas esta noite ainda estava abalada e precisava de pessoas em volta.

— Vocês devem estar com fome, e há carne fria na cozinha. Eu ficaria satisfeita se comessem conosco quando estiverem prontos.

Atia mudou o peso do corpo sobre os pés e Tedo olhou para o chão durante um momento, franzindo a testa ligeiramente.

— Se a senhora tem certeza — disse por fim.

Alexandria ficou olhando os dois indo para seus aposentos. Olhou para Atia e sorriu diante da expressão séria da mulher.

— Você é gentil demais com esses dois — disse Atia. — Há pouca coisa boa neles, tanto no pai quanto no filho. Se deixá-los comandar a casa eles vão se aproveitar, tenho certeza. Os serviçais não devem esquecer seu lugar, nem os que pagam por eles.

Alexandria deu um risinho, com o medo da noite começando a se esvair. Na teoria Atia também era uma serviçal, mas as duas nunca falavam disso. Alexandria a conhecera quando foi procurar um quarto limpo na cidade, e quando seu negócio de jóias cresceu Atia foi com ela, para cuidar da casa nova. A mulher era uma tirana com os outros serviçais, mas fazia com que o local parecesse um lar.

— Fiquei feliz por eles estarem comigo, Atia. Os raptores saíram cedo por causa da tempestade, e duas taças de vinho são um preço barato pela segurança. Venha, estou morrendo de fome.

Atia fungou para não responder, mas passou à frente dela no corredor enquanto iam para a cozinha.

O prédio do senado era preenchido com a luz de dezenas de lâmpadas que estalavam junto às paredes. O salão cheio de ecos estava quente e seco apesar do baixo tamborilar da chuva lá fora, e poucos dos homens presentes queriam pensar em se molhar no caminho para casa. A tarde fora dominada pelos relatórios sobre o orçamento da cidade, com várias votações para aprovar vastas quantias destinadas às legiões que mantinham a Pax Romana em terras distantes. As somas eram estarrecedoras, mas as reservas estavam suficientemente saudáveis para manter a cidade durante mais um ano. Um ou dois dos senadores mais idosos tinham deixado o calor acalentá-los num cochilo, e somente a tempestade lá fora os impedia de ir para casa fazer uma refeição tardia e cair na cama.

O senador Prando estava de pé no rostro, com o olhar varrendo as fileiras semicirculares de bancos, procurando apoio. Incomodava-o que Pompeu estivesse murmurando com um colega enquanto ele anunciava sua candidatura para um posto de cônsul. Fora a pedido de Pompeu que Prando concordara em apresentar o nome, e o mínimo que o sujeito poderia fazer era parecer atento.

— Se for eleito para o cargo pretendo reunir os fabricantes de moedas sob um único teto e estabelecer uma unidade monetária na qual os cidadãos possam confiar. Há muitas moedas que somente afirmam ser de ouro ou prata pura, e cada loja tem de ter suas próprias balanças para pesar o dinheiro que recebe. Uma única casa da moeda, pertencente ao senado, acabará com a confusão e restaurará a confiança.

Viu Crasso franzir a testa e imaginou se ele seria responsável por algumas daquelas moedas falsas que provocavam tanto dano. Não ficaria surpreso com isso.

— Se os cidadãos me derem o direito de ser cônsul agirei no interesse de Roma, restaurando a fé na autoridade do senado. — Prando parou de novo quando Pompeu levantou os olhos, e percebeu que tinha cometido um erro. Alguém deu um risinho e ele percebeu que ia ficando sem graça. — ...uma fé *maior* no senado — acrescentou. — Respeito pela autoridade e pelo primado da lei. Justiça livre de suborno ou corrupção. — Parou de novo, com a mente se esvaziando. — Será uma honra servir. Obrigado — falou descendo do rostro e ocupando seu lugar na primeira fila, com alívio evidente. Um ou dois homens mais próximos deram-lhe tapinhas no ombro e Prando começou a relaxar. Virou-se para o filho, Suetônio, querendo ver como ele havia recebido o discurso, mas o rapaz estava olhando à frente, sem expressão.

Pompeu caminhou por entre os bancos e sorriu para o senador Prando ao passar por ele. Os que tinham começado as conversas sussurradas silenciaram quando o cônsul subiu ao rostro. Parecia relaxado e confiante, pensou Prando com um toque de irritação.

— Agradeço as palavras dos candidatos — disse Pompeu, pousando o olhar nos homens, num reconhecimento silencioso, antes de continuar. — Isso me dá esperança de que a cidade ainda pode encontrar pessoas dispostas a dedicar a vida a ela sem pensar em ganhos pessoais ou ambição. — Esperou que o risinho apreciativo parasse, inclinando-se para a frente e se apoiando nos braços. — A eleição dará aos meus construtores a chance de aumentar este local, e estou disposto a ceder o uso de meu novo teatro enquanto o trabalho continua. Acho que será adequado. — Ele sorriu e os outros responderam, sabendo que o teatro tinha o dobro do tamanho do prédio do senado e era pelo menos duas vezes mais luxuoso. Não houve objeções. — Além dos que temos aqui, qualquer outro candidato deve se apresentar antes da festa da Volturnália, dentro de dez dias. Informem-me antecipadamente, por favor. Antes de enfrentarmos a chuva devo anunciar uma reunião pública no fórum daqui a uma semana. O julgamento de

Hospius será adiado por um mês. Então Crasso e eu faremos o discurso dos cônsules ao povo. Se algum dos outros candidatos quiser acrescentar sua voz à nossa, fale comigo antes de eu sair esta noite.

Pompeu captou o olhar de Prando por um breve momento antes de ir em frente. Tudo fora combinado e Prando sabia que sua candidatura seria reforçada pela associação com os homens mais experientes. Era melhor treinar o discurso. Apesar de todas as promessas de Pompeu, a multidão de Roma podia ser uma platéia difícil.

— O dia está terminando, senadores. Levantem-se para o juramento — disse Pompeu, erguendo a voz para ser ouvido acima da chuva que castigava a cidade.

A tempestade durou três dias, varrendo os navios espalhados em direção ao destino. Quando passou, a frota que transportava a Décima se juntou de novo lentamente, cada navio se transformando numa colméia de atividade enquanto eram feitos reparos nas velas e remos, e o alcatrão era esquentado para pingar entre as tábuas largas dos conveses, onde a água tinha vazado. Como Brutus previra, Júlio sinalizou para a frota ancorar fora de Óstia, e os barcos pequenos se moveram entre os navios, levando suprimentos e carpinteiros e se certificando de que suportariam qualquer exame. O sol secava os conveses e a Décima lavou os porões, limpando o cheiro de vômito com água do mar e graxa branca.

Quando as âncoras foram puxadas e limpas da argila, os navios foram para o porto, com Júlio na frente do primeiro. Estava de pé com um dos braços envolvendo a proa alta, bebendo a visão da pátria. Ao olhar para trás, por cima do ombro, viu as asas brancas dos navios a remo formando uma ponta de flecha atrás dele, com as velas dos outros fechando o cortejo. Não poderia colocar os sentimentos em palavras caso lhe perguntassem, e não tentou examiná-los. As dores de cabeça tinham desaparecido ao vento fresco do mar, e ele havia queimado incenso num braseiro agradecendo aos deuses pela passagem segura em meio à tempestade.

Sabia que a Décima poderia montar acampamento permanente nos campos além do porto enquanto ele pegava a estrada para a cidade. Os soldados estavam tão empolgados quanto os oficiais diante da chance de ver familiares e amigos de novo, mas não haveria licença até que o acampamento fosse montado em segurança. Cinco mil homens era um número grande demais para ir até sua propriedade. Simplesmente alimentar um número assim causaria problema, e os preços eram melhores junto ao cais. Como gafanhotos, se ele deixasse, a Décima poderia comer o ouro que trouxera. Pelo menos os soldados estariam gastando os próprios salários nas estalagens e bordéis da cidade.

O pensamento em ver sua propriedade no campo trouxe uma mistura de sofrimento e empolgação. Veria como sua filha tinha crescido e caminharia pelo rio que seu pai tinha represado para passar pelas terras. O sorriso de Júlio desapareceu ao pensar no pai. O túmulo da família ficava na estrada para a cidade, e antes de qualquer coisa teria de ver as sepulturas daqueles que deixara para trás.

CAPÍTVLO VIII

CRASSO RESPIROU O VAPOR DA PISCINA ENQUANTO SE ENFIAVA NA água até a cintura. O encosto de mármore estava gélido de encontro aos seus ombros. Sentou-se no degrau de baixo e o contraste era exótico. Sentia os nós de tensão no pescoço e balançou a mão para chamar um escravo dos banhos para massageá-los enquanto conversava.

Os outros homens na piscina eram todos seus clientes, e mais leais do que o estipêndio mensal que recebiam. Crasso fechou os olhos quando os polegares duros do escravo começaram a despertar seus músculos e suspirou de prazer antes de falar.

— Meu mandato de cônsul marcou pouco na cidade, senhores. — Deu um sorriso torto enquanto os homens ao lado se remexiam consternados. Antes que pudessem protestar, continuou: — Pensei que teria feito mais. Há muito poucas coisas para as quais posso apontar e dizer: "Isto é meu, somente meu." Parece que as renegociações comerciais não são o que agita o sangue dos nossos cidadãos.

Sua expressão se tingiu de amargura enquanto olhava para eles e traçava um redemoinho com um dedo na superfície da água.

— Ah! Eu lhes dei pão quando disseram que não tinham. Mas quando os pães acabaram nada havia mudado. Eles tiveram alguns dias de corrida pagos com minha bolsa e viram um templo ser restaurado no fórum. Mas imagino se irão se lembrar deste ano, ou mesmo se irão se lembrar de mim enquanto cônsul.

— Nós somos seus defensores — disse um dos homens, e o sentimento foi rapidamente ecoado pelos outros.

Crasso assentiu, expirando seu cinismo no vapor.

— Eu não venci guerras para eles, vejam bem. Em vez disso cortejam Pompeu e o velho Crasso é esquecido.

Os clientes não ousavam se encarar mutuamente e ver a verdade das palavras refletidas nos rostos. Crasso ergueu os olhos diante do embaraço dos outros antes de prosseguir, com a voz se firmando cheia de objetivo.

— Não quero que meu ano seja esquecido, senhores. Comprei mais um dia na pista de corridas para eles, o que é um começo. Quero que os que me pagam aluguel tenham a primeira opção de ingressos, e *tentem* conseguir famílias. — Ele parou para pegar uma taça de água fresca atrás da cabeça e o escravo interrompeu a massagem para entregá-la nos dedos ossudos. Crasso sorriu para o rapaz antes de continuar. — Os novos sestércios que têm minha efígie estão prontos. Precisarei de todos vocês para cuidar da distribuição, senhores. Eles só irão para as casas mais pobres, e não mais de um para cada homem e mulher. Vocês terão de usar guardas e levar apenas pequenas quantias de cada vez.

— Posso mencionar uma idéia, cônsul? — perguntou um homem.

— Claro, Pareu — respondeu Crasso erguendo uma sobrancelha.

— Contrate homens para limpar as ruas. — As palavras se derramaram rapidamente diante do olhar do cônsul. — Boa parte da cidade está fedendo e as pessoas iriam lhe agradecer por isso.

Crasso riu.

— Se eu fizer isso elas vão parar de jogar a imundície nas ruas? Não. Vão dizer: deixe para lá, porque o velho Crasso virá com baldes para limpar tudo de novo. Não, meu amigo, se querem ruas limpas elas devem pegar água e panos e limpá-las. Se o fedor ficar ruim demais no verão elas podem ser obrigadas a fazer isso, o que vai lhes ensinar a ser limpas. — Crasso viu o desapontamento do sujeito e falou com gentileza: — Admiro um homem que pensa no melhor para nosso povo, mas há muitos que não têm o bom senso de não sujar o lugar onde pisam. Não há sentido em cortejar a boa vontade de gente assim. — Crasso riu baixinho diante do pensamento, depois ficou quieto. — Por outro lado, se fosse popular... não. Não serei conhecido como Crasso, o limpador de merda. Não.

— E as quadrilhas de rua, então? — continuou Pareu teimosamente. — Elas estão fora de controle em algumas áreas. Algumas centenas de homens com permissão de acabar com as gangues fariam mais pela cidade do que...

— Você quer que uma quadrilha controle as outras? E quem vai manter essa *nova quadrilha* sob controle? Você pediria um grupo ainda maior para cuidar do primeiro? — Crasso fez "tsk tsk", achando divertida a insistência do sujeito.

— Uma centúria de legião poderia... — gaguejou ele.

— Sim, Pareu, uma legião poderia fazer muitas coisas, mas eu não tenho uma sob meu comando, como talvez você deva ser lembrado. Gostaria que eu implorasse por mais soldados de Pompeu para patrulhar as áreas pobres? Ele cobra fortunas só para ter guardas nas corridas, e já estou farto de incrementar a reputação dele com o meu ouro. — Crasso balançou a mão e derrubou a taça de metal fazendo-a girar pelos ladrilhos da casa de banhos. — Por ora chega, senhores. Vocês têm suas tarefas e eu lhes darei outras amanhã. Deixem-me.

Os homens saíram da piscina sem dizer nada, afastando-se rapidamente do chefe irascível.

Júlio gostou de deixar para trás o barulho do porto enquanto pegava com Otaviano a estrada para a cidade. Com Brutus supervisionando o descarregamento de homens e equipamentos, o trabalho seria terminado logo. Os centuriões tinham sido escolhidos pessoalmente e dava para confiar que mantivessem os homens sob rédea curta até que os primeiros grupos tivessem permissão de tirar licença.

Olhou para Otaviano e notou como o rapaz montava bem. O treinamento com os *extraordinarii* havia domado sua selvageria e agora ele montava como se tivesse nascido sobre a sela, e não como um moleque de rua que só vira um cavalo depois dos nove anos de idade.

Guiavam as montarias pelas pedras gastas da estrada, desviando-se de carroças e escravos que a percorriam em tarefas desconhecidas. Grãos e vinho, pedras preciosas, peles, ferramentas de ferro e bronze, mil outras coisas se destinavam ao bucho da cidade lá adiante. Os cocheiros estalavam os chicotes com habilidade sobre os bois e jumentos, e Júlio sabia que as caravanas se estenderiam desde o mar até o coração dos mercados.

As batidas suaves dos cascos davam sono, mas Júlio estava presa de uma tensão que fazia seus ombros doerem. O túmulo da família ficava do lado de fora da cidade, e ele seguia olhando em frente, à espera do primeiro vislumbre.

O sol se elevava em direção ao meio-dia quando ele sentiu que estava pronto e bateu com os calcanhares nos flancos do capão. Otaviano acompanhou seu passo instantaneamente e os dois dispararam sobre as pedras, seguidos por gritos e assobios de apreciação da parte dos mercadores que iam ficando para trás.

O túmulo era simples, de mármore escuro, um bloco retangular de pedra pesada que se agachava na lateral do caminho com a grande porta da cidade a menos de um quilômetro e meio adiante. Júlio estava suando ao desmontar, guiando o cavalo até a grama que crescia entre os túmulos, luxuriante devido aos mortos romanos.

— É este — sussurrou deixando as rédeas caírem das mãos. Leu os nomes gravados na pedra escura e fechou os olhos por um momento ao chegar ao da mãe. Em parte havia esperado isso, mas a realidade de saber que as cinzas dela estavam ali provocou uma dor que o surpreendeu, marejando os olhos.

O nome de seu pai ainda estava nítido depois de mais de uma década, e Júlio baixou a cabeça ao tocar as letras com as pontas dos dedos, acompanhando as linhas.

O terceiro nome ainda parecia tão recente quanto a dor que ele sentiu ao olhá-lo. Cornélia. Escondida do sol e de seu abraço. Não podia segurá-la de novo.

— Está com o vinho, Otaviano? — perguntou depois de um longo tempo. Tentou ficar ereto, mas a mão que tinha posto na pedra parecia grudada, e ele não conseguia soltá-la. Ouviu Otaviano remexer nas bolsas e sentiu a argila fria da ânfora que tinha lhe custado mais do que um mês do salário de um dos seus homens. Não existia vinho melhor do que o Falerno, mas Júlio queria o mais fino para homenagear aqueles que mais amava.

Em cima do túmulo uma tigela rasa fora esculpida no mármore, levando a um buraco não maior do que uma moeda de cobre. Enquanto Júlio quebrava o lacre do vinho imaginou se Clódia já havia levado sua filha para alimentar os mortos. Não achava que a velha teria se esquecido de Cornélia, assim como ele.

O vinho escuro gorgolejou na tigela e Júlio pôde ouvi-lo pingando lá dentro.

— Esta taça é para o meu pai, que me fez forte — sussurrou. — Esta para minha mãe, que me deu seu amor. Esta última para minha mulher. — Parou hipnotizado pela bebida que desaparecia num redemoinho entrando no túmulo. — Cornélia, que amei e ainda reverencio.

Quando finalmente devolveu a ânfora a Otaviano seus olhos estavam vermelhos de chorar.

— Amarre bem o gargalo, garoto. Há outra sepultura para ver antes de chegarmos à propriedade, e Tubruk quererá mais do que apenas uma taça. — Júlio se obrigou a sorrir e sentiu parte da tristeza ficar mais leve enquanto montava de novo. Os cascos do animal fizeram barulho suficiente para romper o silêncio da fileira de túmulos que se estendia até longe.

Aproximou-se de sua propriedade com uma espécie de medo roendo por dentro. Era um lugar de muitas lembranças e muita dor. O olhar de sua infância notou os juncos ásperos em meio às plantações que lutavam para crescer e viram um sutil ar de decadência em cada trilha com mato e cada parede mal consertada. O zumbido baixo das colméias podia ser ouvido, e ele sentiu os olhos ardendo diante daquele som.

As paredes brancas ao redor das construções principais provocaram uma dor. A tinta estava manchada com trechos nus e ele sentiu uma pontada de culpa pela falta de contato com elas. A casa fizera parte de cada ferimento na memória, e nenhuma carta viera de sua mão para sua filha, ou Clódia. Puxou as rédeas contendo a montaria, cada passo trazendo mais dor.

Ali estava o portão de onde vigiava a chegada do pai da cidade. Mais além estaria o estábulo onde tinha provado o primeiro beijo e o pátio onde quase morreu nas mãos de Rênio, há anos. Apesar da aparência meio arruinada, tudo ainda era igual onde importava, uma âncora nas mudanças de sua vida. No entanto daria tudo para que Tubruk viesse recebê-lo. Ou que Cordélia estivesse ali.

Parou diante do portão e esperou em silêncio, perdido em lembranças que agarrava junto ao peito como se pudessem permanecer reais até que o portão fosse aberto e tudo mudasse de novo.

Um homem que ele não conhecia apareceu acima do muro e Júlio sorriu ao pensar na escada oculta. Conhecia-a melhor do que qualquer coisa no mundo. Sua escada. Sua casa.

— O que o senhor deseja? — perguntou o homem, mantendo a voz neutra. Ainda que Júlio usasse sua armadura mais simples, mesmo assim havia uma aura de autoridade na avaliação silenciosa que fazia dos muros, e o homem sentiu isso.

— Vim ver Clódia e minha filha.

Os olhos do homem se arregalaram ligeiramente, surpresos, antes de desaparecer para sinalizar aos que estavam dentro.

O portão se abriu lentamente e Júlio entrou no pátio, com Otaviano atrás. À distância escutou alguém chamando Clódia, mas o momento de lembrança se manteve e ele respirou fundo.

Seu pai tinha morrido defendendo aquele muro. Tubruk o havia carregado nos ombros pelo portão. Júlio estremeceu ligeiramente apesar do calor do sol. Havia fantasmas demais naquele lugar. Imaginou se algum dia poderia se sentir realmente confortável ali, com cada canto lembrando-o do passado.

Clódia saiu correndo de uma construção e se imobilizou ao vê-lo. Enquanto ele desmontava, ela fez uma reverência profunda. A idade não lhe fora gentil, pensou Júlio enquanto a segurava pelos ombros e a abraçava. Ela sempre fora uma mulher grande e capaz, mas o rosto estava marcado por mais coisas do que o tempo. Se Tubruk tivesse sobrevivido ela iria se casar com ele, mas essa chance de felicidade fora roubada pelas mesmas facas que tinham levado Cornélia.

Enquanto ela se levantava para encará-lo, Júlio viu novas lágrimas, e a visão pareceu trazer sua tristeza particular mais para perto da superfície. Os dois haviam compartilhado uma perda, e ele não se sentiu preparado para a crueza dos sentimentos enquanto os anos se desvaneciam e os dois estava de novo parados no pátio enquanto a rebelião de escravos devastava o sul. Ela prometera ficar e criar sua filha, as últimas palavras que os dois tinham trocado antes de Júlio partir.

— Foi muito tempo sem notícias suas, Júlio. Eu não sabia para onde mandar a notícia sobre sua mãe — disse Clódia. Novas lágrimas escorreram em suas bochechas enquanto ela falava, e Júlio a apertou com força.

— Eu... sabia que isso ia acontecer. Foi difícil?

Clódia balançou a cabeça, enxugando os olhos.

— Ela falou de você, no final, e sentiu conforto com Júlia. Não houve dor. Nenhuma.

— Fico feliz — respondeu Júlio baixinho. Sua mãe fora uma figura distante durante tanto tempo que ele ficou surpreso ao ver como lamentava ter perdido a chance de vê-la, sentar-se à cama dela e contar todos os detalhes da Espanha e das batalhas que vira. Quantas vezes viera lhe contar o que tinha feito da vida? Mesmo quando a doença havia lhe roubado a razão ela parecia ouvi-lo. Agora não havia ninguém. Nem o pai para quem correr, nem Tubruk para rir de seus erros, ninguém que o amava sem limites restava no mundo. Sentia dor por todos eles. — Onde está Júlia? — perguntou dando um passo atrás.

O rosto de Clódia mudou ligeiramente enquanto o orgulho e o amor inundavam suas feições.

— Cavalgando. Ela leva seu pônei para a floresta sempre que pode. Parece Cornélia, Júlio. O mesmo cabelo. Algumas vezes, quando ri, é como se trinta anos tivessem sumido e ela estivesse ali, de novo comigo. — Clódia viu a tensão nele e entendeu mal. — Eu nunca a deixo cavalgar sozinha. Ela está com dois serviçais, pela segurança.

— Ela vai me reconhecer? — Subitamente Júlio se sentiu desconfortável. Olhou para o portão, como se falar de Júlia pudesse trazê-la à vista. Lembrava-se apenas um pouquinho da filha que deixara aos cuidados de Clódia. Apenas uma menina frágil que ele havia consolado enquanto o corpo da mãe era arrumado no escuro. A lembrança das mãos minúsculas em volta de seu pescoço era estranhamente poderosa.

— Vai, tenho certeza. Ela vive pedindo histórias sobre você, e eu contei todas que pude. — O olhar de Clódia foi para além dele, até Otaviano, que estava parado rigidamente junto aos cavalos. — Otaviano? — perguntou ela, pensando nas mudanças no rapaz.

Antes que ele pudesse resistir, Clódia correu e lhe administrou um abraço esmagador. Júlio riu do desconforto do rapaz.

— Estamos com poeira na garganta, Clódia. Vai nos manter aqui de pé o dia inteiro?

Clódia deixou Otaviano escapar.

— Sim, claro. Entregue os cavalos a um dos garotos ali e eu vou levá-los à cozinha. Agora somos apenas alguns escravos e eu. Sem os papéis em seu nome os mercadores não negociam comigo. Sem Tubruk para administrar, tem sido...

Júlio ficou ruborizado enquanto a mulher ficava outra vez a beira das lágrimas. Não tinha cumprido seu dever para com ela, percebeu, pensando na própria cegueira. Clódia estava fazendo pouco dos anos duros e, para sua vergonha, Júlio poderia ter aliviado o fardo. Deveria ter substituído Tubruk antes de partir e assinado um documento passando a ela o controle das verbas. De repente Clódia pareceu sem graça ao pensar que Júlio veria a casa que ela passara a ver como sua, e ele pôs a mão em seu braço para tranqüilizá-la.

— Eu não poderia ter pedido mais — disse ele.

Parte da tensão em Clódia desapareceu. Enquanto os cavalos eram levados para ser escovados e comer, Clódia entrou na casa e eles foram atrás, Júlio engolindo em seco enquanto passavam do pátio para os cômodos de sua infância.

A refeição que Clódia trouxe foi interrompida por um grito agudo e doce do lado de fora quando o barulho de cascos marcou a volta de Júlia. Com a boca cheia de pão e mel, Júlio saltou de pé e saiu ao sol. Tinha pensado que iria deixar que ela entrasse e a receberia formalmente, mas o som de sua voz suplantou a paciência e ele não pôde esperar.

Ainda que tivesse vivido apenas dez verões, a menina era a imagem da mãe, e o cabelo escuro era usado comprido, numa trança que descia pelas costas. Júlio riu ao vê-la pulando do pônei e se movimentando ao redor do animal, puxando espinhos e carrapichos da crina usando os dedos como pente.

Sua filha levou um susto ao ouvir a voz estranha e olhou em volta para ver quem ousava rir dela em sua própria casa. Quando seu olhar encontrou o de Júlio, ela franziu a testa, com suspeitas. Júlio a observou atentamente enquanto a menina se aproximava, a cabeça inclinada de lado numa interrogação silenciosa, como ele se lembrava de Cornélia fazendo.

Clódia havia saído para testemunhar o encontro e sorriu para os dois com orgulho materno.

— Este é o seu pai, Júlia — disse ela. A menina se imobilizou no gesto de espanar poeira da manga. Olhou para Júlio com expressão vazia.

— Eu me lembro de você — falou lentamente. — Veio para ficar?

— Durante um tempo — respondeu Júlio com seriedade igual.

A menina pareceu digerir isso, e assentiu.

— Vai comprar um cavalo para mim? Estou ficando grande demais para o velho Gibi e Récido diz que eu me sairia bem numa montaria com um pouco mais de espírito.

Júlio piscou para ela e parte do passado pareceu se dissolver em sua diversão.

— Vou achar uma beldade para você — prometeu, recompensado por um sorriso que fez seu coração martelar pela mulher que ele havia perdido.

Alexandria se afastou do calor da forja observando Tabbic retirar o copo de ouro derretido e posicioná-lo sobre os furos na argila.

— Mão firme agora — alertou ela desnecessariamente enquanto Tabbic começava a girar o comprido cabo de madeira sem qualquer tremor. Os dois davam ao metal líquido o respeito merecido enquanto sibilava e gorgolejava dentro do molde. Um simples respingo queimaria a carne até o osso, e cada parte do processo tinha de ser lento e cuidadoso. Alexandria assentiu satisfeita enquanto o vapor assobiava saindo dos buracos destinados ao ar, e o gorgolejo profundo começou a subir de tom até a estrutura estar cheia. Quando o ouro tivesse esfriado a argila seria cuidadosamente removida para revelar uma máscara tão perfeita quanto o rosto da mulher que ela representava. A pedido de um senador, Alexandria realizara a tarefa desagradável de fazer um molde da esposa dele apenas algumas horas depois da morte. Três outras máscaras tinham se seguido em argila, enquanto Alexandria alterava as linhas do rosto para afastar a devastação provocada pela doença. Com cuidado infinito reconstruíra o nariz onde a doença comera a carne, e finalmente o homem chorou ao ver a imagem que a morte lhe havia roubado. Em ouro ela seria preservada jovem para sempre, muito depois do homem que a amava também virar cinzas.

Alexandria encostou a mão na argila, sentindo o calor contido lá dentro e imaginando se algum homem iria amá-la o bastante para manter sua imagem por toda a vida.

Perdida em pensamentos não viu Brutus entrar na oficina, e somente o silêncio enquanto ele a olhava a fez se virar, sentindo algo ao qual não poderia dar um nome.

— Abra o vinho bom e tire a roupa — disse Brutus. Estava com os olhos fixos nela e nem notou Tabbic ali parado, boquiaberto. — Voltei, garota. Júlio voltou e Roma estará de cabeça para baixo quando nós terminarmos.

CAPÍTVLO IX

Brutus deu um tapinha na coxa de Alexandria, desfrutando da sensação de seu corpo enquanto cavalgavam através do crepúsculo até a propriedade. Depois de passar o dia na cama com ela, sentia-se mais relaxado e à vontade com o mundo do que conseguia lembrar. Queria que todas as recepções fossem dessa qualidade.

Não acostumada a cavalgar, Alexandria o apertava com força e Brutus podia sentir as chicotadas dos cabelos dela batendo em seu pescoço nu, algo que achou extraordinariamente erótico. Ela havia ficado forte enquanto ele estava longe, o corpo rijo de saúde e força. O rosto também tinha se alterado sutilmente e a testa era marcada por uma cicatriz provocada por um espirro de metal quente, quase na forma de uma lágrima.

A capa preta de Alexandria estalou em volta dele por um instante ao vento, e ele agarrou a borda, puxando-a para perto. Ela envolveu seu peito com os braços e respirou fundo. O ar era quente enquanto a terra devolvia o calor do sol e Brutus só desejava haver alguém ali para testemunhar como os dois deviam estar magníficos atravessando os campos até a propriedade.

Viu-a de longe, a luz das tochas se fundindo para tornar os muros uma coroa de luz na escuridão que aumentava. No fim diminuiu o passo e por um momento pensou que era Tubruk que estava esperando-o perto do portão aberto.

Júlio ficou quieto olhando-os reduzir a velocidade até o caminhar, adivinhando os pensamentos de Brutus e entendendo-os. Deixou de lado a impaciência e agradeceu silenciosamente a chegada do amigo. Era certo que ele estivesse ali, e os dois compartilharam um sorriso particular de lamento enquanto Brutus se virava na sela para ajudar Alexandria a descer e depois pulava no chão ao lado dela.

Júlio beijou Alexandria no rosto.

— Sinto-me honrado em tê-la na minha casa. Os serviçais vão levá-la para dentro enquanto eu converso com Brutus.

Os olhos de Alexandria brilhavam, pensou Júlio, imaginando se a mente dela, como a sua, costumava retornar a uma noite específica.

Quando ela havia entrado Júlio respirou fundo e deu um tapa afetuoso no ombro de Brutus.

— Não consigo acreditar que Tubruk não está aqui — disse olhando para os campos.

Brutus olhou para ele em silêncio por um momento, depois se abaixou e pegou um punhado de terra.

— Você se lembra de quando ele o fez segurar isso?

Júlio assentiu, copiando o gesto. Brutus ficou satisfeito ao vê-lo sorrir enquanto deixava o pó escorrer na brisa.

— Alimentada com o sangue dos que se foram antes de nós — disse Júlio.

— E com o nosso sangue. Ele era um bom homem. — Brutus deixou seu punhado escorrer e bateu as palmas. — Você terá de arranjar alguém para arar os campos de novo. Nunca vi esse lugar tão malcuidado. Mas agora você está de volta.

Júlio franziu a testa.

— Eu ia perguntar para onde você tinha desaparecido, mas vejo que achou algo melhor do que cuidar do acampamento em Óstia.

Júlio não conseguia se obrigar a ficar com raiva do amigo, mas tinha pretendido deixar a questão bastante clara.

— Rênio está com tudo sob controle e eu fiz uma coisa boa. Alexandria me disse que haverá um debate público amanhã no fórum, e vim direto lhe contar.

— Eu sei. Servília me disse assim que ficou sabendo. De qualquer modo fico feliz por você ter vindo. Eu teria mandado chamá-lo mesmo que você não tivesse me desobedecido.

Brutus olhou para o amigo, tentando avaliar a seriedade com que estava sendo criticado. A tensão e a exaustão do período passado na Espanha tinham sumido do rosto de Júlio, e ele parecia mais jovem do que há muito tempo. Brutus esperou um momento.

— Estou perdoado? — perguntou.

— Está. Agora entre e venha conhecer minha filha. Há um quarto pronto para você e quero que fique comigo para planejar uma campanha. Você é o último a chegar.

Caminharam juntos pelo pátio, e o único som eram os estalos das lâmpadas ao longo da parede. A brisa passou por eles um momento, quando o portão foi fechado, e Brutus sentiu os pêlos dos braços se levantando, fazendo-o estremecer. Júlio abriu uma porta para um cômodo cheio de vida e conversas e ele abaixou a cabeça para acompanhá-lo, sentindo os primeiros toques de empolgação.

Júlio tinha convocado todos, viu Brutus enquanto olhava ao redor e cumprimentava os amigos. Com Alexandria, todo mundo de quem ele gostava se encontrava naquela sala, e todos tinham os olhos brilhantes de conspiradores animados, planejando como governar uma cidade. Servília, Cabera, Domício, Ciro, Otaviano, todos os que Júlio tinha trazido para seu lado. O único estranho era o jovem espanhol que viera com eles como escriba de Júlio. Adàn olhava de um rosto para o outro ao mesmo tempo que Brutus, e quando os olhares dos dois se encontraram Brutus assentiu, cumprimentando-o como Júlio iria querer.

Brutus viu que Alexandria estava de pé, rígida, entre eles, e foi instintivamente para perto dela. Júlio captou o movimento e entendeu.

— Precisamos de você aqui, Alexandria. Ninguém mais viveu na cidade nos últimos anos, e quero esse conhecimento.

Ela ruborizou lindamente enquanto relaxava e Brutus apertou sua nádega, sem ser visto pelos outros. A mãe dele o olhou incisivamente enquanto Alexandria dava um tapa em sua mão, mas Brutus apenas sorriu para ela antes de se virar de novo na direção de Júlio.

— Onde está essa sua filha? — perguntou Brutus. Sentia-se curioso para ver a menina.

— Deve estar no estábulo. Ela monta como um centauro, sabe? Vou chamá-la antes de ela ir dormir. — Por um instante o orgulho tocou suas feições enquanto Júlio pensava na filha, e Brutus sorriu com ele. Em seguida Júlio pigarreou, olhando para todos.

— Agora quero decidir o que vou fazer amanhã de manhã, quando entrar no fórum e me declarar candidato a cônsul.

Todo mundo tentou falar ao mesmo tempo e a batida na porta não foi ouvida nos primeiros instantes. Clódia a abriu e sua expressão provocou silêncio quando a olharam.

— Está aí... eu não pude impedi-lo — começou ela.

Júlio a segurou pelo braço.

— Quem é?

Ele se imobilizou ao ver a figura atrás dela e recuou com Clódia, para deixar a porta se abrir totalmente.

Crasso estava ali parado, vestido numa toga de branco ofuscante contra a pele morena. Um broche de ouro brilhava no ombro, e Alexandria piscou ao reconhecer seu próprio trabalho, imaginando se seria coincidência ou prova sutil de que ele entendia os relacionamentos naquela sala.

— Boa noite, César. Creio que seu posto de tribuno não foi revogado. Devo me dirigir a você pelo título, agora que deixou para trás a pretoria na Espanha?

Júlio fez uma reverência com a cabeça, lutando para esconder a raiva que sentia pela entrada casual do sujeito em sua casa. A mente girou com pensamentos súbitos. Haveria soldados lá fora? Se houvesse, Crasso acharia mais difícil sair do que entrar, jurou em silêncio. Soltou o braço de Clódia e ela saiu da sala rapidamente, sem olhar para trás. Ele não a culpou por deixar Crasso entrar. Apesar de ela ter administrado a casa como a dona, tinha sido escrava durante muitos anos para não se amedrontar com um dos homens mais poderosos do senado. Nenhuma porta poderia ser trancada diante de um cônsul de Roma.

Crasso viu a tensão no jovem à frente e continuou:

— Fique tranqüilo, Júlio. Eu sou amigo desta casa, como fui de Mário, antes de você. Acha que poderia desembarcar uma legião em meu litoral sem que eu ficasse sabendo? Imagino que até mesmo o débil círculo de espiões de Pompeu já sabe que você voltou. — Crasso viu Servília na sala e baixou a cabeça ligeiramente, num cumprimento.

— Você é bem-vindo — disse Júlio, tentando relaxar. Sabia que tinha hesitado por tempo demais e suspeitava de que o velho tinha desfrutado cada momento da confusão que criara.

— Fico feliz. Bom, se alguém arranjar outra cadeira eu me junto a vocês, com sua permissão. Você precisará de um discurso forte amanhã, se pretende conseguir um manto de cônsul para o ano que vem. Pompeu não ficará satisfeito ao saber disso, mas esta é a doçura do molho.

— Não existem segredos que você não conheça? — perguntou Júlio, começando a se recuperar.

Crasso sorriu.

— Confirmado por sua própria boca! Pensei que não poderia haver outro motivo para você deixar o posto de pretor. Imagino que tenha nomeado um substituto antes de navegar para Roma, não é?

— Nomeei, claro. — Para sua surpresa, Júlio percebeu que estava gostando da conversa.

Crasso pegou a cadeira que Otaviano tinha desocupado para ele e se acomodou, usando os dedos compridos para ajeitar impecavelmente a toga. A tensão na sala começou a se dissipar enquanto eles o aceitavam em seu meio.

— Fico pensando: você simplesmente achou que atravessaria o fórum e subiria à plataforma dos oradores? — perguntou Crasso.

Júlio o olhou inexpressivamente.

— Por que não? Servília me disse que Prando irá falar. Eu tenho tanto direito quanto ele.

Crasso sorriu, balançando a cabeça.

— Acredito que você teria feito isso. É melhor ir a meu convite, Júlio. Pompeu não vai convidá-lo a se juntar a nós, afinal de contas. Estou ansioso para ver o rosto dele quando você colocar o nome na lista.

Ele aceitou um copo de vinho e tomou um gole, encolhendo-se ligeiramente.

— Percebe que Pompeu pode afirmar que você abandonou o dever ao voltar antes do fim de seu mandato na Espanha? — perguntou inclinando-se à frente.

— Como tribuno sou imune a um processo — respondeu Júlio rapidamente.

— A não ser que seja um crime de violência, meu amigo, mas acho que desertar de seu posto é bastante seguro. Pompeu sabe que você está protegido, mas como isso vai parecer ao povo? De agora até a eleição, Júlio, você não somente deve agir bem, mas ser considerado como alguém que age bem, caso contrário os votos de que precisa serão desperdiçados em outro candidato.

Crasso olhou para os outros em volta e sorriu quando seu olhar encontrou o de Alexandria. Por um instante seus dedos acariciaram o broche de ouro no ombro, e ela soube que ele a havia reconhecido e experimentou um arrepio de perigo. Pela primeira vez, desde que Brutus a havia encontrado na oficina, percebeu que Júlio coletava tanto amigos quanto inimigos, e ela ainda não tinha certeza do que Crasso era.

— O que você ganha me ajudando? — perguntou Júlio de repente.

— Você tem uma legião que eu ajudei a reconstruir, Júlio, quando ela se chamava Primogênita. Fui... persuadido de que é necessário ter homens na cidade. Homens treinados que não possam ser vítimas de suborno nem tentados pelas quadrilhas de raptores.

— Está me cobrando uma dívida? — respondeu Júlio, retesando-se para recusar.

Crasso se virou para Servília e trocou um olhar de compreensão que Júlio não pôde avaliar.

— Não. Abri mão de qualquer dívida há muito tempo, para mencionar. Estou pedindo livremente sua ajuda, e em troca meus clientes ajudarão a espalhar seu nome pela cidade. Você tem apenas cem dias, amigo. Mesmo com minha ajuda, é pouco tempo.

Ele viu Júlio hesitar e continuou:

— Eu fui amigo de seu pai e de Mário. É demais pedir a confiança do filho?

Servília tentou fazer com que Júlio a olhasse. Ela conhecia Crasso melhor do que ninguém na sala e esperava que Júlio não fizesse a tolice de recusar. Observou o amado com uma espécie de dor enquanto esperava sua resposta.

— Obrigado, cônsul — disse Júlio com formalidade. — Eu não me esqueço dos amigos.

Crasso sorriu com prazer genuíno.

— Com minha riqueza... — começou ele.

Júlio balançou a cabeça.

— Eu tenho o bastante para isso, Crasso, mas agradeço.

Pela primeira vez Crasso olhou o jovem general com o início de um respeito verdadeiro. Estivera certo em seu julgamento, pensou. Poderia trabalhar com ele e enfurecer Pompeu ao mesmo tempo.

— Então vamos brindar à sua candidatura? — perguntou levantando sua taça.

Com a confirmação de Júlio os outros pegaram o vinho e levantaram as taças desajeitadamente enquanto esperavam. Por um momento Júlio lamentou ter acabado com o Falerno, mas pensou melhor. Tubruk poderia fazer um brinde a eles, onde quer que estivesse.

Júlia se levantou na escuridão do estábulo, desfrutando o conforto quente trazido pelos cavalos. Caminhou pelas baias dando tapinhas nos focinhos, falando baixo com cada um deles. Parou diante do enorme capão em que o amigo de seu pai tinha trazido aquela mulher. Era estranho usar a palavra. Seu pai. Quantas vezes Clódia havia lhe contado sobre o homem corajoso que fora mandado para longe da cidade pelo capricho de um cônsul? Ela havia criado imagens dele, dizendo a si mesma que o pai estava preso pelos laços do dever e não podia voltar. Clódia sempre dizia que Júlio ia voltar e que tudo ficaria bem, mas agora que ele estava aqui Júlia o achava um tanto amedrontador. Assim que ele pôs os pés na poeira do pátio, tudo mudou e a casa tinha um novo dono.

Ele parecia sério demais, pensou a menina enquanto roçava o nariz no focinho de veludo do cavalo. O animal relinchou baixo em resposta e fez pressão contra ela, soprando ar quente em seu rosto. Júlio não era tão velho quanto ela esperava. Tinha-o imaginado com cabelos grisalhos nas têmporas e a calma dignidade de um membro do senado.

O ar noturno trouxe um jorro de barulhos de onde as pessoas novas haviam se reunido. Eram tantas! A casa nunca estivera tão cheia de visitantes, pensou imaginando quem seriam. De seu poleiro na muralha externa tinha visto quando chegaram e ficou balançando a cabeça diante de tantos estranhos.

Eram muito diferentes dos convidados de Clódia, especialmente a mulher velha com diamantes no pescoço. Júlia tinha visto seu pai beijá-la quando achou que ninguém podia ver, e sentiu a garganta apertar, de nojo. Tinha tentado dizer a si mesma que era apenas amizade, mas houvera algo íntimo no modo como a mulher relaxou contra ele, e as bochechas de Júlia ficaram quentes de embaraço. Quem quer que ela fosse, a menina jurou que nunca seriam amigas.

Ficou algum tempo imaginando se a mulher tentaria ganhar seu afeto. Seria muito fria, pensou. Não grosseira; Clódia a havia ensinado a desprezar a grosseria. Só o bastante para que a mulher não se sentisse bem-vinda.

Havia uma capa pesada num gancho perto da baia do capão, e Júlia a reconheceu como a que tinha envolvido o último casal. Lembrou-se do riso do homem espalhando-se pelo campo. Ele era muito bonito, pensou. Mais baixo do que seu pai, caminhava como o homem que Clódia havia contratado para ensiná-la a cavalgar, como se tivesse tanta energia que mal conseguisse se impedir de dançar de prazer.

Pensou que a companheira devia amá-lo, pelo modo como tinha se grudado às costas dele. Os dois sempre pareciam estar se tocando, quase por acidente.

Ficou no estábulo por longo tempo, tentando entender no fundo o que era diferente desde a chegada do pai. Sempre vinha aqui quando tinha problema ou quando havia chateado Clódia. Em meio ao cheiro de couro e palha, nas sombras, sempre se sentira segura. A casa principal tinha muitos cômodos vazios que eram frios e escuros à noite. Quando se esgueirava por eles para subir no muro sob o luar, podia imaginar a mãe caminhando por ali e estremecia. Era fácil demais pensar nos homens que a haviam matado, escondidos, até que Júlia girava aterrorizada e recuava dos fantasmas que jamais conseguia ver.

Uma explosão de risos chegou da casa e ela ergueu a cabeça para prestar atenção. O som se esvaiu num silêncio mais profundo e ela piscou no escuro ao perceber que a presença dos amigos do pai a faziam sentir-se em segurança. Esta noite não haveria assassinos se esgueirando sobre o muro para pegá-la, nem pesadelos.

Deu um tapinha de leve no focinho do cavalo e pegou a capa no gancho, deixando-a cair no chão empoeirado num momento de despeito. O amigo do pai merecia coisa melhor, pensou, abraçando-se no escuro.

Pompeu andava de um lado para o outro com as mãos cruzadas com força às costas. Usava uma toga de tecido grosso e branco que deixava os braços nus, e os músculos se moviam visivelmente enquanto movimentava os dedos uns contra os outros. As lâmpadas em sua casa da cidade tinham começado a ficar fracas, mas ele não chamou escravos para encher de novo os reservatórios. A luz débil se ajustava ao humor do cônsul de Roma.

— Somente a candidatura às eleições poderia reparar o dano de deixar o posto. Nada mais vale o risco que ele correu, Régulo.

Seu centurião mais importante ficou em posição de sentido enquanto o general andava de um lado para o outro. Ele lhe era leal há mais de vinte anos e conhecia seus humores mais do que ninguém.

— Estou a seu comando, senhor — disse ele, olhando direto em frente.

Pompeu o encarou, e o que viu pareceu satisfazê-lo.

— Você é meu braço direito, Régulo, eu sei. Mas preciso de mais do que obediência, para que César não herde a cidade de minhas mãos. Preciso de idéias. Fale livremente e nada tema.

Régulo relaxou um pouco diante da ordem.

— O senhor já pensou em esboçar uma lei permitindo que se candidate de novo? Ele não poderia assumir o posto caso o senhor fosse a alternativa.

Pompeu franziu a testa. Se pensasse sequer por um momento que isso fosse possível, teria considerado a hipótese. Os senadores, até mesmo os cidadãos, iriam se revoltar contra a mera sugestão de um retorno aos velhos tempos. A ironia de ter ajudado a trazer as próprias restrições que agora o continham não lhe passou despercebida, mas esses pensamentos não o levaram mais para perto de uma solução.

— Não é possível — falou com os dentes trincados.

— Então devemos planejar para o futuro, senhor.

Pompeu parou para examiná-lo com esperança nos olhos.

Régulo respirou fundo antes de falar.

— Deixe-me entrar para a legião dele. Se em algum momento o senhor sentir necessidade de que ele seja impedido, terá uma espada próxima dele.

Pompeu coçou o rosto enquanto considerava a oferta. Tamanha lealdade num homem tão violento! Ainda que parte dele se sentisse repelida pela idéia de uma opção tão desonrosa, seria um tolo se recusasse uma arma para os anos vindouros. Quem sabia o que o futuro guardava para qualquer um deles?

— Você teria de se alistar como soldado raso — disse Pompeu lentamente.

O centurião respirou fundo ao ver que sua idéia não seria descartada sem ouvir melhor.

— Não será difícil para mim. Minhas promoções vieram nos campos de batalha, de sua mão. Já passei por isso.

— Mas com suas cicatrizes eles saberão o que você é.

— Direi que sou mercenário. Posso representar o papel com facilidade. Deixe-me ficar perto dele, cônsul. Eu sou o seu homem.

Pompeu considerou isso, com objeções vindo e indo nos pensamentos. Suspirou. Afinal de contas a política era uma coisa prática.

— Podem-se passar anos, Régulo. Vá com minha bênção.

Régulo lutou para encontrar palavras.

— É... é uma honra, senhor. Estarei perto dele se o senhor me convocar. Juro.

— Sei que estará, Régulo. Vou recompensá-lo quando...

— Não é necessário, senhor — disse Régulo rapidamente, surpreendendo a si mesmo. Em geral não teria ousado interromper o cônsul, mas queria dar algum sinal de que a confiança era merecida. Sentiu-se gratificado quando Pompeu sorriu.

— Se eu tivesse outros como você, Régulo! Nenhum homem é mais bem servido do que eu.

— Obrigado, senhor. — O peito de Régulo se estufou. Sabia que estava diante de anos de disciplina dura e salário pequeno, mas isso não o preocupava nem um pouco.

CAPÍTVLO X

ROMA JAMAIS PARAVA, E QUANDO A ALVORADA CHEGOU O VASTO espaço do fórum tinha-se enchido com uma massa ondulante de cidadãos, mudando constantemente enquanto fluxos de pessoas se moviam. Pais seguravam filhos nos ombros para captar um vislumbre dos cônsules, só para dizer que tinham visto os homens que derrotaram Espártaco e salvado a cidade.

Para Júlio a multidão parecia sem rosto e intimidante. Será que deveria olhar para o espaço enquanto falava ou fixar o olhar em algum cidadão desafortunado? Imaginou se eles ao menos o ouviriam. Tinham ficado em silêncio para Pompeu, mas Júlio não duvidava de que o cônsul havia infiltrado seus clientes em meio à multidão. Se eles gritassem e zombassem quando Júlio falasse, seria um mau começo para sua candidatura. Repassou várias vezes o discurso na mente. Poderia haver perguntas quando terminasse, talvez feitas por homens pagos pelos cônsules. Ele poderia ser humilhado. Cuidadosamente apoiou as mãos úmidas nos joelhos, deixando o tecido absorver o suor grudado nelas.

Sentou-se na plataforma elevada, com Crasso e o pai de Suetônio, sem olhar para nenhum dos dois. Estavam escutando atentamente enquanto Pompeu dizia algo espirituoso e levantava as mãos para acalmar os risos. Não havia hesitação nele, viu Júlio. Os cidadãos erguiam o rosto para o cônsul quase em adoração, e Júlio sentiu um aperto medonho nas entranhas ao pensar que seria o próximo a falar.

A voz de Pompeu ficou grave enquanto narrava seu serviço no ano consular, e a multidão aplaudiu. Os sucessos militares foram intercalados com promessas de grãos e pão grátis, jogos e moedas comemorativas. Crasso se enrijeceu ligeiramente diante da última promessa. Imaginou onde Pompeu arranjaria o dinheiro para ter seu rosto gravado em prata. O pior de tudo era saber que os subornos eram desnecessários. Pompeu dominava a multidão, levando-a dos risos ao orgulho sério em instantes. Era um desempenho magistral e, quando terminou, Júlio ficou de pé e teve de forçar um sorriso no rosto enquanto Pompeu recuava e sinalizava para ele. Júlio trincou os dentes, irritado com a mão estendida, como se estivesse sendo levado à frente por um patrocinador paternal.

Enquanto passavam, Pompeu falou rapidamente com ele:

— Nenhum escudo envolto em capas, Júlio? Achei que você teria algo preparado.

Júlio foi obrigado a sorrir, como se as palavras fossem algum comentário brincalhão, e não uma ferroada. Os dois se lembravam do julgamento que ele vencera naquele fórum, onde escudos representando cenas da vida de Mário foram revelados à multidão.

Pompeu ocupou seu lugar sem dizer mais qualquer palavra, parecendo calmo e interessado. Júlio se aproximou do rostro e parou um momento, olhando o mar de faces. Quantos tinham se reunido para ouvir os cônsules fazerem o discurso anual? Oito mil, dez mil? Com o sol nascente ainda escondido atrás dos templos que cercavam a grande praça, a luz era cinzenta e fria enquanto seu olhar passava sobre eles. Júlio respirou fundo, forçando a voz a ficar firme e forte desde o início. Era importante que ouvissem cada palavra.

— Meu nome é Caio Júlio César, sobrinho de Mário, que foi cônsul sete vezes em Roma. Escrevi meu nome na casa do senado para o mesmo posto. Não o faço pela memória daquele homem, mas para continuar seu trabalho. Querem me ouvir fazer promessas de lhes dar moedas e pão? Vocês não são crianças para ganhar coisas bonitas em troca da lealdade. Um bom pai não estraga os filhos com presentes.

Júlio parou e começou a relaxar. Cada olhar no fórum estava fixo em seu rosto, e ele sentiu o primeiro toque de confiança desde que subira à plataforma.

— Conheço aqueles que arrebentam as costas plantando trigo para o pão de vocês. Não existe fortuna em alimentar os outros, mas eles têm orgulho e são homens. Conheço muitos que lutaram sem reclamar por esta cidade. Algumas vezes vocês os vêem nas ruas, sem um olho ou um membro enquanto nós passamos e olhamos de lado, esquecendo que só podemos rir e amar porque esses soldados deram tanto de si.

— Nós fizemos esta cidade crescer sobre o sangue e o suor dos que se foram, mas ainda há muito a fazer. Vocês ouviram o cônsul Crasso falar de soldados para tornar as ruas seguras? Eu lhes dou meus homens sem lamentar, mas quando eu os levar para descobrir novas terras e riquezas para Roma, quem irá manter vocês em segurança, se não forem vocês mesmos?

A multidão se remexeu inquieta e Júlio hesitou um momento. Podia ver a idéia na cabeça, mas esforçava-se para encontrar um modo de fazê-los entender.

— Aristóteles disse que os estadistas são ansiosos para produzir um certo caráter moral em seus cidadãos, uma disposição para a virtude. Eu procuro por isso em vocês, e ela está ali, pronta para ser invocada. São vocês que ocuparam as muralhas para defender Roma de uma rebelião de escravos. Vocês não se esconderam do dever naquele momento, e não se esconderão agora, quando eu peço. — E prosseguiu, mais alto do que antes: — Separarei verbas para qualquer homem sem trabalho se ele limpar as ruas e impedir que as quadrilhas aterrorizem os mais fracos de nós. Onde está a glória de Roma se vivemos no medo à noite? Quantos de vocês põem trancas nas portas e esperam atrás delas pelos primeiros ruídos do assassino ou do ladrão?

Em silêncio agradeceu a Alexandria pelo que ela havia contado, e viu, através das cabeças confirmando, que tinha marcado ponto com muitos na multidão.

— O cônsul Crasso me nomeou como edil, o que significa que é comigo que vocês devem reclamar se houver crime ou desordem na cidade. Venham a mim se forem acusados injustamente. Ouvirei seus argumentos e eu próprio irei defendê-los se não conseguir um advogado. Agora meu tempo e minha força são de vocês, se quiserem. Meus clientes e meus homens tornarão as ruas seguras e eu farei com que a lei seja justa para todos. Se for eleito cônsul, serei a enchente que limpará Roma da sujeira dos séculos, mas não sozinho. Não vou lhes *dar* uma cidade melhor. Juntos iremos renová-la.

Sentiu uma alegria inebriante enquanto eles reagiam. Isso é que era ser tocado pelos deuses! Seu peito se inchou enquanto sua voz se derramava sobre a multidão que lutava para encontrar seu olhar.

— Onde está a riqueza que nossas legiões trouxeram para a cidade? Somente neste fórum? Acho que não basta. Se for eleito cônsul não vou me afastar das coisas pequenas. As ruas ficam bloqueadas pelo tráfego até que o comércio pare. Farei com que eles se movimentem à noite e silenciarei o grito interminável dos carroceiros. — A platéia riu disso e Júlio sorriu de volta. Seu povo.

— Acham que não devo? Será que devo usar meu tempo para construir outro belo edifício que vocês nunca usarão?

Alguém gritou:

— Não!

E Júlio riu escutando a voz solitária, desfrutando da maré de risos que se espalhou.

— Àquele homem que gritou, eu digo: sim! Nós *devemos* construir templos altos e grandiosos, pontes e aquedutos para ter água limpa. Se um rei estrangeiro chegar a Roma quero que ele saiba que somos abençoados em todas as coisas. Quero que ele erga os olhos. Mas que não pise em alguma coisa horrível quando fizer isso.

Júlio esperou o riso se dissipar antes de ir em frente. Sabia que estavam ouvindo pelo simples motivo de que sua voz soava com convicção. Acreditava no que dizia, e eles escutavam e se sentiam elevados.

— Somos um povo prático, vocês e eu. Precisamos de esgotos, segurança, comércio honesto e comida barata para viver. Mas também somos sonhadores, sonhadores *práticos* que vamos refazer o mundo para que dure mil anos. Construímos para durar. Somos os herdeiros da Grécia. Temos força, mas não somente a força do corpo. Inventamos e aperfeiçoamos até que não haja nada tão belo quanto Roma. Uma rua de cada vez, se for necessário.

Respirou fundo, lentamente, e seus olhos se encheram de afeto pelo povo que ouvia.

— Olho para todos vocês e sinto orgulho. Meu sangue ajudou a fazer Roma e não o vejo desperdiçado quando olho seu povo. Esta é a nossa terra.

Mas há um mundo lá fora que ainda não conhece o que descobrimos. O que fizemos é suficientemente grandioso para ser levado aos lugares sombrios, para espalhar o domínio da lei, a honra de nossa cidade, até que *em qualquer lugar* do mundo um de nós possa dizer "sou cidadão romano" e ter garantido bom tratamento. Se for eleito cônsul, trabalharei para esse dia.

Tinha terminado, mas a princípio eles não perceberam. Esperaram pacientemente para escutar o que diria em seguida, e Júlio quase se sentiu tentado a prosseguir, antes que uma voz interior, de cautela, lhe dissesse para simplesmente agradecer e se retirar.

O silêncio explodiu num rugido de apreciação, e Júlio ficou vermelho, de tão empolgado. Não percebia os homens na plataforma atrás dele e só conseguia ver o povo que tinha prestado atenção, cada um ouvindo-o sozinho e captando as palavras. Era melhor do que vinho.

A suas costas Pompeu se inclinou para Crasso e sussurrou enquanto aplaudia:

— Você o nomeou edil? Ele não é seu amigo, Crasso. Acredite.

Por causa da multidão Crasso sorriu de volta para o colega, os olhos brilhando de raiva.

— Eu sei como avaliar um amigo, Pompeu.

Então Pompeu se levantou e deu um tapa no ombro de Júlio quando este chegou perto. Enquanto via os dois sorrirem um para o outro, a multidão aplaudiu de novo e Pompeu levantou o outro braço para agradecer, como se Júlio fosse seu pupilo e tivesse feito um bom trabalho para agradá-los.

Júlio apertou a mão que era oferecida antes de se virar para chamar Crasso à frente. O outro cônsul já estava se movendo, astuto demais para deixar que a oportunidade passasse sem sua presença.

Os três ficaram juntos enquanto a multidão aplaudia, e à distância seus sorrisos pareciam genuínos. O senador Prando também se levantou, mas ninguém percebeu.

Alexandria se virou para Tedo, ao lado, enquanto a multidão aplaudia os homens sobre a plataforma.

— E então, o que achou dele? — perguntou.

O velho soldado coçou a barba crescida no queixo. Tinha vindo porque Alexandria pedira, mas não tinha o menor interesse nas promessas dos homens que governavam a cidade e não sabia como dizer isso sem ofender a patroa.

— Ele foi bem — disse depois de pensar. — Mas não o ouvi se oferecer para mandar cunhar uma moeda com sua efígie, como os outros. Promessa é coisa boa, senhora, mas uma moeda de prata compra uma boa refeição e uma jarra de vinho.

Alexandria franziu a testa um momento, depois abriu o pesado bracelete no pulso, fazendo um denário deslizar dele para a mão. Deu-o a Tedo e ele aceitou, levantando as sobrancelhas.

— Para o quê é isso?

— Gaste. Quando a moeda tiver ido embora e você estiver com fome de novo, César continuará ali.

Tedo assentiu como se entendesse, cuidadosamente enfiando a moeda no bolso escondido de sua túnica. Olhou em volta para ver se alguém tinha notado onde guardava o dinheiro, mas a multidão parecia concentrada no palco elevado. Mesmo assim valia a pena ser cuidadoso em Roma.

Servília observou o amado enquanto Pompeu segurava o ombro dele. O cônsul podia sentir a mudança dos ventos mais rapidamente do que qualquer senador, mas ela se perguntou se Pompeu sabia que Júlio não permitiria sequer a idéia de controle da parte dos cônsules que saíam.

Havia ocasiões em que odiava os jogos rasos que todos eles faziam. Até mesmo dar a Júlio e Prando a chance de falar na ocasião dos discursos formais dos cônsules fazia parte disso. Ela sabia da existência de mais dois candidatos na lista do senado, e ainda faltavam alguns dias para a lista ser fechada. Nenhum daqueles tivera permissão de tornar baratos os discursos dos cônsules com suas promessas débeis.

A multidão só iria se lembrar de três homens, e Júlio era um deles. Servília soltou o ar, aliviando a tensão. Diferentemente da maioria dos que se encontravam no fórum, não pudera relaxar e desfrutar dos discursos. Enquanto Júlio se levantava para enfrentá-los, seu coração tinha martelado de medo e orgulho. Ele não escorregara. A lembrança do homem que ela havia encontrado na Espanha era simplesmente isso, agora. Júlio tinha recapturado a velha magia, que tocava até mesmo ela, ouvindo e vendo seus olhos brilhantes varrerem-na sem parar. Era tão jovem! Será que a multidão via isso? Apesar de toda a habilidade e inteligência, Pompeu e Crasso eram poderes decadentes, comparados a ele, e ele era seu.

Um homem chegou um pouco perto demais enquanto abria caminho pela multidão, e Servília captou o vislumbre de um rosto duro e marcado por cicatrizes, úmido de suor. Antes que ela pudesse reagir, uma mão forte apertou o braço do sujeito, fazendo-o gritar.

— Siga seu caminho — disse Brutus em voz baixa.

O sujeito puxou o braço com força, para se livrar, e recuou, mas parou para cuspir quando estava fora do alcance, em segurança. Servília se virou para o filho e ele sorriu, tendo esquecido o incidente.

— Acho que você apostou no cavalo certo, mamãe — disse ele, olhando para Júlio. — Não dá para sentir? Tudo está no lugar, para ele.

Servília deu um risinho, apanhada pelo entusiasmo do rapaz. Sem a armadura seu filho parecia mais juvenil do que o normal, e ela desgrenhou seu cabelo afetuosamente.

— Um discurso não faz um cônsul, você sabe. O trabalho começa hoje.

Ela seguiu o olhar dele para onde Júlio estava finalmente se virando para ir até a multidão, apertando mãos estendidas e respondendo aos cidadãos que o chamavam. Mesmo à distância dava para ver sua alegria.

— Mas é um bom começo — falou.

Suetônio caminhava com os amigos por ruas vazias afastando-se do fórum. As lojas e as casas estavam fechadas com trancas, e eles ainda podiam ouvir o som abafado da multidão atrás das fileiras de moradias.

Por longo tempo não falou, o rosto rígido de amargura. Cada aplauso dos comerciantes tinha-o comido por dentro, até ele não suportar mais. Júlio, sempre Júlio. Não importando o que acontecesse, o sujeito parecia ter mais sorte do que todo mundo. Algumas palavras para uma multidão e ela se abria toda, de modo enjoativo, enquanto o pai de Suetônio era humilhado. Era espantoso vê-los enganados por truques e palavras enquanto um bom romano passava despercebido. Sentira tanto orgulho quando seu pai permitiu ter o nome indicado para cônsul! Roma merecia um homem de sua dignidade e sua honra, e não um César, que nada desejava além da glória.

Apertou os punhos, quase rosnando diante do que tinha testemunhado. Os dois amigos junto dele trocaram olhares nervosos.

— Ele vai vencer, não vai? — disse Suetônio sem olhá-los.

Bíbilo assentiu, um passo atrás do amigo, depois percebeu que o gesto não podia ser visto.

— Talvez. Pompeu e Crasso, pelo menos, parecem achar que sim. Seu pai ainda pode pegar o segundo posto.

Ele se perguntou se Suetônio faria com que marchassem por todo o caminho de volta à propriedade fora de Roma. Bons cavalos e quartos confortáveis os esperavam na outra direção, enquanto Suetônio andava carrancudo, cego de ódio. Bíbilo odiava caminhar quando havia cavalos disponíveis. Também odiava cavalgar, mas era mais fácil para as pernas e ele suava menos.

— O sujeito deserta do posto na Espanha e vem anunciar a candidatura para cônsul, e eles simplesmente aceitam! Imagino que subornos mudaram de mãos para que isso acontecesse. Ele é capaz disso, acredite. Eu o conheço bem. Não tem honra. Eu me lembro disso, do tempo dos navios e da Grécia. Aquele *desgraçado*, voltando para me assombrar. É de pensar que ele deixaria a política para homens melhores depois da morte da esposa, não é? Deveria ter aprendido quais eram os perigos. Vou lhe dizer, Catão pode ter feito inimigos, mas era duas vezes mais homem do que César. Seu pai sabia disso, Bíbilo.

Bíbilo olhou nervoso ao redor, para ver se havia alguém ao alcance de escutar. Com Suetônio nesse clima, não dava para saber o que ele diria. Bíbilo gostava do estilo amargo do amigo quando estavam em aposentos particulares. Espantava-se com o nível de raiva que Suetônio parecia capaz de produzir. Mas numa rua pública sentiu o suor fazendo as axilas baterem úmidas. Suetônio continuava marchando como se o sol nascente não passasse de uma visão, e o calor estava aumentando.

Suetônio escorregou numa pedra solta e xingou. Sempre César para atormentá-lo. Sempre que ele estava na cidade a fortuna de sua família sofria. Sabia que César tinha espalhado os boatos que o impediam de comandar uma legião. Tinha visto os sorrisos disfarçados e os sussurros, e sabia qual era a fonte.

Quando vira os assassinos se esgueirando para a casa de César tinha experimentado um momento de prazer verdadeiro. Poderia ter dado o alarme, mandado cavaleiros para alertá-los. Poderia ter impedido, mas afastou-se sem dizer nada. Eles tinham despedaçado a mulher de César. Lembrou-se de como riu quando o pai lhe contou a notícia horrenda. O velho estava com tamanha expressão de gravidade que Suetônio não pôde se conter. O espanto de seu pai pareceu alimentar aquilo até que os olhos dele estavam derramando lágrimas.

Talvez o pai entendesse um pouco melhor agora que vira por si mesmo as promessas e lisonjas de César. Acomodou-se em sua mente o estranho pensamento de que poderia conversar de novo com o pai, com algo sendo compartilhado pelos dois. Suetônio não se lembrava da última vez em que ele dissera mais do que algumas palavras curtas ao filho, e essa frieza também era coisa de César. O pai devolvera as terras que eles tinham conseguido com tanta esperteza enquanto Júlio estava longe. Devolvera o terreno onde Suetônio construiria sua casa. Ainda se lembrava do olhar do pai quando protestou. Não havia amor, simplesmente uma fria avaliação que sempre o considerava indigno.

Levantou a cabeça e relaxou as mãos. Iria se encontrar com o pai e se condoer. Talvez ele não se encolhesse, quando Suetônio o encarasse, como se sentisse enjôo pelo que via ali. Talvez não parecesse tão *desapontado* com o filho.

Bíbilo tinha visto a mudança no passo do amigo e aproveitou a oportunidade.

— Está ficando quente, Suetônio. Deveríamos voltar à estalagem.

Suetônio parou e se virou para o outro.

— Você é muito rico, Bíbilo? — perguntou de súbito.

Bíbilo esfregou as mãos nervosamente, como sempre fazia quando o assunto do dinheiro surgia entre eles. Tinha herdado uma quantia suficientemente grande para jamais ter de trabalhar, mas falar nisso o deixava vermelho de embaraço. Desejava que Suetônio não achasse o assunto tão fascinante.

— Tenho o bastante, você sabe. Não como Crasso, obviamente, mas o bastante — disse com cautela. Será que ele queria outro empréstimo? Bíbilo esperava que não. De algum modo, a única vez em que Suetônio prometia pagar era quando pedia. Quando recebia o dinheiro o assunto nunca mais era mencionado. Quando Bíbilo juntava coragem suficiente para falar das enormes quantias Suetônio ficava irritadiço e em geral terminava brigando e indo embora, até que Bíbilo precisava pedir desculpa.

— O bastante para se candidatar a cônsul, Bíbilo? Ainda faltam uns dois dias até que a lista do senado seja fechada para novos nomes.

Bíbilo piscou, confuso e horrorizado com a idéia.

— Não, Suetônio, definitivamente não. Não farei isso, nem por você. *Gosto* da minha vida e de minha posição no senado como está. Não quereria ser cônsul nem que eles me oferecessem.

Suetônio chegou mais perto e segurou sua toga úmida, com o rosto cheio de nojo.

— Você quer ver César como cônsul? Ao menos se lembra da guerra civil? Lembra-se de Mário e dos danos que ele causou? Se você se candidatar poderá dividir os votos destinados a César e deixar um dos outros entrar junto com meu pai. Se fosse meu amigo você não hesitaria.

— Eu sou, claro, mas não vai dar certo! — disse Bíbilo, tentando se afastar da raiva. O pensamento de que Suetônio sentiria o cheiro de seu suor era humilhante, mas ele segurava sua toga com força, expondo a pele branca do peito mole.

— Mesmo que eu me apresente e consiga alguns votos, poderia retirá-los tanto de seu pai quanto de César, não vê? Por que você não se candidata, se é o que deseja? Eu lhe dou a verba de campanha, juro.

— Perdeu a cabeça, sugerindo que eu concorra contra meu próprio pai? Não, Bíbilo. Você pode não ser um grande amigo, nem grande coisa, mas não há mais ninguém importante na lista. Se não fizermos nada meu pai será destruído por César. Sei como ele faz intrigas com a turba, como ela o ama. Quantos vão honrar meu pai tendo César desfilando como uma prostituta cheia de brilhos? Você vem de uma família antiga e tem dinheiro para levantar seu nome antes da eleição. — Seus olhos se iluminaram de malícia enquanto pensava na idéia.

— Meu pai não ficou longe de Roma durante anos, lembre-se, e tem apoio nas centúrias mais ricas, que votam primeiro. Você viu os discursos. César apela aos pobres preguiçosos. Se uma maioria for conseguida cedo, metade de Roma pode não ser convocada a votar. Isso pode ser feito.

— Não creio... — gaguejou Bíbilo.

— Você *deve*, Bibi, por mim. Só algumas das primeiras centúrias na eleição podem bastar, e então ele terá de deixar Roma, envergonhado. Se você vir que a votação para meu pai está sendo prejudicada, pode retirar a candidatura. Nada pode ser mais simples, a não ser que você prefira deixar que César seja cônsul sem brigar.

Bíbilo tentou de novo.

— Eu não tenho fundos para pagar por...

— Seu pai lhe deixou uma fortuna, Bibi; acha que não sei? Acha que ele quereria ver o antigo inimigo de Catão como cônsul? Não, esses pequenos empréstimos que você me fez no passado não passam do ganho de alguns dias para você. — Suetônio pareceu sentir a incongruência de segurar o amigo com tanta força ao mesmo tempo que tentava persuadi-lo. Soltou-o e ajeitou a toga de Bíbilo, passando os dedos de leve.

— Assim é melhor. Agora, vai fazer isso por mim, Bíbilo? Você sabe como isso é importante para mim. Quem sabe, talvez você goste de ser cônsul com meu pai, se chegar a esse ponto. Mais importante, César não deve ter permissão de abrir caminho até o poder nesta cidade.

— Não. Está ouvindo? Não vou fazer isso! — disse Bíbilo, chiando ligeiramente de medo.

Suetônio estreitou os olhos e segurou Bíbilo pelo braço, afastando-o dos companheiros. Quando não podia ser ouvido pelos outros, inclinou-se perto do rosto suado do jovem romano.

— Você se lembra do que me disse no ano passado? Do que eu vi quando cheguei à sua casa? Sei por que seu pai o desprezava, Bíbilo, por que ele o mandou embora para sua bela casa e se afastou do senado. Talvez por isso o coração dele tenha falhado, quem sabe? Quanto tempo você acha que sobreviveria se seus gostos se tornassem de conhecimento público?

Bíbilo pareceu doente, com o rosto se retorcendo.

— Aquela garota foi um acidente. Ela teve um fluxo...

— Você consegue suportar a luz do dia, Bíbilo? — disse Suetônio, chegando ainda mais perto. — Eu vi os resultados do seu... entusiasmo. Eu mesmo poderia abrir um processo contra você, e as penalidades são desagradáveis, ainda que não mais do que o que você merece. Quantas menininhas e meninos passaram por suas mãos nos últimos anos, Bíbilo? Quantos senadores você acha que são pais?

A boca de Bíbilo tremeu de frustração.

— Você não tem direito de me ameaçar! Meus escravos são minha propriedade. Ninguém prestaria atenção a você.

Suetônio mostrou os dentes, com o rosto feio de triunfo.

— Pompeu perdeu uma filha, Bibi. *Ele* prestaria atenção. Ele se certificaria de que você morresse por causa de seus prazeres, não acha? Tenho certeza de que Pompeu não me afastaria se eu o procurasse.

Bíbilo afrouxou o corpo, com os olhos se enchendo de lágrimas.

— Por favor... — sussurrou.

Suetônio deu-lhe um tapinha no ombro.

— Nem precisa mencionar, Bibi. Um amigo não abandona o outro — falou, esfregando de modo reconfortante a pele úmida.

— Cem dias, Servília — disse Júlio enquanto a tomava nos braços na escadaria do senado. — Tenho homens examinando os processos legais que virão. Vou escolher os melhores e fazer meu nome, e as tribos virão escutar. Deuses, há tanta coisa a fazer! Preciso de que você contate todo mundo que tem dívidas para com minha família. Preciso de mensageiros, organizadores, qualquer um que possa argumentar a meu favor nas ruas, do amanhecer ao anoitecer. Brutus deve usar a Décima para controlar as quadrilhas. Agora é minha responsabilidade, graças a Crasso. O velho é um gênio, juro. Num só golpe tenho o poder de que preciso para provar que posso manter as ruas em segurança. Tudo chegou rápido demais, eu quase não...

Servília apertou os dedos nos lábios de Júlio para impedir a torrente de palavras. Riu enquanto ele continuava a falar, murmurando idéias abafadas enquanto lhe vinham. Beijou-o então, e por um segundo Júlio continuou a falar enquanto os lábios se tocavam, até que ela lhe deu um tapinha na bochecha, com a mão livre.

Ele se afastou, rindo.

— Tenho de me reunir com os senadores e não posso me atrasar. Comece o trabalho, Servília. Encontro você aqui ao meio-dia.

Ela o olhou subir correndo a escada e desaparecer na semi-escuridão, em seguida desceu com o passo leve até onde os guardas esperavam.

Quando chegou à porta da câmara externa Júlio encontrou Crasso à espera. O velho parecia estranhamente nervoso, e gotas de suor penetravam nas rugas do rosto.

— Preciso falar com você antes que entre, Júlio. Não lá dentro, onde há ouvidos para escutar.

— O que é? — Júlio sentiu um peso súbito baixando sobre ele enquanto percebia o nervosismo do cônsul.

— Não fui totalmente honesto com você, amigo.

Podiam ouvir o murmúrio das vozes dos senadores atrás quando se sentaram nos degraus largos, olhando para o fórum.

Júlio balançou a cabeça, incrédulo.

— Eu não acreditaria que você é capaz disso, Crasso.

— *Não* sou capaz — reagiu Crasso rispidamente. — Estou dizendo agora, antes que os conspiradores ajam contra Pompeu.

— Você deveria ter impedido quando ficou sabendo. Poderia ter ido direto ao senado e denunciado esse Catilina antes que ele tivesse algo mais do que idéias. Agora vem dizer que ele juntou um exército? É meio tarde para se eximir de culpa, Crasso, por mais que você proteste.

— Se eu tivesse recusado eles me matariam e, sim, quando me prometeram o governo de Roma fiquei tentado. Pronto, já me ouviu dizer. Será que eu deveria tê-los dado a Pompeu, para que ele desfilasse outra vitória diante do povo? Vê-lo tornado ditador por toda a vida, como Sila? Fiquei tentado, Júlio, e deixei passar muito tempo sem informar, mas agora estou mudando isso. Conheço os planos deles e onde eles se reunem. Com sua legião podemos destruí-los antes que o mal seja feito.

— Foi por isso que me nomeou edil?

Crasso deu de ombros.

— Claro. Agora é sua responsabilidade impedi-los. Será um belo pilar para sua campanha junto ao povo ver um *nobilitas* como Catilina ser responsabilizado por crimes, tanto quanto qualquer outro cidadão. Eles irão vê-lo como alguém que está acima dos laços mesquinhos de classe e tribo.

Júlio olhou para o cônsul com ar de pena.

— E se eu não tivesse retornado da Espanha?

— Eu teria arranjado outro modo de derrotá-los antes do fim.

— Teria?

Crasso retornou o olhar furioso do rapaz.

— Não duvide. No entanto agora *você* está aqui. Posso lhe entregar os líderes, e a Décima vai destruir a ralé que eles reuniram. Eles só representavam perigo quando ninguém sabia. Sem essa surpresa você vai espalhá-los e o cargo de cônsul será seu. Espero que então não se esqueça dos amigos.

Júlio se levantou rapidamente, olhando para o cônsul. Será que tinha ouvido toda a verdade ou apenas as partes que Crasso queria que ele ouvisse? Talvez os homens que o velho senador estava traindo fossem culpados apenas de ser inimigos dele. Não seria bom mandar a Décima para as casas de homens poderosos baseado numa conversa que Crasso poderia negar. O cônsul era capaz disso, Júlio tinha certeza.

— Pensarei no que fazer, Crasso. Não serei sua espada para golpear seus inimigos.

Crasso se levantou para encará-lo, com os olhos brilhando de fúria contida.

— A política é *sangrenta*, Júlio. É melhor aprender isso agora do que tarde demais. Eu esperei tempo demais para lidar com eles. Certifique-se de não cometer o mesmo erro.

Os dois entraram juntos no prédio do senado, mas separados.

CAPÍTVLO XI

A CASA QUE SERVÍLIA ENCONTRARA PARA A CAMPANHA TINHA TRÊS andares e estava cheia de gente. Mais importante, era central, no vale Esquilino, uma parte movimentada da cidade que mantinha Júlio em contato com os que precisavam vê-lo. Desde antes do amanhecer até o crepúsculo seus clientes ficavam entrando e saindo pelas portas abertas, fazendo mandados e levando ordens enquanto Júlio começava a organizar a estratégia. A Décima espalhou grupos à noite, e depois de três lutas violentas com gangues de raptores limpou onze ruas nas áreas mais pobres, e estava se espalhando. Júlio sabia que apenas um idiota iria acreditar que as gangues estavam derrotadas, mas elas não ousavam se reunir nas áreas que ele escolhera, e com o tempo as pessoas perceberiam que estavam sob a proteção da legião e caminhariam com confiança.

Tinha aceitado três processos no tribunal do fórum e venceu o primeiro, faltando apenas três dias para o segundo. A multidão viera ver o jovem orador e aplaudir a decisão favorável, ainda que o crime fosse relativamente pequeno. Júlio ainda esperava, mesmo sendo improvável, que lhe pedissem para julgar um assassinato ou alguma outra ofensa que trouxesse milhares de pessoas para ouvi-lo falar.

Não tinha visto Alexandria por quase duas semanas, depois de ela ter aceitado a encomenda para fazer as armaduras dos lutadores para um grande torneio de espadas fora da cidade. Quando Júlio ficava exausto com o trabalho recuperava-se cavalgando até o Campo de Marte para ver a arena sendo construída. Brutus e Domício tinham mandado a notícia para cada cidade romana num raio de oitocentos quilômetros, para garantir a melhor qualidade dos desafiantes. Mesmo assim os dois esperavam estar na final, e Brutus se convenceu de que venceria, chegando a ponto de apostar mais do que o salário de um ano.

Quando Júlio caminhava até o fórum ou cavalgava até a arena que estava sendo construída fazia questão de ir sem guardas, convencido de que o povo deveria ver sua confiança nele. Brutus havia argumentado contra essa decisão, depois cedeu com uma facilidade suspeitosa. Júlio supôs que o amigo tivesse posto homens para segui-lo aonde quer que fosse na cidade, prontos para defendê-lo. Não se incomodava com essa tática, desde que fosse escondida. A aparência era muito mais importante do que a realidade.

Como prometido, argumentou no senado para organizar o tráfego dos comerciantes de modo a entrarem e saírem de Roma apenas à noite, mantendo as ruas livres para os cidadãos. Seus soldados estavam em cada esquina para garantir o silêncio depois do escurecer, e depois de alguns gritos com mercadores irritados, a mudança aconteceu facilmente. Como edil, a responsabilidade pela ordem urbana era dele, e com Crasso o apoiando abertamente houvera poucas restrições impostas pelos outros membros do senado.

Júlio apertou os olhos cansados com os nós dos dedos até ver luzes piscando. Seus clientes e seus soldados trabalhavam duro por ele. A campanha ia bem, e ele poderia estar contente se não fosse o problema que Crasso pusera no seu colo.

O cônsul o pressionava diariamente para agir contra os que chamava de traidores. Enquanto empurrava com a barriga, Júlio se atormentava com o pensamento de que eles poderiam atacar — e a cidade mergulharia num caos que ele poderia ter impedido. Pusera espiões vigiando as casas dos acusados, e estava bastante claro que eles se reuniam em aposentos particulares e casas de banho onde nenhum ouvido estranho poderia se intrometer. Mesmo assim Júlio não agiu. Quando olhava para as ruas calmas ao redor da casa da campanha parecia impossível acreditar que houvesse uma trama da magnitude que Crasso havia descrito. No entanto tinha visto a guerra tocar Roma, e isso lhe bastou para mandar Brutus como batedor ao local indicado por Crasso.

Esse era o fardo da responsabilidade pela qual ansiara, reconhecia Júlio ironicamente. Ainda que pudesse desejar que outro arriscasse a carreira e a vida, a decisão fora deixada em suas mãos. Não subestimava os riscos. Sem ter nada além de uns poucos nomes não podia acusar senadores de traição sem colocar o próprio pescoço na forca. Se não conseguisse provas, o senado iria se voltar contra ele sem um minuto de arrependimento. Pior, o povo poderia temer uma volta aos dias de Sila, quando ninguém sabia quem seria arrancado de casa acusado de traição. Roma poderia ser mais prejudicada pelo erro do que se ele não tivesse feito nada, e essa pressão era quase demasiada para suportar.

Sozinho durante alguns instantes preciosos, bateu o punho na mesa, fazendo-a tremer. Como poderia confiar em Crasso depois de tal revelação? Como cônsul ele deveria ter denunciado a conspiração de Catilina no momento em que entrasse no prédio do senado. Dentre todos os homens de Roma, havia fracassado no dever mais básico e, apesar dos protestos de inocência, Júlio achava difícil perdoar essa fraqueza. Desde Sila nenhum exército ameaçara entrar na cidade, e a lembrança daquela noite ainda o fazia estremecer. Tinha visto Mário derrubado por soldados envoltos em capas escuras, envolvendo-o como um enxame de formigas da África. Crasso não deveria ter ouvido homens como Catilina, não importando o que eles prometessem.

Foi espantado dos pensamentos por uma agitação lá embaixo. Sua mão baixou até o gládio sobre a mesa, antes de reconhecer a voz de Brutus e relaxar. Era isso que Crasso havia trazido, uma volta do medo que ele sentira quando Catão o ameaçou e cada homem tinha de ser considerado inimigo. A raiva inchou por dentro enquanto ele entendia como Crasso o havia manipulado, no entanto sabia que o velho teria o que desejava. Os conspiradores precisavam ser contidos antes de agir. Será que poderiam ser ameaçados? Uma centúria da Décima mandada com seus melhores oficiais às casas deles, talvez. Se os homens percebessem que os planos eram conhecidos, a conspiração poderia morrer antes do nascimento.

Brutus bateu na porta e entrou, e Júlio soube que era má notícia ao ver a expressão dele.

— Mandei meus homens investigarem os povoados dos quais Crasso o alertou. Acho que ele está falando a verdade — disse Brutus sem preâmbulos. Não havia nada dos seus modos geralmente tranqüilos.

— Quantas espadas eles têm?

— Oito mil, talvez mais, porém estão espalhadas. Cada cidade está cheia de homens, um número demasiado para elas sustentarem. Nenhuma marca nem bandeira de legião, apenas uma quantidade incrível de espadas perto demais de Roma. Se meus rapazes não estivessem procurando sinais poderiam ter deixado de perceber completamente. Acho que a ameaça é real, Júlio.

— Então preciso agir. A coisa foi longe demais para mandar que parem. Vá à casa de Catilina pessoalmente. Prenda os conspiradores e os leve à reunião do senado esta manhã. Vou pedir a palavra e dizer aos nossos senadores como eles estiveram perto da destruição. — Júlio ficou de pé e prendeu a espada no cinto. — Tenha cuidado, Brutus. Eles devem ter apoiadores na cidade para isto dar certo. Crasso disse que eles começariam incêndios nas áreas pobres, como sinal, de modo que devemos ter homens nas ruas, prontos para isso. Quem sabe quantos estão envolvidos?

— A Décima vai se espalhar demais se tivermos de cobrir toda a cidade, Júlio. Não posso manter a ordem e ao mesmo tempo ocupar o campo contra os mercenários.

— Vou convencer Pompeu a usar seus homens nas ruas. Ele verá a necessidade. Depois de você ter levado os homens ao senado, dê-me uma hora para apresentar a situação, e depois marche. Se eu não estiver lá para liderar, vá sozinho contra eles.

Brutus parou um momento, entendendo o que estava sendo pedido.

— Se eu ocupar o campo sem uma ordem do senado isso pode ser o meu fim, quer consigamos a vitória ou não — falou em voz baixa. — Tem certeza de que pode confiar em que Crasso não irá traí-lo?

Júlio hesitou. Se Crasso se recusasse a repetir as acusações no senado seria o bastante para acabar com todos eles. O velho era suficientemente sutil para ter criado a conspiração simplesmente com o objetivo de remover alguns opositores. Crasso poderia se livrar dos concorrentes ao mesmo tempo que se mantinha imaculado por aquilo tudo.

Mesmo assim, que opção havia? Não podia permitir o início de uma rebelião enquanto tivesse chance de impedi-la.

— Não posso confiar nele, mas independentemente de quem seja responsável por aqueles soldados, não posso permitir uma ameaça a Roma. Prenda os homens que ele citou antes que um mal maior seja causado pela espera. Eu assumo a responsabilidade se puder chegar até você. E se eu não estiver lá, a decisão é sua. Espere o quanto puder.

Brutus levou vinte de seus melhores homens, junto com Domício, para prender Catilina em casa. Para sua fúria, foram retardados durante momentos cruciais enquanto passavam pelo portão externo. Quando chegaram aos aposentos particulares Catilina estava esquentando as mãos num braseiro cheio de papéis sendo queimados. O sujeito parecia calmo enquanto cumprimentava os legionários. Seu rosto era quase esculpido em planos duros, e a postura dos ombros mostrava que ele cuidava da própria força. De modo incomum para um senador, usava um gládio na cintura, numa bainha ornamentada.

Brutus entrou correndo e jogou uma jarra de vinho nas chamas. Enquanto a fumaça úmida subia chiando, ele enfiou as mãos nas cinzas encharcadas, mas não restava nada.

— Seu senhor passou do ponto, cavalheiros — observou Catilina.

— Minhas ordens são para levá-lo à Cúria, senador, para responder a acusações de traição — disse Domício.

Catilina deixou a mão esquerda pousar no cabo do gládio, e Brutus e Domício se enrijeceram.

— Se tocar esta espada outra vez o senhor morrerá agora — alertou Brutus em voz baixa, e os olhos de Catilina se arregalaram sob as pálpebras pesadas enquanto avaliava o perigo.

— Qual é o seu nome? — perguntou.

— Marco Brutus, da Décima.

— Bem, Brutus, o cônsul Crasso é meu amigo, e quando eu estiver livre discutirei isto com você em mais detalhes. Agora faça o que lhe mandaram e me leve ao senado.

Domício estendeu a mão para segurar o braço do senador e Catilina o empurrou para o lado, com a irritação aparecendo por baixo da falsa calma.

— Não *ouse* pôr as mãos em mim! Sou senador de Roma. Quando isto estiver acabado não pense que esquecerei os insultos à minha pessoa. Seu senhor nem sempre poderá protegê-lo da lei.

Catilina passou por eles com expressão assassina. Os soldados da Décima entraram em formação ao redor, trocando olhares preocupados. Domício não disse mais nada quando chegaram à rua, mas esperava que os outros grupos tivessem encontrado alguma prova com a qual acusar os homens. Sem ela Júlio poderia ter criado a própria destruição.

A rua estava se inchando com a multidão matinal, e Brutus teve de usar a parte chata da espada para abrir caminho. Os cidadãos estavam muito apinhados para se afastar com facilidade, e o progresso era lento. Brutus xingou baixinho quando chegaram à primeira esquina e ele não sentiu a mudança na multidão até ser tarde demais.

As crianças e mulheres tinham desaparecido e os soldados da Décima foram rodeados por homens de aparência dura. Brutus olhou para Catilina. O rosto do senador tinha se iluminado de triunfo. Brutus sentiu-se empurrado e, num enjoativo clarão de compreensão, soube que Catilina estivera preparado para eles.

— Defendam-se! — rugiu Brutus. Ao mesmo tempo que dava a ordem viu espadas saindo de capas e túnicas enquanto a multidão se enchia de violência. Os homens de Catilina tinham se escondido entre os passantes, esperando para libertar seu líder. A rua fervilhava de espadas e gritos enquanto os primeiros soldados da Décima eram apanhados desprevenidos e derrubados.

Brutus viu Catilina sendo arrastado por seus defensores e tentou agarrá-lo. Foi impossível. Ao mesmo tempo que esticava o braço alguém golpeou com a espada e Brutus se defendeu furiosamente. Pressionado por corpos, sentiu-se à beira do pânico. Depois viu que Domício tinha aberto um espaço sangrento na rua e foi para o lado dele.

Os soldados da Décima sustentaram a coragem, derrubando os defensores de Catilina com a sombria eficiência de seu treinamento. Não havia homens fracos entre eles, mas cada um enfrentava duas ou três espadas golpeando loucamente. Apesar de toda a falta de habilidade, os atacantes lutavam com energia fanática, e até mesmo a armadura dos legionários só podia suportar alguns golpes.

Brutus agarrou um homem pela garganta, com a mão esquerda, e puxou-o no caminho de dois outros. Matando-os com movimentos límpidos enquanto lutavam entre si. Então sentiu o coração se acalmar, dando-lhe a chance de olhar em volta. Recuou de um gládio apontado para cortar seu braço que segurava a espada e deu um golpe de resposta contra a garganta do sujeito. Garganta e virilha, as mortes mais rápidas.

Cambaleou quando algo o acertou nas costas e ele sentiu uma das tiras do peitoral se soltar, mudando o peso. Girou com a espada num ângulo agudo para cortar a clavícula de outro homem jogando-o na confusão de imundície e carne aos seus pés. Sangue espirrou e Brutus piscou rapidamente procurando Catilina. O senador havia sumido.

— Limpem a porcaria desta rua, Décima! — gritou, e seus homens responderam abrindo caminho a golpes de gládio. As lâminas pesadas decepavam os inimigos, cortando membros com tanta facilidade quanto um cutelo de açougueiro. Com parte dos homens de Catilina recuando com o senador, os números estavam diminuindo e os legionários puderam isolar os restantes, enfiando as lâminas repetidamente nos corpos para pagar o insulto do ataque na única moeda que ele merecia.

Quando tudo terminou os legionários ficaram ofegando, com a armadura coberta de sangue escuro que pingava lentamente do metal polido. Um ou dois deles andaram cautelosamente até cada um dos homens de Catilina e enfiaram a espada uma última vez, para ter certeza.

Brutus enxugou seu gládio num homem que ele havia matado e o embainhou cuidadosamente depois de verificar o gume. Não havia falhas na obra de Cavallo.

Dos vinte legionários originais, apenas onze estavam de pé e mais dois agonizavam. Sem que precisasse dar ordens, Brutus viu seus homens levantarem os colegas da rua e os sustentarem, trocando algumas últimas palavras enquanto a vida se esvaía em sangue.

Brutus tentou se concentrar. Os homens de Catilina tinham estado prontos para roubá-lo de volta da Décima. Ele já podia estar a caminho de se juntar aos rebeldes, ou estes a ele.

Soube que precisava tomar uma decisão rápido. Seus homens o observavam em silêncio, esperando a ordem.

— Domício, deixe nossos feridos aos cuidados das casas mais próximas. Antes de nos alcançar, leve uma mensagem a Júlio, no senado. Não podemos esperar por ele agora. O resto de vocês, venha correndo comigo.

Sem outra palavra Brutus começou a correr depressa, com seus homens indo atrás o mais rápido que podiam.

O senado estava num caos, enquanto trezentos senadores lutavam para gritar uns acima dos outros. Os protestos eram mais altos no centro do salão enquanto quatro dos homens que Júlio prendera eram acorrentados ali, exigindo provas das acusações. A princípio os homens tinham se resignado, mas quando perceberam que Catilina não seria arrastado para junto deles sua confiança retornou depressa.

Pompeu esperou pacientemente o silêncio e por fim foi obrigado a acrescentar sua voz à balbúrdia, gritando acima dos outros.

— Ocupem seus lugares e façam silêncio! — rugiu, olhando furioso ao redor. Os que estavam mais perto sentaram-se rapidamente, e a ondulação que se seguiu restaurou alguma aparência de ordem.

Pompeu esperou até que o ruído tivesse virado sussurros. Apoiou-se no rostro com força, mas antes que pudesse se dirigir ao senado inquieto, um dos quatro acusados levantou as correntes, num apelo.

— Cônsul, exijo que sejamos soltos. Fomos arrastados de nossas casas sob...

— Fique quieto ou mandarei que seja amordaçado com ferro. — Pompeu falou em voz baixa, mas desta vez ela chegou aos mais distantes recessos da casa. — Você terá a chance de responder às acusações trazidas por César. — E respirou fundo. — Senadores, estes homens são acusados de uma trama para criar tumultos na cidade levando a uma rebelião em escala total e à derrubada do poder deste corpo, culminando no assassinato de nossas autoridades. Os de vocês que gritam tão alto por justiça farão bem em considerar a seriedade desses crimes. Fiquem em silêncio para César, que os acusa.

Enquanto caminhava para o rostro, Júlio sentiu o suor brotar na pele. Onde estava Catilina? Houvera tempo suficiente para Brutus trazê-lo com os outros, mas agora sentia cada passo como uma lenta marcha para a destruição. Não tinha nada além das palavras de Crasso para atacar os homens ou aplacar suas próprias dúvidas.

Encarou as fileiras de colegas, notando as expressões rebeldes de muitos. Suetônio estava quase do lado oposto, sentado com Bíbilo. Os dois praticamente tremiam de interesse pelos procedimentos. Cina estava lá, com a expressão ilegível enquanto assentia para Júlio. Desde a morte da filha ele raramente aparecia no senado. Não podia haver amizade entre os dois, mas Júlio não o considerava inimigo. Desejava ter a mesma certeza com relação aos outros senadores.

Respirou fundo para se acalmar enquanto organizava os pensamentos. Se estivesse errado com relação a isso, estava acabado. Se Crasso o havia colocado naquele ponto pretendendo deixá-lo à mercê dos lobos, ele estava diante da desgraça e possivelmente até do banimento.

Encontrou o olhar de Crasso, procurando algum sinal de triunfo. O velho tocou de leve o próprio peito e Júlio não deu sinal de ter visto.

— Acuso estes homens e o outro, chamado Lúcio Sérgio Catilina, de traição contra a cidade e o senado — começou Júlio, as palavras ecoando no silêncio de morte. O ar parecia sair estremecendo de seu peito. Não havia como recuar. — Posso confirmar que foi reunido um exército nos povoados ao norte da cidade, com oito a dez mil homens. Tendo Catilina como líder, eles iriam atacar ao sinal de incêndios ateados nas colinas de Roma, junto de uma agitação generalizada. Isso seria fomentado por apoiadores dentro da cidade.

Cada olhar se voltou para os quatro homens acorrentados aos pés deles. Todos estavam de pé, em desafio, olhando de volta com expressão furiosa. Um deles balançou a cabeça incrédulo diante das palavras de Júlio.

Antes que Júlio pudesse continuar, um mensageiro com vestes do senado correu até perto dele e entregou uma tabuleta de cera. Júlio a leu rapidamente, franzindo a testa.

— Tenho notícia de que o líder destes homens escapou dos que mandei para prendê-lo. Agora peço uma ordem do senado para levar a Décima ao norte, contra os bandidos que eles reuniram. Não posso me demorar aqui.

Um senador se levantou lentamente.

— Que provas você nos oferece?

— Minha palavra e a de Crasso — respondeu Júlio depressa, ignorando as próprias dúvidas. — A natureza de uma conspiração é não deixar muitos traços, senador. Catilina escapou matando nove dos meus homens. Ele procurou o senador Crasso, com estes quatro que estão à frente de vocês, oferecendo a morte de Pompeu e uma nova ordem em Roma. Mais informações terão de esperar até que eu lide com a ameaça à cidade.

Crasso se levantou e Júlio o encarou, ainda sem saber se poderia confiar nele. O cônsul olhou para baixo, para os conspiradores acorrentados, e sua expressão mostrou uma raiva profunda.

— Denuncio Catilina como traidor.

Júlio sentiu uma grande onda de alívio quando Crasso falou. Independentemente do que o velho estivesse fazendo, pelo menos não recuou. Crasso olhou para ele antes de continuar, e Júlio se perguntou o quanto o sujeito entendia seus pensamentos.

— Como cônsul dou o consentimento para a Décima deixar Roma e ocupar o campo. Pompeu?

Pompeu se levantou com o olhar saltando para cada um dos dois homens. Também podia sentir que havia mais coisas na história do que o que estavam lhe dizendo, mas depois de longa pausa assentiu.

— Vá, então. Espero que a necessidade seja tão grande quanto estão me dizendo, Júlio. Minha legião impedirá uma rebelião na cidade. Mas esses homens que você chama de conspiradores não serão sentenciados até sua volta e até eu estar satisfeito com a clareza da situação. Eu mesmo irei interrogá-los.

Uma tempestade de sussurros irrompeu entre os bancos, diante dessa fala tensa, e os três homens avaliaram em silêncio a posição de cada um dos outros. Nenhum cedeu.

Crasso foi o primeiro a interromper e chamou um escriba para redigir a ordem, entregando-a a Júlio enquanto este descia do rostro.

— Cumpra seu dever e você estará em segurança — murmurou.

Júlio o encarou por um momento antes de sair rapidamente do fórum.

CAPÍTVLO XII

BRUTUS CAVALGAVA COM SEUS *EXTRAORDINARII* NA VANGUARDA DA Décima, cobrindo muitas vezes a distância dos soldados em marcha enquanto seguiam adiante e nas laterais da coluna. Por necessidade ficaram a norte e oeste da cidade enquanto o grosso da legião tinha de ser convocado do acampamento junto ao litoral e atravessar o campo para encontrar a centúria que Brutus trouxera do antigo alojamento da Primogênita.

Quando se juntaram, parte do nervosismo que afetara Brutus desapareceu na empolgação de liderar uma legião contra um inimigo pela primeira vez. Ainda que esperasse ver Júlio chegar por trás, parte dele queria ser deixado sozinho para liderá-los na batalha. Seus *extraordinarii* giravam sob suas ordens como se tivessem lutado juntos por anos. Brutus adorava a visão e sentiu bastante relutância ao pensar em entregar isso a qualquer pessoa.

Rênio tinha ficado no litoral com cinco centúrias para proteger o equipamento e o ouro trazido da Espanha. Isso precisava ser feito, mas Brutus lamentava cada homem deixado para trás enquanto os números do inimigo eram desconhecidos. À medida que lançava um olhar profissional pela coluna sentiu um arrepio de orgulho diante dos homens que marchavam por ele. Tinham começado com nada mais do que uma águia de ouro e uma lembrança de Mário, mas eram de novo uma legião, e eram seus.

Lançou um olhar para a posição do sol e se lembrou dos mapas que seus batedores tinham desenhado. As forças de Catilina estavam a mais de um dia de marcha da cidade, e ele teria de decidir se faria um acampamento fortificado ou se marcharia durante a noite. A Décima sem dúvida estava o mais revigorada possível, tendo há muito se recuperado da viagem pelo mar que a trouxera a Roma. Além disso, um pensamento rebelde o lembrou de que Júlio poderia alcançá-los se acampassem, e o comando passaria mais uma vez para ele. O terreno irregular seria traiçoeiro no escuro, mas Brutus decidiu impelir seus homens até que encontrassem o inimigo.

A região da Etrúria, da qual Roma era o ponto mais ao sul, era uma terra de montes e ravinas, difícil de atravessar. A Décima foi obrigada a se espalhar em fileiras mais largas para rodear antigos picos e vales e Brutus ficou satisfeito ao ver as formações mudarem com velocidade e disciplina. Otaviano atravessou galopando seu campo de visão, virando o animal numa demonstração espalhafatosa de habilidade ao se aproximar.

— Quanto falta? — gritou acima do barulho dos soldados em movimento.

— Mais quarenta e cinco quilômetros até os povoados que nós investigamos — respondeu Brutus, sorrindo. Dava para ver a empolgação que sentia espelhada no rosto de Otaviano. O rapaz nunca tinha visto uma batalha, e para ele a marcha não era atrapalhada por pensamentos de morte e dor. Brutus deveria estar imune, mas a Décima brilhava ao sol e o garoto que ele já fora adorava estar no comando.

— Leve uma centúria para ficar de escolta na retaguarda — ordenou Brutus, ignorando a expressão de desapontamento no rosto do rapaz. Era duro para ele, mas Brutus sabia que não deveria deixar Otaviano na primeira carga antes de ter aprendido um pouco mais sobre a realidade de uma batalha.

Ficou olhando Otaviano juntar cavaleiros que se moveram em formação perfeita até o fim da coluna. Assentiu satisfeito, sentindo prazer com a chance de pensar como general.

Lembrou-se de como, há anos, tinha entregado a Primogênita a Júlio, e um arrependimento amargo o dominou antes que ele o esmagasse. O comando que exercia era apenas provisório, até a chegada de Júlio, mas sabia que os momentos desta marcha ficariam em sua memória por longo tempo.

Um dos batedores chegou depressa, o animal derrapando na terra frouxa enquanto o cavaleiro puxava as rédeas. O rosto do sujeito estava pálido de empolgação.

— O inimigo está à vista, senhor. Marchando para Roma.

— Quantos? — perguntou Brutus, com o coração disparando.

— Duas legiões de irregulares, senhor, em quadrados abertos. Sem cavalaria que eu pudesse ver.

Um grito veio de trás, e Brutus girou na sela com um sentimento quase de medo. Atrás da coluna dois cavaleiros galopavam para eles. Então soube que Domício tinha cumprido o dever e trazido Júlio para a Décima. Trincou o maxilar contra a raiva que o dominou.

Virou-se para o batedor, hesitando. Será que deveria esperar Júlio para assumir o comando? Não, não esperaria. A ordem era sua, e ele respirou fundo.

— Espalhe a notícia. Avançar e enfrentar o inimigo. Mande os cornicens tocarem ordem de manípula. *Velites* na ponta para enfrentá-los. *Extraordinarii* nos flancos. Vamos romper esses desgraçados no primeiro ataque.

O batedor fez uma saudação antes de galopar para longe e Brutus se sentiu vazio enquanto olhava a nuvem de poeira que prometia sangue e batalha. Agora Júlio iria conduzi-los.

Ao ver a legião se aproximando as fileiras de mercenários hesitaram e diminuíram o passo. A Décima estava deslizando pela terra na direção deles como uma grande fera prateada e o terreno estremecia delicadamente com a cadência de sua marcha. Uma quantidade de bandeiras fora erguida ao vento, e o uivo dos cornicens podia ser ouvido debilmente contra a brisa.

Quatro mil dos que tinham vindo pelo ouro de Catilina eram da Gália e seu líder se virou para o romano, pousando a mão poderosa em seu braço.

— Você disse que o caminho para a cidade não estaria defendido — falou rispidamente.

Catilina soltou a mão.

— Nós temos o número para derrotá-los, Glavis. Você sabia que seria um trabalho sangrento.

O gaulês assentiu, franzindo os olhos em meio à poeira em direção às fileiras romanas. Seus dentes apareciam através da barba enquanto ele tirava uma espada pesada da bainha presa às costas, grunhindo ao sentir o peso. Ao redor seus homens seguiram o gesto, até que uma enorme quantidade de lâminas se ergueu acima das cabeças para enfrentar o desafio.

— Então é apenas esta pequena legião, e mais uma na cidade. Vamos comê-los — prometeu Glavis inclinando a cabeça para trás e gritando. Os gauleses ao redor responderam e as fileiras da frente se separaram e se moveram mais depressa, correndo pelo terreno irregular.

Catilina desembainhou seu gládio e enxugou o suor dos olhos. Seu coração martelava com um medo desacostumado e ele se perguntou se o gaulês tinha notado. Balançou a cabeça, amargo, e xingou Crasso por suas mentiras. Poderia ter havido uma chance de tomar Roma na confusão, no pânico e no escuro, mas uma legião no campo?

— Nós temos os números — sussurrou consigo mesmo, engolindo em seco. À sua frente viu uma massa fluida de cavalos encontrar as fileiras. O terreno tremia com o peso do ataque e de repente Catilina acreditou que ia morrer. Naquele momento o pânico desapareceu e seus pés estavam leves enquanto corria.

Júlio assumiu o comando sem hesitar enquanto levava sua montaria suada até Brutus. Entregou a tabuleta de cera assinada pelos cônsules.

— Agora somos legítimos. Você deu as ordens de batalha?

— Dei. — Brutus tentou esconder a frieza que sentia, mas Júlio estava olhando para longe, avaliando a linha de aproximação das forças rebeldes.

— Os *extraordinarii* estão prontos nos flancos — disse Brutus. — Eu gostaria de me juntar a eles.

Júlio assentiu.

— Quero ver esses mercenários dominados rapidamente. Pegue a direita e lidere os *extraordinarii* ao meu sinal. Duas notas curtas das trompas. Fique atento.

Brutus saudou e foi embora, cedendo o comando sem um olhar para trás. Seus *extraordinarii* tinham assumido posição em fileiras. Deixaram seu cavalo ir até a frente ao vê-lo se aproximar, e algumas vozes animadas gritaram as boas-vindas. Brutus franziu a testa diante disso, esperando que não estivessem confiantes demais. Como acontecia com Otaviano, havia uma diferença entre despedaçar alvos com escudos e enfiar lanças em homens vivos.

— Mantenham as fileiras — gritou Brutus por cima da cabeça dos homens, olhando-os com ferocidade.

Então eles se aquietaram, ainda que a empolgação fosse palpável. Os cavalos relinchavam e puxavam querendo disparar, mas eram contidos com mãos firmes. Os homens estavam nervosos, dava para ver. Muitos deles verificavam as lanças repetidamente, afrouxando-as nos longos suportes de couro que pendiam nas laterais dos cavalos.

Agora podiam ver o rosto dos rebeldes, uma massa de homens gritando e correndo com espadas erguidas acima dos ombros para um golpe esmagador. As lâminas refletiam o sol.

As centúrias da Décima apertaram as formações, cada homem pronto com o gládio desembainhado, o escudo protegendo o soldado da esquerda. Não havia aberturas nas fileiras enquanto marchavam rapidamente. Então os cornicens tocaram três notas curtas e a Décima começou a correr, mantendo silêncio até o último instante, quando todos rugiram como um só e levantaram as lanças.

As pesadas pontas de ferro levantavam homens do chão ao longo da linha inimiga e Brutus mandou os *extraordinarii* atacarem ligeiramente atrás, com seus golpes mais precisos apontados para qualquer um que tentasse organizar o inimigo. Antes que os exércitos se encontrassem de verdade, centenas tinham morrido sem que uma vida romana fosse tomada. Os *extraordinarii* circulavam nas laterais e Júlio podia ver os cavaleiros girando os escudos automaticamente para cobrir as costas enquanto faziam a volta. Era uma soberba demonstração de habilidade e treinamento, e Júlio exultou diante daquela visão enquanto as fileiras principais se entrechocavam.

Glavis gastou seu primeiro golpe poderoso contra um escudo, despedaçando-o. Enquanto tentava se recuperar, uma espada penetrou em sua barriga. Encolheu-se esperando a dor que viria, erguendo a lâmina de novo. Enquanto tentava um segundo golpe, outro romano o acertou com o escudo e ele caiu de lado, com a espada derrubada dos dedos entorpecidos. Entrou em pânico enquanto olhava para cima e via a floresta de pernas e espadas começando a passar. Os romanos o chutavam e pisoteavam, e em segundos seu corpo fora penetrado mais quatro vezes. O sangue jorrava e ele cuspiu cansado sentindo o gosto de sangue na garganta. Ninguém poderia ter marcado o instante exato de sua morte. Não teve tempo de ver a primeira linha de seus gauleses desmoronar enquanto se descobriam incapazes de romper o ritmo de luta da Décima.

Quando Glavis foi visto caindo os gauleses hesitaram, e esse foi o momento que Júlio tinha esperado para ver. Gritou para seu sinalizador e as duas notas curtas soaram.

Brutus ouviu e sentiu o coração saltar no peito. Apesar da vantagem dos números os mercenários estavam sendo rompidos pela carga romana. Alguns já estavam se afastando, largando as espadas. Brutus riu enquanto levantava o punho, movendo-o na direção do inimigo. Agora os suportes das lanças estavam vazios e eles iriam provar seu verdadeiro valor. Os *extraordinarii* responderam como se tivessem lutado juntos por toda a vida, girando para se dar espaço e depois acertando o inimigo como uma faca rasgando as fileiras. Cada cavaleiro guiava a montaria com uma das mãos nas rédeas e a comprida *spatha* cortando as cabeças dos que os enfrentavam. Os cavalos eram suficientemente pesados para arrancar os homens do chão e nada podia suportar seu impulso mergulhando nas fileiras, cada vez mais fundo, rompendo os rebeldes.

A primeira fileira da Décima moveu-se rapidamente sobre o inimigo, cada homem usava a espada e o escudo sabendo que era protegido pelo irmão da direita. Eram impossíveis de ser contidos, e depois que as primeiras fileiras caíram eles aceleraram, ofegando e grunhindo de esforço enquanto os braços começavam a cansar.

Júlio gritou as ordens de manípula e seus centuriões as rugiram. Os *velites* recuaram com pés leves e deixaram os *triarii* se adiantarem com suas armaduras mais pesadas.

Então os rebeldes desistiram quando novos soldados chegaram contra eles. Centenas largaram as armas e outras centenas saíram correndo, ignorando os chamados dos líderes.

Para os que se rendiam cedo demais não podia haver misericórdia. A fileira romana não podia se dar ao luxo de que eles permanecessem através do avanço, e todos foram mortos com o resto.

Os *extraordinarii* fluíam ao redor dos rebeldes, uma massa preta de cavalos fungando e cavaleiros gritando, manchados de vermelho do sangue e suficientemente loucos para gerar pesadelos. Eles os cercaram e, como se tivesse havido um sinal geral, milhares de homens largaram as espadas e levantaram as mãos vazias, ofegando.

Júlio hesitou ao ver o fim. Se não mandasse os cornicens soarem para cessar a luta, a Décima continuaria até que o último rebelde estivesse morto. Parte dele sentia-se tentado a deixar. O que faria com tantos prisioneiros? Milhares tinham sido deixados vivos e não podiam ter permissão de voltar às suas terras e seus lares. Esperou, sentindo o olhar dos centuriões aguardando o sinal para parar a matança. Nesse momento havia uma carnificina e os que estavam mais perto dos romanos já começavam a pegar as espadas de novo, para não morrer desarmados. Júlio xingou baixinho, baixando a mão. Os cornicens viram o movimento e tocaram uma nota descendente. E estava acabado.

Os que foram deixados vivos foram desarmados o mais rapidamente que a Décima conseguiu, espalhando-se entre eles. Em pequenos grupos os soldados revistaram os mercenários, com um romano retirando as armas enquanto os outros o observavam numa concentração séria, prontos para punir qualquer movimento súbito.

Os oficiais mercenários tinham sido retirados das fileiras e levados à frente de Júlio. Eles o observavam em resignação silenciosa, um grupo estranho, vestido com tecidos grosseiros e armaduras desiguais.

Uma brisa soprou fria pelo campo de batalha enquanto o sol descia para o horizonte. Júlio olhou para os prisioneiros ajoelhados, arrumados numa aparência de fileiras, com cadáveres interrompendo as linhas. O corpo de Catilina fora encontrado e arrastado até a frente. Júlio olhou aquela coisa furada e sangrenta que tinha sido um senador. Dele não viriam respostas.

Mesmo sabendo que conhecia a verdade sobre a rebelião fracassada, suspeitava que Crasso permaneceria intocado pela participação. Talvez fosse melhor que alguns segredos ficassem longe do olhar do público. Não seria mau ter o homem mais rico de Roma devendo a ele.

Olhou Otaviano dando um tapa no pescoço de sua montaria, praticamente luzindo com a empolgação da velocidade e do medo que iam recuando. Finalmente os *extraordinarii* tinham tido o batismo de sangue. Cavalos e homens estavam ensangüentados e sujos de terra levantada durante o ataque. Brutus se encontrava entre eles, trocando baixas palavras de elogio enquanto esperava Júlio terminar. Não era uma ordem que ele teria gostado de dar, admitiu Brutus, mas Roma não permitiria uma demonstração de misericórdia.

Júlio sinalizou para os homens da Décima arrebanharem os oficiais mais para perto. Os *optios* bateram com os cajados nos mercenários, fazendo um deles cair esparramado. O sujeito gritou de raiva e teria se jogado contra eles se outro não o tivesse segurado. Júlio prestou atenção enquanto eles discutiam, mas a língua era desconhecida.

— Há um comandante entre vocês? — perguntou finalmente.

Os líderes se entreolharam e um se adiantou.

— Era Glavis, para os de nós que somos da Gália. — O sujeito apontou o polegar para as pilhas de corpos que atulhavam o chão. — Está por aí.

O sujeito devolveu a avaliação fria de Júlio antes de desviar o olhar. Observou o campo de batalha com uma expressão triste antes que seus olhos retornassem rapidamente.

— Você tem nossas armas, romano. Não somos mais uma ameaça. Deixe-nos ir.

Júlio balançou a cabeça lentamente.

— Vocês nunca foram uma ameaça para nós — falou notando a fagulha que brilhou nos olhos do sujeito antes de se esconder. Em seguida ergueu a voz para chegar a todos eles. — Vocês têm uma escolha, senhores. Ou morrem sob minha palavra... — Júlio hesitou. Pompeu ficaria alucinado quando soubesse. — Ou fazem o juramento de legionários para mim, sob minhas ordens.

A balbúrdia que se seguiu não foi restrita aos mercenários. Os soldados da Décima ficaram boquiabertos pelo que ouviam.

— Receberão pagamento no primeiro dia de cada mês. Setenta e cinco moedas de prata para cada homem, mas parte disso será retida.

— Quanto? — gritou alguém.

Júlio se virou na direção da voz.

— O bastante para o sal, comida, armadura e para um dízimo destinado às viúvas e aos órfãos. Restarão quarenta e dois denários para cada homem gastar como quiser.

Um pensamento o assaltou então e o fez hesitar. O pagamento para tantos homens significaria milhares de moedas. Seria preciso uma riqueza gigantesca para manter duas legiões, e até mesmo o ouro que ele trouxera da Espanha sumiria rapidamente sob tal demanda. Como Catilina tinha arranjado dinheiro? Empurrou de lado a suspeita súbita, para continuar.

— Espalharei meus oficiais em suas fileiras para treiná-los a lutar tão bem quanto os homens que os fizeram parecer crianças hoje. Vocês terão boas espadas e armaduras, e a recompensa virá com o tempo. É isso ou morrer agora. Andem entre seus homens e lhes digam isso. Alerto que, se estão pensando em escapar, vou caçá-los e enforcá-los. Os que optarem por viver serão levados a Roma, mas não como prisioneiros. O treinamento será duro, mas eles têm coragem suficiente para começar. Qualquer outra coisa pode ser ensinada.

— Você vai nos devolver nossas armas? — perguntou a voz, vinda dos oficiais.

— Não seja idiota. Agora andem! De um modo ou de outro isto vai acabar ao pôr-do-sol.

Incapazes de enfrentar seu olhar, os mercenários saíram, voltando aos irmãos que estavam ajoelhados na lama. Os legionários deixaram que eles passassem, trocando olhares de espanto.

Enquanto eles esperavam, Brutus foi até o lado de Júlio.

— O senado não ficará satisfeito, Júlio. Você não precisa de mais inimigos.

— Eu estou no campo. Quer eles gostem ou não, no campo eu falo pela cidade. Aqui eu *sou* Roma, e a decisão é minha.

— Mas nós tínhamos ordens para destruí-los — disse Brutus suficientemente baixo para não ser ouvido.

Júlio deu de ombros.

— Isso ainda pode acontecer, meu amigo, mas você deveria esperar que eles fizessem o juramento.

— Por que eu deveria esperar isso? — perguntou Brutus cheio de suspeitas.

Júlio sorriu, estendendo a mão para lhe dar um tapa no ombro.

— Porque eles serão sua legião.

Brutus ficou imóvel, absorvendo aquilo.

— Eles se dobraram diante de nós, Júlio. Nem o próprio Marte poderia transformar esse pessoal numa legião.

— Você fez isso uma vez, com a Primogênita. Fará com estes. Diga que eles *sobreviveram* a uma carga da melhor legião saída de Roma, sob o comando de um general abençoado. Levante a cabeça deles, Brutus, e eles irão segui-lo.

— Eles serão somente meus?

Júlio o encarou.

— Se você ainda for minha espada, juro que não interferirei, mas o comando geral deverá ser meu quando lutarmos juntos. Afora isso, se você seguir meu caminho será por sua escolha. Como sempre foi.

Um a um os oficiais mercenários estavam se reunindo de novo. Quando se encontravam assentiam depressa, relaxando visivelmente. Júlio sabia que os tinha ganhado antes mesmo que o porta-voz viesse em sua direção.

— Não foi exatamente uma escolha — disse o homem.

— Não há... nenhuma recusa? — perguntou Júlio em voz baixa.

O gaulês balançou a cabeça.

— Bom. Mande que eles se levantem. Quando cada homem tiver feito o juramento vamos acender tochas e marchar pela noite até Roma. Há um alojamento lá para vocês e uma refeição quente.

Júlio se virou para Brutus.

— Mande os cavaleiros mais descansados com mensagens para os senadores. Eles não saberão se somos o inimigo ou não, e não quero disparar a própria rebelião que lutamos para impedir.

— Nós *somos* o inimigo — murmurou Brutus.

— Não mais, Brutus. Nenhum desses homens dará um passo antes de estar preso por juramento. Depois disso eles serão nossos, quer saibam ou não.

Enquanto cavalgava para a cidade com uma guarda composta por *extraordinarii* escolhidos, Júlio viu que os portões estavam fechados. A primeira luz cinzenta da alvorada já estava aparecendo no horizonte e ele sentiu um cansaço nas juntas. Ainda havia mais a ser feito antes que pudesse parar.

— Abram o portão! — gritou enquanto puxava as rédeas, olhando para a massa sombria de madeira e ferro que bloqueava o caminho.

Um legionário usando a armadura de Pompeu apareceu na muralha, observando-os. Depois de um olhar para o pequeno grupo de cavaleiros, espiou para a estrada, vendo que não havia uma força escondida esperando para invadir a cidade.

— Só depois do amanhecer, senhor — gritou ele, reconhecendo a armadura de Júlio. — Ordens de Pompeu.

Júlio xingou baixinho.

— Então me jogue uma corda. Eu tenho negócios com o cônsul e não vou esperar.

O soldado desapareceu, presumivelmente para falar com seu oficial superior. Os *extraordinarii* se agitaram inquietos.

— Recebemos ordem de escoltá-lo ao senado, general — disse um deles.

Júlio se virou na sela para encarar o sujeito.

— Se Pompeu lacrou a cidade a legião dele deve estar inteira nas ruas. Não correrei perigo.

— Sim, senhor — respondeu o cavaleiro, com a disciplina impedindo-o de contestar.

Na muralha um oficial apareceu com armadura completa, a pluma do capacete movendo-se ligeiramente na brisa noturna.

— Edil César? Vou descer uma corda se o senhor me der a palavra de que virá sozinho. Os cônsules não disseram nada quanto à sua chegada tão cedo.

— Você tem minha palavra — respondeu Júlio, observando enquanto o sujeito sinalizava e um rolo de corda caía até o pé do portão. Viu os arqueiros cobrindo-o das torres e assentiu sozinho. Pompeu não era idiota.

Enquanto desmontava e segurava a corda, Júlio olhou para os *extraordinarii*.

— Voltem ao antigo alojamento da Primogênita com os outros. Brutus está no comando até minha volta.

Sem outra palavra começou a subir.

CAPÍTVLO XIII

UMA CHUVA FRACA COMEÇOU A CAIR ENQUANTO JÚLIO CAMINHAVA pela cidade vazia. Com a alvorada no horizonte as ruas deveriam estar cheias de trabalhadores, serviçais e escravos se agitando em mil tarefas. Os gritos dos vendedores deveriam ser ouvidos, junto com o barulho de milhares de atividades. Em vez disso havia um silêncio fantasmagórico.

Júlio curvou os ombros por causa da chuva, ouvindo seus passos ecoarem nas casas de cada lado. Viu rostos nas altas janelas dos cortiços, mas ninguém gritou para ele, que se apressou na direção do fórum.

Os homens de Pompeu estavam em cada esquina, em pequenos grupos, prontos para impor o toque de recolher. Um deles segurou no punho da espada ao ver a figura solitária. Júlio jogou para trás a capa de montaria revelando a armadura por baixo, e eles o deixaram passar. Toda a cidade estava nervosa, e Júlio sentiu uma raiva incômoda do papel que Crasso havia representado naquilo.

Caminhou rapidamente pela Alta Semita, descendo a colina do Quirinal até o fórum. As grandes pedras lisas usadas para a travessia o mantinham longe da imundície do leito da rua abaixo dos pés. A chuva tinha começado a lavar a cidade, mas demoraria mais do que um breve aguaceiro para terminar a tarefa.

Em toda a vida nunca tinha visto o vasto espaço do fórum tão vazio. Um vento que fora bloqueado pelas fileiras de casas o acertou quando ele entrou na praça, fazendo sua capa estalar às costas. Havia soldados nas entradas dos templos e do senado, mas não dava para ver nenhuma luz dentro. Os sacerdotes tinham acendido tochas para os que rezavam dentro, mas Júlio não tinha nada a ver com eles. Enquanto passava pelo templo de Minerva murmurou baixinho para ela, pedindo sabedoria para abrir caminho pelo emaranhado que Crasso criara.

Os cravos de ferro de suas sandálias estalavam nas pedras do grande espaço enquanto se aproximava do prédio do senado. Dois legionários montavam guarda, absolutamente imóveis apesar da chuva e do vento que açoitavam a pele exposta. Quando Júlio pôs o pé no primeiro degrau os dois desembainharam as espadas e Júlio franziu a testa. Ambos eram jovens. Homens mais experientes não teriam sacado as armas com tão pouca provocação.

— Por ordem do cônsul Pompeu ninguém pode entrar até que o senado seja convocado outra vez — disse um deles, cheio da importância de seu dever.

— Preciso falar com os cônsules antes da reunião — respondeu Júlio. — Onde estão eles?

Os dois soldados se entreolharam por um momento, tentando decidir se seria certo dar a informação. Encharcado até os ossos, Júlio sentiu o mau humor crescendo.

— Recebi ordens de prestar contas assim que voltasse a Roma. Estou aqui. Onde está o seu comandante?

— Na prisão, senhor — respondeu o soldado. E abriu a boca para continuar, depois achou melhor não fazer isso, retomando a posição de antes e embainhando o gládio. De novo pareciam estátuas gêmeas na chuva.

Havia nuvens escuras sobre a cidade e o vento estava ganhando força, começando a uivar no fórum vazio. Júlio resistiu à ânsia de correr em busca de abrigo e caminhou até a prisão anexa ao prédio do senado. Era uma construção pequena, com apenas duas celas no subsolo. Os que seriam executados eram mantidos ali durante a noite anterior à morte. Não havia outras prisões na cidade: a execução e o banimento anulavam a necessidade de construí-las. O simples fato de Pompeu estar lá revelou a Júlio o que encontraria, e ele se preparou para encarar o fato sem se encolher.

Outro par dos homens de Pompeu guardava a porta externa. Enquanto Júlio se aproximava os dois assentiram como se ele fosse esperado e abriram o portão de ferro.

A armadura que ele usava estava marcada com a insígnia da Décima, e Júlio não foi interrompido até chegar à escada que descia para as celas. Três homens se separaram sutilmente enquanto ele se anunciava, e outro desceu a escada. Júlio esperou pacientemente enquanto ouvia seu nome falado em algum lugar lá embaixo e o trovão da resposta de Pompeu. Os homens que o observavam estavam rígidos de tensão, por isso ele se encostou na parede do modo mais relaxado que pôde, tirando com a mão parte da água grudada à armadura e espremendo-a do cabelo. As ações o ajudaram a relaxar sob os olhares silenciosos e Júlio pôde sorrir quando Pompeu veio com o soldado.

— Este é César — confirmou Pompeu. Seus olhos estavam duros e não havia sorriso de resposta. Diante da confirmação do general os homens afastaram as mãos do punho das espadas e se afastaram, deixando aberto o caminho para a escada.

— Ainda há ameaça à cidade? — perguntou Pompeu.

— Ela terminou. Catilina não sobreviveu à batalha.

Pompeu xingou baixinho.

— Isso é lamentável. Desça comigo, César. Você deve fazer parte disto.

Enquanto falava, Pompeu enxugou o suor da testa e Júlio viu uma mancha de sangue em sua mão. Seguiu-o escada abaixo, com o coração martelando de ansiedade.

Crasso estava nas celas. O sangue parecia ter sumido de seu rosto, e sob a luz das lâmpadas ele parecia uma figura de cera. Ergueu os olhos quando Júlio entrou na sala baixa e seus olhos brilharam de modo doentio. Havia um cheiro enjoativo no ar e Júlio tentou não olhar para as figuras amarradas a cadeiras no centro da cela. Eram quatro, e o cheiro de sangue fresco era muito bem conhecido.

— E Catilina? Você o trouxe? — perguntou Crasso, pondo a mão no braço de Júlio.

— Ele foi morto no primeiro ataque, cônsul — respondeu Júlio observando os olhos do outro. Viu o medo sumir, como havia esperado. Os segredos de Catilina tinham morrido junto com ele.

Pompeu grunhiu, sinalizando para os torturadores que estavam perto dos corpos machucados dos conspiradores.

— Uma pena. Essas criaturas o citaram como líder, mas não sabem nada dos detalhes que eu queria. Se soubessem já teriam contado.

Júlio olhou para os homens e conteve um tremor diante do que lhes fora feito. Pompeu tinha sido meticuloso e ele também duvidava de que os homens pudessem ter deixado de falar alguma coisa. Três deles pareciam mortos, imóveis, mas o último revirou a cabeça para eles com um movimento brusco. Um de seus olhos fora cortado e chorou um jorro brilhante de líquido pela bochecha, mas o outro espiava ao redor sem objetivo, iluminando-se ao ver Júlio.

— Você! Eu acuso você! — cuspiu ele, depois balbuciou debilmente, com o sangue escorrendo pelo queixo.

Júlio lutou contra a sensação de vômito ao ver alguns cacos de dentes brancos no chão de pedra. Alguns ainda tinham as raízes presas.

— Ele ficou louco — falou baixinho e, para seu alívio, Pompeu assentiu.

— É, mas foi o que suportou mais tempo. Eles viverão o bastante para ser executados, e será o fim. Devo agradecer a vocês por trazer isso ao senado a tempo. Foi um ato nobre e digno dos dois. — Pompeu olhou para o homem que concorreria ao cargo de cônsul dentro de apenas dois meses.

— Quando meu toque de recolher tiver terminado acho que o povo vai se regozijar por ter sido salvo de uma insurreição sangrenta. Ele vai elegê-lo, não acha? Como pode não eleger?

Seus olhos negavam o tom leve e Júlio não o encarou enquanto sentia o olhar do sujeito. Teve vergonha daquilo tudo.

— Talvez sim — disse Crasso em voz baixa. — Nós três teremos de trabalhar juntos por Roma. Um triunvirato trará seus próprios problemas, tenho certeza. Talvez devêssemos...

— Em outra ocasião, Crasso — respondeu Pompeu rispidamente. — Não agora, com o cheiro deste lugar nos meus pulmões. Ainda temos uma reunião do senado ao amanhecer e quero visitar a casa de banhos antes disso.

— O amanhecer já está chegando — disse Júlio.

Pompeu xingou baixinho, usando um trapo para limpar as mãos.

— Aqui em baixo é sempre noite. Acabei com esses aí.

Deu ordens aos torturadores para limpar os homens e torná-los apresentáveis, antes de se virar para Crasso. Enquanto Júlio observava, esponjas escuras foram mergulhadas em baldes e o pior do sangue começou a ser lavado, correndo em valetas de pedra ao longo do chão, entre suas pernas.

— Marcarei a execução para o meio-dia — prometeu Pompeu subindo a escada à frente deles, para as salas frescas acima.

A luz cinzenta havia assumido um tom avermelhado enquanto Júlio e Crasso saíam ao fórum. A chuva batia nas pedras, ricocheteando em milhares de gotas minúsculas que tamborilavam no vazio. Apesar de Júlio ter chamado seu nome, Crasso se afastou rapidamente sob o aguaceiro. Sem dúvida um banho e uma troca de roupas retirariam parte da palidez doentia de sua pele, pensou Júlio. Correu para alcançar o cônsul.

— Algo me ocorreu enquanto estava destruindo os rebeldes reunidos em seu nome — gritou Júlio, com a voz ecoando.

— Em *meu* nome, Júlio? Catilina os liderava. Os seguidores dele não assassinaram seus soldados na rua?

— Talvez, mas a casa que você me mostrou era modesta, Crasso. Onde Catilina teria conseguido ouro suficiente para pagar dez mil homens? Muito poucos nesta cidade poderiam ter pagado por um exército assim, não acha? Imagino o que aconteceria se eu mandasse homens investigar as contas dele. Será que encontraria um traidor com gigantescas reservas de riqueza oculta, ou será que deveria procurar por outro, por um financiador?

Crasso não podia saber nada sobre os papéis queimados que Brutus encontrara na casa, e a fagulha de preocupação que Júlio viu era tudo que precisava para confirmar as suspeitas.

— Percebo que uma força tão grande de mercenários, junto com tumultos e incêndios na cidade, poderia ter se saído bem tendo apenas a legião de Pompeu para guardar Roma. Não foi uma oferta vazia que eles lhe fizeram, não é, Crasso? A cidade poderia muito bem ter sido sua. Estou *surpreso* por você não ter se sentido tentado. Você ficaria de pé sobre a montanha de cadáveres e Roma poderia estar pronta para uma ditadura.

Enquanto Crasso começava a responder, a expressão de Júlio mudou, e seu tom zombeteiro ficou duro.

— Mas sem aviso outra legião é trazida da Espanha para Roma e então...? Então você deve ter ficado numa situação bem diferente. As forças estão estabelecidas, a conspiração está armada, mas Roma está guardada por dez mil e a vitória não é mais garantida. Um jogador poderia ter se arriscado, mas não você. Você é um homem que sabe quando o jogo acabou. Imagino quando decidiu que era melhor trair Catilina do que ir até o final. Foi quando chegou em minha casa e planejou minha campanha comigo?

Crasso pôs a mão no ombro de Júlio.

— Eu disse que sou amigo de sua casa, Júlio, por isso vou ignorar suas palavras. Para seu próprio bem. — Ele parou um instante. — Os conspiradores estão mortos e Roma está em segurança. Na verdade é um resultado excelente. Que isso baste para você. Não há mais nada que deva perturbar seus pensamentos. Deixe para lá.

Inclinando a cabeça para se proteger da chuva, Crasso se afastou e deixou Júlio observando-o

CAPÍTVLO XIV

Nuvens cinza e frias pairavam baixas no céu sobre a vasta multidão que esperava no Campo de Marte. O terreno estava encharcado, mas milhares tinham deixado suas casas e locais de trabalho para caminhar até o grande campo e testemunhar as execuções. Os soldados de Pompeu esperavam em fileiras perfeitas e brilhantes, sem qualquer sinal do trabalho para construir a plataforma dos prisioneiros, ou para montar a quantidade de bancos para os senadores. Até o chão fora coberto com junco seco que estalava sob os pés.

Crianças eram levantadas no alto pelos pais para captar um vislumbre dos quatro homens que esperavam em desgraça na plataforma de madeira, e a multidão conversava em voz baixa, sentindo algo da solenidade do momento.

À medida que o meio-dia se aproximava os senadores tinham deixado suas deliberações na Cúria e caminharam juntos até o campo. Soldados da Décima tinham se juntado aos homens de Pompeu fechando a cidade, colocando lacres de cera nos portões e levantando a bandeira na colina Junículo. Com o senado ausente a cidade era mantida em estado de sítio armado, até a volta. Muitos senadores olhavam preguiçosamente para a bandeira distante na colina a oeste. Ela permaneceria ali até que a cidade estivesse em segurança, e até mesmo a execução dos traidores seria interrompida se a bandeira fosse baixada para alertar sobre a aproximação de um inimigo.

Júlio estava parado, com as dobras úmidas de sua melhor capa enrolada no corpo. Mesmo com a túnica e a toga pesada por baixo ele tremia olhando os desgraçados trazidos a este local de morte devido às ações dele.

Os prisioneiros não tinham proteção contra o vento cortante. Apenas dois conseguiam ficar de pé e estavam encolhidos de dor, com as mãos acorrentadas apertando num sofrimento mudo os ferimentos da noite. Talvez porque a morte estivesse tão perto aqueles dois sorviam o ar frio, enchendo os pulmões e ignorando a ardência na pele exposta.

O mais alto dos dois tinha cabelo comprido que batia no rosto e o escondia. Os olhos estavam inchados, mas Júlio pôde ver um brilho quase oculto pela pele machucada, o clarão febril de um animal caído numa armadilha.

O que tinha falado com Júlio na prisão estava soluçando, com a cabeça envolta num tecido. Uma escura moeda de sangue tinha aparecido no material, marcando o lugar onde o olho estivera. Júlio estremeceu diante da lembrança e apertou mais a capa, sentindo o metal gélido de um dos broches de Alexandria tocar o pescoço. Olhou para Pompeu e Crasso, parados no leito de juncos postos sobre a lama. Os dois cônsules conversavam em voz baixa e a multidão esperava por eles, com os olhos brilhantes de antecipação.

Por fim os dois se separaram. Pompeu atraiu o olhar de um magistrado da cidade e a multidão se remexeu e conversou enquanto o homem subia à plataforma e olhava para todos.

— Estes quatro foram considerados culpados de traição contra a cidade. Por ordem dos cônsules Crasso e Pompeu e por ordem do senado eles serão executados. Seus corpos serão esquartejados e a carne espalhada para as aves. Suas cabeças serão postas em quatro portões como alerta aos que ameaçam Roma. Esta é a vontade de nossos cônsules, que falam como Roma.

O carrasco era um açougueiro de profissão, um homem corpulento com cabelos grisalhos cortados curtos. Usava uma toga de lã marrom áspera, presa com cinto para sustentar a barriga ampla. Não se apressou, desfrutando do olhar da multidão concentrada nele. As moedas de prata que receberia pelo serviço não se comparavam à satisfação que sentia ao realizá-lo.

Júlio ficou olhando enquanto o sujeito fingia examinar a faca, passando uma pedra pela lâmina uma última vez. Era uma lâmina maligna, um cutelo estreito do tamanho de seu antebraço, com a lâmina engastada num grosso cabo de madeira. O metal tinha quase um dedo de grossura na parte mais espessa. Uma criança riu nervosamente e foi silenciada pelos pais. O prisioneiro de cabelos compridos começou a rezar alto, com os olhos vítreos. Talvez fosse esse barulho, ou apenas um sentimento de espetáculo, mas o açougueiro foi direto para ele, encostando o cutelo em seu pescoço.

O homem se encolheu e sua voz ficou mais aguda, o ar sibilando ao entrar e sair dos pulmões em jorros súbitos. Suas mãos tremeram e a pele pálida ficou branca como cera. A multidão olhou fascinada o açougueiro pegar um punhado de seus cabelos e inclinar a cabeça lentamente para o lado, expondo a linha limpa do pescoço.

A voz do homem saiu profunda e grave.

— Não, não... não — murmurou, e a multidão se esforçou para ouvir suas últimas palavras.

Não houve fanfarras nem aviso. O açougueiro ajeitou a mão segurando os cabelos do sujeito e começou a cortar lentamente a carne. O sangue jorrou, encharcando os dois, e o condenado ergueu as mãos tentando debilmente puxar a faca que comia sua carne, para trás e para a frente, com precisão terrível. Soltou um ruído baixo, um grito feio que durou apenas um momento. Suas pernas desmoronaram mas o açougueiro era forte e o segurou até que o cutelo roçou o osso. Então puxou-o e, com dois golpes rápidos, decepou a cabeça, deixando o corpo cair frouxo. Músculos ainda estremeciam nas bochechas e os olhos permaneceram abertos numa paródia da vida.

Na multidão mãos cobriram bocas num prazer estremecido enquanto o corpo escorregava da plataforma para os juncos abaixo, parecendo sem ossos. As pessoas ficaram nas pontas dos pés empurrando-se para ver enquanto o açougueiro erguia a cabeça para elas, com o sangue escorrendo pelo braço e manchando a toga até ficar quase preta. O queixo se abriu com o movimento, revelando os dentes e a língua.

Um dos outros prisioneiros vomitou sobre si mesmo e depois gritou. Como se fosse um sinal, os outros dois se juntaram a ele, gemendo e implorando. A multidão se empolgou com o barulho, zombando e rindo loucamente com a quebra na tensão. O açougueiro enfiou a cabeça decepada num saco de pano e se virou lentamente para segurar o homem mais próximo. Fechou a mão forte numa das orelhas e obrigou a figura que gritava a ficar de pé.

Júlio desviou o olhar até que tudo terminasse. Ao fazer isso viu Crasso se virar em sua direção, mas ignorou o olhar dele. O povo aplaudiu cada cabeça que era mostrada, e Júlio o observou, curioso. Imaginava se os espetáculos pagos por Crasso tinham pelo menos a metade da atração de hoje.

Era o seu povo, esta multidão que se estendia escura sobre o terreno molhado do Campo de Marte. Os senhores nominais da cidade, saciados com o terror dos outros e sentindo-se limpos por ele. Quando tudo terminou, viu os rostos se afrouxarem como se algum peso enorme fosse retirado. Maridos e esposas trocavam piadas, relaxando, e ele soube que haveria pouco trabalho na cidade naquele dia. Eles passariam pelos grandes portões e iriam para as casas de vinho e estalagens discutir o que tinham visto. Os problemas da vida ficariam menos importantes por algumas horas. A cidade deslizaria até a tarde sem nada da pressa usual nas ruas. Eles dormiriam bem e acordariam revigorados.

As fileiras dos homens de Pompeu se abriram para dar passagem aos senadores. Júlio se levantou com os outros e voltou ao portão, observando os lacres serem quebrados e uma faixa de luz aparecer entre eles. Tinha dois processos para preparar para o tribunal do fórum e seu torneio de espadas seria dali a apenas alguns dias mas, como a multidão de cidadãos, sentia-se estranhamente em paz ao pensar no trabalho vindouro. Não poderia haver esforços num dia daquele, e o ar úmido parecia limpo e fresco em seus pulmões.

Naquela noite Júlio se levantou e bateu com os nós dos dedos na mesa da casa da campanha. A balbúrdia diminuiu tão rapidamente quanto o bom vinho tinto permitia e ele esperou, olhando em volta os que tinham vindo juntos na disputa para cônsul. Cada pessoa à mesa havia se arriscado bastante no apoio público a ele. Se perdesse, todos sofreriam de algum modo. Alexandria poderia ver os clientes desaparecendo a uma única palavra de Pompeu, e seus negócios arruinados. Se Júlio pudesse levar a Décima a algum posto distante, os que fossem com ele abririam mão das carreiras, homens esquecidos que teriam sorte se vissem a cidade de novo antes da aposentadoria.

Enquanto eles silenciavam Júlio olhou para Otaviano, o único na mesa a quem era ligado por sangue. Ver o culto ao herói no rapaz era doloroso quando pensava nos anos cinzentos que se seguiriam ao seu fracasso e banimento. Será que então Otaviano olharia para a campanha com amargura?

— Chegamos longe — disse a eles. — Alguns de vocês estão comigo quase desde o início. Nem consigo lembrar de quando Rênio não estava presente, ou Cabera. Meu pai teria orgulho de ver seu filho com esses amigos.

— Você acha que ele vai falar meu nome? — perguntou Brutus a Alexandria.

Júlio deu um sorriso gentil. Tinha pensado em fazer um brinde simples aos que haviam entrado no torneio de espadas, mas as execuções da manhã ficaram com ele durante todo o dia, lançando um manto cinzento em seu humor.

— Gostaria que houvesse outros nesta mesa — falou. — Mário, para começar. Quando olho para trás as boas lembranças se perdem no meio das outras, mas conheci grandes homens. — Sentiu o coração martelando no peito enquanto as palavras chegavam. — Jamais conheci um caminho reto na vida. Estava ao lado de Mário quando atravessamos Roma lançando moedas para a multidão. O ar estava cheio de pétalas e aplausos e eu ouvia o escravo cuja tarefa era falar no ouvido dele: "Lembre-se de que você é mortal." — Júlio suspirou ao ver de novo as cores e a empolgação daquele dia. — Estive tão perto da morte que até mesmo Cabera desistiu de mim. Perdi amigos e esperança, e vi reis caírem e Catão cortar a própria garganta no fórum. Estive encharcado pela morte a ponto de achar que nunca mais riria ou gostaria de alguém.

Eles o encararam por cima dos pratos que atulhavam a mesa comprida, mas seu olhar estava distante, e Júlio não viu o efeito das palavras.

— Vi Tubruk morrer e o corpo de Cornélia tão branco que não parecia real, até que a toquei. — Sua voz virou um sussurro e Brutus olhou para a mãe. Ela havia empalidecido, apertando a boca com a mão enquanto Júlio falava. — Vou lhes dizer: não desejaria para ninguém o que vi — murmurou Júlio. Em seguida pareceu voltar, consciente do frio na sala. — Mas ainda estou aqui. Honro os mortos, mas usarei o tempo que tenho. Roma só viu o início de minha luta. Esta é minha cidade, meu verão. Dei minha juventude a ela e lançaria meus anos para ela de novo, se tivesse chance.

Ergueu a taça diante dos companheiros perplexos.

— Quando olho para todos vocês nem posso imaginar a força no mundo que possa nos fazer parar. Bebam à amizade e ao amor, porque o resto não passa de metal sem brilho.

Eles se levantaram lentamente, ergueram as taças e beberam o vinho cor de sangue.

CAPÍTVLO XV

A VISÃO DE VINTE MIL CIDADÃOS DE ROMA DE PÉ NAS ARQUIBANCA-
das era uma lembrança para guardar, pensou Júlio, com o olhar percorren-
do-as. Todos os lugares foram ocupados para cada dia do torneio de espadas,
e os ingressos de argila para assistir aos trinta e dois últimos combatentes
ainda estavam trocando de mãos por quantias cada vez maiores a cada manhã. A princípio Júlio ficara surpreso ao ver pessoas nos quatro portões da
arena, oferecendo-se para comprar os ingressos da multidão que chegava.
Havia poucos que aceitavam vender.

O camarote consular estava fresco à sombra de um toldo de linho
suspenso entre colunas esguias. O lugar tinha a melhor visão da arena e nenhum dos convidados de Júlio tinha recusado a oferta. Todos os candidatos
tinham chegado com suas famílias e Júlio achou divertido ver o conflito em
Suetônio e no pai ao aceitar sua generosidade.

O calor havia aumentado durante toda a manhã e ao meio-dia a areia
estaria quente a ponto de queimar a pele nua. Muitos na multidão tinham
trazido água e vinho, mas mesmo assim Júlio achou que teria um belo lucro
com as bebidas e comidas que seus clientes estavam vendendo para ele. O
aluguel de almofadas para o dia custava apenas algumas moedas de cobre e
o estoque desapareceu rapidamente.

Pompeu tinha respondido ao convite com elegância, e enquanto ele e

Crasso ocupavam seus lugares a multidão se levantou respeitosamente até que as trombetas anunciaram os primeiros combates.

Rênio também estava lá e Júlio tinha posto mensageiros perto dele, para o caso de haver problemas no alojamento. Não podia negar o lugar ao velho gladiador, mas com Brutus entre os últimos trinta e dois, junto com Otaviano e Domício, esperava que os recrutas mercenários se comportassem. Com isso em mente fora obrigado a negar à maioria da Décima a chance de assistir aos combates, mas trocava de guardas três vezes por dia para dividir a experiência entre o maior número possível. Como exercício de sua nova autoridade, Brutus tinha acrescentado dez dos recrutas mais promissores ao grupo de guardas. Júlio achava cedo demais, mas não impôs sua vontade, sabendo como era importante eles verem seu general se sair bem. Ainda que estivessem desconfortáveis com o saiote de legionário, os homens pareciam bastante dóceis.

As apostas eram ferozes como sempre. Seu povo amava jogar, e Júlio achou que fortunas seriam perdidas e ganhadas antes das últimas lutas. Até mesmo Crasso havia apostado um punhado de moedas de prata em Brutus, seguindo a sugestão de Júlio. Pelo que Júlio sabia, o próprio Brutus tinha apostado tudo que possuía na vitória final. Se vencesse estaria menos dependente de Júlio e dos credores. Seu amigo tinha chegado aos trinta e dois sem problemas, mas o nível era alto e um azar poderia estragar a melhor chance.

Abaixo do camarote consular os últimos lutadores saíram dos alojamentos para a areia fervente. As armaduras de prata brilhavam quase brancas e a multidão ofegou ao vê-los, já aplaudindo os favoritos. Alexandria tinha se superado com o brilho do metal que eles usavam. Júlio tinha certeza de que a qualidade dos finalistas se devia em parte à promessa de que poderiam ficar com as armaduras depois dos combates. Simplesmente pelo peso, cada conjunto daria para comprar uma pequena fazenda se fosse vendido, e com a fama do torneio espalhada, poderia render mais ainda. Júlio tentou não pensar no quanto lhe haviam custado. Toda Roma tinha falado de sua generosidade e elas eram belas ao sol.

Alguns lutadores mostravam ferimentos dos primeiros combates. Os dias tinham sido civilizados, com apenas quatro homens mortos — e mesmo assim de golpes acidentais no calor da disputa. O primeiro sangue acabava com cada combate, sem qualquer outro limite além da exaustão. O mais longo antes das finais havia durado quase uma hora, e os dois homens mal podiam ficar de pé quando a disputa foi resolvida com um corte desajeitado na parte de trás de uma perna. A multidão aplaudiu tanto o perdedor quanto o homem que foi para as finais.

As primeiras rodadas tinham sido um tumulto de habilidade e força, com mais de cem pares na arena ao mesmo tempo. De certa forma, ver tantas espadas reluzindo era tão empolgante quanto as lutas individuais dos últimos trinta e dois, ainda que os verdadeiros conhecedores preferissem os combates simples, onde podiam se concentrar nos estilos e habilidades.

A variedade era espantosa e Júlio tinha feito anotações sobre uma quantidade de homens para recrutar para a nova legião que estava no alojamento. Já havia comprado os serviços de três bons espadachins. Por necessidade fora obrigado a contratar os que lutavam no estilo romano, mas lhe doía deixar de lado alguns dos outros. O chamado por lutadores tinha se espalhado muito mais longe do que seus mensageiros, e havia homens de todas as terras romanas e mais além. Africanos misturados com homens cor de mogno da Índia e do Egito. Um homem, Sung, tinha os olhos repuxados de raças tão distantes no oriente que eram quase míticas. Júlio fora obrigado a designar guardas para impedir que a multidão o tocasse nas ruas. Só os deuses sabiam o que ele fazia tão longe de seu lar, mas a espada comprida era usada por Sung com uma habilidade que o levara às últimas rodadas com as lutas mais curtas dentre todos que estavam ali. Júlio o observou saudando os cônsules junto dos outros e decidiu fazer uma oferta ao sujeito caso ele chegasse aos oito últimos, com ou sem estilo romano.

Nesse estágio os nomes dos homens na arena eram anunciados, cada um se adiantando para ser aplaudido pelo povo de Roma. Brutus e Otaviano estavam juntos, com Domício, as armaduras brilhando ao sol. Júlio sorriu diante do prazer que viu nas expressões deles. Não importando quem ganhasse a espada do vitorioso, eles jamais esqueceriam a experiência.

Os três romanos levantaram as espadas para a multidão e depois para os cônsules. A multidão rugiu, uma parede de som estonteante, quase dolorosa. O dia tinha começado. O anunciante foi até os tubos de latão que amplificavam a voz e gritou os nomes do primeiro combate.

Domício iria enfrentar um nortista que tinha viajado para casa com a permissão do comandante de sua legião para participar do torneio. Era um

163

O Imperador — Campo de Espadas

homem grande, com antebraços poderosos e cintura estreita e ágil. Enquanto os outros saíam da arena ele observou Domício cautelosamente, observando-o começar os exercícios de alongamento. Mesmo à distância Júlio não podia ver qualquer sinal de tensão no rosto de Domício. Sentiu o coração bater mais rápido, com empolgação crescente, e os outros no camarote tiveram a mesma sensação. Pompeu se levantou e apertou seu ombro.

— Devo apostar no seu homem, Júlio? Ele vai chegar aos dezesseis?

Júlio se virou e viu o brilho nos olhos do cônsul. Uma linha de suor brilhante apareceu na testa de Pompeu e seus olhos estavam luminosos de antecipação. Júlio assentiu.

— Domício é o segundo melhor espadachim que eu já vi. Chamem os escravos das apostas e vamos apostar uma fortuna nele. — Os dois riram juntos, como meninos, e era difícil lembrar que aquele homem não era amigo.

O escravo chegou, pronto para eles. Pompeu ergueu os olhos exasperado enquanto Crasso contava três moedas de prata para entregar ao garoto.

— Só uma vez, Crasso. Só uma vez eu gostaria de vê-lo apostar o bastante para se machucar. Não existe júbilo em pequenas moedas. A coisa deve arder um pouquinho.

Crasso franziu a testa olhando para Júlio. Um rubor escuro se espalhou em seus olhos enquanto ele guardava as moedas.

— Muito bem. Garoto, dê-me a tabuleta das apostas.

O escravo pegou um quadrado de madeira coberto com uma fina camada de cera e Crasso apertou seu anel contra ela, escrevendo seu nome e as quantias sem mostrar aos outros. Quando ele a entregou, Pompeu estendeu a mão e puxou-a, assobiando baixinho. O escravo esperou com paciência.

— Uma fortuna, Crasso. Você me espanta. Uma peça de ouro é mais do que já vi você apostar em qualquer coisa.

Crasso fungou e olhou para os dois lutadores, observando-os andar até as posições e esperar o toque da trombeta.

— Vou apostar cem no seu homem, Júlio. Você me acompanha?

— Mil para mim. Conheço meu homem.

O rosto de Pompeu se endureceu diante do desafio.

— Então devo me igualar a você, Júlio.

Os dois escreveram as quantias e os nomes no quadrado de cera.

Rênio pigarreou.

— Cinco de ouro em Domício, para mim — disse carrancudo.

De todos, foi o único a pegar as moedas, estendendo-as rigidamente para o escravo pegá-las. O velho gladiador ficou olhando até o brilho desaparecer na bolsa de pano, depois se recostou, suando. Suetônio já ia apostar, mas se virou para o pai, pedindo verba. Eles apresentaram as peças de ouro e a tabuleta foi passada mais uma vez, e até Bíbilo arriscou algumas moedas de prata.

O escravo correu de volta para seu senhor e Júlio ficou de pé para sinalizar aos cornicens. A multidão ficou quieta ao vê-lo se levantar, e ele imaginou quantos se lembrariam de seu nome nas eleições. Saboreou o silêncio por um instante, depois baixou a mão. O uivo agudo das trombetas ressoou na arena.

Domício tinha assistido ao máximo de combates anteriores possível, quando não estava lutando. Tinha feito anotações sobre os que achava que chegariam às últimas rodadas, e dos últimos trinta e dois apenas metade era realmente perigosa. O nortista à sua frente era bastante hábil para ter chegado a esse estágio, mas entrava em pânico quando era pressionado e Domício pretendia pressioná-lo desde o primeiro instante.

Sentiu os olhos do sujeito nele enquanto alongava as costas e as pernas e mantinha o rosto o mais pacífico e sem pressa que podia. Tinha lutado em torneios suficientes para saber que muitos combates não eram vencidos com a espada e sim nos momentos anteriores. Seu antigo treinador tinha o hábito de sentar com as pernas abertas no chão, numa imobilidade absoluta diante dos opositores. Enquanto eles se movimentavam e saltavam para afrouxar os músculos o sujeito parecia uma rocha, e nada irritava os outros tanto quanto isso. Quando finalmente se levantava como fumaça para encará-los, a batalha já estava meio vencida. Domício tinha entendido a lição e não permitia que nada de seu cansaço aparecesse nos movimentos. Na verdade seu joelho direito estava dolorido e com uma sensação de rigidez por causa de um movimento brusco numa luta anterior, mas ele nem piscou, movendo-se lenta e fluidamente durante os exercícios, hipnotizando com a facilidade dos gestos. Sentiu uma grande calma baixar e fez uma oração silenciosa a seu antigo professor.

Mantendo a espada baixa e longe do corpo, chegou à sua marca e ficou imóvel. O opositor girou os ombros num movimento nervoso, balançando a cabeça de um lado para o outro. Quando seus olhares se encontraram o nortista o encarou furioso, não querendo ser o primeiro a desviar o olhar. Domício ficou parado como uma estátua, os músculos dos ombros, claramente definidos, brilhando de suor. A armadura de prata protegia o peito dos lutadores, mas Domício era capaz de cortar uma mecha de cabelos de um homem que passasse correndo, e se sentia forte.

As trombetas o arrancaram da imobilidade e ele atacou antes que o som tivesse sido totalmente registrado pelo outro homem. O jogo de pés do nortista o havia levado às finais, e antes que a lâmina pudesse cortá-lo ele havia saído do alcance. Domício podia ouvir sua respiração e se concentrou nela enquanto o sujeito contra-atacava. O nortista usava a respiração para aumentar a força do golpe, grunhindo a cada investida. Domício deixou-o relaxar num ritmo, recuando uma dúzia de passos diante do ataque, esperando outras fraquezas.

No último passo sentiu uma pontada de dor quando o peso se apoiou na perna direita, como se uma agulha fosse cravada na patela. O joelho se dobrou, destruindo o equilíbrio, e ele ficou pressionado enquanto o nortista sentia a fraqueza. Domício tentou tirar isso do pensamento, mas não ousava confiar na perna. Forçou-se para a frente em passos arrastados até o suor dos dois se misturar, saltando. O nortista recuou, depois mais ainda, enquanto tentava ganhar espaço, mas Domício ficou junto, quebrando o ritmo dos golpes com um soco rápido quando as lâminas se engastaram.

O nortista balançou e escapou do soco e os dois se separaram, começando a circular um ao outro. Domício ouvia a respiração dele e esperou a minúscula escapada de ar que vinha antes de cada ataque. Não ousava olhar para o joelho, mas cada passo provocava um novo protesto.

O nortista tentou cansá-lo com um jorro de golpes mas Domício os bloqueou, lendo a respiração do sujeito e esperando o momento certo. O sol estava alto e o suor brotava nos olhos dos dois, ardendo. O nortista inspirou fundo e Domício deu uma estocada. Mesmo antes do toque soube que o golpe era perfeito, abrindo uma aba de pele no crânio do sujeito. Uma fatia de orelha caiu no chão enquanto o sangue jorrava e o nortista rugia, contra-atacando loucamente enquanto Domício tentava se afastar.

O joelho de Domício se dobrou, lançando uma agonia pela virilha acima. O nortista hesitou, os olhos clareando enquanto sentia a dor crescente do ferimento, de onde jorrava sangue. Domício o observou atentamente, tentando ignorar a dor no joelho.

O nortista tocou a umidade quente do pescoço, olhando para os dedos ensangüentados. Então uma resignação séria baixou em seu rosto e ele assentiu para Domício e os dois voltaram às suas marcas.

— Você deveria atar esse seu joelho, amigo. Os outros devem ter notado — disse o nortista em voz baixa, sinalizando para o local onde o resto dos finalistas observava à sombra dos toldos em seu cercado. Domício deu de ombros. Testou a junta e se encolheu, contendo um grito.

Compreendendo, o nortista balançou a cabeça enquanto eles saudavam a multidão e os cônsules. Domício tentou não mostrar o medo súbito que lhe veio. A junta estava estranha e ele rezou para que fosse apenas uma distensão ou um deslocamento parcial que poderia ser ajeitado. A alternativa era insuportável para um homem que não tinha nada na vida além de sua espada e a Décima. Enquanto os dois voltavam pela areia fervente, Domício lutou para não mancar, trincando os dentes por causa da dor. Outro par de armaduras prateadas saiu ao sol para o próximo combate, e Domício pôde sentir a confiança deles, olhando-o e sorrindo.

Júlio viu o amigo desaparecer à sombra e se encolheu, com simpatia.

— Com licença, senhores. Gostaria de ver se os ferimentos deles estão sendo bem tratados — falou.

Pompeu deu-lhe um tapa nas costas, rouco demais para gritar respondendo. Crasso pediu bebidas refrescantes para todos e o clima era de uma leveza contagiante enquanto eles se sentavam de novo para o próximo embate. Comida seria trazida enquanto assistiam, e cada homem ali sentia a emoção do sangue e do talento. Suetônio estava demonstrando uma finta ao pai, e o velho sorriu com ele, juntando-se à empolgação.

Rênio se levantou quando Júlio chegou ao seu assento na beira do camarote. Seguiu atrás dele sem dizer palavra e os dois saíram do calor para o caminho fresco por baixo das arquibancadas.

Era um mundo diferente abaixo da multidão, com o rugido soando abafado e distante. A luz do sol entrava por frestas nas grandes tábuas e batia no chão em tiras desiguais, mudando de forma enquanto as pessoas se moviam acima. O chão ali era a terra macia do Campo de Marte, sem a camada de areia que fora trazida do litoral.

— Ele vai lutar de novo? — perguntou Júlio.

Rênio deu de ombros.

— Cabera vai ajudá-lo. O velho tem poder.

Júlio não respondeu, lembrando-se de como Cabera tinha tocado as mãos em Tubruk, caído com o corpo retalhado no ataque contra a propriedade, quando Cornélia foi morta. Cabera se recusava a falar sobre sua habilidade de cura, mas Júlio se lembrava de que uma vez ele tinha lhe dito que era uma questão de caminhos. Se o caminho estivesse terminado, não havia nada que ele pudesse fazer, mas com alguns, como Rênio, ele havia roubado de volta um pouco de tempo.

Lançou um olhar de lado para o velho gladiador. À medida que os anos passavam, a breve energia da juventude estava dando lugar à idade. De novo o rosto mostrava as feições escarpadas e amargas de um velho, e Júlio ainda não sabia por que ele fora salvo da morte. Cabera acreditava que os deuses vigiavam todos eles com amor ciumento e Júlio invejava sua convicção. Quando rezava era como gritar num vácuo sem resposta, até desesperar.

Em cima a multidão se levantou para aplaudir um golpe, mudando o padrão de luz no chão poeirento. Júlio passou entre as últimas duas colunas de madeira até a área aberta mais além e ofegou diante do ar aquecido que parecia denso demais para ser respirado.

Olhou para a arena, franzindo a vista por causa da claridade e vendo duas figuras saltando uma para a outra como numa dança. As espadas captavam a luz em clarões e a multidão se levantou, batendo os pés no ritmo. Júlio piscou quando um pouco de poeira caiu em seu rosto. Olhou para as traves grossas que sustentavam as arquibancadas, sentindo o tremor na madeira enquanto apertava as mãos contra ela. Esperava que agüentasse.

Cabera estava enrolando um pano fino no joelho de Domício e Brutus havia se ajoelhado perto deles, junto com Otaviano, sem olhar a luta na arena. Todos ergueram o olhar quando Júlio chegou, e Domício balançou uma das mãos, com um sorriso débil.

— Posso sentir o resto deles me olhando. São todos abutres — falou ofegando enquanto Cabera apertava mais o tecido.

— Está muito ruim? — perguntou Júlio.

Domício não respondeu, mas havia em seus olhos um temor que abalou todos.

— Não sei — respondeu Cabera bruscamente, diante da pressão silenciosa. — A patela está rachada e não sei como ele agüentou tanto tempo. Não deveria estar conseguindo andar, e a junta pode ter... quem sabe? Farei o máximo possível.

— Ele precisa, Cabera — disse Júlio em voz baixa.

O velho curandeiro fungou baixinho.

— O que importa se ele lutar mais uma vez aí? Não é...

— Não, não para isso. Ele é um de nós. Tem um caminho a seguir — disse Júlio mais ansioso. Se fosse preciso imploraria ao velho.

Cabera se enrijeceu e se sentou nos calcanhares.

— Você não sabe o que está pedindo, amigo. O que eu tenho não é para ser usado em cada arranhão e osso partido. — Ele olhou para Júlio e pareceu afrouxar de cansaço. — Você quereria que eu perdesse isso por causa de um capricho? O transe é... uma agonia, nem posso contar. E a cada vez não sei se a dor é desperdiçada ou se há deuses que movem minhas mãos.

Estavam todos em silêncio enquanto Júlio sustentava o olhar dele, insistindo para que tentasse. Outro dos trinta e dois pigarreou enquanto se aproximava deles e Júlio se virou para o sujeito, reconhecendo-o como um dos que havia notado pela habilidade. Seu rosto tinha a cor de madeira velha, e era o único que não usava a armadura que tinha recebido, preferindo a liberdade de um manto simples. O homem fez uma reverência.

— Meu nome é Salomin — disse ele, parando como se o nome pudesse ser reconhecido. Quando não foi, ele deu de ombros. — Você lutou bem — falou. — Está em condições de continuar?

Domício forçou um sorriso.

— Vou descansar um pouco, depois verei.

— Você deveria usar panos frios para o inchaço, amigo. O mais frio que conseguir achar neste calor. Espero que esteja pronto se formos chamados juntos. Não gostaria de lutar contra um homem ferido.

— Eu gostaria.

Salomin piscou em confusão enquanto Brutus dava um risinho, imaginando que piada seria aquela. Em seguida fez uma reverência e se afastou, e Domício olhou para o joelho esticado.

— Se eu não puder marchar, estou acabado — falou, com a voz quase num sussurro.

Cabera usou os dedos para massagear os fluidos para longe da junta, com a expressão dura. O silêncio se estendeu interminavelmente e uma gota de suor escorreu do início dos cabelos do velho até a ponta do nariz, onde estremeceu, ignorada.

Nenhum deles ouviu Brutus ser chamado pela primeira vez. O homem que lutaria com ele passou pelo grupo e saiu ao sol sem olhar para trás, mas Salomin se aproximou e cutucou o romano, tirando-o da concentração.

— É sua vez — disse Salomin, com os olhos grandes parecendo escuros mesmo de encontro à pele.

— Vou acabar com esse depressa — respondeu Brutus, desembainhando a espada e saindo atrás do oponente.

Salomin balançou a cabeça espantado, abrigando os olhos enquanto ia até o limite da sombra, assistir à luta.

Júlio sentiu que Cabera não faria nada enquanto ele estivesse ali, olhando-o, e aproveitou a oportunidade para deixar Domício sozinho com o curandeiro.

— Dê espaço aos dois, Otaviano — falou sinalizando para Rênio segui-lo.

Otaviano aproveitou a deixa e se afastou com o rosto enrugado de preocupação. Também abrigou o rosto para olhar o local onde Brutus esperava impaciente o toque das trombetas.

Sob a arquibancada Júlio ouviu o toque agudo dos cornicens e começou a correr. Antes que ele e Rênio tivessem andado mais do que alguns passos os aplausos da multidão foram subitamente interrompidos por um silêncio fantasmagórico. Júlio correu mais rápido, chegando ofegante de volta ao camarote consular.

Os senadores também estavam imobilizados de surpresa quando Júlio entrou. Brutus já voltava rigidamente para a área dos lutadores, deixando uma figura esparramada na areia.

— O que aconteceu? — perguntou Júlio.

Pompeu balançou a cabeça, espantado.

— Foi rápido demais, Júlio. Nunca vi nada assim.

De todos eles, apenas Crasso parecia não estar abalado.

— Seu homem ficou imóvel, se desviou de dois golpes sem mover os pés e depois derrubou o oponente com um soco e cortou a perna dele enquanto estava no chão. É uma vitória, então? Não pareceu um soco justo.

Pensando em outra grande aposta em Brutus, Pompeu foi rápido em falar:

— Brutus tirou o primeiro sangue, mesmo que o sujeito estivesse inconsciente. Vai valer.

O silêncio da multidão fora rompido enquanto a mesma pergunta era feita em toda a arquibancada. Muitos rostos olhavam para o camarote consular procurando orientação e Júlio mandou um mensageiro aos cornicens para confirmar a vitória de Brutus.

Houve resmungos da parte dos que tinham apostado contra o jovem romano, mas a maioria do público pareceu contente com a decisão. Júlio viu as pessoas representando os golpes, umas para as outras, rindo o tempo todo. Dois soldados da Décima acordaram o lutador caído com um tapa na bochecha e o ajudaram a sair da arena. Enquanto a consciência retornava ele começou a lutar para se soltar, gritando furioso contra o resultado. Os guardas não se abalaram com seus protestos, desaparecendo sob os toldos sombreados.

A tarde prosseguiu com o resto das batalhas dos trinta e dois finalistas. Otaviano venceu seu combate com um corte na coxa do opositor enquanto este tentava se afastar de um golpe. A multidão sofria sob o sol, não querendo perder um instante sequer.

Os dezesseis vitoriosos foram trazidos mais uma vez, vestidos com as armaduras, para a multidão aplaudir. A sessão à luz de tochas começaria ao pôr-do-sol, reduzindo os lutadores até o dia final, dando aos vencedores a chance de se curar e se recuperar durante a noite. Moedas cobriram o chão ao redor de seus pés enquanto eles levantavam as espadas, e flores que tinham sido guardadas desde a manhã foram lançadas em manchas de cores. Júlio observou atentamente quando Domício foi chamado, e seu coração se animou ao vê-lo andar com a facilidade e tranqüilidade de sempre. Não havia necessidade de palavras, mas viu os nós dos dedos de Rênio ficarem brancos no parapeito enquanto eles olhavam para a arena e gritavam tanto quanto a multidão.

CAPÍTVLO XVI

No último dia Servília se juntou a eles no camarote. Usava um vestido solto, de seda branca e aberto no pescoço. Júlio achou divertido como os outros homens pareciam hipnotizados pelo decote fundo que foi revelado quando ela se levantou para aplaudir os homens da Décima que tinham chegado aos dezesseis finalistas.

Otaviano levou um corte na bochecha na última luta dos dezesseis. Perdeu para Salomin, que passou em triunfo para os oito, com Domício, Brutus e cinco outros que Júlio não conhecia, a não ser por suas anotações. Quando havia estranhos na arena Júlio ditava cartas a Adàn, em rápida sucessão, só ficando quieto quando uma luta chegava ao clímax e o jovem espanhol não conseguia afastar os olhos dos homens na arena. Adàn estava fascinado pelo espetáculo e pasmo com a quantidade de pessoas presentes. As quantias cada vez maiores apostadas por Pompeu e Júlio o faziam balançar a cabeça num espanto silencioso, mas se esforçava ao máximo para parecer tão casual quanto os outros ocupantes do camarote.

A primeira sessão do dia fora longa e quente, com o ritmo das batalhas diminuindo. Cada homem que ainda estava na lista era um mestre, e não havia vitórias rápidas. O humor dos espectadores também havia mudado, mantendo uma discussão constante sobre técnica e estilo enquanto olhavam e aplaudiam os melhores golpes.

Salomin estava pressionado enquanto lutava para chegar aos quatro finalistas, para o clímax da tarde. Apesar da pressão do trabalho, Júlio interrompeu o ditado para observar o sujeito depois de Adàn ter perdido por duas vezes o fio das palavras. Ter optado por lutar sem a armadura de prata destacava Salomin, e ele já era um dos favoritos da multidão. Seu estilo mostrava a sabedoria da escolha. O homenzinho lutava como um acrobata, jamais ficando imóvel. Tombava e rolava numa fluida série de golpes que fazia os opositores parecerem desajeitados.

No entanto o homem com quem Salomin lutou para chegar aos quatro não era novato para se espantar. Rênio assentiu aprovando o jogo de pés que era suficientemente bom para impedir que os giros de Salomin achassem uma abertura em sua defesa.

— Salomin vai se exaurir, com certeza — disse Crasso.

Ninguém respondeu, todos em transe com o espetáculo. A espada de Salomin era vários centímetros maior do que o gládio que os outros usavam e tinha um alcance assustador no fim de uma estocada.

Foi o tamanho extra que desequilibrou o combate, depois de o sol ter se movido meio palmo pelo céu no calor da tarde. Ambos pingavam suor e Salomin saiu um pouco de lado num golpe reto que havia disfarçado com o corpo. O outro homem não viu quando a espada penetrou em sua garganta e ele desmoronou, jorrando sangue na areia.

Perto como estavam, Júlio pôde ver que Salomin não tinha pretendido um golpe mortal. O homenzinho ficou perplexo, com as mãos trêmulas enquanto se mantinha junto ao oponente. Ajoelhou-se perto do corpo e baixou a cabeça.

A platéia ficou de pé para gritar por ele, e depois de longo tempo o barulho pareceu atravessar seu devaneio. Salomin olhou irritado para os cidadãos que berravam. Sem levantar a espada na saudação costumeira, o homenzinho passou o indicador e o polegar pela lâmina para limpá-la e voltou para a área sombreada.

— *Não* é um de nós — pronunciou Pompeu, achando divertido. Tinha ganhado outra grande aposta e nada poderia abalar seu bom humor, mas algumas pessoas na multidão começaram a zombar ao perceber que não haveria saudação aos cônsules. O corpo foi arrastado para fora e outra batalha foi anunciada rapidamente, antes que a multidão se inquietasse.

— Mas ele mereceu o lugar entre os quatro — disse Júlio.

Domício tinha lutado tremendamente para passar pelos oito, mas ele também estaria num dos dois últimos pares a lutar no torneio. Havia apenas um lugar ainda a ser decidido, e Brutus lutaria por ele. Nesse ponto a multidão os havia observado durante dias e toda Roma acompanhava seu progresso, com mensageiros levando as notícias aos que não podiam conseguir lugar nas arquibancadas. Com a eleição a menos de um mês de distância Júlio já era tratado como se tivesse obtido o cargo de cônsul. Pompeu tinha se abrandado notavelmente com relação a ele e Júlio recusara encontros com os dois homens para discutir o futuro. Não queria tentar o destino até que seu povo tivesse votado, mas nos momentos calmos sonhava em se dirigir ao senado como um dos líderes de Roma.

Bíbilo havia comparecido no último dia e Júlio olhou para o rapaz, imaginando qual seria sua motivação para permanecer na disputa para cônsul. Muitos dos candidatos iniciais tinham desistido à medida que a eleição se aproximava, tendo obtido um status temporário com os colegas. Parecia que Bíbilo estava ali para ficar. Apesar de sua aparente tenacidade, Bíbilo falava mal, e uma tentativa de defender um homem acusado de roubo tinha terminado em farsa. Mesmo assim seus clientes percorriam a cidade com seu nome nos lábios e os jovens de Roma pareciam tê-lo adotado como mascote. As velhas fortunas de Roma podiam muito bem preferir um dos seus contra Júlio, e ele não podia ser descartado.

Júlio pensava nos custos da campanha enquanto esperava que Brutus fosse chamado ao combate. Mais de mil homens recebiam pagamento da casa na base da colina Esquilina a cada manhã. Júlio não tinha certeza do que eles poderiam conseguir numa votação secreta, mas tinha aceitado o argumento de Servília, de que todos deveriam ver que ele possuía apoiadores. Era um jogo perigoso, já que apoio demais poderia significar que muitos de Roma ficariam em casa no dia da eleição, contentes no conhecimento de que seu candidato não poderia perder. Era uma falha do sistema que mantinha os homens livres de Roma votando há séculos. Se ao menos um pequeno número do grupo estivesse presente, poderia votar por todos. Bíbilo poderia se beneficiar dessa confiança equivocada, ou o senador Prando, que parecia ter tantos homens empregados quanto Júlio.

Mesmo assim, seu papel na derrota de Catilina estava se tornando bem conhecido e até mesmo seus inimigos precisavam admitir que o torneio de espadas era um sucesso. Além disso Júlio havia ganhado o suficiente apostando em seus homens para saldar algumas dívidas de campanha. Adàn mantinha a contabilidade, e a cada dia o ouro espanhol diminuía, obrigando-o a abrir linhas de crédito. Às vezes as quantias devidas o preocupavam, mas se fosse eleito cônsul nada disso importaria.

— Meu filho! — disse Servília subitamente, enquanto Brutus saía na arena com Aulo, um lutador magro, das encostas do Vesúvio no sul.

Os dois pareciam esplêndidos na armadura prateada e Júlio sorriu para Brutus quando este fez a saudação ao camarote consular, piscando para a mãe antes de se virar e levantar a espada para a multidão. A platéia gritou aprovando e os dois caminharam com passo leve até suas marcas no centro. Rênio fungou baixinho, mas Júlio podia ver a tensão quando ele se inclinou para a frente, bebendo a imagem.

Júlio esperava que Brutus pudesse suportar uma perda com tanta facilidade quanto suportava as vitórias. Simplesmente chegar aos oito últimos era um feito para regalar os netos, mas Brutus dissera desde o início que estaria na final. Nem mesmo ele havia jurado que venceria, mas sua confiança era bastante clara.

— Aposte tudo nele, Pompeu. Eu próprio pego suas apostas — disse Júlio, apanhado na empolgação.

Pompeu hesitou apenas um momento.

— Os apostadores compartilham sua confiança, Júlio. Se você me oferecer um pagamento decente posso aceitar sua oferta.

— Uma moeda por cinqüenta suas em Brutus. Cinco moedas por uma sua em Aulo — disse Júlio rapidamente. Pompeu sorriu.

— Está tão convencido assim de que Marco Brutus vai vencer? Você me tenta a apostar nesse tal de Aulo, com um pagamento desses. Cinco mil moedas de ouro contra o seu homem, nessa taxa. Aceita?

Júlio olhou para a arena, com o bom humor subitamente hesitando. Era a última luta dos oito finalistas, e Salomin e Domício já haviam passado. Certamente não poderia haver outro lutador com habilidade suficiente para vencer seu amigo mais antigo, não é?

— Aceito, Pompeu. Dou minha palavra — falou, sentindo um suor novo brotar na pele. Adàn ficou claramente pasmo e Júlio não olhou para ele.

Manteve a expressão calma enquanto tentava se lembrar do quanto suas reservas tinham encolhido depois da nova armadura para os mercenários e dos pagamentos para os clientes a cada semana. Se Brutus perdesse, vinte cinco mil em ouro seriam o bastante para levá-lo à falência, mas sempre havia o pensamento de que, como cônsul, seu crédito seria bom. Os emprestadores fariam fila para ele.

— Este Aulo. Ele é hábil? — perguntou Servília para quebrar o silêncio que havia brotado no camarote.

Bíbilo tinha trocado de lugar para ficar perto dela e respondeu com o que considerou um sorriso vitorioso.

— Neste estágio todos são, senhora. Os dois venceram sete batalhas para chegar a este ponto, mas tenho certeza de que seu filho vencerá. Ele é o predileto do público, e dizem que isso pode estimular maravilhosamente um homem.

— Obrigada — respondeu Servília, concedendo-lhe um sorriso.

Bíbilo ficou vermelho e cruzou os dedos. Júlio olhou-o com algo menos do que afeto, imaginando se aqueles modos escondiam uma mente mais afiada ou se Bíbilo era realmente o idiota absoluto que aparentava ser.

As trombetas soaram e o primeiro entrechoque de lâminas fez com que todos se inclinassem sobre o parapeito, lutando por espaço sem pensar em importância social. Servília respirava depressa e seu nervosismo aparecia o bastante para Júlio tocar em seu braço. Ela não pareceu sentir.

Na arena as espadas reluziam, com os homens movendo um ao redor do outro numa velocidade que zombava do calor. Circulavam-se rapidamente, quebrando o passo para reverter com uma habilidade linda de se olhar. Aulo tinha uma compleição semelhante à de Brutus, e os dois pareciam bem equiparados. Adàn contava baixinho o número de golpes, quase inconscientemente, apertando os dedos empolgado. Suas anotações e cartas foram esquecidas na cadeira atrás.

Brutus acertou a armadura três vezes, em rápida sucessão. Aulo deixou que os golpes passassem pela defesa para lhe dar a chance de contra-atacar, e somente o trabalho de pés salvou Brutus a cada vez, depois do tinir de metal. Os dois pingavam suor, os cabelos pretos encharcados. Separaram-se numa pausa tensa e Júlio pôde ouvir a voz de Brutus na arena. Ninguém no camarote pôde identificar as palavras, mas Júlio sabia que seriam farpas para estragar Aulo com a raiva.

Aulo riu da tentativa e os dois se juntaram de novo, numa proximidade amedrontadora enquanto as espadas giravam e brilhavam, os cabos e as lâminas batendo e deslizando numa chuva de golpes rápida demais para Adàn contar. A boca do jovem espanhol se abriu de espanto diante do nível de habilidade e toda a multidão ficou em silêncio. Naquela tensão medonha muitos prendiam o fôlego, esperando o primeiro jorro de sangue que espirraria do par em luta.

— Ali! — gritou Servília ao ver uma tira que aparecera na coxa direita de Aulo. — Está vendo? Olhe, ali! — Ela apontava loucamente, ao mesmo tempo que a dança das espadas alcançava uma intensidade maníaca na arena. Quer Brutus soubesse ou não, estava claro que Aulo não fazia idéia de que fora ferido e Brutus não podia se afastar estando tão perto, sem se arriscar a um golpe fatal. Eles permaneciam presos nos ritmos enquanto o suor espirrava.

Ao sinal de Júlio os cornicens tocaram uma nota de alerta. Era perigoso atrapalhar a concentração deles desse modo, mas os dois pararam ao mesmo tempo, ofegando em grandes haustos. Aulo tocou a coxa e ergueu a palma vermelha para Brutus. Nenhum dos dois podia falar, e Brutus apertou os joelhos com as mãos para inspirar em enormes haustos devido às pancadas do coração que parecia latejar no corpo inteiro. Cuspiu um bocado de saliva grossa e teve de cuspir de novo para limpar o fio comprido que chegava até o chão. Enquanto a pulsação dos dois parava de martelar, eles puderam ouvir a multidão aplaudindo e se abraçaram brevemente antes de levantar as espadas de novo, saudando.

Servília se abraçou, rindo alto com a empolgação.

— Então ele chegou à semifinal? Meu filho querido. Ele foi espantoso, não foi?

— Agora ele tem a chance de vencer e trazer honra para Roma — respondeu Pompeu com um olhar azedo para Júlio. — Dois romanos nos últimos dois pares. Só os deuses sabem de onde os outros dois vieram. Esse tal de Salomin é escuro como um buraco e o outro de olhos puxados, quem sabe? Esperemos que baste ter um romano para ganhar essa sua espada, Júlio. Seria uma pena ver um pagão ficar com ela depois de tudo isso.

Júlio deu de ombros.

— Está nas mãos dos deuses.

Esperou que o cônsul falasse da aposta feita e Pompeu sentiu seus pensamentos, franzindo a testa.

— Mandarei um homem levá-lo a você, Júlio. Não precisa ficar aí parado feito uma galinha choca.

Júlio assentiu instantaneamente. Apesar das aparências amistosas, cada fiapo de conversa no camarote era como um duelo sem sangue enquanto os dois manobravam procurando vantagem. Estava ansioso pela última sessão à noite, nem que fosse apenas para ver o final daquilo.

— Claro, cônsul. Estarei na casa da Esquilina até os combates da noite

Pompeu franziu a testa. Não tinha esperado a necessidade de entregar uma quantia tão grande tão depressa, mas agora os ocupantes do camarote estavam olhando-o atentamente e Crasso tinha um sorrisinho maligno espreitando como um fantasma ao redor dos lábios. Pompeu sentiu-se ferver por dentro. Teria de cobrar as apostas ganhadas, para poder pagar, e todo o sucesso anterior fora apagado. Só Crasso teria tanto dinheiro em mãos. Sem dúvida o abutre estava pensando presunçoso na única moeda que havia ganhado apostando em Brutus.

— Excelente — disse Pompeu, não querendo se comprometer definitivamente. Mesmo com suas vitórias aquilo o deixaria com pouco dinheiro, mas preferiria ver Roma pegar fogo antes de pedir outro empréstimo a Crasso.
— Até lá, senhores. Servília — disse Pompeu com um sorriso tenso. Sinalizou para seus guardas e saiu do camarote com as costas rígidas.

Júlio o observou sair antes de rir de prazer. Cinco mil! Numa única aposta sua campanha estava solvente de novo.

— Adoro esta cidade — falou em voz alta.

Suetônio se levantou com o pai e, ainda que a cortesia obrigasse o rapaz a murmurar alguma amenidade ao passar, não havia prazer em seu rosto fino. Bíbilo se levantou com eles, olhando nervoso para o amigo enquanto também murmurava um agradecimento e ia atrás.

Servília ficou, os olhos refletindo parte da mesma empolgação que via em Júlio. A multidão ia saindo para arranjar comida e os soldados da Décima estavam bem à vista quando ela o beijou faminta.

— Se você mandasse seus homens ajeitar esse toldo e ficar longe, poderíamos ter privacidade para ser travessos como crianças, Júlio.

— Você é velha demais para ser travessa, minha linda amante — respondeu Júlio abrindo os braços para envolvê-la. Servília se enrijeceu, com um jorro de raiva fazendo as bochechas brilharem.

Seus olhos relampejaram quando falou, e Júlio ficou pasmo diante da súbita mudança.

— Então em outra hora — falou passando rapidamente por ele.

— Servília! — gritou Júlio, mas ela não se virou e ele ficou sozinho no camarote vazio, furioso consigo mesmo pelo deslize.

CAPÍTVLO XVII

No FRESCOR DO INÍCIO DE NOITE JÚLIO ANDAVA NO CAMAROTE de um lado para o outro esperando a chegada de Servília. O empregado de Pompeu tinha mandado um baú de moedas para ele minutos antes de sair para os últimos combates, e Júlio fora obrigado a se atrasar enquanto convocava um número suficiente de soldados da Décima para guardar tal fortuna. Mesmo com homens de confiança ele se preocupava com a idéia de tamanha riqueza à mão.

Todos os outros tinham chegado bem antes e Pompeu deu um sorriso sem humor diante da expressão preocupada de Júlio enquanto subia correndo os degraus para ocupar seu assento. Onde estava Servília? Ela não tinha se juntado a ele na casa da campanha, mas certamente não perderia as últimas lutas do filho, não é? Júlio não conseguia ficar sentado por mais do que um instante e andava de um lado para o outro na beira do camarote, inquieto.

A arena fora iluminada com tochas tremeluzentes e a noite trouxera uma brisa suave para aliviar o calor do dia. Os lugares estavam apinhados de cidadãos, e cada membro do senado havia comparecido. Não haveria trabalho na cidade até que o torneio acabasse, e a tensão parecia ter se derramado pelas ruas mais humildes. As pessoas se reuniam numa multidão informe no Campo de Marte, como fariam de novo na eleição vindoura.

A chegada de Servília coincidiu com o primeiro toque dos cornicens convocando os últimos quatro competidores à arena. Júlio a olhou interrogativamente enquanto se acomodavam, mas ela não o encarou e parecia mais fria do que ele jamais vira.

— Desculpe — sussurrou ele inclinando a cabeça. Servília não deu sinal de ter ouvido e Júlio se recostou, irritado. Prometeu que não tentaria de novo.

A multidão se levantou para aplaudir os favoritos, e os escravos das apostas iam de um lado para o outro. Júlio viu que Pompeu os ignorou, sentindo um prazer maligno na mudança de atitude que havia provocado. Olhou para Servília para ver se ela notara e sua decisão se desvaneceu diante da máscara fria que ela virou em sua direção. Inclinou-se para perto de novo.

— Eu significo tão pouco assim para você? — sussurrou alto demais, de modo que Bíbilo e Adàn levaram um susto em suas cadeiras e depois tentaram fingir que não tinham escutado. Ela não respondeu e Júlio trincou o maxilar, com raiva, olhando para a arena escura.

Os últimos competidores saíram lentamente sob a luz das tochas. A platéia se levantou para eles e o som foi esmagador enquanto todos rugiam, vinte mil gargantas funcionando como uma só. Brutus caminhava ao lado de Domício, tentando falar acima do ruído. Salomin veio em seguida e atrás dele o último lutador saiu num passo rápido, praticamente sem provocar qualquer reação da platéia. De algum modo o estilo e as vitórias de Sung não haviam captado a imaginação do público. Ele não demonstrava emoção e suas saudações eram superficiais. Era alto e mais corpulento do que Salomin e seu rosto chato e a cabeça raspada lhe davam um aspecto ameaçador enquanto caminhava atrás dos outros, quase como se os estivesse perseguindo à espreita. Sung usava a maior espada dos quatro. Sem dúvida isso lhe dava vantagem, mas qualquer um dos outros poderia ter usado uma lâmina de dimensões semelhantes se quisesse. Júlio sabia que Brutus havia pensado nisso, tendo alguma experiência com a *spatha*, mas no fim a familiaridade do gládio o fizera escolhê-lo.

Júlio observou os quatro atentamente, procurando alguma rigidez ou um membro favorecido. Salomin, em particular, parecia estar sofrendo e caminhava de cabeça baixa, junto ao peito. Todos tinham hematomas e levavam a exaustão dos dias anteriores. De certa forma a vitória final poderia ser decidida não pela habilidade, mas pela energia. Imaginou como os pares seriam divididos e esperava que Brutus lutasse contra Domício, para forçar a presença de um romano na final. A parte política dele tinha toda a consciência de que a multidão perderia o interesse se o último combate fosse entre Salomin e Sung sozinhos na arena. Seria um terrível anticlímax para a semana, e seu coração se encolheu ao ouvir os pares sendo chamados: Brutus lutaria com Salomin e Domício com Sung. As apostas começaram a voar de novo numa cacofonia de gritos e risos nervosos. A tensão pairava acima deles e Júlio sentiu o suor brotar de novo nas axilas apesar da brisa que atravessava a arena.

Os quatro homens ficaram observando atentamente enquanto um comissário jogava uma moeda para o alto. Sung assentiu diante do resultado e Domício fez algum comentário com ele que não pôde ser ouvido sobre o ruído da multidão. Havia um respeito profissional entre os quatro, isso era claro em cada movimento. Cada um tinha visto o outro repetidamente e não guardava qualquer ilusão quanto à dureza da luta que viria.

Gritando um encorajamento para Domício por cima do ombro, Brutus caminhou de volta com Salomin até o cercado. Notou uma nova rigidez nos movimentos de Salomin e se perguntou se ele teria luxado algum músculo. Uma coisa pequena assim poderia significar a diferença entre chegar à final e sair sem nada. Brutus o examinou com atenção, imaginando se o homenzinho estaria representando para enganá-lo. Isso não o surpreenderia. Nesse estágio todos estavam dispostos a tentar qualquer coisa para conseguir uma vantagem mínima.

A platéia ficou quieta tão rapidamente que o silêncio foi estragado por risos nervosos. Os cornicens estavam prontos em seus lugares, olhando para cima para ver se Júlio continuava em seu assento.

Júlio esperou pacientemente enquanto Domício iniciava seus exercícios de alongamento. Sung ignorou o romano contra quem ia lutar, em vez disso ficou olhando a multidão até que algumas pessoas notaram e começaram a apontar e olhar irritados de volta. Tudo isso fazia parte da empolgação da última noite e Júlio podia ver centenas de crianças pequenas perto dos pais, animadas por ficarem fora da cama na noite final.

Domício terminou seus movimentos lentos com uma estocada apoiando-se no joelho direito e Júlio viu um sorriso enrugar o rosto moreno quando a perna se sustentou sem dor. Agradeceu aos deuses por Cabera, apesar de sentir culpa por ter pedido. O velho tinha caído no chão depois da cura e estava mais cinza e com aparência doentia do que Júlio jamais o vira. Quando tudo terminasse, jurou Júlio consigo mesmo, daria qualquer recompensa que ele quisesse. A idéia de ficar sem o curandeiro era algo em que não ousava pensar por muito tempo, mas quem sabia qual era a idade de Cabera?

Baixou a mão e as trombetas soaram. Estava claro desde o primeiro instante que Sung pretendia usar a vantagem dada por sua espada longa. Seus pulsos deviam ser como ferro para segurá-la tão longe do corpo e suportar o peso da lâmina de Domício, percebeu Júlio. No entanto as pernas poderosas pareciam ancoradas na areia e a grande tira de metal prateado mantinha Domício à distância enquanto os dois fintavam e atacavam. Depois de tanto estudo cada um conhecia o estilo do outro quase tão bem quanto o seu próprio, e o resultado era um impasse. Domício não ousava chegar ao alcance da lâmina de Sung, mas quando era pressionado não havia brecha em sua defesa.

Rênio ficou batendo o pé na balaustrada num ritmo forte, gritando rouco quando Domício obrigava Sung a se apoiar por um momento no pé de trás, estragando o equilíbrio. A lâmina comprida girou e Domício se abaixou sob ela, estocando no final. A estocada foi perfeita mas Sung se moveu facilmente para o lado, deixando o golpe passar perto da armadura no peito, depois levando o punho de sua espada contra o rosto de Domício.

Foi um golpe resvalante, mas boa parte da multidão se encolheu ao vêlo. Júlio balançou a cabeça maravilhado com o nível de habilidade, mas para o olho não treinado aquela poderia parecer uma luta confusa. Não havia nada dos ataques e contra-ataques perfeitos que todos tinham visto quando homens melhores lutavam contra novatos nas primeiras disputas. Aqui, cada movimento para aparar e cada resposta era estragado quase no instante em que começava, e o resultado era uma saraivada de golpes feios sem que uma gota de sangue se derramasse.

Domício se afastou primeiro. Seu malar estava inchado por causa da pancada com o cabo, e ele levantou a palma da mão até lá. Sung esperou pacientemente com a espada a postos enquanto Domício lhe mostrava a mão sem qualquer marca de sangue. A pele não tinha se rompido e eles saltaram de novo com ferocidade ainda maior.

Apenas o latejamento em seu pulso fez Júlio perceber que estava prendendo o fôlego. Eles não conseguiriam sustentar esse ritmo por muito tempo, tinha certeza, e a qualquer momento esperava que um dos dois fizesse um corte.

Os lutadores se separaram de novo e ficaram se circulando quase numa corrida, estabelecendo e quebrando ritmos tão rapidamente quanto o outro os percebia. Por duas vezes Domício quase atraiu Sung para um passo em falso enquanto mudava de direção, e a segunda vez levou a um golpe que deveria ter arrancado o braço de Sung se ele não o tivesse puxado, recebendo o impacto na armadura.

A exaustão dos dias anteriores estava começando a aparecer nos dois, talvez mais em Domício, que ofegava visivelmente. Júlio sabia que a batalha que assistia estava sendo travada tanto nas mentes quanto com as espadas, e não podia adivinhar se aquilo era outro ardil ou se Domício estava realmente sofrendo. Sua força parecia vir em jorros e a velocidade do braço variava à medida que ficava mais pesado.

Sung também estava inseguro e por duas vezes deixou passar oportunidades em que poderia ter se aproveitado de uma defesa atrasada. Inclinou a cabeça de lado como se estivesse avaliando e de novo manteve o romano à distância com uma série espantosa de movimentos com a ponta.

Um golpe reverso rapidíssimo quase acabou com a luta quando Domício bateu com a mão na parte chata da espada e mudou de direção tão rapidamente que Sung se jogou de costas no chão. Rênio gritou empolgado. Havia poucos que tinham conhecimento para ver que a queda fora deliberada e controlada. Não havia modo mais rápido de evitar um golpe, mas a platéia aplaudiu como se seu favorito tivesse vencido e uivou ao ver Sung se afastar rapidamente como um caranguejo para longe das estocadas de Domício até que, milagrosamente, o sujeito estava de pé outra vez.

Talvez fosse a frustração de ter chegado tão perto, mas Domício conteve seu ímpeto uma fração de segundo tarde demais e a ponta da lâmina de Sung chicoteou para cima, mordendo a carne na borda inferior da armadura de Domício. Os dois se imobilizaram e os que tinham bons olhos na platéia gemeram de frustração, ao mesmo tempo que seus vizinhos esticavam o pescoço para ver quem tinha ganhado.

O sangue escorreu pela perna de Domício e Júlio pôde vê-lo soltando uma torrente de palavrões antes de recuperar o controle e voltar à sua primeira marca. O rosto de Sung jamais se alterou, mas quando os dois se encararam ele fez uma reverência pela primeira vez no torneio. Para o prazer da multidão, Domício devolveu o gesto e riu abertamente em meio à exaustão enquanto os dois saudavam juntos a platéia.

Rênio se virou para Júlio com os olhos brilhantes.

— Com sua permissão, senhor. Se eu tivesse Domício o treinamento dos homens novos seria muito melhor. Ele é um lutador que pensa e eles reagiriam bem.

Júlio podia sentir cada orelha no camarote ficando em pé ao captar essa menção à nova legião precária.

— Se ele e Brutus concordarem, vou mandá-lo a você. Prometi a tarefa aos meus melhores centuriões e optios. Domício irá com eles.

— Precisamos de ferreiros e curtidores tanto quanto... — começou Rênio, parando quando Júlio balançou a cabeça.

Servília se levantou quando Brutus e Salomin saíram na arena. Estremeceu inconscientemente ao olhar o filho e fechou o punho. Havia algo terrivelmente ameaçador na arena iluminada por tochas.

Júlio queria segurá-la mas controlou o impulso, cônscio de cada aspecto dos movimentos dela perto de seu ombro. Podia sentir seu perfume no ar da noite e isso o atormentava. A raiva e a confusão quase estragaram o momento em que ele apertou seu anel com sinete junto a uma aposta de cinco mil moedas de ouro em Brutus. A expressão de Pompeu foi de deleite e ele sentiu o ânimo crescer, apesar da rigidez de Servília. Adàn também conteve um olhar de horror e Júlio piscou para ele. Tinham examinado as reservas juntos e o simples fato era que o ouro espanhol que havia trazido estava praticamente acabado. Se perdesse os cinco mil seria forçado a depender de crédito até que a campanha terminasse. Júlio optou por não contar ao jovem espanhol sobre a pérola negra que tinha comprado para Servília. Sentia o peso da jóia numa bolsa junto ao peito e estava tão satisfeito que queria entregá-la, independentemente do humor dela. O preço o fez se encolher ligeiramente ao pensar na quantidade de armaduras e suprimentos que poderiam ter sido comprados com aquele valor. Sessenta mil moedas de ouro. Estava louco. Certamente era algo extravagante demais para pôr na contabilidade. O mercador tinha jurado que poderiam se passar pelo menos alguns dias antes que notícia da compra gigantesca fosse conhecida em cada estalagem e bordel de Roma. Júlio podia sentir o peso puxando sua toga e de vez em quando levava a mão quase inconscientemente para sentir a curva da pérola sob o tecido.

Salomin também tinha assistido a cada batalha travada por Brutus, inclusive aquela em que ele havia nocauteado um homem e depois tirado o primeiro sangue com um corte quase desdenhoso na perna. Se estivesse em sua melhor condição ainda teria preferido lutar contra Domício ou o chinês preguiçoso, Sung. Tinha visto o jovem romano lutar sem a menor pausa para pensamento ou tática, como se seu corpo e seus músculos fossem treinados para agir sem direção consciente. Enquanto o encarava sobre a areia, Salomin engoliu em seco, forçando-se a se concentrar. O desespero o encheu enquanto afrouxava os músculos dos ombros e sentiu os lanhos e hematomas se abrindo nas costas. O suor escorria da testa enquanto esperava o som das trombetas.

Os soldados tinham vindo procurá-lo naquela tarde enquanto ele comia e descansava na modesta pensão perto da muralha externa da cidade. Não sabia por que o haviam arrastado para a rua e lhe dado uma surra até que os cajados se partissem. Tinha esfregado gordura de ganso em cada um dos cortes e tentado permanecer em condições, mas qualquer chance que pudesse ter tido desaparecera e somente o orgulho o fazia ocupar o lugar. Murmurou uma oração curta na língua de sua cidade e sentiu que ela o acalmava.

Quando as trombetas soaram ele reagiu instintivamente, tentando deslizar para longe. Suas costas se repuxaram em agonia e lágrimas encheram seus olhos, transformando as tochas em estrelas. Ele ergueu a espada às cegas e Brutus se desviou. Salomin gritou de dor e frustração quando seus músculos rígidos se rasgaram. Ele tentou outro golpe e errou totalmente. O suor escorria no rosto em gotas grossas enquanto ele se mantinha de pé pela força de vontade.

Brutus se afastou perplexo e franzindo a testa. Apontou para o braço de Salomin. Por um momento Salomin não ousou olhar, mas quando sentiu a pontada seu olhar saltou para um corte raso na pele e assentiu resignado.

— Não é meu pior corte hoje, amigo. Espero que você seja inocente dos outros — disse Salomin em voz baixa.

Brutus ficou inexpressivo enquanto levantava a espada para a multidão, subitamente cônscio da postura encurvada com que o homenzinho geralmente ágil estava parado. Seu rosto se clareou num relâmpago de compreensão horrorizada.

— Quem fez isso?

Salomin deu de ombros.

— Quem sabe distinguir um romano de outro? Eram soldados. Está feito.

Brutus empalideceu de fúria, o olhar saltando cheio de suspeitas para onde Júlio estava aplaudindo-o. Saiu da arena surdo aos aplausos em seu nome.

Com uma pausa de duas horas antes da final, a areia foi varrida e limpa enquanto muitos cidadãos saíam para comer e se lavar, conversando empolgados. O camarote se esvaziou rapidamente e Júlio notou que o senador Prando saiu antes do filho, que caminhava na multidão com Bíbilo, mal cumprimentando o pai enquanto passavam.

Júlio ouviu Brutus se aproximar enquanto a multidão em movimento junto ao camarote reconhecia seu campeão e o saudava com novo entusiasmo. Mesmo estando trêmulo de emoção Brutus manteve o bom senso o suficiente para embainhar a espada antes de se aproximar dos guardas em volta do camarote. O dever deles os teria obrigado a desafiá-lo, não importando seu novo status.

Júlio e Servília foram rapidamente até ele e os parabéns de Júlio morreram na garganta ao ver a expressão do amigo que estava branco de fúria.

— Você mandou espancar Salomin? — perguntou Brutus rispidamente, quando chegou. — Ele mal conseguia ficar de pé. Você fez isso?

— Eu... — começou Júlio, pasmo. Foi interrompido pelo ruído súbito dos soldados de Pompeu ficando em posição de sentido quando a cortina foi puxada de lado e o cônsul saiu.

Tremendo de emoção contida Brutus fez uma saudação e ficou rigidamente em posição de sentido enquanto Pompeu o examinava.

— Eu dei a ordem. Não me interessa se você lucrou ou não com isso. Um estrangeiro que não faz saudação não pode esperar coisa melhor, e merece pior. Se ele não estivesse entre os últimos quatro estaria pendurado, balançando ao vento.

E devolveu o olhar perplexo dos outros.

— Acho que até um estrangeiro pode aprender o respeito. Agora, Brutus, vá descansar para a final.

Dispensado, Brutus não pôde fazer nada além de dar um olhar de desculpas para o amigo e a mãe.

— Talvez fosse melhor esperar até o fim do torneio — disse Júlio depois de Brutus ter saído. Algo no olhar reptiliano de Pompeu o fez tomar cuidado com as palavras. A arrogância do sujeito era maior do que ele jamais havia percebido.

— Ah, esqueça disso, certo? Um cônsul *é* Roma, César. Ele não deve ser zombado ou tratado com superficialidade. Talvez com o tempo você entenda isso, se os cidadãos lhe derem a chance de ficar onde estou hoje.

Júlio abriu a boca para perguntar se Pompeu tinha apostado em Brutus e a fechou bem a tempo, antes de se destruir. Lembrou-se de que Pompeu não o fizera: seu deturpado senso de honra o teria impedido de lucrar com a punição.

Subitamente cansado e enjoado daquilo tudo, Júlio assentiu como se entendesse, mantendo aberta a cortina para que Servília e Pompeu passassem. Mesmo então ela não o olhou e ele suspirou amargo enquanto os seguia. Tinha certeza de que ela esperaria que ele a procurasse em particular e achou que isso o irritava, mas havia pouca opção. Sua mão foi até o volume da pérola e bateu nela, pensativo.

Ainda ofegando da cavalgada Júlio respirou fundo antes de bater à porta. O taverneiro tinha confirmado que Servília voltara ao quarto e Júlio pôde ouvir o barulho de água lá dentro enquanto ela se banhava antes da última luta. Apesar de sua agitação Júlio não pôde evitar o sentimento dos primeiros toques sedosos da excitação ao ouvir passos se aproximando, mas a voz que falou era da escrava que enchia a banheira para os clientes.

— Júlio — respondeu ele à pergunta. Talvez seus títulos tivessem feito a garota se mover um pouco mais depressa, mas havia ouvidos ao longo do pequeno corredor e algo ligeiramente ridículo em falar com uma porta fechada como um garoto apaixonado. Estalou os nós dos dedos enquanto esperava. Pelo menos a taverna era suficientemente próxima das muralhas da cidade para que ele voltasse a tempo. Seu cavalo estava mastigando feno no pequeno estábulo e ele só precisava de um minuto para dar a pérola a Servília, suportar seus abraços deliciados e galopar de volta ao campo com ela, para a última luta à meia-noite.

A escrava abriu a porta finalmente, fazendo uma reverência. Júlio podia ver a diversão nos olhos da garota enquanto ela passava para o corredor, mas esqueceu-a assim que a porta se fechou.

Servília estava com um manto simples, o cabelo amarrado num coque na nuca. Parte dele imaginou como a mulher teria arranjado tempo para aplicar pintura e óleos no rosto, mas correu para ela.

— Não me importam os anos que nos separam. Eles importavam na Espanha? — perguntou. Antes que pudesse tocá-la ela ergueu uma das mãos, as costas rígidas como de uma rainha.

— Você não entende nada, Júlio, e esta é a verdade simples.

Ele tentou protestar mas ela falou alto, com os olhos chamejando.

— Na Espanha eu sabia que era impossível, mas lá era tudo diferente. Não consigo explicar... era como se Roma estivesse longe demais e você fosse tudo que importava. Quando estou aqui sinto os anos, as décadas, Júlio. *Décadas* que nos separam. Meu aniversário de quarenta e três anos foi ontem. Quando você estiver nos quarenta eu serei uma velha grisalha. Já tenho cabelos grisalhos, mas cobertos com as melhores tinturas do Egito. Deixe-me, Júlio. Não podemos mais passar tempo juntos.

— Não me importa, Servília! Você ainda é linda...

Servília deu um riso desagradável.

— *Ainda* sou linda, Júlio? É, é um espanto eu manter a aparência, mas você não sabe nada do trabalho que dá apresentar um rosto liso ao mundo.

Por um momento seus olhos desmoronaram e ela lutou contra as lágrimas. Quando falou de novo a voz estava cheia de um cansaço infinito.

— Não deixarei que você me veja envelhecer, Júlio. *Você*, não. Volte aos seus amigos antes que eu chame os guardas da taverna para o expulsarem. Deixe-me terminar de me vestir.

Júlio abriu a mão e lhe mostrou a pérola. Sabia que era a coisa errada a fazer, mas tinha planejado o gesto enquanto vinha do Campo e agora era como se seu braço se movesse sem vontade consciente. Ela balançou a cabeça, incrédula.

— Será que eu deveria me lançar em seus braços agora, Júlio? Será que deveria chorar e pedir desculpa por ter pensado que você era um menino?

Com uma raiva brusca Servília arrancou a pérola e a jogou contra ele, acertando na testa e fazendo-o se encolher. Ele a ouviu rolar para os recessos do quarto e o som pareceu continuar interminavelmente.

Servília falou devagar, como se estivesse louca:

— Agora saia.

Quando a porta se fechou ela esfregou com força os olhos e se levantou para procurar a pérola nos cantos do quarto. Quando seus dedos se fecharam sobre ela, ergueu-a à luz da lâmpada e por um momento sua expressão se suavizou. Apesar da beleza, era fria e dura em sua mão, como ela própria fingia ser.

Acariciou a pérola com os dedos compridos, pensando nele. Júlio ainda não vivera trinta anos e, mesmo aparentemente não pensando nisso, iria querer uma esposa para lhe dar filhos. Lágrimas brilharam nos cílios enquanto ela pensava no útero agonizante. Não saía sangue há três meses e nenhuma vida se agitava dentro dela. Por um tempo tinha ousado esperar um filho, mas quando outra menstruação não veio ela soube que tinha passado a última era da juventude. Não haveria filho, e era melhor mandá-lo embora antes que os pensamentos dele se voltassem para filhos que ela não podia dar. Melhor do que esperar que ele a mandasse embora; Júlio usava a própria força tão bem e com tanta facilidade que ela sabia que ele jamais entenderia seu medo. Respirou fundo para se acalmar. Ele se recuperaria, os jovens sempre se recuperavam.

Quando Brutus e Sung emergiram à meia-noite as tochas tinham sido cheias de óleo e a arena luzia na escuridão do Campo. Os escravos das apostas haviam se retirado discretamente e nenhum dinheiro estava sendo mais recolhido. Muitos cidadãos tinham bebido sem parar durante toda a tarde, preparando-se para o clímax, e Júlio mandou mensageiros convocar mais soldados da Décima para o caso de haver tumulto no final. Apesar do cansaço que assaltava seu espírito, sentia a empolgação do orgulho enquanto olhava Brutus erguer pela última vez uma das espadas de Cavallo. O gesto tinha um significado pessoal e dolorido para todos que o entendiam.

Sem pensar Júlio estendeu a mão para segurar a de Servília e em seguida a deixou cair.

O humor dela mudaria quando Brutus vencesse, tinha quase certeza.

A lua havia subido, um crescente pálido que pairava acima do círculo de tochas. Mesmo sendo tarde a notícia dos finalistas havia passado rapidamente pela cidade e toda Roma estava acordada esperando o resultado. Se vencesse, Brutus seria famoso, e Júlio teve o pensamento tortuoso de que, se seu amigo se candidatasse a cônsul, quase certamente ganharia.

Quando os cornicens tocaram as trombetas Sung atacou sem aviso, tentando uma vitória no primeiro instante. Sua lâmina ficou turva enquanto girava na direção das pernas de Brutus e o jovem romano a desviou para o lado com um tinir de metal. Não contra-atacou, e por um momento Sung ficou desequilibrado. As fendas estreitas de seus olhos permaneceram impassíveis enquanto ele dava de ombros e se adiantava de novo, com a espada comprida cortando uma curva no ar.

De novo Brutus desviou a lâmina e o som de metal parecia um sino ressoando sobre a multidão silenciosa. Todos assistiam fascinados esta última batalha que era tão diferente das anteriores.

Júlio podia ver as manchas de raiva ainda no rosto e no pescoço de Brutus e se perguntou se ele mataria Sung ou seria morto enquanto a mente permanecia na falsa vitória contra Salomin.

O combate se desenvolveu numa séria de golpes e tinir de lâminas, mas Brutus não havia dado sequer um passo para longe de sua marca. Quando a lâmina de Sung se movia para alcançá-lo era bloqueada com um movimento curto do gládio. Quando o golpe era uma finta Brutus o ignorava, mesmo quando o metal passava suficientemente perto para ele ouvi-lo cortando o ar. Sung estava respirando com força enquanto a multidão começava a levantar as vozes diante de cada ataque dele, ficando quieta para o golpe e depois soltando um ofegar sibilante que parecia zombeteiro. Achavam que Brutus estava dando ao sujeito uma lição sobre Roma.

Enquanto observava, Júlio sabia que Brutus estava lutando somente consigo mesmo. Estava quase desesperado para ganhar, mas a vergonha pelo tratamento dado a Salomin o comia por dentro e ele meramente sustentava Sung enquanto pensava. Júlio percebeu que testemunhava a apresentação de um espadachim perfeito. Era uma verdade espantosa, mas o garoto que ele conhecera tinha se tornado um mestre, maior do que Rênio ou qualquer outro.

Sung sabia disso enquanto o suor ardia em seus olhos e o Romano continuava parado diante dele. O rosto de Sung se encheu de fúria e frustração. Tinha começado a grunhir a cada golpe e, sem uma escolha consciente, não estava mais golpeando para tirar o primeiro sangue, e sim para matar.

Júlio não suportava olhar aquilo. Inclinou-se sobre o parapeito e gritou para o amigo:

— Vença, Brutus! Por nós, vença!

Seu povo rugiu ao ouvi-lo. Brutus virou a lâmina de Sung com a sua, prendendo-a por tempo suficiente para dar uma cotovelada na boca do sujeito. O sangue se derramou visivelmente sobre a pele pálida de Sung e o chinês recuou, perplexo. Júlio viu Brutus levantar a mão e falar com o sujeito, então Sung balançou a cabeça e atacou de novo.

Então Brutus ficou vivo e era como olhar um gato espantado saltar. Deixou a lâmina comprida deslizar ao longo das costelas para entrar dentro da guarda e projetou seu gládio contra o pescoço de Sung com cada grama da raiva. A lâmina desapareceu sob a armadura de prata e Brutus se afastou pela arena, sem olhar para trás.

Sung olhou para ele com o rosto contorcido. Sua mão esquerda puxou a lâmina enquanto tentava gritar, mas os pulmões eram fitas de carne por dentro e apenas um grasnar rouco pôde ser ouvido no silêncio mortal.

A multidão começou a zombar e Júlio sentiu vergonha dela. Levantou-se e gritou pedindo silêncio, o bastante para aquietar os que puderam ouvir. O resto acompanhou numa imobilidade tensa enquanto o povo de Roma esperava a queda de Sung.

Sung cuspiu com raiva na areia, com toda a cor sumindo do rosto. Mesmo à distância o público podia ouvir cada respiração sair num arranco. Lentamente, com cuidado infinito, ele abriu as fivelas da armadura e a deixou cair. O tecido por baixo estava encharcado e preto à luz das tochas e Sung ficou espantado, o olhar escuro saltando para as fileiras de romanos que observavam.

— Ande, desgraçado — sussurrou Rênio baixinho. — Mostre a eles como se morre.

Com a precisão da agonia Sung embainhou sua espada comprida e então suas pernas o traíram, e ele caiu de joelhos. Mesmo assim olhou em volta e cada respiração parecia um grito, cada qual mais curta do que a anterior. Então ele caiu e os espectadores soltaram o ar, sentados como estátuas de deuses num julgamento.

Pompeu enxugou a testa, balançando a cabeça.

— Você deve parabenizar seu homem, César. Nunca vi coisa melhor — disse ele.

Júlio virou os olhos frios para o cônsul e Pompeu assentiu como se para si mesmo, chamando os guardas para escoltá-lo de volta às muralhas da cidade.

CAPÍTVLO XVIII

Bíbilo ficou olhando irritado, em silêncio, Suetônio andar de um lado para o outro na sala comprida onde ele recebia os visitantes. Como cada parte da casa, era decorada segundo o gosto de Bíbilo, e enquanto observava Suetônio ele se sentia reconfortado pelas cores simples dos divãs e pelas colunas com capitéis dourados. De algum modo a limpeza nítida nunca deixava de acalmá-lo. E ao entrar em qualquer cômodo da vila, simplesmente num relance, ele sabia se alguma coisa estava fora do lugar. O piso de mármore preto era tão polido que cada passo de Suetônio era acompanhado por uma sombra colorida sob seus pés, como se ele andasse sobre a água. Estavam sozinhos, tendo dispensado até mesmo os escravos. O fogo havia se apagado há muito e o ar estava frio a ponto de congelar o hálito. Bíbilo teria gostado de pedir vinho esquentado com um ferro em brasa, ou um pouco de comida, mas não ousava interromper o amigo.

Começou a contar as voltas enquanto Suetônio andava, com a tensão aparecendo nos ombros rígidos e nas mãos cruzadas com força às costas, deixando brancos os nós dos dedos. Bíbilo suportava com ressentimento o uso noturno de sua casa, mas Suetônio o dominava e ele se sentia obrigado a escutar, mesmo tendo passado a desprezar o outro.

A voz dura de Suetônio rompeu o silêncio sem aviso, como se a raiva não pudesse mais ser contida.

— Juro que se eu pudesse alcançá-lo mandaria matá-lo Bibi. Pela cabeça de Júpiter, juro!

— Não diga isso — gaguejou Bíbilo, chocado. Mesmo em sua própria casa algumas palavras nunca deveriam ser ditas.

Suetônio parou de andar como se tivesse sido desafiado e Bíbilo se encolheu de volta no divã fofo. Gotas de saliva branca tinham se juntado nos cantos da boca de Suetônio e Bíbilo ficou olhando para elas, incapaz de se desviar.

— Você não o conhece, Bíbilo. Não viu como ele representa o papel de um romano nobre, como o tio dele. Como se sua família fosse algo além de mercadores! Ele lisonjeia as pessoas de quem precisa, inflando-as como se fossem galos à sua passagem. Ah, isso eu tenho de admitir! Ele é um mestre em encontrar quem o ame. Tudo construído sobre mentiras, Bíbilo. Eu vi.

Ele olhou irritado para o amigo como se esperasse ser questionado.

— Sua vaidade brilha até eu não acreditar que sou o único que nota, no entanto todos se enfileiram para ele e o chamam de jovem leão de Roma.

Suetônio cuspiu no chão polido e Bíbilo olhou com nojo para a mancha de catarro úmido. Suetônio deu um riso de desprezo, com a amargura transformando suas feições numa máscara feia.

— Para Pompeu e Crasso tudo é um jogo. Eu vi quando nós voltamos juntos da Grécia. A cidade estava pobre, os escravos à beira da maior rebelião da nossa história e eles colocaram César como tribuno. Eu deveria saber então que nunca veria justiça. O que ele tinha feito para merecer aquilo, afinal? Eu estive lá quando lutamos contra Mitridates, Bibi. César não era mais líder do que eu, mas fingia ser. Mitridates praticamente nos deu a vitória mas nunca vi Júlio lutar. Já falei isso? Nunca o vi ao menos desembainhar a espada para nos ajudar quando o sangue corria.

Bíbilo suspirou. Tinha ouvido tudo isso antes, mas sempre que escutava a narrativa de ressentimentos César se tornava cada vez mais o vilão que Suetônio desejava.

— E a Espanha? Ah, Bibi, eu sei tudo sobre a Espanha. Ele vai para lá sem nada e volta com ouro suficiente para concorrer ao cargo de cônsul, mas eles o questionam? Ele é derrubado pelos tribunais? Escrevi para o homem que ocupou o lugar dele e questionei os números que ele deu ao senado. Fiz o trabalho daqueles velhos idiotas, Bibi.

— O que ele disse? — perguntou Bíbilo, erguendo o olhar das mãos. Esta era uma parte nova na arenga, e lhe interessava. Ficou olhando Suetônio procurar palavras e esperou que ele não cuspisse de novo.

— Nada! Escrevi repetidamente. Por fim o sujeito me mandou um bilhete curto, um alerta para não interferir com o governo de Roma. Uma ameaça, Bíbilo, uma ameaçazinha *maligna*. Então eu soube que ele era um dos homens de César. Sem dúvida suas mãos estão tão sujas quanto as dele. Júlio se encobre bem, mas vou criar uma armadilha.

Cansado e faminto, Bíbilo não pôde resistir a uma pequena farpa.

— Se ele virar cônsul ficará imune a processos, Suetônio, mesmo por crimes capitais. Então você não poderá tocá-lo.

Suetônio deu um riso de desprezo antes de falar. Lembrou-se de ter visto os homens envoltos em sombra indo para a propriedade de César, assassinar Cornélia e os serviçais dela. Algumas vezes pensava que essa lembrança era tudo que o impedia de ficar louco. Os deuses não tinham protegido Júlio naquele dia. Júlio fora mandado à Espanha com boatos de desgraça, enquanto sua bela esposa tinha a garganta cortada. Então Suetônio pensou que finalmente havia dominado a raiva. A morte de Cornélia era como um tumor estourando nele, com todo o veneno escorrendo para fora.

Suspirou pela perda daquela paz. Júlio tinha abusado do cargo na Espanha, estuprando o país para conseguir ouro. Deveria ter sido apedrejado nas ruas, mas tinha voltado e contado suas mentiras para a multidão simples e ganhado a confiança dela. O torneio tinha espalhado seu nome pela cidade.

— Há alguma surpresa quando o amigo dele vence o torneio, Bibi? Não, eles simplesmente aplaudem de cabeça vazia, se bem que qualquer um com olhos conseguisse ver que Salomin mal podia andar até sua marca. Esse era o verdadeiro César, o que eu conheci. Bem ali na frente de milhares, e eles não viam. Onde estava sua preciosa honra, então? — Suetônio começou a andar de novo, cada passo batendo em sua imagem espelhada. — Ele não deve ser cônsul, Bibi. Farei o que for preciso, mas ele não deve. Você não é minha única esperança, amigo. Você ainda pode pegar bastante votos das centúrias para derrubá-lo, mas eu acharei outro modo se isso não for o bastante.

— Se você for apanhado fazendo alguma coisa eu...

Suetônio sinalizou para que ele ficasse quieto.

— Faça o seu trabalho, Bíbilo, e eu faço o meu. Acene para a multidão, vá aos tribunais, faça seus discursos.

— E se isso não bastar? — perguntou temendo a resposta.

— Não me desaponte, Bíbilo. Você chegará até o fim, a não ser que sua retirada favoreça o meu pai. É muito para pedir? Não é nada.

— Mas e se...

— Estou cansado das suas objeções, amigo — disse Suetônio em voz baixa. — Se você quiser posso ir até Pompeu e mostrar por que você não é apto para defender Roma. Gostaria disso, Bibi? Gostaria que ele conhecesse seus segredos?

— Não faça... — disse Bíbilo, com lágrimas ardendo nos olhos. Em ocasiões assim sentia apenas ódio pelo homem à sua frente. Suetônio fazia tudo parecer sórdido.

Suetônio se aproximou e pôs a mão sob a carne do queixo de Bíbilo.

— Até os cachorros pequenos podem morder, não é, Bíbilo? Será que você me trairia? Sim, claro que trairia, se eu desse chance. Mas você cairia comigo, e a queda seria pior. Sabe disso, não sabe?

Suetônio segurou uma papada entre dois dedos e torceu. Bíbilo estremeceu de dor.

— Você é realmente um sujeitinho *sujo*, Bíbilo. Mas preciso de você e isso nos liga melhor do que a amizade, melhor do que o sangue. Não esqueça, Bibi. Você não suportaria a tortura. E sabemos que Pompeu é meticuloso.

Com um movimento brusco Bíbilo se afastou, as mãos macias apertando a garganta machucada.

— Chame suas crianças bonitas e mande que acendam o fogo de novo. Está frio aqui — disse Suetônio com os olhos brilhando.

Na sala de jantar da casa da campanha Brutus se levantou à cabeceira da mesa e ergueu a taça enquanto olhava os amigos. Eles se levantaram para homenageá-lo e parte da amargura sentida por causa de Solomin desapareceu com a companhia. Júlio o encarou e Brutus forçou um sorriso, com vergonha de ter acreditado que o amigo seria responsável pela surra.

— A que devemos beber? — perguntou Brutus.

Alexandria pigarreou e todos olharam para ela.

— Precisaremos de mais do que um brinde, mas o primeiro deve ser a Marco Brutus, a primeira espada de Roma.

Todos sorriram e ecoaram as palavras, e Brutus pôde ouvir a voz grave de Rênio rosnar acima dos outros. O velho gladiador tinha conversado com ele durante longo tempo depois da vitória no torneio e, como era ele, Brutus tinha ouvido.

Brutus levantou a taça quando seus olhares se encontraram, fazendo um agradecimento particular. Rênio riu e Brutus sentiu o humor ficar mais leve.

— Então o próximo deve ser para minha linda ourives — disse ele — que ama um bom espadachim de vários modos.

Alexandria ruborizou diante dos risos e Brutus olhou desejoso para seu decote.

— Você está bêbado, seu devasso — respondeu ela com os olhos brilhando de diversão.

Júlio pediu que as taças fossem cheias de novo.

— Aos que amamos e não estão aqui — disse ele, e algo em seu tom de voz fez com que todos parassem. Cabera estava deitado lá em cima, com os melhores médicos de Roma ao lado, nenhum deles tendo metade de sua capacidade. Apesar de ter curado Domício o velho havia desmoronado imediatamente depois, e sua doença lançou uma mortalha sobre os outros.

Eles ecoaram o brinde, ficando quietos ao lembrar os que tinham perdido. Além do velho curandeiro, Júlio pensava em Servília, e seu olhar foi até a cadeira vazia deixada para ela. Coçou a testa lembrando de onde a pérola o havia acertado.

— Vamos ficar de pé a noite inteira? — perguntou Domício. — Otaviano já deveria estar na cama.

Otaviano inclinou a taça, esvaziando-a na boca.

— Disseram que eu posso ficar acordado até tarde se for bonzinho — respondeu animado.

Júlio olhou com afeto para seu jovem parente enquanto todos se sentavam. Ele estava se tornando um belo homem, ainda que seus modos fossem um tanto rudes. Até Brutus havia observado a quantidade de vezes que Otaviano fora visto na casa de Servília: aparentemente o rapaz estava se tornando uma espécie de favorito das garotas. Júlio ficou olhando Otaviano rir de algo que Rênio tinha dito e esperou que a confiança extraordinária de sua juventude não lhe fosse tirada com muita dureza. No entanto, se ele nunca fosse realmente testado, viraria uma concha. Havia muitas coisas que Júlio mudaria no próprio passado, mas sem elas sabia que ainda seria o garotinho cheio de raiva e orgulho que Rênio tinha treinado. Era uma coisa terrível de considerar, mas esperava que Otaviano conhecesse pelo menos um pouco de dor, para transformá-lo num homem. Era o único modo que ele conhecia, e ainda que Júlio pudesse se esquecer de seus triunfos, seus fracassos o haviam moldado.

A comida veio em seus pratos de prata, feitos na Espanha. Todos estavam famintos e por longo tempo ninguém falou para interromper o ruído baixo da mastigação.

Brutus se recostou na cadeira e cobriu um arroto com a mão.

— Então você vai ser cônsul, Júlio? — perguntou.

— Se os votos forem suficientes.

— Alexandria está fazendo um broche de cônsul para sua capa. É muito bonito — continuou Brutus.

Alexandria pousou a cabeça numa das mãos.

— Era surpresa, lembra, Brutus? Eu disse que era uma surpresa. O que isso significou para você, exatamente?

Brutus apertou a mão dela.

— Desculpe. Mas é bonito mesmo, Júlio.

— Espero ter a chance de usá-lo. Obrigado, Alexandria. Só gostaria de ter tanta certeza da vitória quanto Brutus.

— Por que não teria? Você perdeu um processo no fórum que ninguém poderia ter ganhado. Ganhou três que deveria ter perdido. Seus clientes saem toda noite para você, e os relatórios são bons.

Júlio assentiu pensando nas dívidas que tinha contraído para alcançar isso. O ouro que ganhara de Pompeu havia desaparecido em alguns curtos dias de campanha. Apesar da reputação extravagante que ganhara, lamentava alguns dos gastos mais loucos, particularmente a pérola. Pior ainda era o modo como os emprestadores assumiam uma familiaridade com ele à medida que os gastos aumentavam. Era como se sentissem que eram donos de uma parte dele, e Júlio ansiava pelo dia em que estaria livre daquilo.

Ruborizado pelo vinho, Brutus se levantou de novo.

— Façamos outro brinde — falou. — À vitória, mas à vitória com honra.

Todos se levantaram e levantaram as taças. Júlio desejou que seu pai pudesse vê-los.

CAPÍTVLO XIX

Havia uma grande solenidade na vasta multidão que tinha saído da cidade para votar. Júlio olhava com orgulho enquanto o povo se dividia nas centúrias da eleição e levava as tabuletas de cera até os *diribitores*, que as colocavam em cestos para a contagem. A cidade pairava no horizonte, e a oeste a bandeira distante na colina Janículo estava hasteada, sinalizando que a cidade estava em segurança e lacrada enquanto a eleição acontecia.

O sono fora impossível na noite anterior, e quando os áugures se aprontaram para sair e consagrar o terreno Júlio estava com eles junto ao portão, nervoso e com a cabeça estranhamente leve enquanto os observava preparar as facas e guiar um grande novilho branco para fora da cidade. O corpo frouxo do animal estava caído perto de onde Júlio se encontrava em silêncio, tentando avaliar o humor da multidão. Muitas pessoas assentiam e sorriam para ele enquanto colocavam os votos nos cestos, mas Júlio sentia pouco prazer com isso. Somente os votos das centúrias de eleitores contariam, e com as classes mais ricas votando primeiro, Prando já garantira sete contra quatro para Bíbilo. Nenhuma das onze primeiras centúrias tinha se declarado a favor de Júlio e ele sentia o suor escorrendo das axilas por baixo da toga, enquanto o calor do dia começava a aumentar.

Sempre soubera que os votos dos ricos livres seriam os mais difíceis de ganhar, mas ver a realidade de cada voto perdido era uma experiência amarga. Os cônsules e candidatos estavam ao seu lado num grupo digno, mas Pompeu não podia esconder a diversão e conversava com um escravo ao lado enquanto estendia a taça pedindo uma bebida fria.

Júlio se esforçou tremendamente para manter uma expressão agradável. Mesmo depois de todos os preparativos os primeiros votos poderiam influenciar as últimas centúrias e o resultado poderia ser uma derrota fragorosa, sem espaço para ele. Pela primeira vez desde que voltara à cidade imaginou o que faria se perdesse.

Ficar numa cidade governada por Bíbilo e Prando seria o seu fim, tinha certeza. Pompeu arranjaria um modo de destruí-lo, se Suetônio não o fizesse. Simplesmente para sobreviver àquele ano ele seria obrigado a implorar um posto em algum buraco distante nos limites da influência romana. Balançou a cabeça inconscientemente, com os pensamentos tocando possibilidades cada vez piores enquanto os votos eram cantados. Os que apoiavam Prando e Bíbilo aplaudiam a cada sucesso e Júlio era obrigado a sorrir dando os parabéns, ainda que isso fosse como ácido para ele.

Disse a si mesmo que não havia nada que pudesse fazer e encontrou nisso uma calma momentânea. Os homens de Roma votavam em pequenos cubículos de madeira e passavam aos *diribitores* as tabuletas viradas para baixo, para esconder as marcas que tinham feito. Nesse estágio não poderia haver coerção e todos os subornos e jogos nada significavam enquanto os cidadãos ficavam sozinhos e apertavam a cera duas vezes junto aos nomes escolhidos. Mesmo assim a multidão que esperava ouvia cada resultado e logo votaria com a massa de homens à frente dela. Em muitas eleições Júlio tinha visto as classes mais pobres ser mandadas de volta a Roma assim que era anunciada uma maioria. Rezava para que não acontecesse isso.

— ...César — gritou o magistrado e Júlio ergueu a cabeça bruscamente para ouvir. Era o fim da primeira classe e ele havia ganhado um voto na rabeira. Agora os que tinham menos propriedades e riquezas teriam sua vez. Ao mesmo tempo que sorria ficava agitado, tentando não demonstrar. A maior parte de seu apoio estava entre os mais pobres, que o viam como um homem que tinha subido até aquela posição; mas sem mais votos dos ricos seu povo nem teria a chance de marcar a cera em seu nome.

Os resultados da segunda classe foram ainda mais equilibrados e Júlio se empertigou um pouco mais, enquanto ouvia sua contagem crescer junto com os outros. Prando tinha dezessete, Bíbilo quatorze e mais cinco centúrias haviam se declarado por Júlio, aumentando suas esperanças. Viu que não era o único a sofrer. O pai de Suetônio tinha empalidecido com a tensão extraordinária e Júlio achou que o sujeito queria tanto sentar quanto ele próprio. Bíbilo também estava nervoso, o olhar indo para Suetônio a intervalos, quase como se estivesse implorando.

Na hora seguinte a liderança mudou três vezes, e no fim o total de votos para o pai de Suetônio o deixou em terceiro lugar, caindo cada vez mais. Júlio viu Suetônio ir até o lado de Bíbilo. O gordo se encolheu, mas Suetônio agarrou seu braço e sussurrou asperamente no ouvido dele. Sua raiva tornou a fala perfeitamente audível a todos e Bíbilo ficou com o rosto carmim.

— Retire a candidatura, Bibi. Você deve retirar agora! — rosnou Suetônio ignorando o olhar de Pompeu.

Bíbilo assentiu nervosamente, como num espasmo, mas Pompeu pôs a mão enorme nos ombros dele como se Suetônio não estivesse ali, obrigando o jovem romano a se afastar rapidamente para não tocar o cônsul.

— Espero que você não esteja pensando em sair da lista, Bíbilo — disse Pompeu.

Bíbilo fez um som que poderia ter sido uma resposta, mas Pompeu continuou:

— Você se saiu muito bem entre as primeiras classes, e pode se sair ainda melhor antes do fim. Continue, e quem sabe? Mesmo que não tenha sucesso, sempre há um lugar para as famílias antigas no senado.

Bíbilo grudou um sorriso doentio no rosto e Pompeu deu-lhe um tapinha no braço enquanto o liberava. Suetônio se virou de costas para não tentar de novo e ficou olhando friamente enquanto Bíbilo recebia mais três votos.

Ao meio-dia cada resultado era recebido com aplausos e gritos enquanto os vendedores de vinho vendiam seu produto à multidão. Júlio se achou em condições de relaxar o suficiente para tomar uma taça, mas não sentiu o gosto. Trocava amenidades com Bíbilo, mas o senador Prando permanecia distante e só assentia rigidamente quando Júlio o parabenizava. Suetônio não tinha a habilidade do pai para esconder as emoções e Júlio sentia seus olhos constantemente fixos nele, irritando-o.

Quando o sol passou do zênite Pompeu pediu toldos para cobri-los. Cem centúrias tinham votado e Júlio estava em segundo lugar, dezessete votos à frente de Prando. Como as coisas estavam, Bíbilo e Júlio ocupariam os assentos, e a multidão começou a demonstrar o interesse mais abertamente, aplaudindo e empurrando uns aos outros para observar os candidatos. Júlio observou quando Suetônio tirou um grande tecido vermelho na toga e enxugou a testa com ele. Era um gesto estranhamente espalhafatoso e Júlio deu um sorriso sem humor, olhando para o oeste, onde a bandeira na Janículo podia ser vista.

Da colina Janículo tinha-se uma vista total da cidade e das terras em volta. Um mastro enorme se erguia de uma base de pedra no ponto mais alto e os homens que vigiavam a possibilidade de uma invasão jamais desviavam o olhar. Em geral era um serviço fácil, mais adequado aos dias antigos em que a cidade vivia no perigo constante de ser atacada por tribos e exércitos de fora. Este ano a conspiração de Catilina havia trazido de volta a necessidade constante do dever, e os que haviam ganhado a tarefa por sorteio estavam alertas e vigilantes. Eram seis, quatro rapazes e dois veteranos da legião de Pompeu. Falavam dos candidatos enquanto comiam um almoço frio, desfrutando do afastamento dos serviços normais. Ao pôr-do-sol terminariam o dia tocando uma nota numa trombeta comprida e com o abaixamento solene da bandeira.

Não viram os homens se esgueirando morro acima por trás deles até que uma pedrinha bateu numa rocha e escorregou pelo lado íngreme abaixo da crista. Os garotos se viraram para ver que animal os havia perturbado e um deles gritou em alerta ao ver os homens armados subindo. Eram sete; raptores grandes, cheios de cicatrizes, que mostraram os dentes ao ver o pequeno grupo de defensores.

Os homens de Pompeu saltaram de pé, espalhando comida e derrubando uma jarra de argila com água que escureceu o chão poeirento. No instante em que suas espadas saíram eles foram rodeados, mas conheciam seu dever e o primeiro raptor caiu com um soco quando chegou perto demais. Os outros vieram para cima, rosnando, e então outra voz chegou pelo ar.

— Parados! Quem se mexer morre — gritou Brutus. Estava correndo para eles com vinte soldados atrás. Mesmo que estivesse sozinho poderia ter bastado. Havia poucos em Roma que não reconheceriam a armadura de prata que ele usava, ou a espada com cabo de ouro que havia ganhado.

Os raptores se imobilizaram. Eram ladrões e assassinos e nada em sua experiência os havia preparado para enfrentar os soldados de sua própria cidade. Demoraram apenas um instante para abandonar as encostas íngremes. Dois deles perderam o apoio e rolaram, largando as armas no pânico. Quando Brutus chegou ao mastro da bandeira estava ofegando ligeiramente e os homens de Pompeu o saudaram com o rosto vermelho.

— Seria uma vergonha ver a eleição ser interrompida por alguns ladrões, não é? — disse Brutus, olhando as figuras que se afastavam.

— Tenho certeza de que Briny e eu poderíamos impedi-los, senhor — respondeu um dos homens de Pompeu — mas esses são bons garotos e sem dúvida perderíamos um ou dois. — O homem parou enquanto lhe ocorria que estava sendo pouco agradecido pelo resgate. — Ficamos felizes em vê-lo, senhor. Vai deixá-los ir embora?

O legionário chegou até a borda com Brutus, observando o progresso dos raptores. Brutus balançou a cabeça.

— Tenho alguns cavaleiros lá embaixo. Eles não chegarão à cidade.

— Obrigado, senhor — respondeu o soldado com um sorriso sério. — Eles não merecem.

— Você consegue ver que candidato está perdendo neste momento? — perguntou Brutus, estreitando os olhos para a massa escura de cidadãos à distância. Podia perceber onde Júlio estava parado e viu uma mancha de vermelho aparecer num dos homens ao lado dele. Assentiu satisfeito. Júlio tinha adivinhado.

O soldado de Pompeu deu de ombros.

— Daqui não dá para ver grande coisa, senhor. Acha que aquele pano vermelho era o sinal para eles?

Brutus deu um risinho.

— Nunca poderemos provar, você sabe. É tentador pensar em dobrar aqueles ladrões com um pouco de ouro, colocando-os contra quem os mandou. Mais satisfatório do que simplesmente deixar o corpo deles aqui, não acha?

O soldado deu um sorriso rígido. Sabia que seu general não era amigo do homem que estava ao seu lado, mas a armadura de prata o deixou num espanto reverente. Poderia contar aos filhos que tinha conversado com o maior espadachim de Roma.

— É muito melhor se eles fizerem isso, senhor.

— Ah, acho que farão. Meus cavaleiros podem ser muito persuasivos — respondeu Brutus, olhando a bandeira que tremulava na brisa acima de sua cabeça.

Suetônio olhava o mais casualmente que podia para a bandeira na Janículo. Ainda estava hasteada! Mordeu o lábio inferior, irritado, imaginando se deveria tirar mais uma vez o pano vermelho de dentro da toga. Será que estariam dormindo? Ou simplesmente tinham pegado seu dinheiro e estavam em alguma taverna bebendo até desmaiar? Pensou ter visto figuras escuras movendo-se na crista escura e imaginou se os homens que havia contratado não conseguiam ver seu sinal. Olhou em volta, sentindo culpa, e enfiou de novo a mão dentro do tecido macio do manto. Nesse momento viu que Júlio estava sorrindo para ele, o olhar divertido parecendo conhecer cada pensamento em sua cabeça. Suetônio deixou a mão cair ao lado do corpo e ficou parado rigidamente, dolorosamente cônscio do rubor que começara no pescoço e nas bochechas.

Otaviano estava deitado no capim alto, com o cavalo ao lado, cujo peito enorme arfava respirando lentamente. Eles haviam treinado as montarias durante meses para conseguir manter a posição pouco natural, e agora os *extraordinarii* só precisavam encostar a mão nos focinhos macios para mantê-los imóveis. Ficaram olhando enquanto os raptores escorregavam e pulavam descendo a Janículo, e Otaviano riu. Júlio estivera certo pensando que alguém poderia tentar baixar a bandeira caso a eleição ficasse desfavorável. Ainda que fosse um ardil simples, os efeitos seriam devastadores. Os cidadãos de Roma teriam voltado para a cidade e os resultados até aquele ponto seriam declarados nulos. Talvez mais um mês se passasse antes que se reunissem de novo, e nesse tempo muita coisa poderia mudar.

Otaviano esperou até que os homens estivessem perto, depois deu um assobio baixo, passando a perna sobre a sela enquanto o cavalo se levantava

O resto de sua vintena saltou fluidamente com ele, ocupando as selas antes que as montarias estivessem totalmente de pé.

Para os ladrões em fuga pareceu que toda uma cavalaria armada havia brotado do chão diante deles. Os sete homens entraram totalmente em pânico, jogando-se no solo ou levantando as mãos rendendo-se num instante. Otaviano desembainhou a espada, sustentando o olhar deles. O líder ficou olhando-o resignado e virou a cabeça para cuspir no capim comprido.

— Então venha. Acabe logo com isso — disse ele.

Apesar de seu aparente fatalismo o ladrão tinha plena consciência das posições dos cavaleiros e só relaxou quando todas as opções de retirada foram bloqueadas. Ouvira dizer que um homem podia correr mais depressa do que um cavalo numa curta distância, mas olhando os animais luzidios dos *extraordinarii* isso não parecia provável.

Quando as últimas armas foram retiradas dos ladrões, Otaviano soltou o capacete que estava preso à cela e o colocou na cabeça. A pluma balançou suavemente na brisa, aumentando seu tamanho e lhe dando um aspecto ameaçador. Achou que valia totalmente a parte do salário gasta para comprá-la. Sem dúvida todos os raptores o olhavam agora, esperando sérios a ordem para ser mortos.

— Não imagino que seja possível fazer acusações contra seu senhor — disse Otaviano.

O líder cuspiu de novo.

— Não tenho nenhum senhor, soldado, a não ser, talvez, a prata — disse ele, com o rosto subitamente esperto ao sentir que havia algo ali.

— Seria uma pena se ele escapasse sem ao menos uma boa surra, não acha? — perguntou Otaviano com inocência.

Os raptores assentiram, e até o mais obtuso começou a perceber que a ordem para matar não viria.

— Eu posso encontrá-lo de novo, se o senhor nos deixar ir — disse o líder tentando não ter esperanças. Havia algo aterrorizante nos cavalos para um homem que tinha crescido na cidade. Nunca havia entendido exatamente como eram grandes, e estremeceu quando um dos animais bufou atrás dele.

Otaviano jogou uma pequena bolsa no ar e o sujeito pegou-a, sentindo o peso automaticamente antes de fazê-la desaparecer dentro da túnica.

— Faça um serviço profissional — disse Otaviano, recuando o cavalo para deixar um espaço de passagem. Dois raptores tentaram fazer uma saudação enquanto caminhavam entre os cavaleiros e começavam a ir para a cidade. Nenhum deles ousou olhar para trás.

Antes que as últimas centúrias votassem Júlio soube que ele e Bíbilo tinham obtido o cargo de cônsul para o próximo ano. Lembrou-se dos movimentos das abelhas enquanto os senadores se reuniam em volta dos dois e riu da expressão estupefata de Bíbilo.

Júlio teve o ombro seguro e a mão apertada por dezenas de homens que mal conhecia, e antes de ter entendido completamente a mudança em seu status, estava se desviando de perguntas e pedidos de seu tempo e mesmo de sugestões de oportunidades para investir. Em seu papel como a "Comitia Centuriata" formal, os cidadãos de Roma tinham criado dois novos corpos para a cidade sugar até o fim, e Júlio se sentiu avassalado e irritado com a atenção. Onde aqueles apoiadores sorridentes tinham estado durante sua campanha?

Em comparação com o calor raso dos senadores, ter Pompeu e Crasso parabenizando-o foi um prazer genuíno, em particular porque sabia que Pompeu preferiria comer vidro a dizer aquelas palavras. Júlio apertou a mão oferecida sem qualquer sinal de júbilo excessivo, com a mente já no futuro. Não importando quem o povo elegera para liderar o senado, os cônsules atuais ainda eram uma força na cidade. Só um idiota zombaria deles no momento de triunfo.

O magistrado subiu numa pequena plataforma para dispensar as últimas centúrias. Os eleitores baixaram a cabeça enquanto o homem gritava agradecendo-lhes, terminando com a ordem tradicional:

— Discedite!

Os cidadãos obedeceram e se espalharam, rindo e brincando enquanto começavam a andar de volta para a cidade lacrada.

Suetônio e seu pai tinham prestado suas homenagens e Júlio falou calorosamente com eles, sabendo que era uma chance de emendar as pontes partidas na campanha e no passado. Podia suportar o gesto, e Prando pareceu aceitar sua boa vontade, fazendo uma ligeira reverência ao cônsul eleito de Roma. Seu filho Suetônio olhou direto através dele, com o rosto vazio pela derrota.

Os homens de Pompeu tinham trazido cavalos e Júlio ergueu os olhos quando as rédeas foram postas em sua mão. Das costas de um capão cinza Pompeu olhou para ele com a expressão ilegível.

— Vão se passar horas antes que o senado se reúna de novo para confirmar a eleição, Júlio. Se for conosco agora, teremos a Cúria só para nós.

Crasso se inclinou sobre o pescoço do cavalo para falar mais particularmente:

— Você confiará em mim mais uma vez?

Júlio olhou para os dois, sentindo a tensão sutil neles enquanto esperavam sua resposta. Não hesitou, saltando na sela e levantando um braço para as pessoas da multidão que observavam a conversa. Elas o aplaudiram enquanto ele girava o animal e partia pelo vasto campo com os outros dois, e uma centúria da cavalaria de Pompeu se acomodava atrás, em escolta. A multidão se partiu diante deles e suas sombras se estenderam atrás.

CAPÍTVLO XX

SEM AS CENTÚRIAS DE ELEITORES A CIDADE ESTAVA ESTRANHAMENTE vazia enquanto os três homens cavalgavam pelas ruas. Júlio se lembrou da noite da tempestade em que tinha descido às celas da prisão e visto as figuras torturadas dos homens de Catilina. Olhou para Crasso enquanto desmontavam diante do senado e o velho levantou as sobrancelhas, tentando adivinhar o motivo da atenção.

Júlio nunca havia entrado no prédio do senado sem que o local estivesse cheio de homens nos bancos. O eco era extraordinário, refletindo cada passo enquanto eles ocupavam lugares perto do rostro. A porta fora deixada aberta e o sol brilhava como se fosse uma barra de ouro, fazendo as paredes de mármore parecerem leves e aéreas. Júlio se recostou no duro banco de madeira com um sentimento de enorme satisfação. Sua eleição só estava começando a assentar por dentro e ele mal conseguia resistir a rir sozinho diante do pensamento.

— Crasso e eu achamos que todos poderíamos nos beneficiar de uma conversa privada antes que o senado se reúna — começou Pompeu. Em seguida se levantou e começou a andar de um lado para o outro enquanto falava. — Deixando de lado as palavras elaboradas para o público, os três temos pouca amizade entre nós. Há respeito, imagino, mas não um grande apreço. — Ele fez uma pausa e Crasso deu de ombros. Júlio ficou quieto.

— Se não chegarmos a algum tipo de acordo para o ano que vem — continuou Pompeu — acho que será um tempo desperdiçado para a cidade. Você viu a influência que Suetônio tem sobre Bíbilo. Todo o senado ouviu os balidos de reclamações dele contra você no correr dos anos. Juntos os dois vão adiar ou frustrar qualquer coisa que você proponha até que nada possa ser feito. Não será bom para Roma.

Júlio olhou para o sujeito, lembrando-se de quando o conhecera naquele mesmo salão. Pompeu era um tático soberbo no campo e no senado, mas ele e Crasso estavam diante da perda de poder e do respeito que desfrutavam. Este era o verdadeiro motivo para a reunião particular, e não qualquer preocupação com o ano consular de Júlio. Um acordo era certamente possível, se ele pudesse encontrar termos que satisfizessem a todos.

— Já pensei um pouco no assunto — disse Júlio.

Suetônio cavalgou até o estábulo da estalagem perto ao portão na muralha, onde tinha ocupado um quarto para o dia da eleição. Seu pai mal havia falado com ele e apenas assentiu quando Suetônio ofereceu as condolências pela perda. O senador Prando havia comido rapidamente e em silêncio antes de ir para o quarto em cima, deixando o filho afogar a frustração em vinho barato.

A porta da taverna se abriu e Suetônio ergueu os olhos, esperando que fosse Bíbilo. Sem dúvida o amigo estava de volta ao palacete no centro da cidade, sendo massageado por escravos bonitos, sem qualquer preocupação no mundo. Suetônio ainda não havia começado a pensar nas implicações de ter Bíbilo como cônsul. Seu primeiro pensamento em pânico foi que a imunidade consular retiraria a vantagem que tinha sobre o sujeito, mas descartou isso assim que pensou. Imune ou não, Bíbilo ficaria aterrorizado se seus hábitos ficassem conhecidos na cidade. Talvez até pudesse haver benefícios em ter o amigo gordo liderando o senado. Não era o que ele planejara, mas ter um cônsul sob seu comando poderia ser interessante. Suetônio decidiu, sonolento, visitar a casa dele e lembrá-lo desse relacionamento.

O homem que entrou era um estranho e a princípio Suetônio o ignorou. Estava bêbado demais para se espantar quando o sujeito pigarreou e disse:

— Senhor, o garoto do estábulo disse que há um problema com seu cavalo. Acha que está com um espinho no casco.

— Vou mandar açoitá-lo se estiver — reagiu Suetônio rispidamente, levantando-se depressa demais. Mal notou a mão firmando seu ombro enquanto era guiado para a escuridão fora da estalagem.

O ar da noite ajudou um pouco a retirar a névoa de vinho de seus pensamentos e ele se afastou do braço que o segurava enquanto ia entrando no estábulo baixo. Havia homens ali, homens demais para estarem cuidando dos cavalos. Riram para ele enquanto um pânico frio se acomodava em seu sangue arfante.

— O que vocês querem? Quem são vocês? — perguntou bruscamente.

O líder dos raptores se adiantou saindo das sombras e Suetônio recuou diante da expressão do sujeito.

— Para mim isso é só um serviço, mas sempre agrego valor quando posso — disse ele, indo lentamente na direção do jovem romano.

Suetônio foi seguro com força pelos dois braços no instante em que começou a lutar, e uma mão se apertou contra sua boca.

O líder flexionou as mãos ameaçadoramente.

— Apaguem as lâmpadas, rapazes. Não preciso de luz para isso — disse ele, e na escuridão súbita veio uma chuva de socos violentos.

Júlio desejou ter dormido na noite anterior. Seu cansaço pesava, mas agora, logo agora, precisava estar afiado para lidar com os dois homens.

— Juntos vocês ainda têm apoio suficiente no senado para forçar a aprovação de qualquer coisa.

— A não ser que haja um veto consular — respondeu Pompeu imediatamente.

Júlio deu de ombros.

— Não considere isso. Eu cuidarei de Bíbilo quando chegar a hora.

Pompeu piscou para ele e Júlio continuou:

— Sem esse bloqueio suas facções no senado bastam. A questão é meramente o que devo lhes dar para garantir seu apoio.

— Não acho... — começou Crasso rigidamente, mas Pompeu levantou uma das mãos.

— Deixe-o falar, Crasso. Você e eu discutimos isso o suficiente, sem solução. Quero ouvir o que ele tem em mente.

Júlio deu um risinho diante da ânsia deles.

— Crasso quer o comércio. Juntos, Pompeu, nós podemos garantir a ele um monopólio absoluto nas terras romanas. Uma licença para dois anos, digamos. Ele terá o controle de cada moeda nos domínios. E no entanto, não duvido, a riqueza total crescerá sob sua mão. Se conheço Crasso, o tesouro de Roma inchará até quase estourar, em menos de um ano.

Crasso sorriu diante do elogio, mas não pareceu especialmente comovido. Júlio tinha esperado que o velho se sentisse tentado apenas pela licença, mas o acordo tinha de deixar todos eles satisfeitos, caso contrário seria rompido no primeiro teste.

— Mas talvez isso não baste, não é? — disse Júlio, observando os dois cuidadosamente.

Os olhos de Pompeu brilharam de interesse e Crasso ficou imerso em pensamentos. A idéia de um controle total sobre o comércio lhe era maravilhosamente inebriante, e ele sabia melhor do que Júlio o que poderia conseguir com esse poder. Seus concorrentes virariam mendigos num só golpe, com as casas e escravos levados a leilão. Num curto tempo ele poderia triplicar suas posses de terras e teria uma frota mercante maior do que o mundo já vira. Poderia ignorar os prejuízos das tempestades distantes e mandar seus navios a países longínquos, Egito, Índia, até a lugares sem nome. Nada disso aparecia em sua expressão. Crasso franziu a testa cuidadosamente para mostrar ao rapaz que ainda precisava ser persuadido, enquanto sua mente girava ao pensar na frota que montaria.

— Que tal as suas concessões, Júlio? — perguntou Pompeu impaciente.

— Quero seis meses no senado trabalhando com o apoio de vocês dois. As promessas que fiz ao povo de Roma não eram vazias. Quero aprovar novas leis e normas. Algumas vão incomodar aos membros mais tradicionais do senado e eu preciso ter os votos de vocês comigo, para suplantar as objeções. O povo me elegeu; não podemos ser contidos por Bíbilo e um bando de velhos desdentados.

— Não vejo que vantagem eu posso ter nesse arranjo — disse Pompeu.

Júlio ergueu as sobrancelhas.

— Afora o bem de Roma, claro. — Ele sorriu para aliviar a farpa enquanto Pompeu ficava vermelho, sabendo que ainda podia perder tudo com um passo em falso.

— Seus desejos são bastante simples, meu amigo — disse Júlio. — Você quer a ditadura, ainda que possa resistir ao nome. Crasso e eu endossaremos qualquer moção ou eleição que você apresentar ao senado. Qualquer coisa. Juntos podemos ter o senado aos nossos pés.

— Isso não é coisa pequena — disse Pompeu em voz baixa. O que Júlio estava propondo minava totalmente o objetivo de ter dois cônsules para que um contivesse o outro, mas Pompeu não conseguia encontrar forças para afirmar isso.

Júlio assentiu.

— Eu não diria isso se você fosse um homem menos digno, Pompeu. Nós discordamos no passado, mas jamais questionei seu amor por esta cidade, e quem o conhece melhor do que eu? Nós destruímos Catão juntos, lembra? Roma não sofrerá sob o seu comando.

O elogio talvez fosse um pouco óbvio, mas para sua surpresa Júlio descobriu que acreditava pelo menos em parte. Pompeu era um líder sólido e defenderia os interesses de Roma com determinação e força, mesmo que nunca os ampliasse.

— Não confio em você, César — disse Pompeu, curto e grosso. — Todas essas promessas podem dar em nada, a não ser que tenhamos uma ligação mais firme. — Ele pigarreou. — Preciso de uma prova de boa vontade de sua parte, uma prova de seu apoio que seja mais do que ar.

— Diga o que quer — respondeu Júlio dando de ombros.

— Quantos anos tem sua filha?

O rosto de Pompeu estava numa seriedade mortal e Júlio entendeu imediatamente o que ele queria dizer.

— Faz dez este ano. É nova demais para você, Pompeu.

— Nem sempre será. Ligue seu sangue ao meu e eu aceitarei suas promessas. Minha esposa está na sepultura há mais de três anos e um homem não deve ficar sozinho. Quando ela tiver quatorze mande-a para mim e eu me casarei com ela.

Júlio esfregou os olhos. Muita coisa dependia de chegar a um acordo com aqueles dois lobos velhos. Se sua filha fosse um de seus soldados ele poderia sacrificá-la sem pensar um instante.

— Dezesseis. Ela será sua esposa aos dezesseis anos — disse por fim.

Pompeu sorriu e confirmou com a cabeça, estendendo a mão. Júlio sentiu-se frio ao segurá-la. Tinha os dois, se pudesse fornecer as peças finais, mas o problema de Crasso ainda preocupava seus pensamentos. Na Cúria silenciosa podia ouvir os ecos dos soldados de Pompeu marchando no fórum, e ouvi-los lhe deu a resposta.

— Uma legião também, Crasso — disse Júlio pensando rapidamente. — Uma nova águia no Campo de Marte, erguida em seu nome. Homens que eu treinarei e misturarei aos meus melhores oficiais durante meio ano. Mandaremos revirar o campo em busca deles, dezenas de milhares de homens simples que nunca tiveram chance de lutar por Roma. Eles serão seus, Crasso, e posso lhe dizer que não existe elo ou alegria maior do que formá-los numa legião. Eu os farei para você, mas você usará a pluma de general.

Crasso ergueu os olhos rapidamente para os dois, pensando na oferta. Tinha ansiado por um comando desde o desastre contra Espártaco, que lhe fora recusado devido à dúvida incômoda de que não conseguia liderar com tanta facilidade quanto Pompeu ou César. Ouvir Júlio fazia com que isso parecesse possível, mas tentou falar, explicar suas dúvidas.

Júlio pôs a mão no braço dele.

— Eu peguei homens da África e da Grécia e os transformei em soldados, Crasso. Farei mais ainda com os de sangue romano. Catilina viu uma fraqueza que devemos afastar, se Roma quiser prosperar com o seu comércio, não acha? A cidade precisa de bons homens nas muralhas, acima de tudo.

Crasso ruborizou.

— Talvez eu... não seja o homem certo para liderá-los, César — falou com os dentes trincados.

Júlio podia imaginar o que havia lhe custado admitir aquilo na frente de Pompeu, mas fungou em resposta.

— Nem eu era, até que Mário, Rênio e, sim, Pompeu, me mostraram como, com exemplo e treinamento. Nenhum homem salta totalmente crescido nessa função, Crasso. Eu estarei com você nos primeiros passos e Pompeu sempre estará presente. Ele sabe que Roma precisa de uma segunda legião para proteção. Duvido de que ele queira algo menos numa cidade que responde a ele.

Os dois olharam Pompeu e este respondeu de imediato:

— O que você precisar, Crasso. Há verdade no que ele diz. — Antes que os dois pudessem mais do que sorrir, Pompeu foi em frente: — Você pinta um quadro bonito para nós, Júlio. Crasso com seu comércio, eu com uma noiva e a cidade que amo. Mas você não falou qual é o preço desta generosidade. Diga agora.

Crasso interrompeu:

— Aceitarei esses termos, com dois acréscimos. Uma licença por cinco anos, não dois, e meu filho mais velho, Públio, deve ser posto na Décima como oficial, centurião. Eu sou velho, Júlio. Meu filho liderará esta nova legião para mim.

— Posso concordar com isso — disse Júlio.

Pompeu pigarreou impaciente.

— Mas o que *você* quer, Júlio?

Júlio esfregou os olhos de novo. Não tinha pensado em ligar sua família à linhagem de Pompeu, mas num só golpe sua filha subiria ao mais alto nível social de Roma. Era uma boa barganha. Os dois eram velhos demais na política para recusar um arranjo assim, e o que ele oferecera era absurdamente melhor do que o sofrimento de perder o poder e a influência, mesmo em parte. Júlio conhecia a natureza viciante do comando. Não havia satisfação maior do que liderar. Quando levantou a cabeça para eles, seus olhos estavam luminosos e incisivos.

— Quando meus seis meses terminarem na cidade e as leis que eu quero forem acrescentadas, é simples. Quero levar minhas duas legiões a terras novas. Vou dar uma procuração a Pompeu e quero que os dois assinem ordens me dando completa liberdade para convocar soldados, fazer acordos e leis em nome de Roma. Não voltarei até que ache que devo. Não prestarei contas a ninguém além de mim mesmo.

— Isso será legal? — perguntou Crasso.

Pompeu assentiu.

— Se eu tiver a procuração de cônsul, será. Há algum precedente. — Pompeu franziu a testa, pensativo. — Aonde você levará essas legiões, para fazer isso?

Júlio riu, empolgado pelo novo entusiasmo. Como tinha discutido com os amigos sobre qual seria o destino! Mas no fim houvera apenas uma opção. Alexandre fora para o leste e esse caminho era bem percorrido. Iria para o oeste.

— Quero terras selvagens, senhores. Quero a Gália.

❖

Com armadura completa, Júlio caminhava pela noite, indo para a casa de Bíbilo. Pompeu e Crasso acreditavam que ele sabia de algum modo para amordaçar seu co-cônsul, mas a verdade era que não tinha idéia clara de como impedir Bíbilo e Suetônio de zombar de todos os planos deles.

Apertou os punhos enquanto andava. Tinha cedido a filha e prometido tempo, dinheiro e poder a Pompeu e Crasso. Em troca teria uma liberdade maior do que qualquer general romano na história da cidade. Cipião, o africano, não desfrutara de tanto poder quanto Júlio teria na Gália. Até mesmo Mário prestara contas ao senado. Júlio sabia que não deixaria isso cair de suas mãos por causa de um homem, não importando o que tivesse de fazer.

A multidão abria caminho para ele. Os que o reconheciam ficavam em silêncio. A expressão do novo cônsul proibia qualquer tentativa de cumprimentá-lo ou parabenizá-lo, e um bom número de pessoas imaginava que notícia poderia ter enfurecido alguém no mesmo dia de sua eleição.

Júlio os deixou murmurando enquanto se aproximava do grande portão e das colunas da casa de Bíbilo. Sua decisão se endureceu enquanto erguia o punho para bater na porta de carvalho. Ninguém lhe negaria este último passo.

O escravo que atendeu era um garoto com o rosto muito pintado, que lhe dava uma expressão lasciva mesmo quando reconheceu o visitante e seus olhos se arregalaram de surpresa.

— Sou cônsul de Roma. Você conhece a lei?

O escravo assentiu, aterrorizado.

— Então não feche qualquer porta para mim. Toque em minha manga e você morre. Vim ver o seu senhor. Leve-me para dentro.

— C... cônsul...

O rapaz tentou se ajoelhar e Júlio gritou com ele:

— Agora!

O garoto pintado não precisou de mais ordens. Virou-se e quase correu para longe de Júlio, deixando a porta da rua balançando aberta.

Júlio foi atrás, atravessando cômodos onde uma dúzia de crianças pintadas de modo semelhante olhavam imobilizadas sua passagem. Uma ou duas gritaram espantadas e Júlio as encarou furioso. Não havia adultos neste lugar? O modo como estavam vestidas o fazia se lembrar mais das prostitutas de Servília do que...

Quase perdeu o garoto escravo numa esquina do corredor quando o pensamento lhe ocorreu. Então acelerou o passo e o escravo aumentou a velocidade através de antecâmaras e corredores até que os dois chegaram juntos num cômodo iluminado.

— Senhor! — gritou o garoto. — O cônsul César está aqui!

Júlio fez uma pausa, ofegando ligeiramente com a raiva que corria pelas veias. Bíbilo estava no cômodo, com Suetônio curvado sobre ele, sussurrando em seu ouvido. Outros escravos bonitos estavam parados nos cantos e havia dois meninos nus deitados indolentes aos pés dos dois homens. Júlio viu que o rosto dos meninos estava ruborizado de vinho e que os olhos eram mais velhos do que a carne. Estremeceu quando se virou para encarar Suetônio.

— Saia — falou.

Suetônio tinha se levantado devagar, como num transe, à chegada de Júlio. Estava feio de malícia enquanto lutava com emoções conflitantes. Um cônsul não podia ser tocado, não podia ser seguro. Nem a posição de Suetônio no senado iria salvá-lo depois de um insulto.

Casualmente Júlio baixou a mão até a espada. Sabia que Bíbilo seria mais fraco sem o amigo. Sabia disso mesmo quando não possuía uma alavanca para revirar as entranhas do gordo. Agora tinha encontrado.

Enquanto olhava para Bíbilo procurando ajuda, Suetônio encontrou apenas terror no rosto carnudo do cônsul. Ouviu Júlio marchar pelo chão de mármore e mesmo assim se demorou, esperando a palavra que lhe permitiria ficar.

Bíbilo ficou olhando como uma criança diante de uma cobra enquanto Júlio se aproximava de Suetônio e se inclinava para ele. Suetônio se encolheu para longe.

— Saia — disse Júlio baixinho, e Suetônio saiu correndo.

Enquanto Júlio se virava em sua direção, Bíbilo encontrou uma voz gaguejante.

— Esta é a minha c... casa — tentou.

Júlio rugiu, um estrondo que fez Bíbilo recuar no divã.

— Seu imundo! Ousa falar comigo com essas crianças sentadas aos seus pés! Se eu o matasse agora seria uma bênção para Roma. Não, melhor: eu deveria cortar a única coisa que faz de você um homem. Vou fazer isso. Agora.

Desembainhando a espada Júlio avançou para o divã e Bíbilo gritou, gadanhando o tecido para se afastar. Chorava lágrimas pesadas enquanto Júlio segurava a lâmina brilhante junto à sua virilha.

Bíbilo se imobilizou.

— Por favor — gemeu.

Júlio girou a lâmina, enfiando-a mais nas dobras do tecido. Bíbilo se comprimiu contra o encosto do divã, mas não pôde recuar mais.

— Por favor, o que você quiser... — E começou uma série de soluços engasgados que acrescentou um muco brilhante às lágrimas até que o rosto mal parecesse humano.

Júlio sabia que o destino tinha posto tudo em suas mãos. A parte mais fria dele se regozijava ao ver Bíbilo revelando tamanha fraqueza. Bastariam algumas ameaças bem escolhidas e o sujeito jamais ousaria mostrar o rosto no senado de novo. No entanto, quando Júlio começou a falar, um dos meninos se mexeu e Júlio olhou para ele. O garoto não estava olhando para ele, e sim para seu senhor, esticando o pescoço querendo ver melhor. Havia ódio ali, horrendo num rosto tão jovem. As costelas do menino podiam ser vistas com clareza e seu pescoço tinha uma mancha roxa. Júlio percebeu que sua filha era da mesma idade. Voltou a fúria contra Bíbilo.

— Venda seus escravos. Venda para onde não sejam machucados e me mande os endereços, para eu verificar um a um. Você viverá sozinho, se viver.

Bíbilo assentiu, com as papadas tremendo.

— Sim, sim, eu vou... não me *corte*. — De novo irrompeu numa torrente de sons agonizantes e Júlio deu-lhe dois tapas no rosto, fazendo sua cabeça girar para trás. Um fino risco de sangue escorreu pelos lábios e ele tremeu visivelmente.

— Se eu o vir no senado sua imunidade não irá protegê-lo, juro por todos os deuses. Garantirei que você seja levado a algum lugar silencioso e que seja queimado e espancado dia após dia. Você implorará para que isso acabe.

— Mas eu sou cônsul! — engasgou Bíbilo.

Júlio se inclinou com a ponta da espada, fazendo-o ofegar.

— Só no nome. Não terei um homem como você no meu senado. Nunca nesta vida. Seu tempo ali acabou.

— Ele pode me machucar agora? — perguntou de repente o menino escravo.

Júlio olhou para ele e viu que o garoto tinha ficado de pé. Balançou a cabeça.

— Então me dê uma faca. *Eu* corto ele — disse o menino.

Júlio o encarou e viu apenas a decisão inabalável.

— Você será morto se fizer isso — falou em voz baixa.

O garoto deu de ombros.

— Vale a pena. Me dê uma faca e eu faço isso.

Bíbilo abriu a boca e Júlio torceu o gládio com malignidade.

— Fica quieto. Há homens conversando aqui. Você não faz parte da conversa. — Em seguida se virou de novo para o escravo e viu como ele ficou mais ereto ao ouvir as palavras.

— Se você quiser, garoto, não vou impedir. Mas ele é mais útil para mim vivo do que morto. Pelo menos por enquanto.

Um cadáver significaria outra eleição e um novo adversário que talvez não tivesse as fraquezas de Bíbilo. No entanto Júlio não mandou o menino embora.

— O senhor quer que ele fique vivo?

Júlio devolveu o olhar por longo momento antes de assentir.

— Certo, mas quero ir embora daqui esta noite.

— Eu posso arranjar um lugar para você, garoto. Você tem minha gratidão.

— Não só eu. Todos nós. Não vamos passar mais nenhuma noite aqui.

Júlio o encarou surpreso.

— Todos vocês?

— Todos — disse o escravo, sustentando o olhar dele sem o menor tremor. Júlio desviou os olhos primeiro.

— Muito bem, garoto. Junte-os na porta da frente. Deixe-me sozinho com Bíbilo um pouco mais e já vou falar com vocês.

— Obrigado, senhor.

Dentro de alguns instantes todas as crianças que estavam no quarto tinham desaparecido com ele, e o único som era a respiração torturada de Bíbilo.

— Como v... você descobriu? — sussurrou Bíbilo.

— Até vê-los eu não sabia o que você era. Mesmo que não tivesse visto, você está melado de culpa — resmungou Júlio. — Lembre-se, eu saberei se você trouxer mais crianças para sua casa. Se ouvir falar de um único menino ou menina passando pela sua porta, saberei e não vou me segurar. Está entendendo? Agora o senado é meu. Completamente.

Com a última palavra Júlio sacudiu a espada e Bíbilo gritou, soltando a bexiga, aterrorizado. Gemendo, agarrou a mancha de urina que se espalhava tingida de sangue. Júlio embainhou a espada e voltou para a frente, onde mais de trinta escravos tinham se reunido.

Cada um dos refugiados tinha alguns itens de vestuário numa trouxa nos braços. Os olhos estavam arregalados e temerosos à luz das lâmpadas, e o silêncio era quase doloroso quando todos se viraram para olhá-lo.

— Certo. Esta noite vocês ficam na minha casa — disse Júlio. — Vou encontrar para vocês famílias que tenham perdido um filho e que irão amá-los.

A felicidade nas expressões lhe causou uma vergonha pior do que facas. Não tinha vindo à casa por causa deles.

CAPÍTVLO XXI

O VERÃO TINHA IDO EMBORA COM SEUS LONGOS DIAS MOVIMENTA-dos, mas o inverno ainda estava longe enquanto Júlio montava em seu cavalo na porta do Quirinal, pronto para se juntar às legiões no Campo. Olhou em volta pegando as rédeas, tentando fixar na mente a última imagem da cidade. Quem sabia quanto tempo por ela teria de sustentá-lo na Gália distante? Os viajantes e mercadores que tinham estado no pequeno acampamento romano do outro lado dos Alpes disseram que era um lugar amargo, mais frio do que qualquer um que tinham conhecido. Júlio havia utilizado tremendamente suas linhas de crédito para comprar peles e provisões para dez mil soldados. Sabia que eventualmente teria de prestar contas, mas não deixou que o pensamento na dívida estragasse os últimos momentos que passava em sua cidade.

O portão do Quirinal estava aberto e através dele Júlio podia ver o Campo de Marte, com seus soldados esperando pacientemente em quadrados brilhantes. Duvidou que houvesse alguma legião que se igualasse à Décima, e Brutus havia trabalhado duro para fazer algo maior com os homens que ele havia recrutado. Nenhum deles tivera permissão de licença em quase um ano e haviam usado bem o tempo. Júlio ficou satisfeito com o nome que Brutus escolheu. A Terceira Gálica iria se endurecer na terra com cujo nome foi batizada.

Brutus e Otaviano estavam montados ao lado dele, enquanto Domício verificava as tiras de sua sela uma última vez. Júlio sorriu sozinho ao ver as armaduras de prata. Os três tinham ganhado o direito de usá-las, mas aquela era uma visão incomum nas ruas perto do portão e já havia uma turba de moleques olhando boquiabertos e apontando. E não era de espantar. Cada parte da armadura luzia o máximo que os produtos usados para polimento podiam render, e Júlio sentiu uma empolgação ao cavalgar com aqueles homens em nome de Roma.

Se Salomin tivesse vindo com eles teria sido perfeito, pensou Júlio. Era apenas mais um revés incômodo num mar de tantos outros, o fato de não ter conseguido convencer o pequeno lutador a fazer a viagem para a Gália. Salomin tinha falado por longo tempo sobre a honra romana e Júlio ouviu. Era tudo que poderia oferecer depois do vergonhoso tratamento dado por Pompeu, mas não pressionou depois da primeira recusa.

Os meses no senado haviam excedido as esperanças de Júlio, e o triunvirato estava se sustentando melhor do que ele tinha qualquer direito de esperar. Crasso começara seu domínio do comércio e sua grande frota já rivalizava com qualquer coisa que Cartago pusera no mar. Sua legião novata fora posta numa aparência de boa forma com a ajuda dos melhores oficiais da Décima, e Pompeu continuaria o trabalho quando eles tivessem ido embora. Os três haviam desenvolvido um carrancudo respeito mútuo nos meses passados juntos e Júlio não se arrependeu da barganha feita com eles.

Depois da noite da eleição Bíbilo não fora visto no senado em uma única reunião. Boatos de uma doença crônica se espalharam pela cidade, mas Júlio mantinha o silêncio sobre o que acontecera. Tinha cumprido a promessa feita às crianças, mandando-as para serem criadas por famílias amorosas no norte distante. Sua vergonha particular por ter lucrado com o sofrimento delas tinha-o levado a lhes comprar a liberdade, mas isso sangrou suas verbas ainda mais, além de todo o resto. Estranhamente esse ato simples lhe dera mais satisfação do que quase qualquer outra coisa feita nos meses passados como cônsul.

— Brutus! — gritou uma voz, despedaçando o momento.

Júlio virou o cavalo fazendo um círculo apertado e Brutus riu alto ao ver Alexandria lutando para passar pela multidão até chegar ao portão. Quando chegou perto ela ficou na ponta dos pés para ser beijada, mas Brutus estendeu a mão e a puxou para a sela. Júlio desviou os olhos, não que eles fossem notar. Era difícil não pensar em Servília ao ver a felicidade dos dois.

Quando Alexandria foi baixada ao chão Júlio notou que a jovem segurava um embrulho de pano. Ergueu as sobrancelhas quando ela o estendeu para ele e ruborizou de embaraço com o gesto de afeto que havia presenciado. Júlio pegou o embrulho e o desfez lentamente, os olhos se arregalando enquanto revelava um capacete feito com habilidade extraordinária. Era de ferro polido e brilhava com óleo, mas a coisa mais estranha era a máscara inteira, modelada para lembrar suas próprias feições.

Com reverência Júlio o ergueu e colocou na cabeça, apertando a máscara presa com dobradiça até ouvir um estalo. Ajustava-se como uma segunda pele. Os olhos eram suficientemente grandes para enxergar facilmente, e pelas reações dos companheiros soube que o capacete conseguira o resultado que Alexandria desejara.

— Tem uma expressão fria — murmurou Otaviano, olhando-o.

Brutus assentiu e Alexandria chegou junto à sela de Júlio, para falar com ele em particular.

— Achei que protegeria sua cabeça melhor do que o que você usa geralmente. No topo há um suporte para uma pluma, se você quiser usar. Não há nada igual em Roma.

Júlio olhou para ela através da máscara de ferro, desejando por um momento doloroso que a jovem fosse sua, e não do amigo.

— É perfeito — falou. — Obrigado. — Em seguida se abaixou e abraçou-a, sentindo o perfume intenso que ela usava. Então um impulso o assaltou e ele retirou o capacete enquanto Alexandria recuava um passo. O rosto de Júlio estava vermelho, e não só pelo calor. A legião esperaria um pouco mais, afinal de contas. Talvez ainda houvesse tempo para visitar Servília antes de partir.

— Alexandria, devo pedir que nos dê licença — falou. — Senhores? Tenho uma tarefa na cidade antes de reunirmos os homens.

Domício saltou sobre a sela, como resposta, e os outros dois assumiram formação. Alexandria jogou um beijo para Brutus enquanto Júlio batia os calcanhares nos flancos do cavalo e eles foram trotando, espalhando a multidão.

Enquanto se aproximavam da casa de Servília, Brutus perdeu parte do júbilo dado por Alexandria. No mínimo se sentira aliviado quando o relacionamento entre Júlio e sua mãe terminou. Mas agora, vendo a expressão ansiosa do amigo, gemeu por dentro. Deveria saber que Júlio não desistiria tão facilmente.

— Tem certeza? — perguntou Brutus enquanto eles desmontavam junto à porta e entregavam os cavalos aos escravos.

— Tenho — respondeu Júlio, entrando.

Como cônsul podia ir aonde quisesse na cidade, mas os quatro eram conhecidos da casa em vários sentidos, e Otaviano e Domício pararam num aposento externo para se despedir de suas prediletas enquanto tinham chance. Brutus se jogou num divã comprido e se acomodou para esperar. Era o único que não tinha visitado a casa para alguma coisa além de ver a mãe. Havia algo vagamente incestuoso na idéia, e ele ignorava o interesse das garotas que Servília mantinha ali. De qualquer modo, existia Alexandria, disse virtuosamente a si mesmo.

Júlio andou pelos corredores até os aposentos particulares de Servília. O que diria a ela? Não conversavam há meses, mas havia uma magia na partida, uma falta de conseqüência que poderia ajudá-lo a descobrir pelo menos algum tipo de amizade.

Seu ânimo aumentou ao vê-la. Ela usava um vestido azul-escuro, trespassado, que deixava os ombros nus, e ele sorriu ao ver sua pérola negra engastada em ouro junto à primeira encosta suave dos seios. Alexandria merecia a reputação que possuía, pensou.

— Estou partindo, Servília — falou indo até ela. — Para a Gália. Estava na porta da muralha quando pensei em você.

Pensou ter visto um sorriso tocar os lábios dela quando se aproximou, e se animou com isso. Ela nunca parecera tão linda quanto naquele momento, e ele sabia que não teria dificuldade em se lembrar de seu rosto na longa marcha adiante. Segurou suas mãos e apertou-as, olhando nos olhos dela.

— Por que você não vem junto? — perguntou. — Eu poderia mandar que a melhor carruagem de Roma fosse levada até a coluna. Há um povoado romano no sul da Gália e você poderia estar comigo.

— Para que você não tivesse de encontrar suas próprias prostitutas, Júlio? — disse ela em voz baixa. — Está preocupado com o que vai fazer sem uma mulher tão longe de casa?

Ele a encarou boquiaberto, vendo uma dureza fria, de intensidade quase amedrontadora.

— Não entendo você.

Ela puxou as mãos e ele oscilou. Estava suficientemente perto para sentir seu perfume, e aquilo era de enlouquecer. Não poder tocá-la depois de cada centímetro daquele corpo ter sido seu. Sentiu uma raiva crescer por dentro.

— Você é cruel, Servília — murmurou, e ela riu.

— Sabe quantos amantes rejeitados eu vi gritando nesta casa? Cônsules também, Júlio, ou você acha que eles são poderosos demais para uma coisa dessas? O que quer que você quisesse de mim, não está aqui. Entende?

Em algum lugar atrás dela Júlio escutou uma voz chamando. Ficou tenso.

— Crasso? Ele está aqui?

Servília deu um passo adiante, encostando a mão no peito dele. Seus dentes apareceram quando ela falou, e a voz tinha perdido toda a suavidade que ele amava.

— Não é da sua conta quem eu recebo, Júlio.

Júlio perdeu as estribeiras, com as mãos se fechando numa fúria impotente. Em sua paixão pensou em arrancar a pérola do pescoço dela e Servília se afastou, como se sentisse.

— Agora você vai ser a prostituta dele? Pelo menos a idade dele é mais próxima da sua.

Servília lhe deu um tapa com força e Júlio fez a cabeça dela se sacudir para trás com um soco, seguindo instantaneamente por outro dela, de modo que os sons vinham quase juntos.

Servília lançou a outra mão contra os olhos dele, marcando as bochechas com as unhas, e Júlio rosnou para ela, adiantando-se para atacar. Estava cego de fúria quando ela finalmente caiu para trás, então a raiva o deixou vazio e ofegante, com o rosto amargo. Uma gota de sangue caiu de seu queixo onde ela o havia marcado. Seu olhar acompanhou o sangue.

— Então é isso que você é, Júlio — disse ela, levantando-se rigidamente.

Júlio viu a boca de Servília já começando a inchar, e a vergonha o dominou.

Ela deu um riso de desprezo.

— Imagino o que meu filho dirá quando você o encontrar da próxima vez. — Seus olhos brilharam de malícia e Júlio balançou a cabeça.

— Eu teria dado tudo a você, Servília. Tudo que você quisesse — disse em voz baixa. Então ela se afastou, deixando-o sozinho.

Brutus estava de pé quando Júlio voltou pelos aposentos externos da casa. Otaviano e Domício estavam juntos, e pelas expressões Júlio soube que tinham ouvido. Brutus estava pálido, os olhos mortos, e Júlio sentiu um involuntário tremor de medo ao olhar para o amigo.

— Você bateu nela, Júlio? — perguntou Brutus.

Júlio tocou o rosto ensangüentado.

— Não vou me explicar a você, nem mesmo a você — respondeu ele, começando a passar pelos três.

Brutus baixou a mão para o punho de ouro que tinha ganhado, e Domício e Otaviano tocaram os seus, posicionando-se entre ele e Júlio.

— Não — disse Domício rispidamente. — Dê um *passo* atrás!

Brutus afastou o olhar de Júlio para os olhos que o encaravam com tamanha ameaça.

— Vocês realmente acham que poderiam me impedir?

Domício devolveu o olhar.

— Se for preciso. Você acha que desembainhar sua espada vai mudar alguma coisa? O que acontece entre eles não é da sua conta, tanto quanto não é da minha. Deixe para lá.

Brutus afastou a mão da espada. Abriu a boca para falar e depois passou por todos eles indo até os cavalos, saltando na sela e impelindo a montaria até o galope na direção do portão.

Domício enxugou o suor da testa. Olhou para Otaviano e viu a preocupação ali enquanto o rapaz era apanhado entre forças que não podia suportar.

— Ele vai se acalmar, Otaviano, conte com isso.

— A marcha vai fazê-lo suar até esquecer — disse Júlio olhando para o amigo. Esperava que fosse verdade. Tocou o rosto de novo e se encolheu.

— Não é o melhor dos presságios — murmurou baixinho. — Vamos, senhores. Já vi o bastante desta cidade por um longo tempo. Assim que passarmos pelo portão estaremos livres de tudo isso.

— Espero que sim — respondeu Domício, mas Júlio não escutou.

228

CONN IGGULDEN

Quando chegaram trotando à porta do Quirinal, Brutus estava ali, à sombra. Júlio viu que os olhos dele eram buracos injetados, com uma expressão assassina enquanto puxava as rédeas aproximando-se.

— Eu cometi um erro voltando a ela, Brutus — disse Júlio observando-o atentamente. Amava o amigo mais do que qualquer pessoa do mundo, mas se a mão dele se movesse para o punho do gládio Júlio estava pronto para impelir o cavalo direto contra ele, estragando o ataque. Cada músculo de suas pernas estava tenso para a ação quando Brutus levantou a cabeça.

— As legiões estão prontas para marchar. É hora — falou. Seus olhos estavam frios e Júlio soltou o ar lentamente, com as palavras morrendo na garganta.

— Então abra a marcha — disse em voz baixa.

Brutus assentiu. Sem dizer palavra cavalgou pela porta e foi para o Campo, sem olhar para trás. Júlio apertou os calcanhares no cavalo e foi atrás.

— Cônsul! — veio um grito da multidão.

Júlio gemeu alto. Será que isso não tinha fim? A sombra do portão estava perto demais, chamando-o. Com expressão séria viu um grupo de homens correr até os cavalos. Hermínio, o agiota, estava à frente deles, e quando Júlio o reconheceu olhou o portão com verdadeiro desejo.

— Senhor, fico feliz por tê-lo alcançado. Na certa o senhor não pretende deixar a cidade sem saldar seus empréstimos, não é? — disse Hermínio, ofegando pelo esforço.

— Venha aqui — chamou Júlio. Em seguida fez o cavalo andar sob a sombra do portão, saindo para o Campo, e Hermínio veio junto, sem compreender.

Júlio olhou para o sujeito.

— Está vendo esta linha, onde o portão deixou uma marca na pedra? — perguntou.

Hermínio olhou inexpressivo e Júlio riu.

— Bom. Então posso lhe dizer que gastei cada moeda de cobre que pude pegar emprestado ou implorar para deixar meus homens em condições de ir à Gália. Somente as provisões e os bois e jumentos para carregá-las custam uma pequena fortuna. Sal, couro, lingotes de ferro, ouro para subornos, cavalos, lanças, selas, tendas, ferramentas, a lista é interminável.

— Senhor? Está dizendo... — começou Hermínio, começando a entender.

— Estou dizendo que, no momento em que atravessei esta linha, minhas dívidas ficaram para trás. Minha palavra é boa, Hermínio. Pagarei quando voltar, pela minha honra. Mas hoje você não receberá uma moeda.

Hermínio se enrijeceu numa raiva impotente. Olhou para a armadura de prata dos homens montados ao lado de Júlio. Depois suspirou e tentou dar um sorriso.

— Estarei ansioso por sua volta, cônsul.

— Claro que sim, Hermínio — respondeu Júlio inclinando a cabeça numa saudação irônica.

Quando o agiota se foi, Júlio olhou pela porta uma última vez. Os problemas da cidade não eram mais seus, pelo menos por um tempo.

— Agora vamos para o norte — falou virando-se para Domício e Otaviano.

SEGUNDA PARTE

Gália

CAPÍTVLO XXII

—Então por que fica com ele? — perguntou Cabera. O guerreiro com armadura de prata ao seu lado mostrava apenas alguns lampejos do menino que tinha sido, e poucas outras pessoas no acampamento ousariam fazer essa pergunta a Brutus.

Ficaram olhando Júlio subir a escada de carvalho até o muro dos arqueiros no topo da fortificação que haviam construído. Estava longe demais para ver os detalhes, mas Brutus podia enxergar o sol se refletindo no peitoral que ele usava. Por fim desviou o olhar, depois espiou Cabera incisivamente, como se tivesse se lembrado de sua presença.

— Olhe para ele — respondeu. — Há menos de dois anos saiu da Espanha sem nada e agora é um cônsul com carta branca do senado. Quem mais poderia ter me trazido a este lugar, no comando de minha própria legião? Quem mais você acha que eu seguiria?

Sua voz estava amarga e Cabera temeu pelos dois homens que ele conhecia desde meninos. Tinha ouvido os detalhes da separação entre Júlio e Servília, mas o filho dela jamais havia falado a respeito. Ansiava por perguntar a Brutus, nem que fosse para avaliar o dano causado.

— Ele é seu amigo mais antigo — disse Cabera, e Brutus pareceu estremecer diante das palavras.

— Eu sou a espada dele. Quando olho calmamente para o que Júlio fez, fico pasmo, Cabera. Será que o pessoal de Roma é idiota, para não ver a ambição dele? Júlio me falou sobre a barganha que fez com eles e ainda não consigo acreditar. Será que Pompeu acha que ganhou a melhor parte? O sujeito pode ter a cidade, mas está como um inquilino esperando a chegada do dono. O povo sabe. Você viu a multidão que veio ao Campo ver nossa partida. Pompeu deve ser idiota se acha que Júlio ficará satisfeito com qualquer coisa a menos do que uma coroa.

Então parou, olhando ao redor automaticamente para ver se alguém estaria ouvindo. Os dois se encostaram na fortificação que levara meses para ser construída. Trinta quilômetros de muros e terra e jamais com menos do que a altura de três homens grandes. Erguia-se acima do rio Ródano e dominava seu curso ao longo da fronteira norte da província romana. Era uma barreira tão sólida quanto os Alpes, a leste.

Tinham sido juntados ferro e pedras em número suficiente junto à muralha para afundar qualquer exército que tentasse atravessar o rio. As legiões tinham confiança enquanto mantinham a vigilância, ainda que nenhum homem ali acreditasse que, com o documento que trouxera, Júlio estaria satisfeito apenas com uma defesa.

Júlio o havia mostrado ao pretor da minúscula província romana que se agachava ao pé dos Alpes e o homem empalideceu ao ler, tocando com um dedo reverente o selo do senado. Nunca tinha visto um comando expresso de modo tão vago e só pôde baixar a cabeça ao considerar as implicações. Pompeu e Crasso não tinham discutido os detalhes; na verdade Brutus sabia que Júlio havia ditado a carta a Adàn e ela foi mandada aos dois para colocarem seus selos e estabelecer a votação no senado. Era breve e completa nos poderes dados a Júlio na Gália, e cada legionário que estava com ele sabia disso.

Cabera esfregou os músculos flácidos no lado do rosto e Brutus o olhou com simpatia. Depois de curar Domício o velho tinha sofrido uma fraqueza que deixou o rosto frouxo de um dos lados e metade do corpo quase inútil. Nunca mais retesaria um arco, e na marcha pelos Alpes tinha sido carregado numa liteira pelos homens da Décima. Jamais reclamou. Brutus achava que apenas a intensa curiosidade do velho o mantinha vivo. Ele simplesmente não morreria enquanto houvesse coisas para ver, e a Gália era tão selvagem e estranha para ele quanto para qualquer um dos outros.

— Está sentindo dor? — perguntou Brutus.

Cabera deu de ombros do melhor modo possível e tirou a mão do rosto. Uma pálpebra baixou quando ele devolveu o olhar. Ocasionalmente ele enxugava o canto da boca para limpar a saliva antes que ela caísse. O gesto se tornara parte de sua vida.

— Nunca estou melhor, amado general de Roma, que conheci como um garotinho ranhento. Nunca estou melhor, mas gostaria de ver a vista do topo e talvez precise de alguém para me carregar. Minha fraqueza me domina e a subida exige um par de pernas fortes.

Brutus se levantou.

— Eu também ia subir, agora que os helvécios estão se reunindo na outra margem. Quando souberem que Júlio não vai deixar que passem por nossa pequena província, pode haver uma cena interessante. Vamos, velho. Deuses, você não pesa absolutamente nada!

Cabera se permitiu ser levantado às costas de Brutus, com os braços poderosos do general segurando suas pernas com força enquanto ele se segurava com o braço direito. O outro pendia inútil.

— É a qualidade do fardo que você deve considerar, Brutus, e não o peso — falou, e ainda que as palavras saíssem turvas pela doença, Brutus entendeu e sorriu.

Júlio estava em cima da fortificação, olhando para as águas rápidas do Ródano que borbulhavam brancas em alguns lugares devido à força da enchente de primavera. Do outro lado do largo rio o horizonte era cheio de pessoas: homens, mulheres e crianças. Alguns estavam sentados balançando os pés na água como se não contemplassem nada mais sério do que uma tarde preguiçosa. As crianças e os velhos usavam roupas simples, presas com um cinto ou uma corda. Dentre eles viu cabelos louros e ruivos, além do castanho mais comum. Levavam bois e asnos, transportando a enorme quantidade de suprimentos necessários para manter em marcha um exército daquele tamanho. Júlio entendia as dificuldades deles, considerando os problemas que encontrara para alimentar as legiões sob seu comando. Com tantas bocas famintas simplesmente não era possível ficar num só lugar por muito tempo, e cada coisa viva seria arrancada das terras pelas quais passavam, arrasando os estoques por gerações. Os helvécios deixavam a pobreza em sua esteira.

Os soldados se destacavam, usando uma espécie de armadura de couro escuro. Moviam-se entre a multidão, chamando os que chegavam perto demais do rio. Júlio ficou olhando quando um deles desembainhou uma lâmina e usou a parte chata para abrir espaço para o barco que estavam trazendo. Era uma cena caótica e Júlio podia ouvir as notas de uma canção chegando no vento frio, com o músico escondido em meio à massa.

Os helvécios baixaram o barco com um canto rítmico e o mantiveram firme na parte rasa enquanto uma equipe de remadores ocupava os lugares. Mesmo com três homens de cada lado Júlio viu que eles teriam de se esforçar contra uma corrente que ameaçava varrê-los rio abaixo. A idéia de uma invasão vindo em seguida era ridícula e não havia tensão entre os romanos que observavam.

Até mesmo uma estimativa aproximada, por centúrias, era impossível. Disseram a Júlio que os helvécios tinham queimado a terra ao vir para o sul, e ele não duvidava. Cada membro da vasta tribo tinha deixado o lar e, a não ser que eles pudessem ser parados, seu caminho passava direto pela estreita província romana na base dos Alpes.

— Nunca vi tamanha migração — disse Júlio, quase consigo mesmo.

O oficial romano ao seu lado o olhou. Tinha recebido bem as legiões que Júlio trouxera, em especial os veteranos da Décima. Alguns ocupantes do posto de comércio haviam se ressentido com a mudança de autoridade que César trouxera, mas para outros parecia uma súbita imersão na energia de sua antiga cidade. Quando falavam entre si era com um brilho contido e uma nova confiança nas transações. Não mais sofreriam o escárnio dos mercadores gauleses, sabendo que eram tolerados mas jamais aceitos. Com apenas uma legião o posto mal era reconhecido por Roma, e sem o comércio de vinho a província poderia ser totalmente abandonada. Os que ainda sonhavam com uma promoção e uma carreira receberam César de braços abertos — e ninguém com mais empenho do que o comandante, Marco Antônio.

Quando Júlio se apresentou a ele com as ordens do senado o general não conseguiu evitar o riso lento que se espalhou pelo rosto.

— Então finalmente veremos ação — disse a Júlio. — Escrevi muitas cartas e estava começando a perder a esperança.

Júlio estivera preparado para a consternação, até mesmo para a ameaça de desobediência. Tinha vindo à cidade romana com um rosto como trovão, para impor sua vontade, mas diante dessa resposta a tensão desapareceu e ele riu alto com o prazer honesto de Marco Antônio. Os dois se avaliaram e ambos encontraram algo para gostar. Júlio ouviu fascinado o resumo do general sobre a legião e a trégua incerta com as tribos locais. Marco Antônio não escondeu nada dos problemas que havia, mas falava com grande conhecimento e Júlio o incluiu imediatamente entre seus conselheiros.

Se os outros se ressentiram da súbita ascensão do novo homem, não demonstraram. Marco Antônio estava na província há quatro anos e pintou um quadro detalhado da teia de alianças e disputas que representavam o atoleiro do comércio e a ruína da administração eficiente.

— Não é tanto uma migração quanto uma marcha de conquista, senhor — disse Marco Antônio. — Qualquer tribo menor perderá suas mulheres, seus grãos, tudo. — Ele sentia um espanto reverente pelo homem mandado por Roma, mas Júlio havia lhe dito para falar livremente e ele gostava do novo status que isso lhe dava, em especial entre seus homens.

— Eles não podem ser convencidos a voltar? — perguntou Júlio, observando a massa agitada na margem distante.

Marco Antônio olhou da fortificação para onde as legiões estavam arrumadas em ordem de batalha. Um tremor prazeroso tocou-o ao pensar na força representada naqueles quadrados. Além dos dez mil homens que Júlio tinha trazido, mais três legiões haviam sido convocadas do norte da Itália. O novo poder que Júlio recebera era demonstrado, acima de tudo, pelo fato de que só precisou mandar cavaleiros levando cópias de suas ordens para que eles viessem com quinze mil soldados numa marcha forçada pelos Alpes.

— Se voltarem eles morrerão de fome neste inverno, senhor. Meus batedores falaram de quatrocentas aldeias em chamas, juntamente com todos os grãos de inverno. Eles sabem que não podem voltar, por isso lutarão com mais empenho ainda.

Brutus chegou à plataforma atrás deles, pousando Cabera sobre ela de modo a segurar o corrimão com o braço bom e assistir aos procedimentos. Brutus fez um saudação ao se aproximar de Júlio, cônscio, mais do que o normal, da aparência de disciplina diante do recém-chegado. Não se podia dizer exatamente que gostava de Marco Antônio. Algo no modo como ele parecia tão completamente de acordo com os objetivos e ambições de Júlio parecia falso para Brutus, mas ele não dissera nada, para que isso não fosse interpretado como ciúme. De fato sentia algo desta emoção ao ver os dois falando com a tranqüilidade de velhos amigos enquanto olhavam o exército dos helvécios na outra margem. Brutus franziu a testa quando Marco Antônio fez um comentário bem-humorado sobre a vasta horda, e ele e Júlio pareciam estar tentando se superar mutuamente na pose de casualidade estudada.

Não ajudava em nada o fato de Marco Antônio ser um homem tão grande e caloroso, do tipo que divertia Júlio nas raras ocasiões em que ele encontrava gente assim. Brutus sabia que Júlio gostava dos risos estrondosos e da coragem de homens como seu tio Mário, e Marco Antônio parecia se ajustar a esse tipo como se o tivesse conhecido pessoalmente. Media uma cabeça a mais do que Júlio e seu nariz gritava ao mundo que ele era um homem de antigo sangue romano. O nariz dominava seu rosto sob as sobrancelhas pesadas e, a não ser que estivesse rindo, em repouso ele parecia naturalmente sério e digno. Com um mínimo estímulo mencionava sua linhagem familiar e parecia acreditar que tinha sangue nobre simplesmente pelo número de ancestrais que podiam ser citados.

Sem dúvida Sila adoraria aquele sujeito, pensou Brutus com irritação. Marco Antônio estava cheio das coisas que podiam ser alcançadas agora que Júlio tinha chegado, no entanto não conseguira fazer nenhuma delas sozinho. Brutus imaginou se o nobre romano percebia o que Júlio teria conseguido no lugar dele, com ou sem uma legião.

Pondo esses pensamentos de lado, Brutus também se encostou no parapeito e olhou o barco se aproximar do lado romano e os remadores saltarem na água rasa para tirá-lo do rio. Ficaram parados à sombra da fortificação que os romanos tinham construído para impedi-los. Mesmo com aquele número de homens, Brutus achava que eles não tentariam romper as fileiras romanas.

— Eles devem ver que nós podemos afundar cada barco com lanças e pedras antes de conseguirem desembarcar. Um ataque seria suicida — disse Júlio.

— E se eles se retirarem em paz? — perguntou Marco Antônio, afastando o olhar dos mensageiros parados junto aos remadores abaixo.

Júlio deu de ombros.

— Então terei demonstrado a autoridade romana. De um modo ou de outro terei posto o pé neste país.

Brutus e Cabera se viraram para olhar o homem que conheciam e viram um prazer selvagem em seu rosto enquanto ele estava ali, ereto, sobre a fortificação, para ouvir as palavras dos helvécios.

Tinham visto uma expressão semelhante quando Marco Antônio havia se pronunciado no primeiro conselho dos generais, há meses.

— Fico feliz por estarem aqui, senhores — dissera Marco Antônio. — Estamos para ser invadidos.

Júlio quisera uma terra selvagem para dominar, pensou Brutus. Os helvécios eram apenas uma das tribos daquela região, imagine todo o país que Júlio pensava em tomar para Roma. No entanto o humor sombrio da Espanha jamais poderia ser imaginado no homem que estava com eles sobre a fortificação. Todos podiam sentir isso e Cabera fechou os olhos enquanto seus sentidos se liberavam, contra a vontade, nas tumultuosas estradas do futuro.

O velho afrouxou o corpo e teria caído se Brutus não o segurasse. Ninguém mais se mexeu enquanto os mensageiros falavam. Júlio se virou para seu intérprete para ouvir as palavras num latim hesitante. Fora das vistas dos cavaleiros ele riu sozinho, depois se levantou para encará-los, com as duas mãos sobre o grosso parapeito.

— Não — gritou. — Vocês não passarão.

Júlio olhou para Marco Antônio.

— Se eles marcharem para o oeste, circulando o Ródano, antes de ir para o sul, que tribos estão no caminho?

— Os edui estão diretamente a oeste de nós, por isso sofrerão mais, se bem que os ambarri e os allobroges... — começou Marco Antônio.

— Quais são os mais ricos? — interrompeu Júlio.

Marco Antônio hesitou.

— Os edui supostamente têm enormes rebanhos de gado e...

— Convoque o líder deles com os cavaleiros mais rápidos e garantias de segurança — disse Júlio olhando de novo por cima do parapeito. Abaixo o barco já estava se afastando para a outra margem, ainda suficientemente perto para ele ver a fúria dos homens dentro.

Duas noites depois a pequena fortaleza estava silenciosa, mas Júlio podia ouvir o barulho de pés enquanto a guarda era trocada nas muralhas. Novos alojamentos tinham sido construídos para os soldados que ele trouxera de Roma, mas as três legiões de Arimino ainda dormiam em suas barracas em acampamentos fortificados. Júlio não pretendia construir nada mais permanente para elas. Esperava não ser necessário.

Aguardou com impaciência enquanto suas palavras eram repassadas ao chefe dos edui através do intérprete fornecido por Marco Antônio. O sujeito parecia arengar por muito mais tempo do que Júlio achava justificado, mas tinha decidido não contar a eles que Adàn sabia falar sua língua, preferindo manter essa vantagem em segredo. Seu escriba espanhol ficara espantado quando ouviu pela primeira vez as palavras dos gauleses. Seu povo falava uma variação da mesma língua, o bastante para ele entender a maior parte das conversas. Júlio se perguntou se eles tinham sido uma única nação em algum tempo no passado distante, alguma tribo nômade de terras longínquas que haviam se estabelecido na Gália e na Espanha enquanto Roma ainda era um pequeno povoado entre sete colinas.

Depois disso Adàn estava presente em todas as reuniões, disfarçando a atenção enquanto copiava as anotações e cartas ditadas por Júlio. Quando estavam sozinhos Júlio o interrogava detalhadamente e em geral sua memória era impecável.

Júlio olhou para o diligente jovem espanhol enquanto o intérprete repetia o perigo dos helvécios no que deviam ser detalhes intermináveis. O líder dos edui era típico de sua raça, um homem de cabelos escuros com olhos pretos e rosto duro e descarnado, parcialmente escondido por uma farta barba que brilhava com óleo. Os edui afirmavam não ter rei, mas Mhorbaine era seu principal magistrado — eleito, não nascido.

Júlio bateu com os dedos de uma das mãos na outra enquanto Mhorbaine respondia e o intérprete parava para pensar na tradução.

— Os edui estão dispostos a aceitar sua ajuda para repelir os helvécios de suas fronteiras — disse o intérprete finalmente.

Júlio deu uma gargalhada que fez Mhorbaine pular.

— "Estão dispostos?" — perguntou, divertido. — Diga a ele que eu salvarei seu povo da destruição se eles pagarem com grãos e carne. Meus homens precisam ser alimentados. Trinta mil homens precisam de mais de duzentas cabeças de gado abatidas por dia, no mínimo. Aceitarei o equivalente em carne de caça ou cordeiro, bem como grãos, pão, óleo, peixe e especiarias. Sem suprimentos eu não me movo.

Então a negociação começou a sério, atrasada a cada passo pela tradução lenta. Júlio estava louco para expulsar o intérprete e pôr no lugar dele a inteligência rápida de Adàn, mas manteve a paciência enquanto as horas se arrastavam e a lua brilhou laranja sobre as montanhas, atrás. Mhorbaine também parecia estar perdendo a paciência, e quando todos estavam esperando para o intérprete completar mais uma frase hesitante o gaulês balançou a mão falando em latim claro, com sotaque de Roma.

— Chega deste idiota. Eu o entendo suficientemente bem, sem ele.

Júlio explodiu numa gargalhada diante da revelação.

— Ele assassina a minha língua, disso eu sei. Quem lhe ensinou as palavras de Roma?

Mhorbaine deu de ombros.

— Marco Antônio enviou homens a todas as tribos assim que chegou. A maioria foi morta e mandada de volta para ele, mas eu mantive os meus. Esta criatura miserável aprendeu com o mesmo homem, mas mal. Ele não tem ouvido para línguas, mas era tudo que eu tinha a oferecer.

Depois disso as negociações correram mais rápidas e Júlio se divertiu com a tentativa do gaulês esconder seu conhecimento. Imaginou se Mhorbaine teria adivinhado a função de Adàn no encontro. Era provável. O líder dos edui tinha uma inteligência afiada e Júlio podia ver o sujeito avaliando-o friamente até o final.

Quando o encontro terminou, Júlio se levantou para segurar o ombro de Mhorbaine. Havia músculos por baixo do tecido de lã. O homem era mais um líder guerreiro do que um magistrado, pelo menos do modo como Júlio entendia o papel. Levou Mhorbaine até os cavalos e voltou para onde Adàn o esperava.

— E então? — perguntou Júlio. — Deixei de captar alguma coisa útil antes de Mhorbaine perder a paciência?

Adàn sorriu diante da diversão dele.

— Mhorbaine perguntou ao intérprete se o senhor tinha força para vencer os helvécios e ele disse que achava provável. Foi só isso que o senhor não ouviu. Eles não têm opção se não quiserem ver seus rebanhos engolidos pelos helvécios.

— Perfeito. Estou transformado de um invasor estrangeiro tão perigoso quanto os helvécios num romano que atende a um pedido de ajuda de uma tribo em dificuldades. Ponha isso nos relatórios para a cidade. Quero que meu povo tenha uma boa opinião sobre o que fazemos aqui.

— Isso é importante?

Júlio fungou.

— Você não faz idéia do quanto. Os cidadãos não querem saber como os países são conquistados. Preferem pensar em exércitos estrangeiros se rendendo à nossa superioridade moral do que à nossa força. Aqui sou obrigado a pisar cuidadosamente, mesmo com a autorização que recebi do senado. Se os poderes mudarem em Roma eu ainda posso ser chamado de volta e sempre haverá inimigos que adorariam ver minha desgraça. Mande os relatórios com moedas suficientes para que sejam lidos em cada rua e no fórum. Que o povo saiba como estamos prosseguindo em nome dele.

Júlio parou, com a diversão se esvaindo enquanto pensava nos problemas à frente.

— Agora só precisamos derrotar o maior exército que eu já vi, e então haverá realmente boas notícias para mandar a Roma. Chame Brutus, Marco Antônio, Otaviano, Domício, todo o meu conselho. Rênio também, o conselho dele é sempre sensato. Diga a Brutus para mandar seus batedores. Quero saber onde os helvécios se encontram agora e como estão organizados. Depressa, garoto. Temos uma batalha para planejar e quero estar na marcha ao alvorecer.

CAPÍTVLO XXIII

JÚLIO ESTAVA DEITADO DE BARRIGA PARA BAIXO OBSERVANDO OS helvécios se movimentarem na planície. Enquanto se concentrava, parte dele notou o verde luxuriante da terra. Fazia o solo de Roma parecer pobre em comparação. Em vez das montanhas estéreis do sul que ele conhecia, onde os agricultores lutavam para sobreviver, via vastas planícies de terra boa e ansiava por elas com o desejo primitivo de alguém que trabalhara em suas próprias plantações. A Gália podia alimentar um império.

A luz estava começando a se desbotar e ele apertou os punhos empolgado ao ouvir os uivos das trombetas transportados pela brisa. A grande coluna ia parando para a noite. Um de seus batedores chegou escorregando perto dele, ofegando enquanto ele também se alongava.

— Parece que estão todos aí, senhor. Não pude ver nenhum tipo de retaguarda ou reserva. Estão se movendo depressa, mas precisam descansar esta noite, caso contrário começarão a deixar cadáveres na planície.

— Estão parando agora — disse Júlio. — Dá para ver como os soldados se arrumam em grupos em volta do núcleo? Parece uma falange grega de lanças. Imagino se descobriram isso sozinhos ou se seus ancestrais já passaram por aquela terra. Se tiver chance vou perguntar a um deles.

Examinou a planície, considerando as alternativas. Um quilômetro e meio atrás, na mata, tinha trinta mil legionários prontos para cair sobre os helvécios mas, depois de forçar uma marcha de quase sessenta quilômetros para interceptar a tribo, os homens estavam exaustos. Júlio sentiu a frustração por não ter podido trazer as grandes balistas de guerra e os arcos escorpiões, que formavam uma boa parte do poder das legiões. A planície seria perfeita para eles, mas até que abrisse estradas pela terra essas armas permaneciam em pedaços nas carroças que tinha trazido de Roma.

— Nunca vi tantos guerreiros — sussurrou o batedor, pasmo com o exército diante deles. Os helvécios estavam longe demais para ouvir, mas o simples tamanho da migração era opressivo e Júlio respondeu igualmente baixo:

— Avalio que sejam uns oitenta mil, mas não posso ter certeza por causa dos seguidores.

Era um número grande demais para mandar as legiões num ataque direto, mesmo que não estivessem esgotadas pela marcha.

— Traga-me Brutus — ordenou.

Não se passou muito tempo até ouvir os passos correndo, e Brutus estava ali com ele, agachando-se entre as folhas úmidas.

Os helvécios haviam marchado através de um vale amplo que levava às terras dos edui. Tinham forçado o passo para rodear o rio e Júlio ficou impressionado com a energia e a organização deles enquanto o acampamento noturno começava a se formar na planície. Se entrassem mais fundo nas terras dos edui estariam em florestas densas e as vantagens das legiões se perderiam. Não eram os bosques espaçados que ele conhecia de Roma, mas havia um mato baixo e denso que atrapalharia os cavalos e tornaria impossível qualquer tipo de luta organizada. Nesse caso o simples número levaria à vitória — e os helvécios possuíam uma horda de guerreiros e não tinham aonde ir senão em frente.

A tribo tinha queimado a primeira aldeia à qual chegou na fronteira dos edui e os batedores informaram que ninguém restou vivo. Mulheres e animais foram levados com a coluna e o resto foi trucidado. Aldeia por aldeia eles atravessariam a terra como gafanhotos, a não ser que Júlio pudesse pegá-los na planície. Agradeceu aos seus deuses por eles não estarem continuando através da noite. Sem dúvida o número os tornava excessivamente confiantes, ainda que, mesmo com as legiões prontas, era difícil ver como atacar tantos e vencer.

Júlio se virou para Brutus.

— Está vendo aquela colina a oeste? — Apontou para um sólido monte composto de camadas de verde e cinza à distância. Brutus assentiu. — É uma posição forte. Leve a Décima e a Terceira até a crista, prontos para o alvorecer. Os helvécios verão a ameaça e não poderão deixar vocês lá para incomodá-los. Leve os arqueiros de Arimino, mas mantenha-os longe da frente. Os arqueiros serão mais bem usados na sua colina do que na planície.

Ele deu um sorriso sério e bateu no ombro de Brutus.

— Esses homens nunca lutaram contra legiões, Brutus. Verão meros dez mil enfrentando-os quando o sol nascer. Você vai educá-los.

Brutus olhou para ele. O sol já estava se pondo e sua luz se refletia no olhar feroz de Júlio.

— Estará escuro antes de eu chegar lá — respondeu Brutus. Era o mais próximo que chegaria de questionar uma ordem, com os batedores ouvindo ao redor.

Júlio não pareceu notar suas reservas, continuando rapidamente:

— Vocês devem se mover em silêncio. Quando eles os virem e atacarem, vou acertá-los por trás. Vá depressa.

Brutus recuou deitado até estar longe e poder correr para seus homens.

— De pé, rapazes — disse quando chegou às primeiras fileiras da Décima. — Vocês não vão dormir muito esta noite.

À medida que o amanhecer se aproximava Júlio estava outra vez olhando por sobre a planície. O sol vinha de trás e havia uma luz cinzenta muito antes de ele nascer acima das montanhas. Os helvécios começaram a entrar na ordem de marcha e Júlio ficou olhando os guerreiros obrigando as outras castas a ficar de pé. Eles próprios não carregavam suprimentos, permanecendo livres para lutar e correr. Júlio ficou esperando o momento em que eles veriam as legiões arrumadas na colina, e o tempo parecia se estender interminavelmente.

Atrás dele Marco Antônio esperava com sua legião e outras três, sentindo frio e sérias, sem desjejum ou fogueiras para aquecer. Não parecia o bastante para atacar um exército tão vasto, mas Júlio não conseguia pensar em mais nada que alterasse o equilíbrio.

Um cavalo veio galopando de trás e Júlio se virou enfurecido sinalizando para o sujeito se abaixar antes de ser visto. Agachou-se e viu as feições pálidas do batedor, e quando este desceu da sela não conseguiu falar a princípio, de tão ofegante.

— Senhor, há uma força inimiga na colina a oeste! Um grande número.

Júlio olhou para os helvécios à luz fraca. Estavam se preparando para levantar acampamento sem qualquer sinal de pânico ou perturbação. Será que tinham visto seus batedores e preparado uma posição de flanco? Seu respeito pela tribo aumentou um pouco. E onde estava Brutus? As duas forças claramente não tinham se encontrado na escuridão, caso contrário o som de batalha seria ouvido a quilômetros de distância. Será que teria subido a colina errada durante a noite? Júlio xingou alto, furioso com o revés. Não tinha como se comunicar com as legiões separadas, e até que elas se mostrassem não ousaria atacar.

— Vou arrancar os bagos dele — prometeu, depois se virou para os homens ao lado. — Nada de trombetas ou sinais. Só fiquem recuados. Espalhe a notícia para reagrupar perto do riacho.

Enquanto eles se afastavam Júlio ouviu o fraco soar de trombetas enquanto os helvécios começavam a se mover. A frustração era gigantesca e a idéia de ter de atacá-los nas florestas densas não era nem um pouco como a vitória esmagadora que havia esperado.

Brutus esperou que o sol banisse as sombras escuras na colina. Tinha arrumado a Décima em frente de sua Terceira Gálica, contando com a maior experiência dos primeiros para suportar qualquer coisa que os helvécios mandassem contra eles. Júlio dissera que uma legião podia ser montada em menos de um ano. Viver, trabalhar e lutar juntos criava laços mais fortes do que qualquer coisa entre os homens, mas sempre havia a suspeita incômoda do que poderia acontecer se aqueles homens recebessem ordem de lutar contra seu próprio povo. Quando Brutus lhes perguntara sobre os helvécios, eles apenas tinham dado de ombros, como se não pudesse haver conflito. Nenhum deles era daquela tribo e os que tinham ido a Roma atrás de ouro pareciam não reivindicar qualquer lealdade especial aos que haviam deixado para trás. Tinham sido o tipo de mercenários que vivia apenas pelo pagamento e que só encontrava companheirismo entre seus iguais. Brutus sabia que a prata e a comida regulares das legiões seriam um sonho para alguns deles, mas mesmo assim colocou a Décima para receber o primeiro ataque.

Apesar do cansaço indizível depois da subida, precisava admitir que Júlio tinha olho para boas terras. No máximo, Brutus lamentava ter deixado os *extraordinarii* no campo, mas não poderia ter sabido que a subida seria fácil, com apenas algumas distensões e um braço quebrado devido a uma queda feia no escuro. Três homens tinham perdido suas espadas e agora levavam adagas, mas chegara ao topo da colina antes do amanhecer e passado para a encosta do outro lado sem perder um único homem. O legionário de braço quebrado o havia amarrado ao peito e lutaria com a mão esquerda. Tinha se recusado a voltar e apontou para Ciro na primeira fileira da Décima, dizendo que o grandalhão poderia atirar suas lanças para ele.

Nos primeiros vislumbres da luz cinzenta Brutus mandou ordens sussurradas para montar a formação que se estendeu pelas encostas. Até mesmo os veteranos da Décima pareciam meio estropiados depois de encontrar as posições no escuro, e sua própria legião precisou dos cajados dos optios para criar ordem. Os soldados afrouxaram as amarras das lanças enquanto Brutus observava e, mesmo com quatro inimigos para cada homem, Brutus sabia que eles destruiriam qualquer ataque mandado. Os helvécios carregavam escudos ovais, mas as lanças pesadas iriam cravá-los no chão, com escudos e todo o resto.

O sol se levantava por trás das montanhas à medida que os helvécios marchavam desapercebidos em sua direção. Brutus sentiu a velha empolgação crescer enquanto esperava que os soldados deles vissem a Décima e a Terceira olhando-os de cima. Riu antecipando os primeiros raios de luz e, quando estes chegaram, riu alto. O sol espalhou um raio sobre as legiões, vindo dos picos. Dez mil capacetes e armaduras passaram de um cinza opaco a ouro em alguns minutos. As cristas amarelas dos centuriões, feitas de crina de cavalo, pareciam luzir, e a coluna dos helvécios hesitou na planície embaixo enquanto os homens apontavam e gritavam um alerta.

Para os homens da tribo era como se a legião tivesse aparecido do nada, no entanto eles não eram desprovidos de coragem. Assim que o choque inicial se desvaneceu eles viram o pequeno exército grudado às encostas e, quase como um só, rugiram em desafio, preenchendo o vale.

— Deve haver meio milhão deles. Juro por Marte, deve haver — sussurrou Brutus.

Viu as falanges de guerreiros indo para a frente como um enxame, eriçadas de lanças enquanto começavam a acelerar sobre o terreno entre os exércitos. As primeiras filas levavam escudos largos para chocar contra o inimigo, mas as formações jamais sobreviveriam às escarpas do morro. Corriam sobre os seixos soltos como lobos e Brutus balançou a cabeça espantado diante dos números que se aproximavam.

— Arqueiros: alcance! — gritou Brutus, olhando quatro flechas voarem alto marcando os limites externos dos tiros. Tinha apenas trezentos, das legiões de Arimino, e não sabia se eram hábeis. Contra homens desprotegidos seus tiros podiam ser devastadores, mas duvidava que significassem mais do que uma irritação para os helvécios sob seus escudos.

— Preparar lanças! — gritou.

Cada soldados da Décima pegou suas quatro lanças, verificando as pontas pela última vez. Não iriam mirá-las, e sim atirar para o alto as pesadas armas com ponta de ferro, de modo a caírem quase verticalmente no instante do impacto. Era preciso habilidade, mas essa era sua profissão, e eles eram especialistas.

— Alcance! — gritou Brutus.

Olhou enquanto Ciro amarrava um tecido vermelho no cabo de uma de suas lanças e a atirava com um grunhido. Nenhum deles podia se igualar à distância alcançada pelo grandalhão, e quando a lança se cravou balançando no solo, Brutus havia marcado seu ponto extremo, a cinqüenta passos das flechas, abaixo na encosta rochosa. Quando a carga dos helvécios atravessasse essas linhas estaria sofrendo uma chuva de mísseis. Quando passassem pela lança de Ciro outras quarenta mil seriam lançadas num tempo menor do que dez batidas de coração.

Os helvécios uivavam enquanto começavam a subir a encosta. Uma brisa matinal roçou a colina, soprando poeira da planície.

— Arqueiros! — gritou Brutus e, dez fileiras atrás, as linhas de arqueiros dispararam com habilidade até que seus carcases estivessem vazios. Brutus olhou o vôo das flechas caindo sobre os homens que gritavam abaixo, ainda fora do alcance das lanças que eram mais mortais. Muitas flechas ricochetearam quando os helvécios levantaram os escudos e continuaram correndo, deixando apenas alguns corpos para trás. O primeiro sangue fora derramado. Brutus esperava que Júlio estivesse pronto.

Júlio estava na sela quando ouviu o rugido da tribo. Girou o cavalo rapidamente, procurando o batedor que lhe trouxera a notícia.

— Onde está o homem que me disse que o inimigo estava na colina? — gritou com o estômago afundando subitamente num sentimento oco.

O chamado foi feito e o homem veio trotando no cavalo. Era muito jovem e com as bochechas rosadas ao frio da manhã. Júlio o encarou furioso, com uma suspeita terrível.

— O inimigo que você informou. Diga o que viu.

O jovem batedor gaguejou nervoso sob o olhar do general.

— Havia milhares em cima do morro, senhor. No escuro eu não pude ter certeza dos números, mas eram muitos, senhor. Uma emboscada.

Júlio fechou os olhos por um momento.

— Prendam esse homem para ser punido. Aquelas eram nossas legiões, seu desgraçado *estúpido*.

Júlio girou o cavalo pensando furiosamente. Não tinham viajado mais do que alguns quilômetros a partir da planície. Talvez não fosse tarde demais. Soltou o elmo do arção da sela e o prendeu rapidamente sobre o rosto, voltando as feições de metal para encarar os homens.

— A Décima e a Terceira Gálica estão sem apoio. Marcharemos no ritmo mais rápido possível para atacar os helvécios. Direto, senhores. Agora vamos direto.

Brutus esperou enquanto os helvécios passavam pela lança que marcava o alcance até que ela não pudesse mais ser vista. Se desse a ordem cedo demais a Terceira, atrás dele, poderia atirar fora do alcance. Se fosse tarde demais o dano esmagador de ver um ataque destruído seria desperdiçado enquanto as primeiras fileiras eram ultrapassadas.

— Lanças! — gritou no volume máximo, atirando a sua no ar.

Dez mil braços saltaram para a frente e logo estavam pegando a segunda, aos pés. Antes que a primeira lança tivesse caído Brutus sabia que a Décima teria posto mais duas no ar. A Terceira era mais lenta, mas só um pouco, inspirada pelo exemplo dos veteranos e pelo medo nervoso do ataque.

Tinha avaliado perfeitamente. As diversas fileiras da Décima e da Terceira atiraram lanças criando um tapete de ferro que assobiava indo para o inimigo. Num instante não somente a primeira fila, mas a maioria das dez primeiras, se transformou de guerreiros correndo em cadáveres. Centenas morreram na primeira onda, e os que sobreviveram podiam ver a maré negra da segunda vindo para eles, ao mesmo tempo que se incentivavam para prosseguir.

Não havia como evitar a morte vinda pelo ar. As lanças moviam-se durante o vôo, caindo em grupos ou muito espaçadas. Um homem podia ser acertado por várias, ou toda uma linha de ataque podia ser destruída a não ser por um guerreiro, miraculosamente intocado. Ainda que os helvécios se abaixassem sob os escudos, as pesadas pontas de ferro atravessavam madeira e ossos até o chão macio embaixo. Brutus viu muitos guerreiros lutando para livrar os escudos, algumas vezes grudados em outros através das bordas sobrepostas. Muitos deles ainda viviam, mas não podiam se levantar enquanto o sangue jorrava.

Brutus ficou olhando enquanto o ataque hesitava e parava. A terceira saraivada provocou menos destruição e os guerreiros recuaram da última, correndo loucamente dos homens na colina. A Décima gritou comemorando enquanto os gauleses se viravam e Brutus olhava para o leste procurando Júlio. Se ele mandasse as legiões naquele momento poderiam muito bem colocar os helvécios numa fuga em pânico. Não havia sinal.

Os helvécios se formaram de novo no limite do alcance e começaram a avançar outra vez por cima dos corpos de seus melhores guerreiros.

— Esses homens nunca lutaram contra uma legião de Roma! — gritou Brutus para os que estavam ao redor.

Alguns soldados sorriram, mas seus olhos estavam nas hordas que avançavam fazendo os corpos partidos desaparecerem enquanto subiam o morro de novo. Algumas lanças da legião foram arrancadas dos cadáveres e atiradas contra a Décima, mas, morro acima, caíam antes de alcançar.

— Preparar espadas! — ordenou Brutus. Pela primeira vez as duas legiões desembainharam suas lâminas e as ergueram para refletir o sol. Brutus olhou em volta e levantou a cabeça, orgulhoso. Deixem que eles subam, pensou.

Enquanto começavam a ofegar e bufar, as formações de falanges se romperam à medida que os helvécios se aproximavam das fileiras romanas. A Décima esperou pacientemente, cada homem parado entre amigos que conhecia há anos. Não havia medo nas linhas romanas. Estavam em formação perfeita com os cornicens prontos para girar as primeiras filas quando estas se cansassem. Tinham espadas de ferro duro e nos rostos Brutus podia ver uma antecipação ansiosa. Alguns legionários até mesmo chamavam os guerreiros, insistindo para que chegassem. Num clarão mental, Brutus os viu como os helvécios os enxergavam, uma parede de homens e escudos sem aberturas.

Os primeiros helvécios foram recebidos pela Décima e derrubados com ferocidade eficiente. As duras espadas romanas cortavam-nos por toda a fileira, decepando braços e cabeças em golpes únicos. As longas lanças dos helvécios não podiam romper os escudos romanos e Brutus exultava com o número de mortos.

Estava na terceira fila da direita e levantou a cabeça, afastando-a do fascínio da carnificina, para examinar a posição. Havia uma massa de homens lutando para ajudar os colegas e um número ainda maior rodeava o morro para flanqueá-los. Sentiu um novo suor brotar na pele enquanto procurava Júlio outra vez. Naquele ângulo o sol estava em seus olhos, mas franziu a vista contra a claridade, na direção da linha de árvores.

— Venha, *venha* — disse em voz alta.

Mesmo que ainda demorasse algum tempo para os helvécios rodearem seus homens, caso alcançassem a crista atrás dele a Décima e a Terceira não teriam linha de retirada. Gemeu alto, frustrado, ao ver o pequeno número que os helvécios tinham deixado para guardar as mulheres e crianças. Um ataque pela retaguarda causaria pânico instantâneo entre os guerreiros.

O simples número do ataque começou a abrir fendas na primeira fila da Décima. Os velitas eram rápidos e tinham armaduras leves, e mesmo sendo capazes de lutar por duas horas sem descanso, Brutus pensou em mandar os homens pesados, para mantê-los frescos para a retirada que talvez tivesse de ordenar. Se Júlio não viesse depressa Brutus sabia que teria de levar as legiões de volta à crista da colina, lutando cada centímetro do caminho. Seria pior quando eles fossem seguidos sem proteção, indo até as lâminas da tribo atrás.

Olhou por cima da cabeça de seus homens, com o coração martelando de raiva. Se sobrevivesse à retirada, jurou que Júlio pagaria pela destruição da Décima. Conhecia quase todos eles depois dos anos na Espanha, e cada morte era como um golpe.

De repente, à distância, viu as linha prateadas das legiões de Júlio jorrando na planície e gritou de prazer e alívio. Os helvécios da coluna tocaram trombetas em alerta e Brutus viu as reservas das falanges saírem para enfrentar a nova ameaça. Mais trombetas soaram na colina quando a tribo parou e olhou para a planície atrás. Brutus rugiu num triunfo incoerente enquanto eles começavam a se afastar da Décima, abrindo um espaço entre os exércitos. Então não haveria movimento de flanco, com cada guerreiro desesperado para proteger seus espólios e seus dependentes.

— Décima e Terceira! — gritou repetidamente para a esquerda e a direita. Os legionários estavam prontos para suas ordens e ele ergueu o braço para apontar a planície abaixo.

— Fechar formação! Arqueiros, peguem as flechas pelo caminho! Décima, atacar! Terceira, atacar!

Dez mil homens se moveram como um só e Brutus achou que seu peito iria explodir de orgulho.

Os helvécios não tinham cavalaria e Júlio mandou os *extraordinarii* para martelar suas fileiras enquanto eles tentavam desesperadamente se reorganizar para repelir o novo ataque. Enquanto marchava com Marco Antônio, Júlio observou Otaviano guiar as fileiras de cavaleiros num ângulo oblíquo em relação às falanges helvécias. A pleno galope cada homem baixou a mão até o comprido tubo de couro junto à perna e sacou um dardo fino, lançando-o com precisão esmagadora. Os helvécios rugiram e brandiram seus escudos, mas Otaviano não se aproximaria deles até que o último dardo fosse atirado. Quando Júlio chegou à parte de trás da coluna as reservas estavam em caos e não foi difícil passar pelas últimas.

À sua ordem os cornicens tocaram o comando para dobrar a velocidade, e vinte mil legionários começaram o trote canino, que poderia levá-los por quilômetros, direto para o inimigo. A vasta coluna de seguidores dos helvécios os observava em silêncio enquanto eles passavam sem ao menos um grito. Não havia perigo da parte deles e Júlio pensava furiosamente em como faria o melhor uso da posição.

Os guerreiros que tinham atacado a colina estavam numa corrida em pânico de volta à coluna e Júlio sorriu ao ver os brilhantes quadrados da Décima e da Terceira vindo atrás deles, com as formações cerradas fazendo-os parecer placas de prata ao sol da manhã. A colina estava coberta de cadáveres e Júlio viu que os helvécios tinham perdido qualquer direção, tendo se esquecido das falanges. O medo os enfraquecia e Júlio queria aumentá-lo. Pensou em chamar os *extraordinarii* de volta para assediar a coluna, mas nesse momento Otaviano sinalizou um ataque e a massa de cavalos se formou numa grande cunha que martelou os guerreiros em fuga. Júlio esperou até que os *extraordinarii* voltassem e estivessem girando para atacar de novo, antes de mandar o sinal para que mantivessem a posição.

— Preparar lanças! — gritou. Em seguida ergueu a sua, sentindo o peso sólido do cabo de madeira. Já podia ver os rostos dos guerreiros correndo em sua direção. Mal haveria tempo para mais do que um lançamento antes que os exércitos se encontrassem.

— Lanças! — gritou atirando a sua.

As fileiras ao redor escureceram o céu com ferro e as linhas de frente dos helvécios foram derrubadas. Antes que pudessem se recuperar, as primeiras legiões receberam o ataque e atravessaram esmagando.

Os centuriões de trás continuavam atirando lanças enquanto cada grupo chegava ao alcance e Júlio rugiu enquanto prosseguiam, impossíveis de ser contidos, penetrando na massa de helvécios. Eram tantos! Seus legionários esmagavam qualquer coisa que ficasse no caminho e o avanço era tão rápido que Júlio sentiu uma pontada de preocupação ao pensar que estaria convidando uma manobra de flanco. Os cornicens tocaram seu alerta para alargar a linha, e atrás deles as legiões de Arimino se espalharam para envolver o inimigo. Os *extraordinarii* se moveram com eles, esperando para atacar.

Um jorro de sangue acertou a boca de Júlio enquanto ele diminuía o passo e cuspia rapidamente, passando a mão no rosto. Gritou para que as segundas lanças fossem atiradas em ondas de dez fileiras de cada vez, nem mesmo vendo onde as pontas de ferro caíam. Era uma prática perigosa, já que nada prejudicava mais o moral do que as armas caindo ainda nas fileiras romanas, mas Júlio precisava de toda vantagem para reduzir a força gigantesca da tribo.

Os helvécios lutavam com ferocidade desesperada, tentando voltar à coluna principal, agora desprotegida atrás das legiões romanas. Os que não estavam nas linhas de frente redemoinhavam como abelhas nas bordas, espalhando-se ainda mais pela planície. Júlio contra-atacava com uma frente cada vez mais larga, até estar com suas quatro legiões numa fileira com profundidade de apenas seis homens, varrendo tudo que havia adiante.

Por um tempo Júlio não pôde ver grande coisa da batalha. Lutava como soldado de infantaria com os outros e desejou ter ficado em algum lugar mais alto para direcionar a luta.

Brutus espalhou a Terceira e a Décima para cortar a retirada, e as duas legiões abriam caminho com as lâminas enquanto o sol subia e assava os guerreiros. Meninos corriam entre as fileiras com odres de água para os que tinham bebido a ração que carregavam, e mesmo assim os soldados continuavam lutando.

Júlio ordenou que as duas últimas lanças que seus homens levavam fossem atiradas às cegas. No terreno plano muitas eram mandadas de volta tão rapidamente quanto haviam sido atiradas, mas as pontas de ferro macio tinham se amassado com o impacto e voavam mal, com pouca força. Júlio viu um homem a poucos metros levantar a mão e bater numa lança que veio girando, e ouviu o braço dele estalar. Começou a perceber que os helvécios lutariam até o último homem e convocou o principal general de Arimino.

O general Bérico chegou parecendo calmo e revigorado, como se não estivessem envolvidos em algo mais difícil do que uma manobra de treinamento.

— General! Quero que leve mil homens e ataque a coluna que está atrás de nós.

Bérico ficou ligeiramente rígido ao ouvir a ordem.

— Senhor, não acho que eles sejam uma ameaça. Só vi mulheres e crianças quando passamos.

Júlio assentiu, imaginando se lamentaria ter um homem tão decente liderando seus soldados.

— Estas são as minhas ordens, general. Mas tem minha permissão para fazer o máximo de barulho possível durante o rompimento do contato.

Por um instante Bérico ficou inexpressivo, depois seus lábios se retorceram, compreendendo.

— Vamos gritar feito maníacos, senhor — falou com uma saudação.

Júlio o viu se afastar e chamou um mensageiro.

— Diga aos *extraordinarii* que estão livres para atacar como quiserem.

Assim que Bérico chegou às suas fileiras Júlio as viu se mover enquanto os comandos eram passados pela cadeia de autoridade. Em pouco tempo duas coortes tinham se destacado da batalha e seus lugares nas fileiras estavam preenchidos. Júlio os ouviu rugir enquanto se viravam e começavam uma marcha deliberada para atacar a coluna. Bérico tinha levado trombetas, e os cornicens mantinham uma balbúrdia constante até que não havia um homem na planície que não soubesse da ameaça imposta.

A princípio os guerreiros dos helvécios lutaram com energia renovada, mas os *extraordinarii* tinham retomado os ataques cortantes contra a lateral, e a disciplina romana repelia as cargas selvagens dos homens da tribo. Subitamente eles estavam se desesperando, apavorados com a visão das fileiras das legiões cortando a coluna nua.

Ouviram-se gritos distantes e Júlio se esticou para ver a causa. Ordenou que as manípulas girassem os vélitas de volta para a frente e foi com eles, ofegando de cansaço. Há quanto tempo estariam lutando? O sol parecia ter se imobilizado no alto.

Os gritos de comemoração se intensificaram na ala esquerda mas, ainda que isso lhe trouxesse esperança, Júlio se viu diante de dois homens que usavam os escudos para derrubar a fileira romana. Vislumbrou uma boca cheia de cuspe branco antes de saltar para a frente e sentir seu gládio penetrando em carne. O primeiro caiu gritando e Marco Antônio cortou sua garganta enquanto passaram marchando sobre ele. O segundo foi derrubado por um legionário e Júlio ouviu as costelas do sujeito estalarem quando o soldado baixou o peso sobre um dos joelhos, pressionando o peito. Enquanto o legionário se levantava os helvécios jogaram suas armas no chão com um grande estrondo que atordoou os ouvidos e ficaram imóveis, ofegantes e atordoados. Júlio ordenou a parada com um prazer sério e olhou para trás, por sobre a planície, para a massa de corpos deixados. Havia mais carne do que capim e somente as duas coortes romanas se moviam sobre o terreno vermelho.

Um enorme gemido se ergueu da coluna de seguidores que viram a rendição, e de novo Júlio ouviu gritos de comemoração, reconhecendo-os agora como as vozes da Décima e da Terceira. Em seguida pegou a trombeta de bronze do cornicen mais próximo e tocou uma nota para impedir Bérico antes que ele começasse o ataque. Os soldados pararam em formação perfeita quando o som os alcançou e Júlio sorriu. Independentemente de qualquer coisa que viesse contra ele, não podia reclamar da qualidade das legiões que comandava.

Então parou, tirando o elmo e virando o rosto para a brisa. Mandou que os centuriões e optios juntassem os homens de novo em unidades. Isso tinha de ser feito rapidamente e algumas vezes com brutalidade, para manter a rendição. A tradição do exército dizia que o preço dos soldados inimigos vendidos como escravos seria dividido entre as legiões, o que tendia a impedir massacres contra os que se rendiam. Mas na fúria da batalha Júlio sabia que muitos de seus legionários pensariam apenas em trucidar o inimigo desarmado, especialmente se este o houvesse ferido. Mandou os cornicens tocarem repetidamente o sinal de parada até que ele penetrasse fundo e alguma aparência de ordem começasse a voltar à planície.

Lanças e espadas foram recolhidas e retiradas do campo de batalha, guardada pelos *extraordinarii* enquanto se reuniam de novo. Os guerreiros helvécios foram obrigados a se ajoelhar e tiveram os braços atados às costas. Os que pediram receberam água dos mesmo meninos que serviam às legiões e Júlio começou a juntá-los em fileiras de prisioneiros, movendo-se entre seus homens, dando os parabéns onde era devido e simplesmente sendo visto.

Os legionários caminhavam com orgulho rígido enquanto examinavam os números dos prisioneiros e mortos. Sabiam que tinham derrotado uma força muito maior e Júlio ficou satisfeito ao ver um de seus homens chamar um menino da água para ir até um guerreiro amarrado e segurar o bocal de bronze junto aos lábios dele.

Enquanto Júlio passava, avaliando as perdas, os romanos espiavam na esperança de captar seu olhar. Quando tinham sucesso assentiam respeitosamente como crianças.

Brutus veio montado num cavalo que encontrara, cujo cavaleiro estava entre os mortos.

— Que vitória, Júlio! — gritou saltando da sela.

Os soldados ao redor gesticularam e sussurraram uns para os outros ao reconhecer sua armadura de prata e Júlio riu diante do espanto nos rostos. Achava perigoso usar a prata na batalha, já que o metal era muito mais macio do que o bom ferro, mas Brutus a mantivera, dizendo que o ânimo dos homens se elevava ao lutarem com o melhor de uma geração.

Júlio riu diante da lembrança.

— Nem posso dizer como fiquei feliz ao vê-lo na planície — disse Brutus.

Júlio o olhou incisivamente, sentindo a pergunta. Um sorriso brincou em seus lábios enquanto chamava o batedor. Brutus ergueu as sobrancelhas ao ver o romano arrasado, com as mãos amarradas com tanta força quanto os prisioneiros. O rapaz fora obrigado a marchar com as legiões, com um cajado de optio batendo em suas costas sempre que diminuía a velocidade. Júlio ficou satisfeito ao ver que ele sobrevivera, e com o brilho da vitória decidiu que não mandaria chicoteá-lo, como quase certamente merecia.

— Desamarre-o — disse Júlio ao optio do batedor, que o fez com o golpe rápido de uma faca. O batedor parecia à beira das lágrimas enquanto lutava para ficar em posição de sentido diante de seu general e do vencedor do torneio de espadas de Roma. — Este rapaz me trouxe um relatório dizendo que o inimigo tinha tomado a colina onde eu ordenei que você subisse. No escuro ele confundiu duas boas legiões romanas com a massa de uma tribo.

Brutus soltou um risinho deliciado.

— E você não caiu no engodo? Júlio, isso é... — Ele irrompeu numa gargalhada e Júlio virou uma falsa expressão de seriedade para o desolado jovem batedor.

— Você tem alguma idéia de como é difícil criar uma reputação de gênio tático se eu for visto fugindo de meus próprios homens? — perguntou.

— Desculpe, senhor. Eu achei que tinha escutado vozes gaulesas — gaguejou o batedor, vermelho de confusão.

— É, deve ter sido o meu pessoal — disse Brutus, animado. — É por isso que você tem uma senha, filho. Deveria tê-la gritado antes de ir correndo para casa.

O jovem batedor começou a sorrir em resposta e a expressão de Brutus mudou instantaneamente.

— Claro, se tivesse atrasado o ataque por muito mais tempo eu estaria usando uma faca de esfolar em você.

O riso doentio morreu no rosto do batedor.

— Três meses de salário cortado e você vai fazer reconhecimento a pé até que seu optio tenha certeza de que pode confiar e lhe dar um cavalo — acrescentou Júlio.

O rapaz soltou o ar, aliviado, não ousando olhar para Brutus enquanto fazia uma saudação e saía. Júlio se virou para Brutus e os dois compartilharam um sorriso.

— Foi um bom plano — disse Brutus.

Júlio assentiu, pedindo um cavalo. Enquanto montava olhou o campo de batalha, vendo o início da ordem voltar enquanto ferimentos nos romanos eram costurados, talas eram postas e corpos eram preparados para as piras funerárias. Mandaria que os mais feridos fossem enviados à província romana para ser tratados. As armaduras dos mortos seriam vendidas para substitutos. Os espaços deixados por oficiais mortos seriam preenchidos por promoções das fileiras, assinadas por sua mão. O mundo estava virando para o lado certo e o calor do dia começava a diminuir.

CAPÍTVLO XXIV

JÚLIO ESTAVA SENTADO NUMA BANQUETA DOBRÁVEL NA GRANDE TENda do rei helvécio e tomou um gole numa taça de ouro. O humor estava leve entre os homens que ele convocara. Os generais de Arimino, em particular, vinham bebendo bastante dos depósitos particulares do rei, mas o trabalho adiante ainda era tremendo. A princípio Júlio não tinha avaliado a tarefa enorme que seria simplesmente catalogar a bagagem, e a noite estava ruidosa com o som dos soldados contando e empilhando as posses dos helvécios. Tinha mandado Público Crasso com quatro coortes para começar a recuperar lanças e armas no campo de batalha. Não era uma tarefa gloriosa, mas o filho do ex-cônsul tinha reunido seus homens rapidamente e sem confusão, mostrando algo da capacidade de organização do pai.

Quando o sol estava descambando para o oeste distante, os cabos das lanças da Décima e da Terceira tinham sido devolvidos aos soldados. Muitas das pesadas pontas de ferro haviam se amassado a ponto de ficar inúteis, mas Crasso enchera carroças helvécias com elas, prontas para serem consertadas ou derretidas pelos ferreiros da legião. Numa reviravolta do destino uma das coortes fora comandada por Gemínio Catão, promovido depois da Espanha. Júlio se perguntou se os dois homens ao menos pensavam na inimizade de seus pais, por trás das saudações educadas.

— Há grãos e carne seca suficientes para nos alimentar por meses, se não estragar — disse Domício com satisfação. — Somente as armas valem uma pequena fortuna, Júlio. Algumas espadas são de ferro bom, e até as de bronze têm cabos que valem a pena guardar.

— Alguma moeda? — perguntou Júlio olhando a taça em sua mão.

Rênio abriu um saco aos seus pés e pegou alguns discos de aparência tosca.

— O que se passa por moedas aqui — disse ele. — Uma mistura de prata e cobre. Praticamente não vale nada, mas há baús cheios. — Júlio pegou uma e a ergueu diante da luz. O círculo de metal manchado tinha um pedaço cortado, que ia até o meio. — Estranho. Parece haver um pássaro gravado, mas com esse corte não dá para ter certeza.

A brisa noturna entrou na tenda junto com Brutus e Marco Antônio.

— Está convocando o conselho, Júlio? — perguntou Brutus. Júlio assentiu e Brutus pôs a cabeça para fora da tenda, gritando para que Ciro e Otaviano se juntassem a eles.

— Os prisioneiros estão em segurança? — perguntou Rênio a Brutus. Marco Antônio respondeu:

— Os homens estão amarrados, mas não temos soldados suficientes para impedir que o resto vá embora à noite, se quiser. — Ele notou o saco de moedas e pegou uma.

— Gravada à mão? — perguntou Júlio ao ver o interesse dele.

Marco Antônio assentiu.

— Esta é, mas as cidades maiores podem produzir moedas tão boas quanto qualquer coisa que se vê em Roma. O trabalho de metalurgia deles costuma ser muito bonito. — Em seguida largou a moeda na mão estendida de Rênio. — Mas não estas. Muito inferiores.

Júlio indicou banquetas para os dois homens e eles aceitaram o vinho escuro nas taças do depósito privado do rei.

Marco Antônio tomou um gole e ofegou de satisfação.

— Mas o vinho não é nem um pouco inferior. Já pensou no que vai fazer com o resto dos helvécios? Eu tenho algumas sugestões, se você permitir.

Rênio pigarreou.

— Gostando ou não, agora somos responsáveis por eles. Os edui vão matar todos se eles forem para o sul sem seus guerreiros.

— Esse é o problema — disse Júlio esfregando os olhos para afastar o cansaço. — Ou melhor, *este* é o problema. — Ele sopesou um grosso rolo de pergaminhos e mostrou a borda de cima, marcada com caracteres minúsculos. — Adàn diz que é uma lista do povo deles. Demorou horas apenas para fazer uma estimativa.

— Quantos? — perguntou Marco Antônio. Todos olharam para Júlio, esperando.

— Noventa mil homens em idade para lutar, um número três vezes maior de mulheres, crianças e velhos.

Os números os deixaram pasmos. Otaviano falou primeiro, arregalado.

— E quantos homens nós capturamos?

— Talvez vinte mil. — Júlio manteve o rosto imóvel enquanto o resto irrompia num riso espantado, dando tapinhas nas costas uns dos outros. Otaviano assobiou. — Setenta mil mortos. Nós matamos uma cidade.

Suas palavras fizeram os outros silenciar enquanto pensavam nos montes de mortos na planície e na colina.

— E os nossos mortos? — perguntou Rênio.

Júlio recitou os números sem fazer pausa.

— Oitocentos legionários, com vinte e quatro oficiais entre eles. Talvez o mesmo número de feridos. Muitos lutarão de novo assim que forem costurados.

Rênio balançou a cabeça, pasmo.

— É um bom preço.

— Que sempre seja assim — disse Júlio erguendo a taça do rei. Os outros beberam com ele.

— Mas ainda temos um quarto de milhão de pessoas nas mãos — observou Marco Antônio. — E estamos expostos nesta planície, com os edui vindo depressa para dividir o saque. Não duvidem, senhores. Ao meio-dia de amanhã haverá outro exército reivindicando parte das riquezas dos helvécios.

— Que são nossas, independentemente do que sejam — respondeu Rênio. — Não vi grandes riquezas a não ser estas taças.

— Não, talvez haja sentido em dar uma parte a eles — disse Júlio pensativo. — Eles perderam uma aldeia e a batalha aconteceu em suas terras. Precisamos de aliados entre essas pessoas, e Mhorbaine tem influência. — Em seguida se virou para Bérico, ainda com a armadura suja de sangue. — General, mande seus homens pegarem uma décima parte de tudo que encontramos aqui. Mantenha em segurança sob guarda, para os edui.

Bérico se levantou e fez uma saudação. Como os outros, estava pálido de cansaço, mas saiu da tenda rapidamente e todos ouviram sua voz ganhando força enquanto gritava ordens no escuro.

— Então, o que vai fazer com os prisioneiros? — perguntou Brutus.

— Roma precisa de escravos — respondeu Júlio. — Ainda que o preço despenque, precisamos de verbas para esta campanha. No momento moedas como estas são a única riqueza que temos. Não há prata para pagar a Décima e a Terceira, e seis legiões consomem uma fortuna a cada mês. Nossos soldados sabem que o dinheiro dos inimigos vendidos como escravos irá para eles, e muitos já estão falando da nova riqueza.

Marco Antônio pareceu meio rígido ao ouvir isso. Sua legião recebia o pagamento diretamente de Roma, e tinha presumido que acontecia o mesmo com as outras.

— Eu não sabia... — começou ele, e parou. — Posso falar?

Júlio assentiu. Marco Antônio estendeu sua taça para Brutus, que a ignorou.

— Se você vender a tribo em Roma, a terra dos helvécios permanecerá vazia, até o Reno. Lá há tribos germânicas que estariam dispostas a atravessar e ocupar a terra indefesa. Os gauleses reverenciam guerreiros fortes, mas não têm nada de bom a dizer sobre os homens do outro lado do rio. Você não vai querê-los nas fronteiras da província romana.

— Nós poderíamos ocupar essa terra — interveio Brutus.

Marco Antônio balançou a cabeça.

— Se deixarmos algumas legiões lá para guardar as margens do Reno perderíamos metade de nossa força sem obter bons resultados. No momento a terra não passa de cinzas inúteis. A comida teria de ser levada até que os campos pudessem ser limpados e semeados de novo, e nesse ponto quem trabalharia nelas? Nossos legionários? Não. É muito melhor mandar os helvécios de volta ao seu país. Deixar que eles guardem o norte para nós. Eles têm mais a perder, afinal de contas.

— Será que eles não seriam dominados por essas tribos selvagens que você mencionou? — perguntou Júlio.

— Eles ainda têm vinte mil guerreiros. Não é um número pequeno e, mais importante, lutarão até a morte para repelir qualquer novo invasor. Eles viram o que as legiões podem fazer, e se não podem migrar para o sul, devem ficar e lutar por seus campos e lares. Mais vinho, aqui, Brutus.

Brutus olhou para Marco Antônio com desprazer enquanto este estendia a taça de novo, aparentemente sem notar a primeira recusa.

— Muito bem — disse Júlio. — Ainda que os homens não fiquem satisfeitos, deixaremos comida suficiente com os helvécios para irem para casa, e ficamos com o resto. Vou armar um em cada dez, para que possam proteger seu povo. Todo o resto volta conosco, menos a parte destinada aos edui. Obrigado, Marco Antônio. É um bom conselho.

Júlio olhou os homens ao redor.

— Vou dizer a Roma o que conseguimos aqui. Meu escriba está copiando os relatórios à medida que falamos. Agora, espero que vocês não estejam cansados, porque quero aquela coluna se movendo para casa às primeiras luzes. — Houve um gemido quase inaudível, e Júlio sorriu. — Ficaremos para entregar a parte dos edui e depois marcharemos de volta à província, chegando depois de amanhã. — Ele bocejou, provocando o mesmo em um ou dois dos outros. — Então poderemos dormir. — Em seguida se levantou e todos ficaram de pé, juntos. — Andem, a noite é bastante curta no verão.

O dia seguinte deu a Júlio mais do que um respeito relutante pela capacidade de organização dos helvécios. Simplesmente deixar tantas pessoas prontas para se mover era bastante difícil, mas separar comida suficiente para mantê-los vivos durante a marcha até em casa demorou muitas horas. A Décima recebeu a tarefa e logo se estendiam filas compridas até os soldados que estavam com as cuias de medidas e os sacos, dividindo os suprimentos para cada membro sobrevivente da tribo.

Os helvécios ainda estavam pasmos com a súbita reversão da sorte. Os membros dos edui que eles haviam tomado como prisioneiros tiveram de ser separados à força, depois de duas facadas de manhã. As mulheres edui tinham se vingado de seus captores com uma malignidade que deixou perplexos até os soldados endurecidos. Júlio ordenou que duas delas fossem enforcadas. E não houve mais incidentes assim.

O exército dos edui saiu da borda da floresta antes do meio-dia, quando Júlio estava se perguntando se algum dia conseguiriam pôr a coluna em movimento. Ao vê-los à distância Júlio mandou um batedor com uma mensagem de uma só palavra: "Esperem." Sabia que o caos só aumentaria com várias centenas de guerreiros raivosos doidos para atacar um inimigo derrotado. Para ajudar a paciência deles, depois de uma hora acompanhou a mensagem com vários carros de bois com armas e objetos de valor dos helvécios. Os prisioneiros que tinha libertado foram mandados com eles e Júlio ficou satisfeito ao tirá-los das mãos. Tinha sido generoso com os edui, mas Marco Antônio lhe disse que eles presumiriam que ele havia ficado com a melhor parte, não importando o que lhes mandasse. De fato ele retivera as taças de ouro, dividindo-as entre os generais de suas legiões.

Enquanto o meio-dia passava e os helvécios continuavam na planície, Júlio ficou vermelho e irritado com os atrasos. Em parte isso se devia ao fato inevitável de que todos os líderes da tribo tinham sido mortos na luta, deixando uma massa sem cabeça e atarantada até que ele se sentiu tentado a deixar os optios usarem os cajados, para que eles se mexessem.

Por fim ordenou que fossem devolvidas espadas a dois mil guerreiros. Com armas nas mãos os homens ficaram um pouco mais orgulhosos e perderam o ar abandonado de prisioneiros e escravos. Esses homens forçaram a coluna numa aparência de ordem e então, com uma única trombeta tocando contra a brisa, os helvécios se afastaram. Júlio ficou olhando-os ir embora aliviado e, como Marco Antônio previra, no momento em que ficou claro que estavam indo para o norte os edui começaram a vir para a planície, gritando atrás deles.

Júlio tinha mandado seus cornicens convocarem as seis legiões para bloquear o caminho dos guerreiros de Mhorbaine, e enquanto eles se aproximavam imaginou se parariam ou se outra batalha terminaria o dia. No humor em que estava, quase desejou isso.

As fileiras dos edui pararam a quatrocentos metros de distância na planície. Tinham atravessado o local da batalha e dezenas de milhares de corpos não enterrados já começavam a feder. Não poderia haver melhor modo de demonstrar o poder das legiões que os encaravam do que caminhar sobre um campo dos mortos que eles haviam deixado para trás. A notícia seria espalhada.

Ficou olhando Mhorbaine cavalgar com dois seguidores levando altos estandartes que adejavam à brisa. Júlio esperou por eles, com a impaciência desaparecendo enquanto os helvécios começavam a se distanciar atrás. Muitos dos seus homens lançavam olhares à coluna que se afastava, sentindo o desagrado natural dos soldados por estar entre dois grupos grandes, mas não demonstrou nada disso, com o cansaço lhe dando uma calma vazia, como se toda a emoção tivesse sido drenada para longe, junto com a coluna.

Mhorbaine apeou e abriu os braços num abraço amplo. Com gentileza Júlio se desviou e o gaulês cobriu a confusão com uma gargalhada.

— Nunca vi tantos de meus inimigos mortos no chão, César. É espantoso. Sua palavra foi boa para mim e os presentes que mandou a tornaram mais doce, conhecendo a fonte. Trouxe gado para uma grande festa, o bastante para encher seus homens até estarem quase estourando. Você partirá o pão comigo?

— Não — respondeu Júlio, para perplexidade óbvia do sujeito. — Aqui, não. Os corpos trazem doença se forem deixados. Eles estão na sua terra e devem ser enterrados ou queimados. Eu estou voltando à província.

Por um instante Mhorbaine pareceu furioso com a recusa.

— Acha que eu devo passar um dia cavando buracos para cadáveres dos helvécios? Deixe que eles apodreçam, como alerta. Como você é estranho aqui, talvez não conheça o costume de fazer uma festa depois das batalhas. Os vivos devem mostrar aos deuses da terra que têm respeito pelos mortos. Devemos mandar os que matamos para seu caminho, caso contrário não poderão ir embora.

Júlio esfregou os olhos. Quando tinha dormido pela última vez? Lutou para encontrar palavras que aplacassem o sujeito.

— Voltarei ao pé das montanhas com meus homens. Será uma honra se você se juntar a mim lá. Então festejaremos e brindaremos aos mortos. — Ele viu Mhorbaine olhar especulativamente para a coluna que recuava e prosseguiu, com a voz endurecendo: — Os helvécios que vivem estão sob minha proteção até voltarem às suas terras. Entende?

O gaulês olhou em dúvida para o romano. Tinha presumido que a coluna estava sob guarda e sendo levada para a escravidão. A idéia de simplesmente deixá-los ir era difícil para ele absorver.

— Sob sua proteção? — repetiu devagar.

— Acredite quando digo que quem atacá-los será meu inimigo — respondeu Júlio.

Depois de uma pausa Mhorbaine deu de ombros, passando a mão na barba.

— Muito bem, César. Cavalgarei na frente com minha guarda pessoal e estarei lá para recebê-lo quando você chegar.

Júlio deu-lhe um tapa no ombro, virando-se. Viu que Mhorbaine estava olhando fascinado enquanto ele assentia para os cornicens. As notas ressoaram na planície e seis legiões se viraram imediatamente. A terra macia tremeu e Júlio riu enquanto eles marchavam para longe em fileiras perfeitas, deixando Mhorbaine e os edui para trás. Quando entraram na linha das árvores na borda da planície, chamou Brutus.

— Espalhe a notícia. Não serei vencido na ida para casa. Marcharemos durante a noite e vamos festejar quando chegarmos.

Júlio sabia que os homens aceitariam o desafio, não importando o quanto estivessem exaustos. Mandou a Décima na frente, para estabelecer o ritmo.

À medida que o alvorecer chegava, as seis legiões atravessaram a última crista de montanha antes do povoado romano ao pé dos Alpes. Os homens tinham corrido e marchado por mais de sessenta quilômetros e Júlio estava praticamente acabado. Marchara cada passo do caminho junto com seus homens, sabendo que o exemplo iria forçá-los a continuar. Essas coisas pequenas eram importantes para os liderados. Apesar das bolhas, os legionários gritaram comemorando ao ver os prédios esparramados, pela última vez passando com facilidade para o ritmo mais rápido.

— Diga aos homens que eles têm oito horas de sono e uma festa para atulhar a barriga quando acordarem. Se estiverem com tanta fome quanto eu não vão querer esperar, por isso mandem servir carne fria e pão para saciar um pouco. Estou orgulhoso de todos — disse Júlio aos seus batedores, mandando-os para os outros generais. Imaginou preguiçosamente se suas legiões teriam se mostrado à altura dos exércitos de Esparta ou de Alexandre. Ficaria surpreso se pelo menos não pudessem correr mais rápido do que eles.

Quando Mhorbaine chegou à mesma crista de montanha, com cinqüenta de seus melhores guerreiros, o sol estava acima do horizonte e Júlio dormia a sono solto. O gaulês puxou as rédeas, olhando as mudanças que os romanos tinham feito. A fortificação que haviam construído se curvava para o norte sumindo à distância, um rasgo na paisagem fértil. Todos os outros lugares que dava para ver estavam sendo transformados em quadrados de prédios, tendas e estradas de terra. Mhorbaine tinha atravessado o caminho da legião alguns quilômetros antes, mas ainda estava pasmo ao ver a realidade. De algum modo fora deixado para trás no escuro. Apoiou-se no arção da sela e olhou para a enorme figura de seu campeão, Artorath.

— Que povo estranho, esse — falou.

Em vez de responder, Artorath franziu a vista olhando para trás.

— Cavaleiros chegando — disse ele. — Não são nossos.

Mhorbaine virou o cavalo e olhou para trás, para a encosta suave. Depois de um tempo assentiu.

— Os outros líderes estão se reunindo para ver este homem novo na nossa terra. Não ficarão satisfeitos ao saber que ele venceu os helvécios antes que eles pudessem chegar aqui.

Segurando bandeiras de trégua no alto, grupos de cavaleiros se aproximaram. Parecia que cada tribo num raio de trezentos quilômetros tinha mandado representantes ao povoado romano.

Mhorbaine olhou para o vasto acampamento com suas linhas organizadas e fortificações.

— Se formos espertos há uma grande vantagem a aproveitar — disse em voz alta. — Para começar, comércio de comida, mas aquelas belas legiões não são um exército estacionado. Pelo que vi até agora esse tal de César tem fome de guerra. Se for assim, os edui têm outros inimigos contra os quais ele pode lutar.

— Acho que suas tramas vão acabar nos matando — resmungou Artorath.

Mhorbaine levantou as sobrancelhas para o sujeito que montava um pesado garanhão como se fosse um pônei. Artorath era o maior homem que ele já vira, mas algumas vezes tinha dificuldade para encontrar uma inteligência que combinasse com a força.

— Você acha que os guarda-costas devem falar com seus senhores assim?

Artorath virou os olhos azuis para ele e deu de ombros.

— Eu estava falando como irmão, Mhor. Você viu o que eles fizeram com os helvécios. Montar um urso deve ser mais fácil do que usar sua língua de prata com esses homens novos. Pelo menos quando pular do urso você ainda pode sair correndo.

— Às vezes não acredito que temos o mesmo pai — retrucou Mhorbaine.

Artorath deu um risinho.

— Ele quis uma mulher grande para ter o segundo filho. Matou três homens para tirá-la de Arverni.

— Para fazer um boi como você, sim. Mas não um líder, irmãozinho, lembre-se disso. Um líder precisa ser capaz de proteger seu povo com algo mais do que simplesmente músculos enormes e desagradáveis.

Artorath fungou enquanto Mhorbaine continuava:

— Nós precisamos deles, Artorath. Os edui vão prosperar com uma aliança e esta é a realidade, quer você goste ou não.

— Se você usa cobras para pegar ratos, Mhor...

Mhorbaine suspirou.

— Só uma vez eu gostaria de falar com você sem que algum ditado com animais fosse jogado na minha cara. Isso não faz você parecer inteligente. Uma criança poderia dizer as coisas com mais clareza, juro.

Artorath o olhou irritado e permaneceu em silêncio. Mhorbaine assentiu com alívio.

— Obrigado, irmão. Acho que pelo resto do dia você deve se considerar primeiro meu guarda-costas e depois meu irmão. Agora vem comigo?

Seus homens receberam tendas enquanto esperavam que Júlio acordasse. Mhorbaine mandou cavaleiros guiarem o rebanho que ele trouxera para a festa e antes do meio-dia o abate dos animais tinha começado, com Mhorbaine e Artorath participando pessoalmente do preparo e do tempero da carne.

Enquanto os outros líderes começavam a chegar, Mhorbaine os cumprimentou com intensa diversão interna, adorando a surpresa deles ao vê-lo vermelho até os cotovelos e dando ordens a meninos e mulheres enquanto o gado mugia, era morto e retalhado num festim para trinta mil pessoas. O chiado da carne enchia o ar enquanto uma centena de fogueiras em buracos eram alimentadas e pesados espetos de ferro eram erguidos. Legionários sonolentos foram tirados dos cobertores quentes para ajudá-los no trabalho, tendo a recompensa de um gosto enquanto lambiam os dedos chamuscados.

❖

Quando Marco Antônio acordou, mandou que escravos trouxessem baldes de água do rio para se lavar e fazer a barba, recusando-se a ser apressado. Se Júlio estava preparado para dormir durante o maior encontro de líderes tribais em sua memória, ele certamente não apareceria com dois dias de barba no rosto. À medida que cada hora passava Marco Antônio era obrigado a acordar um número maior de soldados, ignorando os xingamentos que vinham das tendas enquanto suas mensagens arrancavam o entorpecimento causado pela exaustão. A promessa de comida quente fez milagres para o humor, e a fome silenciava as reclamações enquanto eles seguiam o exemplo de Marco Antônio e se lavavam antes de vestir os melhores uniformes.

Havia muitas aldeias pequenas na província romana e Marco Antônio mandou cavaleiros até lá para pegar óleo, molho de peixe, ervas e frutas. Agradeceu aos seus deuses porque as árvores estavam pesadas com maçãs e laranjas, não importando que fossem verdes. Depois de beber água durante tanto tempo, o suco amargo das frutas espremidas em jarras era melhor do que vinho, para os homens.

Júlio foi um dos últimos a acordar, pegajoso com o calor. Tinha dormido num dos prédios sólidos da cidadela original, agora bastante ampliada. Quem quer que os tivesse projetado compartilhara o gosto romano pela limpeza e Júlio pôde se lavar com água fria na sala de banhos, depois se deitou num estrado duro para que o azeite fosse raspado da pele, deixando-o limpo e revigorado. Os músculos que doíam nas costas finalmente relaxaram quando ele se sentou para ser barbeado, e se perguntou se era a massagem diária que o mantinha em forma. Antes de se vestir olhou para si mesmo, verificando os hematomas. A barriga, em particular, estava dolorida e marcada como se ele tivesse sofrido um grande impacto. Estranhou não se lembrar. Vestiu-se lentamente, desfrutando o frescor do tecido limpo contra a pele depois do cheiro de suor durante a marcha. O cabelo se embolou nos dentes finos do pente e quando ele puxou ficou pasmo ao ver a massa de fios que saiu. Não havia espelho nas salas de banho e Júlio tentou se lembrar da última vez em que vira sua imagem. Será que estava perdendo cabelo? Era uma idéia horrível.

Brutus entrou com Domício e Otaviano, os três usando a armadura de prata que tinham ganhado no torneio, polida até brilhar.

— As tribos mandaram seus representantes para vê-lo, Júlio — disse

Brutus, vermelho de empolgação. — Deve haver trinta grupos diferentes em nossa terra, todos com bandeiras de trégua e tentando esconder como estão interessados em nossos números e nossa estratégia.

— Excelente — respondeu Júlio, reagindo ao entusiasmo. — Mande arrumar mesas para eles na sala de jantar. Devemos colocar todos para dentro, se não se incomodarem com o aperto.

— Está tudo feito — disse Domício. — Todo mundo está esperando você, mas Marco Antônio ficou frenético. Disse que eles não vão se mover enquanto você não convidá-los à sua mesa, e nós não queríamos deixar que ele o acordasse.

Júlio deu um risinho.

— Então vamos até lá.

CAPÍTVLO XXV

O AR NO SALÃO DE JANTAR ESTAVA DENSO COM O CALOR DE COR-
pos quando Júlio ocupou seu lugar à mesa comprida. Ainda que uma toalha
cobrisse todo o comprimento, Júlio não resistiu a passar a mão por baixo
para sentir a madeira nova e áspera. A mesa não tinha estado ali quando ele
chegou de manhã, e o general sorriu sozinho diante da energia de Marco
Antônio e dos carpinteiros da legião.

Pediu que Mhorbaine se sentasse à sua direita e o gaulês ocupou o lugar
com prazer óbvio. Júlio gostava do sujeito e se perguntou quantos dos outros seriam amigos ou inimigos nos próximos anos.

Os homens à mesa formavam um grupo misto, mas todos compartilhavam feições, já que seus ancestrais tinham vindo da mesma tribo. Possuíam
rostos duros, como se esculpidos em pinho. Muitos eram barbudos, mas
não havia um estilo que dominasse a reunião, e Júlio viu tantos bigodes e
cabeças raspadas quanto barbas e tranças longas tingidas de vermelho junto
às raízes. Do mesmo modo não havia padrão nas roupas ou nas armaduras.
Alguns usavam broches de prata e ouro que ele sabia que fascinariam
Alexandria, ao passo que outros não tinham qualquer ornamento. Viu Brutus
espiando um elaborado broche na capa de Mhorbaine e decidiu barganhar
algumas belas peças para dar a ela quando fossem de novo a Roma. Suspirou
ao pensar nisso, imaginando quando iria se sentar com seu próprio povo ao

redor de uma mesa comprida e ouvir sua língua bela, em vez da expectoração gutural dos gauleses.

Quando todos se sentaram sinalizou para Adàn ficar de pé, ao seu lado, e se levantou para falar aos chefes tribais. Para uma reunião tão importante havia banido o velho intérprete de volta à sua tribo.

— Vocês são bem-vindos em minha terra — falou, esperando que Adàn ecoasse as palavras na língua deles. — Acho que sabem que impedi os helvécios de atravessar minha província e a dos edui. Fiz isso a pedido de Mhorbaine e uso o fato para demonstrar minha boa-fé.

Enquanto Adàn traduzia Júlio ficou olhando as reações. Era uma estranha vantagem estar distanciado deles por esse passo. As pausas lhe davam chance de organizar os argumentos e ver como funcionavam enquanto os olhos dos gauleses estavam fixos em Adàn.

— O povo de Roma não vive num medo constante de ataques inimigos — continuou. — Ele tem estradas, comércio, teatros, casas de banho, comida barata para as famílias. Tem água limpa e leis que o protegem.

Viu, pelas expressões ao redor da mesa, que estava no caminho errado com esta descrição. Aqueles não eram homens que se preocupassem com o luxo dado às pessoas que eles governavam.

— Mais importante — prosseguiu rapidamente enquanto Adàn lutava com uma palavra. — Os líderes de Roma têm terras vastas e casas dez **vezes** maiores do que esta pequena fortaleza. Têm escravos para cuidar de suas necessidades e os melhores vinhos e cavalos do mundo.

Uma reação melhor.

— Aqueles de vocês que se tornarem meus aliados conhecerão tudo isso. Pretendo trazer as estradas de Roma mais para dentro da Gália e comerciar com os recessos mais distantes da terra. Trarei o maior mercado do mundo para as suas mercadorias.

Um ou dois dos homens sorriram e assentiram, mas então um jovem guerreiro ficou de pé e todos os gauleses o olharam, imóveis. Júlio pôde sentir Brutus se eriçar à sua esquerda. Não havia nada de incomum na figura que encarava Júlio a seis metros de distância. O gaulês usava barba curta e o cabelo louro era amarrado na nuca. Como muitos dos outros, era uma figura baixa e forte vestida em lã e couro gasto. Mas apesar da juventude o gaulês olhava com arrogância para os representantes das tribos reunidos. Seu rosto tinha feias cicatrizes e os olhos azuis e frios pareciam zombar dos outros.

— E se recusarmos suas promessas vazias? — perguntou o sujeito.

Enquanto Adàn traduzia, Mhorbaine se levantou ao lado de Júlio.

— Sente-se, Cingeto. Quer outro inimigo para acrescentar à sua lista? Quando o povo de seu pai viu a paz pela última vez?

Mhorbaine falou em sua própria língua e o jovem gaulês respondeu rápido demais para Adàn acompanhar. Os dois gauleses rugiram um para o outro por cima da mesa e Júlio jurou que aprenderia a língua deles. Sabia que Brutus já estava estudando-a. Iria se juntar a ele nas aulas diárias.

Sem aviso o guerreiro de cabelos louros saiu da mesa, abrindo a porta com estardalhaço. Mhorbaine franziu os olhos enquanto ele se afastava.

— O povo de Cingeto prefere lutar a comer — disse Mhorbaine. — Os arveni sempre foram assim, mas não deixe que isso o incomode. O irmão mais velho dele, Madoc, é menos temperamental, e é ele que usará a coroa do pai.

A discussão claramente havia preocupado Mhorbaine, mas ele forçou um sorriso enquanto olhava para Júlio.

— Você deve ignorar a grosseria do rapaz. Nem todo mundo sente o mesmo que Cingeto.

Júlio pediu que os pratos de carne de boi e carneiro fossem trazidos das fogueiras, brilhando de óleo e temperos. Tentou esconder a surpresa ao ver que eram seguidos por enormes pratos de pão fresco, fruta cortada e aves assadas. Marco Antônio estivera mais ocupado do que ele percebera.

A pausa incômoda depois da partida de Cingeto desapareceu sob o barulho dos pratos. Os chefes tribais mergulharam neles com gosto, cada um pegando sua própria faca para cortar e fisgar a comida quente. Tigelas de água fresca, que serviria para lavar os dedos, eram usadas para diluir o vinho, para surpresa dos serviçais, que rapidamente as encheram de novo. Júlio entendeu que os chefes não queriam perder o raciocínio ficando bêbados, e pensando bem derramou sua própria tigela d'água na taça de vinho. Brutus e Otaviano seguiram seu exemplo compartilhando um riso.

Um barulho súbito do lado de fora do salão fez com que dois dos convidados meio se levantassem. Júlio ficou de pé com eles, mas Mhorbaine permaneceu sentado, franzindo a testa.

— Deve ser Artorath, o meu guarda. Já deve ter encontrado alguns homens com quem lutar. — Outro estrondo e um grunhido pontuaram suas palavras e ele suspirou.

— O grandalhão? — perguntou Júlio, achando divertido.

Mhorbaine assentiu.

— Ele fica entediado com muita facilidade, mas o que se pode fazer quando é alguém da família? Meu pai atacou os arvernos para pegar a mãe dele, quando já estava velho demais para esse tipo de atividade. O povo de Cingeto não perdoa, mas quando podem eles pegam as mulheres do mesmo modo.

— As mulheres devem ficar muito infelizes com um arranjo desses — disse Júlio devagar, tentando entender.

Mhorbaine riu alto.

— Ficam se a gente pegar a errada no escuro. Aí você nunca ouve o final. Não, Júlio, quando as tribos se encontram no festival de Beltane para fazer trocas e barganhas acontecem muitos casamentos. Você gostaria de assistir, um ano desses. As mulheres deixam claros seus desejos aos jovens guerreiros e é uma grande aventura tentar roubá-las de seu povo. Eu lembro que minha mulher lutou comigo como uma loba, mas nunca gritou pedindo socorro.

— Por quê?

— Ela poderia ser resgatada! Acho que gostou muito da minha barba. Veja bem, ela arrancou um punhado enquanto eu tentava colocá-la nos ombros. Fiquei com um pedaço careca durante um tempo, bem no queixo.

Júlio serviu vinho para o gaulês e ficou olhando enquanto Mhorbaine completava com água.

— Nunca vi uma tigela para lavar os dedos ser usada desse jeito — disse Mhorbaine. — Mas é uma boa idéia, quando o vinho é tão forte.

Artorath largou o peso do corpo, mudando o centro de equilíbrio. Domício desmoronou em cima dele e se viu sendo erguido no ar. Houve uma breve sensação de vôo aterrorizante e então o chão chegou, e o ar foi expulso dos pulmões do romano. Ele ficou deitado, gemendo, enquanto Artorath ria.

— Você é forte, para um sujeito tão pequeno — disse ele, mas nesse ponto já sabia que nenhum romano entendia palavras verdadeiras. Não pareciam particularmente inteligentes, para o gaulês grandalhão. A princípio, quando levantou uma moeda e fez mímica de golpes os sujeitos pareceram achar que ele era maluco. Então um deles chegou perto demais e Artorath o jogou de costas no chão com um grunhido. Os rostos dos legionários se iluminaram e eles enfiaram a mão nos bolsos para pegar moedas e apostar contra a sua.

Domício foi seu quinto oponente da tarde e, ainda que Artorath fizesse a rotina de morder as moedas de prata que recebia, achou que teria o bastante para um novo cavalo quando Mhorbaine terminasse de fascinar o líder romano.

Artorath tinha notado Ciro separado dos outros. O olhar dos dois se encontrou apenas uma vez, mas Artorath soube que o havia atraído. Adorou o desafio e sentiu prazer em lançar Domício o mais perto possível dos pés de Ciro.

— Mais algum? — estrondeou Artorath apontando para cada um deles e balançando as sobrancelhas peludas como se falasse com crianças. Domício já havia se levantado e tinha um riso malicioso no rosto. Levantou a palma da mão num gesto inconfundível.

— Espere aí, elefante. Eu conheço o homem certo para você — disse lentamente.

Artorath deu de ombros. Enquanto Domício ia correndo até as construções principais Artorath olhou interrogativamente para Ciro, chamando-o e balançando uma moeda na outra mão. Para seu prazer Ciro assentiu e começou a tirar a armadura, até estar usando apenas uma tanga e sandálias.

Artorath tinha riscado um círculo no chão com um pedaço de pau e apontou para Ciro atravessar a linha. Adorava lutar com homens grandes. Os pequenos estavam acostumados a levantar a cabeça para os oponentes, mas guerreiros do tamanho de Ciro provavelmente nunca haviam encontrado um homem que se erguia acima deles, como Artorath. Isso lhe dava uma grande vantagem, mas a multidão nunca sabia disso.

Ciro começou a alongar as costas e as pernas, e Artorath lhe deu espaço, movendo-se rapidamente em sua própria rotina de relaxamento. Depois de cinco lutas não precisava disso, mas gostava de se mostrar para uma platéia, e os soldados romanos já formavam um círculo com três homens de profundidade ao redor do pequeno espaço. Artorah saltou e girou, divertindo-se tremendamente.

— No lugar de onde vocês vêm dizem que os homens grandes são lentos, soldadinhos? — provocou diante dos rostos inexpressivos. A tarde estava fresca e ele se sentia invencível.

Quando Ciro pisou no círculo, uma voz gritou e muitos soldados riram de antecipação enquanto Brutus vinha correndo de volta com Ciro.

— Espere aí, Ciro, Brutus quer uma tentativa antes de você bater no boizão — disse Domício, ofegando.

Brutus parou ao ver Artorath. O sujeito era enorme e mais musculoso do que qualquer pessoa que ele já vira. Viu que não era simplesmente uma questão de força. O crânio de Artorath era uma vez e meia maior do que o de Ciro e todos os outros ossos eram mais grossos do que os de um homem normal.

— Você está brincando — disse Brutus. — Ele deve ter dois metros e quinze de altura! Vá em frente, Ciro. Não espere por mim.

— Eu lutei com ele — reagiu Domício. — E quase consegui derrubá-lo.

— Não acredito — respondeu Brutus peremptoriamente. — Onde estão suas marcas? Um soco daqueles punhos enormes faria seu nariz afundar até a nuca.

— Ah, mas ele não dá socos. É como luta grega, se é que você já viu. Ele usa os pés para fazer a gente tropeçar, mas mantém a posição e o equilíbrio. Muito hábil, mas, como eu disse, quase o derrubei.

Ciro ainda esperava pacientemente e Artorath só levantou uma sobrancelha na direção de Brutus, sem fazer a mínima idéia das conversas ao redor.

— Eu posso derrotá-lo — disse Ciro durante a pausa.

Brutus olhou em dúvida para Artorath.

— Como? Ele parece uma montanha.

Ciro deu de ombros.

— Meu pai era grande. Ele me ensinou alguns golpes. O que esse sujeito está fazendo não é luta grega. Meu pai aprendeu com um egípcio. Deixe-me mostrar.

— Então ele é seu — disse Brutus, claramente aliviado.

Artorath olhou-o e Brutus acenou para Ciro, recuando.

De novo Ciro atravessou a linha e desta vez se adiantou com um impulso rápido. Artorath o acompanhou e os dois se encontraram com um ruído forte de carne que fez os soldados em volta se encolherem. Sem pausa, Ciro soltou o aperto nos ombros e pegou uma linha externa, por pouco evitando os enormes pés ossudos do gaulês, lançados contra seus tornozelos. Ciro deslizou passando por ele e tentou saltar para longe, mas Artorath girou e o segurou antes de ele se afastar.

As pernas dos dois se entrelaçaram e cada um lutava para derrubar o outro. Artorath girou para fora das mãos de Ciro e praticamente o lançou por cima do quadril, mas o movimento foi estragado porque Ciro se agachou e depois se lançou, tentando levantar Artorath. Contra um oponente tão grande, isso só fez Artorath cambalear e ele cruzou os braços automaticamente apertando-os contra a garganta de Ciro, inclinando-se para trás.

Poderia ter sido o fim se o calcanhar de Ciro não tivesse bloqueado seu passo, de modo que Artorath caiu como uma árvore, chocando-se na terra com Ciro em cima. Antes que os romanos pudessem começar a comemorar, as figuras entrelaçadas explodiram numa luta ainda mais rápida, agarrando-se e se soltando, usando o mínimo apoio que houvesse para aplicar chaves que teriam partido os ossos de homens menores.

Artorath usou as mãos poderosas para apertar de novo a garganta de Ciro e este encontrou o dedo mindinho do gaulês e o quebrou com um movimento brusco. Mesmo grunhindo, Artorath manteve o aperto e Ciro estava ficando roxo quando achou outro dedo e o mandou para o mesmo lugar do primeiro. Só então o grandalhão o soltou, segurando a mão ferida.

Ciro se levantou primeiro, balançando ligeiramente. O grande gaulês ficou de pé mais devagar, com a raiva aparecendo pela primeira vez.

— Devemos parar? — perguntou Domício. Ninguém respondeu.

Artorath deu um chute rápido que errou o alvo, batendo com o pé no chão enquanto Ciro se desviava e o agarrava pela cintura. Fracassou completamente em levantar o grandalhão. Artorath conseguiu dar uma chave no pulso de Ciro, mas seus dedos quebrados não tinham força e ele gritou no ouvido de Ciro enquanto o romano acertava o pé no seu joelho, derrubando-o de cabeça. O gaulês ficou atordoado, com o peito enorme arfando. Ciro assentiu para ele e o ajudou a ficar de pé.

Brutus olhou fascinado quando Artorath abriu relutante sua bolsa no cinto para devolver uma das moedas que tinha ganhado. Ciro a descartou e lhe deu um tapa no ombro.

— Você é o próximo, Brutus? — perguntou Domício marotamente.
— Os dedos dele estão quebrados.
— Eu lutaria, claro, mas não seria justo machucá-lo ainda mais. Leve-o a Cabera e mande colocar uma tala naquela mão.

Ele tentou fazer mímica da ação para Artorath, que deu de ombros. Já sofrera coisa pior, e ainda havia mais prata em seu cinto do que quando tinha começado. Ficou surpreso ao ver a alegria aberta no rosto dos soldados em volta do círculo, mesmo os que ele tinha espancado. Um deles lhe trouxe uma ânfora de vinho e quebrou o lacre de cera. Outro lhe deu um tapa nas costas antes de se afastar. Mhorbaine estava certo, pensou. Era realmente um povo estranho.

As estrelas estavam incrivelmente nítidas no céu de verão. Apesar de Vênus já ter se posto, Júlio podia ver o disco minúsculo de Marte e o saudou com a taça antes de estendê-la para Mhorbaine encher de novo. O resto dos gauleses tinha se retirado há muito, e até mesmo o vinho com água ajudara a relaxar os mais cautelosos perto do fim da festa. Júlio havia falado com muitos, aprendendo seus nomes e o local de suas tribos. Tinha uma dívida para com Mhorbaine pela apresentação e sentia um apreço bêbado, agradável, pelo gaulês sentado ao lado.

O acampamento estava silencioso ao redor. Em algum lugar uma coruja gritou e Júlio levou um susto. Olhou a taça de vinho e tentou se lembrar de quando tinha parado de colocar água dentro.

— Esta é uma bela terra — falou.

Mhorbaine olhou-o. Mesmo não tendo bebido nem de longe tanto quanto os outros, copiava seus movimentos lerdos com habilidade rara.

— É por isso que você a quer? — perguntou prendendo o fôlego para a resposta.

Júlio não pareceu notar a tensão no sujeito sentado no chão úmido e simplesmente balançou a taça para as estrelas, derrubando o líquido vermelho pela borda.

— O que qualquer homem quer? Se você tivesse minhas legiões não sonharia em governar este lugar?

Mhorbaine assentiu. O vento tinha mudado na Gália e ele não lamentava o que precisaria fazer para preservar seu povo.

— Se eu tivesse suas legiões me tornaria rei. Iria me chamar de Mhorix, ou Mhorbainrix, talvez.

Júlio olhou para ele, tonto.

— Rix?

— Significa rei.

Júlio ficou em silêncio, pensativo, e Mhorbaine encheu as taças de novo, tomando um gole.

— Mas até um rei precisa de aliados fortes, Júlio. Seus homens lutam bem a pé, mas você tem apenas uma pequena cavalaria, ao passo que meus guerreiros nasceram na sela. Você precisa dos edui, mas como posso ter certeza de que não vai se virar contra nós? Como posso confiar em você?

Júlio se virou para encará-lo.

— Sou um homem de palavra, gaulês. Se chamá-lo de amigo isso durará toda a minha vida. Se os edui lutarem comigo seus inimigos serão meus inimigos, seus amigos serão meus amigos.

— Nós temos muitos inimigos, mas há um em particular que ameaça meu povo.

Júlio fungou e o calor do vinho encheu suas veias.

— Dê-me o nome dele e ele será um homem morto.

— Seu nome é Ariovisto, governante dos suevos e de suas tribos vassalas. Eles são de sangue germânico, Júlio, com pele fria, uma praga de cavaleiros implacáveis que vivem para a batalha. A cada ano atacam mais ao sul. Os que resistiram a princípio foram destruídos, com as terras tomadas como direito de conquista.

Mhorbaine se inclinou mais para perto, com a voz ansiosa.

— Mas você quebrou a espinha dos helvécios, Júlio. Com meus cavaleiros suas legiões vão fazer um festim desses guerreiros brancos, e todas as tribos da Gália irão se voltar para você.

Júlio olhou para as estrelas acima, em silêncio por longo tempo.

— Eu posso ser pior do que Ariovisto, amigo — sussurrou.

Os olhos de Mhorbaine estavam negros na noite enquanto ele forçava um sorriso a aparecer no rosto. Mesmo deixando os presságios para os druidas, temia por seu povo agora que aquele homem entrara na Gália. Tinha oferecido sua cavalaria para ligar as legiões ao seu povo. Para manter os edui em segurança.

— Talvez seja; saberemos com o tempo. Se você marchar contra ele, deve atraí-lo para a batalha antes do inverno, Júlio. Depois da primeira neve o ano termina para os guerreiros.

— O inverno de vocês pode ser tão terrível assim?

Mhorbaine deu um sorriso sem humor.

— Nada que eu diga irá prepará-lo, amigo. Nós chamamos a primeira lua de "Dumanios", as profundezas mais negras. E depois disso fica mais frio. Você verá, quando chegar, especialmente se viajar mais para o norte, como deve fazer para derrotar meus inimigos.

— Terei sua cavalaria sob meu comando?

Mhorbaine o encarou.

— Se formos aliados — disse em voz baixa.

— Então façamos isso.

Para perplexidade de Mhorbaine Júlio tirou uma adaga do cinto e fez um corte na palma da mão direita. Em seguida estendeu a lâmina.

— O elo deve ser feito em sangue, Mhorbaine, ou não será elo nenhum.

Mhorbaine pegou a lâmina e cortou a palma da mão, deixando Júlio apertá-la com firmeza. Sentiu a ardência e se perguntou o que resultaria da barganha. Com sua taça Júlio sinalizou para o planeta vermelho acima deles.

— Juro sob o olhar de Marte que os edui são chamados de amigos. Juro como cônsul e general. — Em seguida deixou as mãos se separarem e encheu de novo as taças, com a ânfora que aninhava no colo. — Pronto, está feito — disse ele. Mhorbaine estremeceu e desta vez bebeu profundamente para afastar o frio.

CAPÍTVLO XXVI

Pompeu se recostou no balcão de mármore branco do templo de Júpiter, com o vasto espaço do fórum se estendendo abaixo. Do topo do capitólio podia ver o coração da cidade, e o que viu o desagradou imensamente.

Crasso não demonstrava coisa alguma de sua diversão particular, também olhando a multidão cada vez maior. Manteve silêncio enquanto Pompeu murmurava sozinho, com raiva, virando-se a intervalos para apontar algum novo aspecto enfurecedor da cena.

— Ali, Crasso. Está vendo? Aqueles desgraçados! — exclamou Pompeu, apontando.

Crasso olhou para além do dedo trêmulo, onde uma comprida fila de homens com togas pretas serpenteava de um dos lados do fórum em direção ao senado, parando a intervalos para queimar incenso. Acima do ruído do vento Crasso pensou ter ouvido o som do canto que acompanhava os passos deles, e se esforçou ao máximo para não rir enquanto Pompeu se enrijecia diante das notas lamentosas.

— O que estão *pensando* ao zombar de mim deste modo? — gritou Pompeu, roxo de fúria. — Toda a cidade vendo-os com as roupas de luto. Pelos deuses, eles adorarão isso. E o que teremos em resultado? Juro, Crasso, o povo usará a desobediência dos senadores como desculpa para tumultos esta noite. Serei forçado a declarar outro toque de recolher e de novo serei acusado de governar sem eles.

Crasso pigarreou delicadamente, tomando o cuidado de escolher as palavras. Abaixo, a comprida fila de senadores parou enquanto a fumaça brotava dos incensórios dourados, subindo na brisa.

— Você sabia que eles poderiam se rebelar contra nosso acordo, Pompeu. Você mesmo disse que eles iriam ficar irascíveis.

— É, mas não esperava uma tal demonstração pública de desordem, apesar de todos os problemas que eles vêm me dando na cúria. Aquele idiota do Suetônio está por trás de parte disso, eu sei. Ele corteja aquele comerciante, Clódio, como se fosse algo melhor do que o líder de quadrilha que ele é de fato. Gostaria de que você o tivesse dominado direito, Crasso. Deveria ver como eles discutem e escrutinam minhas leis. Como se qualquer um deles fosse senador há mais do que um piscar de olhos. É insuportável! Às vezes me dão vontade de tomar os poderes dos quais me acusam. Então veríamos uma coisa. Se eu fosse nomeado ditador, mesmo que por seis meses, poderia arrancar os dissidentes pela raiz e retirar essa... essa... — As palavras lhe fugiram e ele balançou o braço na direção do fórum, abaixo. A fila de senadores estava se aproximando do prédio da cúria e Crasso pôde ouvir a multidão aplaudindo o fato de eles enfrentarem Pompeu.

Crasso não tinha simpatia pelo colega. Pompeu carecia da sutileza para massagear os opositores, preferindo usar sua autoridade para obrigar o senado à obediência. Em particular, Crasso concordava com muitos dos outros senadores: Pompeu já atuava como ditador de uma cidade que rapidamente ia perdendo a paciência com seu estilo autocrático.

À distância a procissão chegou à escadaria da cúria e Crasso a viu parar. Os senadores faziam um jogo perigoso, enfurecendo Pompeu daquele jeito. O falso funeral pela morte da república pretendia ser um alerta público, mas as últimas brasas da democracia poderiam de fato ser esmagadas se, em resultado disso, Pompeu perdesse toda a contenção. Certamente, se acontecessem tumultos em seguida, Pompeu estaria no direito de fechar a cidade e, depois de ser levado tão longe, a ditadura não seria um grande salto. Caso se declarasse nessa posição, Crasso sabia que apenas uma guerra arrancaria Roma das mãos dele.

— Se conseguir ver além de sua raiva por um momento — começou com gentileza —, você deve perceber que eles não querem forçá-lo a ir mais longe do que já foi. É demais restabelecer as eleições que você interrompeu? Agora que tem suas criaturas como tribunos do povo será que não poderia permitir a eleição para cargos futuros? Isso tiraria parte da força das manifestações contrárias e pelo menos lhe garantiria tempo.

Pompeu não respondeu. Os dois ficaram olhando os senadores desaparecendo na cúria e as distantes portas de bronze sendo fechadas. A multidão empolgada ficou ali, amontoando-se e gritando sob o olhar sério dos soldados de Pompeu. Ainda que a procissão funerária tivesse terminado, os jovens cidadãos, especialmente, haviam se contagiado com a demonstração e relutavam em ir embora. Pompeu esperava que seus centuriões tivessem o bom senso de não ser duros demais com eles. Com Roma nesse clima, um tumulto poderia brotar a partir da mínima fagulha.

Finalmente Pompeu falou, com a voz amarga:

— Eles bloquearam todas as minhas saídas, Crasso. Mesmo quando eu tinha todo o senado comigo, os tribunos filhos-da-puta se levantaram e vetaram minhas leis. Posicionaram-se contra mim. Por que eu não deveria colocar meus homens nos cargos deles? Pelo menos agora não tenho o trabalho arruinado por causa de um argumento mesquinho ou de veneta.

Crasso olhou para o colega, notando as modificações surgidas durante o ano anterior. Bolsas fundas tinham-se inchado sob os olhos e ele parecia exausto. Não fora um período fácil, e com os cidadãos testando a força de seus líderes Crasso ficara bastante satisfeito em estar livre das lutas constantes. Pompeu tinha envelhecido sob a responsabilidade e Crasso se perguntou se ele se arrependia secretamente da barganha. Júlio tinha a Gália, Crasso sua frota de navios e sua preciosa legião. Pompeu tinha a luta de sua vida, iniciada no primeiro dia no senado quando havia forçado a aprovação de uma lei com a procuração para Júlio.

A princípio os senadores aceitaram bastante bem a mudança de poder, mas então as facções tinham começado a se formar, e com homens novos como os mercadores Clódio e Milo entrando para o senado, o jogo se tornara perigoso para todos. Haviam-se espalhado rumores de que Bíbilo fora morto ou mutilado, e por duas vezes o senado exigira que ele se apresentasse vivo e explicasse a ausência. Pompeu lhes permitira mandar cartas ao cônsul, mas a palavra de Júlio se mantivera. Bíbilo não apareceu, e visitantes à sua casa a encontraram trancada e escura.

O IMPERADOR — CAMPO DE ESPADAS

Depois de dois debates terem quase chegado à violência, Pompeu mandou seus soldados montarem guarda durante as sessões, ignorando os protestos dos senadores. Agora eles desfilavam a insatisfação diante do povo, tornando pública a disputa. Ainda que Crasso achasse divertida a fúria de Pompeu, sentia-se preocupado com o que resultaria dela.

— Nenhum homem governa Roma sozinho, meu amigo — murmurou. Pompeu o olhou incisivamente.

— Mostre as leis que eu violei! Meus tribunos são nomeados, e não eleitos. Nunca se destinaram a interromper totalmente o trabalho do senado, e não estão fazendo isso agora.

— O equilíbrio do sistema foi alterado, Pompeu. Não foi uma mudança pequena que você provocou. Os tribunos eram a voz da turba. Você se arrisca muito ao alterar isso. E os senadores estão descobrindo novos dentes, se agirem juntos contra você — respondeu Crasso.

Os ombros de Pompeu se afrouxaram, exaustos, mas Crasso não sentiu simpatia. O sujeito encarava a política como se qualquer problema pudesse ser abordado de frente. Era um bom general, mas não tão bom como líder de uma cidade, e o último a saber disso era aparentemente o próprio Pompeu. O simples fato de ter pedido para se encontrar com Crasso em particular era prova dos problemas que enfrentava, mesmo que não fosse pedir diretamente um conselho.

— A *função* deles é limitar o poder do senado, Pompeu. Talvez estivessem errados em bloquear você tão completamente, mas substituí-los não lhe rendeu nada além de raiva, na cidade.

Pompeu ficou vermelho de novo e Crasso continuou rapidamente, tentando ser claro:

— Se você fizer com que os cargos voltem a ser eletivos vai recuperar boa parte do terreno que perdeu. As facções acreditarão que tiveram uma vitória e vão se separar. Você não deve deixar que fiquem mais fortes. Pelo próprio Júpiter, não deve fazer isso. Já deixou claro o que pensava. Deixe que saibam que você se importa com as tradições de Roma tanto quanto eles. Afinal de contas, as leis que você aprovou não podem ser desfeitas.

— Deixar que aqueles cães zombeteiros voltem a vetar meus projetos? Crasso deu de ombros.

— Eles, ou quem os cidadãos elegerem. Se forem os mesmos homens, talvez você tenha alguma dificuldade por um tempo, mas esta não é uma cidade fácil de governar. Nosso povo é alimentado com uma dieta de democracia desde a infância. Às vezes acho que ele tem expectativas perigosamente elevadas. Não gosta de ter seus representantes retirados.

— Vou pensar nisso — disse Pompeu com relutância, olhando para o fórum.

Crasso duvidava de que ele entendesse totalmente o perigo. Para Pompeu, a resistência do senado era uma coisa passageira, não o núcleo que poderia levar a uma rebelião total.

— Sei que você tomará a decisão correta — falou.

Júlio coçou o rosto, cansado. Quanto tempo havia dormido, uma hora? Não lembrava exatamente quando caíra no sono, mas achou que o céu estivera clareando. As cores pareciam ter sido apagadas da província e a voz de Marco Antônio assumira um tom lamentoso que Júlio não tinha notado antes. Enquanto metade das legiões estavam remelentas e pálidas, Marco Antônio parecia pronto para um desfile, e Júlio se convenceu de que ele sentia uma superioridade moral com relação aos que tinham festejado na noite anterior.

— Gostaria que o senhor tivesse me consultado antes de prometer apoio — disse Marco Antônio, mal escondendo a irritação diante do que tinha ouvido.

— Pelo que Mhorbaine disse, esse tal de Ariovisto seria problema para nós em algum momento. Melhor lidar com ele agora, antes de estar tão enraizado que não possamos expulsá-lo de volta para o outro lado do Reno. Precisamos de aliados, Marco Antônio. Os edui prometeram três mil cavaleiros à minha disposição.

Marco Antônio lutou contra o mau humor durante um momento.

— É, vão nos prometer qualquer coisa. Não acreditarei enquanto não vir. Eu lhe avisei que Mhorbaine é um líder inteligente, mas parece que, de algum modo, conseguiu colocar os dois mais poderosos exércitos da Gália na garganta um do outro. Sem dúvida Ariovisto também prometeu amizade. E os edui lucram com uma guerra que poderia acabar com seus dois inimigos.

— Não vi nada na Gália que possa nos enfrentar — disse Júlio, sem dar importância.

— O senhor não viu as tribos germânicas. Eles vivem para a guerra, mantendo uma classe profissional no campo o tempo todo, sustentada pelo resto da população. E, de qualquer modo, Ariovisto é... — Marco Antônio suspirou. — Ariovisto não pode ser tocado. Ele já é amigo de Roma, recebeu esse título há dez anos. Se o senhor partir contra ele o senado pode muito bem retirar seu comando.

Júlio se virou e segurou o grandalhão pelos ombros.

— Não acha que eu deveria ter sido informado disso? — perguntou furioso.

Marco Antônio olhou-o de volta, ruborizando.

— Não imaginei que faria uma promessa assim a Mhorbaine. O senhor mal o conhece! Como eu poderia ter previsto que o senhor prometeria levar as legiões a quase quatrocentos e cinqüenta quilômetros de distância?

Júlio largou seu general e recuou.

— Ariovisto é um invasor implacável, Marco Antônio. Meus únicos aliados pediram que eu os ajudasse. Vou lhe dizer honestamente que não me importo se Mhorbaine espera nos ver destruídos mutuamente. Não me importa se Ariovisto for um guerreiro duas vezes melhor do que você diz. Por que *acha* que eu trouxe minhas legiões à Gália? Já viu esta terra? Eu poderia largar um punhado de sementes em qualquer lugar e ver o trigo brotando antes de dar as costas. Há florestas suficientes para construir frotas, rebanhos tão grandes que nunca poderiam ser contados. E para além da Gália? Quero ver tudo. Quatrocentos e cinqüenta quilômetros é apenas um passo do que tenho em mente. Não estamos aqui para um verão, general. Estamos aqui para ficar, assim que eu tiver aberto o caminho para o resto vir atrás.

Marco Antônio ficou ouvindo perplexo.

— Mas Ariovisto é um dos nossos! O senhor não pode simplesmente...

Júlio assentiu, levantando a mão. Marco Antônio ficou quieto.

— Vai demorar um mês até construir uma estrada daqui até a planície, para as balistas e os onagros. Não pretendo ir de novo à guerra sem eles. Mandarei um mensageiro a esse tal de Ariovisto pedindo um encontro. Vou me dirigir a ele com o respeito devido a um amigo de minha cidade. Então você ficará satisfeito?

Marco Antônio afrouxou o corpo, aliviado.

— Claro, senhor. Espero que não fique ofendido com minhas palavras. Eu estava pensando na sua posição em Roma.

— Entendo. Você poderia me mandar um mensageiro, para pegar a carta — respondeu Júlio, sorrindo.

Marco Antônio assentiu e saiu da sala. Júlio se virou para Adàn, que tinha escutado a conversa boquiaberto.

— Por que está tão admirado? — perguntou bruscamente, arrependendo-se no mesmo instante. Sua cabeça latejava e o estômago parecia ter sido totalmente espremido com os vômitos da noite. Veio-lhe uma vaga lembrança de ter cambaleado para fora da casa de banhos no escuro e lançado grandes jorros de líquido escuro na sarjeta. Só restava a bile amarela, mas mesmo assim ela borbulhava e subia pela garganta.

Adàn escolheu as palavras com cuidado.

— No meu país já deve ter sido assim, um dia. Os romanos decidindo o futuro por nós, como se não tivéssemos opinião em nenhum assunto.

Júlio começou uma resposta incisiva, mas pensou melhor.

— Você acha que os homens de Cartago choravam por suas conquistas? E como acha que seu povo decidiu o destino dos que foram encontrados quando eles chegaram à Espanha? Esses celtas vieram de alguma terra estrangeira. Acha que os seus antepassados se incomodaram com os habitantes originais? Talvez até eles fossem invasores de algum passado distante. Não pense que seu povo é melhor do que o meu, Adàn.

Júlio segurou o osso do nariz, fechando os olhos por causa da dor de cabeça latejante.

— Gostaria de ter a cabeça clara para dizer o que estou pensando. O que importa é mais do que a força. Cartago era forte, mas a vitória sobre eles mudou o mundo. A Grécia já foi o maior poder, mas quando enfraqueceu nós chegamos e a transformamos em nossa. Deuses, bebi vinho demais para estar discutindo tão cedo.

Adàn não interrompeu. Sentia que Júlio estava à beira de algo importante e se inclinou à frente na cadeira, para ouvir. A voz de Júlio tinha uma qualidade hipnótica, quase um sussurro.

— Os países são tomados com sangue. Mulheres são estupradas, homens mortos, cada horror que você possa imaginar acontece mais de mil vezes, mas então termina e os vitoriosos colonizam a terra. Plantam, constroem cidades e fazem leis. O povo prospera, Adàn, quer você goste ou não. Então há justiça e o predomínio da lei. Os que saqueiam os vizinhos são executados, separados do resto. Tem de ser, porque até os conquistadores envelhecem e valorizam a paz. O sangue dos invasores se mistura com o da terra, até que cem anos depois eles não são celtas ou cartagineses, nem mesmo romanos. São como... vinho e água, impossíveis de separar. Isso começa com batalhas, mas eles são alçados a cada onda, Adàn. Vou lhe dizer, se algum dia eu encontrar um país que não foi temperado no fogo, mostrarei selvagens, enquanto nós construímos cidades.

— O senhor acredita nisso?

Júlio abriu os olhos, com as pupilas escuras brilhando.

— Eu não acredito numa espada só porque posso vê-la, Adàn. É simplesmente a verdade. Roma é mais do que espadas de ferro e homens mais duros. Irei erguê-los, chutando e gritando. A Gália sofrerá sob minha mão, mas isso irá tornar os gauleses maiores do que podem imaginar, quando eu tiver terminado.

O mensageiro enviado por Marco Antônio chegou à porta, pigarreando baixinho para atrair a atenção. Os dois saíram bruscamente do devaneio e Júlio gemeu, segurando a cabeça.

— Arranje-me um pano frio e veja se Cabera tem algum de seus pós para a dor — disse ao rapaz. Quando se virou de novo, viu que a expressão de Adàn era séria.

— É uma visão estranha, general — ousou o jovem espanhol. — Dá para ver por que o senhor pensa assim, com um exército pronto para passar sobre a Gália. Mas isso será de pouco consolo para as famílias que perderem seus homens nos próximos dias.

Júlio sentiu a raiva espicaçá-lo enquanto a dor de cabeça latejava.

— Você acha que eles estão balançando flores uns para os outros enquanto ficamos aqui sentados? As tribos estão pulando nas gargantas umas das outras. Com quarenta anos, Mhorbaine é um dos anciãos tribais. Pense nisso! A doença e a guerra irá levá-los antes que fiquem grisalhos. Eles podem nos odiar, mas odeiam uns aos outros muito mais. Bom, vamos deixar isso para outra hora. Tenho uma carta para ditar, para este tal de Ariovisto.

Vamos pedir a esse "Amigo de Roma" para sair discretamente das terras que conquistou e deixar a Gália para trás.

— Acha que ele fará isso?

Júlio não respondeu, mas sinalizou para Adàn pegar sua tabuleta de escrita e começou a ditar a carta para o rei dos suevos.

Derrubar as florestas para a nova estrada até a planície demorou mais do que Júlio tinha esperado. Ainda que as legiões trabalhassem o dia inteiro sob o calor do verão, cada carvalho enorme tinha de ser cortado e depois arrastado por equipes de lenhadores e bois. Cabera tinha começado a treinar alguns dos garotos da legião como assistentes, para cuidar dos ossos quebrados e dos ferimentos que eram resultados inevitáveis desse trabalho. Dois meses se passaram numa lentidão agonizante antes que a primeira pedra pudesse ser assentada, mas no fim do quarto as pedras chatas se estendiam por quase sessenta quilômetros, suficientemente larga e forte para suportar sem tremor as grandes catapultas e máquinas de cerco. Novas pedreiras tinham sido escavadas nos morros, e postes de granito marcavam a distância a partir de Roma, espalhando a sombra para mais longe do que ela alcançara antes.

Júlio reuniu seu conselho no salão das construções romanas, com Mhorbaine e Artorath sentados com eles como aliados favoritos. Girou a cabeça, pousando o olhar finalmente em Adàn, que o observava de modo estranho. O jovem espanhol tinha traduzido as mensagens transmitidas entre Ariovisto e a província romana e, dentre todos, só ele sabia o que Júlio ia dizer. Júlio imaginou se houvera um tempo em que tinha sido tão inocente quanto o jovem espanhol. Se houvera, estava distante demais para ser lembrado.

Não fora fácil contatar Ariovisto. Os dois primeiros mensageiros foram mandados de volta com respostas breves, desdenhando qualquer interesse maior em Júlio ou em suas legiões. Marco Antônio tinha conseguido convencer Júlio da necessidade de envolver o rei cuidadosamente, mas as palavras eram arrogantes e enfurecedoras. No fim do primeiro mês Júlio estava esperando apenas que a estrada ficasse pronta, antes de levar suas legiões para esmagar Ariovisto, amigo de Roma ou não. No entanto era preciso acharem que ele fizera todas as tentativas de resolver a questão pacificamente. Sabia que Adàn não era o único de seus homens que mandava cartas para Roma. Pompeu devia ter espiões mantendo-o bem informado, e a última coisa que Júlio queria era que Roma o declarasse inimigo do estado, devido a suas ações. Isso não era nem um pouco impossível, com Pompeu à frente do senado. Sem dúvida o sujeito treinara os senadores à perfeição, e uma única votação poderia retirar de um só golpe a autoridade de Júlio.

As semanas haviam se passado lentamente, com os dias cheios de reuniões com os chefes tribais, prometendo-lhes o que quisessem se permitissem a passagem por suas terras e dessem suprimentos para o exército em marcha. Brutus aprendera a língua com uma desenvoltura que surpreendeu os dois e já era capaz de participar das negociações, mas em algumas ocasiões seus esforços haviam provocado lágrimas de gargalhadas nos gauleses.

Adàn desviou o olhar quando Júlio sorriu para ele. Quanto mais tempo passava na companhia do líder romano, mais confuso ficava. Às vezes, quando Júlio tentava colocá-lo à vontade, Adàn podia sentir o imenso charme pessoal e entendia por que os outros o seguiam. E havia momentos em que não podia acreditar na absoluta insensibilidade dos generais decidindo o destino de milhões de pessoas em seus conselhos. Jamais conseguia decidir se Júlio era implacável como Rênio ou se realmente acreditava que levar Roma à Gália era um caminho melhor do que qualquer um que as tribos poderiam descobrir sozinhas. Isso era importante para o rapaz. Se achasse que Júlio acreditava nas próprias palavras sobre as glórias da civilização, poderia justificar o respeito que sentia por ele. Se tudo fosse um jogo ou uma máscara para a conquista, Adàn cometera o maior erro da vida ao deixar a Espanha para segui-lo.

— Ariovisto zombou outra vez de meus mensageiros — disse Júlio aos seus generais. Eles trocaram olhares. — Apesar de Marco Antônio ter expressado o desejo de que eu mantivesse o título de amigo concedido a ele, não posso ignorar a arrogância desse rei. Os batedores informaram sobre um grande exército se reunindo nas fronteiras dele, preparado para novas conquistas, e eu concordei em salvaguardar as terras dos edui com nossas legiões.

Júlio lançou um olhar para Marco Antônio, que manteve os olhos na mesa comprida.

— A cavalaria de Mhorbaine vai acompanhar os *extraordinarii*, e agradeço por isso.

Mhorbaine inclinou a cabeça com um sorriso torto.

— Como esse tal de Ariovisto já prestou serviço a Roma no passado, continuarei a mandar mensageiros enquanto marchamos. Ele terá toda chance de se encontrar comigo e criar uma resolução de paz. Informei ao senado sobre minhas ações e espero uma resposta, ainda que ela possa não chegar antes de partirmos.

Enquanto eles olhavam, Júlio desenrolou um mapa feito de finíssima pele de bezerro. Colocou pesos de chumbo nos cantos e os homens se levantaram para olhar a terra que ele lhes revelava.

— Os batedores marcaram as colinas para nós, senhores. A região se chama Alsácia, e fica a quatrocentos e cinqüenta quilômetros a norte e oeste.

— Faz fronteira com a terra dos helvécios — murmurou Brutus, espiando o mapa que Mhorbaine lhes dera. Era pouco mais do que algumas regiões pintadas, sem detalhes, mas nenhum dos romanos que estava na sala tinha visto sequer aquela parte da Gália, e todos estavam fascinados.

— Se não mandarmos os suevos de volta para o outro lado do Reno os helvécios não sobreviverão ao próximo verão — respondeu Júlio. — Depois disso Ariovisto pode olhar mais para o sul, para a nossa província. É nosso dever restabelecer o Reno como a fronteira natural da Gália. Resistiremos a qualquer tentativa de qualquer pessoa atravessá-la. Se necessário farei uma ponte e liderarei ataques de punição penetrando fundo na terra deles. Esse tal de Ariovisto se tornou arrogante, senhores. O senado o deixou à solta por tempo demais.

Ignorou a reação negativa de Marco Antônio às palavras.

— Agora vamos preparar a ordem de marcha. Ainda que eu possa esperar a paz, devemos nos preparar para a guerra.

CAPÍTVLO XXVII

Depois da pressa para encontrar e derrotar os helvécios, a marcha mais formal ao longo da estrada nova foi quase um descanso para os veteranos da legião. Mesmo que os dias ainda estivessem pesados de calor, as árvores já haviam iniciado a mudança, tingidas com milhares de tons de vermelho e marrom. Corvos se alçavam das florestas quando eles passavam, vozes ásperas num alerta. Nas planícies vazias ficava fácil para os legionários imaginar que eram as únicas pessoas num raio de mil quilômetros.

Júlio mantinha a Décima e os *extraordinarii* na frente. Os cavaleiros edui foram deixados aos cuidados de Domício e Otaviano e começaram a aprender a disciplina que Júlio exigia de seus aliados. Apesar de ter agradecido a Mhorbaine pela força acrescentada, deixara claro que eles tinham de aprender a seguir ordens e se estruturar ao modo romano. Os *extraordinarii* tiveram muito trabalho com os cavaleiros gauleses, que pareciam individualistas e nem um pouco acostumados a qualquer forma de ataque organizado.

As grandes máquinas de guerra acompanhavam a marcha, amarradas em segurança enquanto estavam em movimento, mas com as equipes de especialistas próximas a elas. Cada uma das pesadas balistas tinha um nome gravado nos grandes blocos de faia, e cada legião preferia usar sua própria, com uma certeza leal de que elas poderiam atirar mais longe e com mais precisão do que qualquer outra. Os arcos-escorpião pareciam pouco mais do que carroças cheias de hastes e ferro antes de serem montados. Os pesados braços precisavam de três homens para serem puxados de volta depois de cada disparo, mas a lança podia atravessar um cavalo e matar outro que estivesse por trás. Eram armas valorizadas e os legionários que chegavam perto costumavam tocar o metal, para ter sorte.

As seis legiões se estendiam por dezesseis quilômetros da estrada até a planície dos helvécios, mas isso foi diminuído à metade quando Júlio ordenou uma formação mais profunda em terreno aberto. Ainda estando perto das terras dos edui, não temia um ataque, mas tinha uma consciência dolorosa da coluna exposta e da vastidão de equipamentos e bagagens que os acompanhavam. Havia elos fracos na corrente vinda da província, mas ao primeiro sinal de perigo as legiões podiam mudar a formação para largos quadrados protetores, à prova de qualquer coisa que ele vira até então na Gália. Júlio sabia que tinha os homens e os generais de que precisava. Se fracassasse, a desgraça seria apenas sua.

Mhorbaine tinha resistido à tentação de se juntar a eles contra o inimigo. Mesmo se sentindo dividido, nenhum líder dos edui podia passar muito tempo longe de seu povo sem que usurpadores corressem para ocupar seu lugar. Júlio se despedira dele na borda da província romana, com as legiões brilhantes numa vasta fileira atrás, paradas com a tensão de cães de caça.

Mhorbaine tinha passado o olhar pelas fileiras imóveis que esperavam o general e balançou a cabeça diante daquela disciplina. Seus guerreiros podiam ficar andando de um lado para o outro antes de uma marcha, e ele achou os romanos deprimentes e apavorantes, em comparação. Quando Júlio lhe deu as costas, Mhorbaine gritou a pergunta que estivera se revirando em sua cabeça desde que viu o tamanho da força reunida contra Ariovisto.

— Quem guardará suas terras quando você estiver longe?

Júlio se virou para ele, com os olhos escuros se cravando no gaulês.

— Você, Mhorbaine. Mas não haverá necessidade de guardas.

Mhorbaine olhou de soslaio para o general romano com a armadura polida.

— Há muitas tribos que estariam dispostas a se aproveitar de sua ausência, amigo. Os helvécios podem retornar, e os alobroges roubariam qualquer coisa que conseguissem carregar.

Olhou Júlio pondo o capacete que cobria todo o rosto, as feições de ferro fazendo-o parecer uma estátua viva. Seu peitoral brilhava com óleo e os braços morenos eram fortes, com cicatrizes num padrão de linhas brancas contrastando com a pele mais escura.

— Eles sabem que nós voltaremos, Mhorbaine — disse Júlio, sorrindo por baixo da máscara.

Depois do primeiro quilômetro e meio de marcha o capacete foi retirado, quando o suor que escorria em seus olhos começou a arder e turvar a vista. Apesar das melhores intenções, Alexandria nunca havia caminhado cem quilômetros com armadura, não importando o quanto fosse bem projetada.

Quando chegavam a uma cidade Júlio aceitava grãos ou carne como tributo. Nunca havia comida bastante para ficar complacente, e ele pegava no pé dos guardas que tinha de deixar para trás, para manter os suprimentos vindos de Mhorbaine. Usando os acampamentos noturnos das legiões como estações de parada, os primeiros elos para o norte foram estabelecidos. Mais tarde viriam estradas permanentes e os mercadores de Roma chegariam cada vez mais longe no país, trazendo qualquer coisa que pudessem vender. Dentro de dois ou três anos ele sabia que as estradas seriam vigiadas por fortalezas e postos de guarda. Os que não tinham terra em Roma viriam para demarcar novas fazendas e começar de novo, e fortunas seriam feitas.

Era um sonho inebriante, mas naquela primeira marcha até Ariovisto suas legiões jamais estavam a mais de dez refeições antes da fome, uma margem tão desesperadamente importante quanto qualquer outro fator. Júlio sentia como se sua força estivesse sendo sangrada enquanto dava ordens para que grupos mistos, compostos de cavaleiros e vélitas, mantivessem o terreno limpo para a linha vital deixada atrás. Afinava a cadeia de suprimentos o máximo que ousava, mas Gália era vasta demais para manter uma linha direta até os edui, e prometeu encontrar outros aliados depois de lidar com Ariovisto.

Havia ocasiões em que a própria terra parecia atrapalhá-los. O terreno era coberto por grossos montes de capim que se retorciam e viravam sob os pés, diminuindo ainda mais o ritmo das legiões. Era um bom dia quando chegavam a trinta quilômetros do acampamento anterior.

Quando seus batedores informaram sobre cavaleiros espionando as legiões, Júlio pôs de lado, com alívio, as listas e tabuletas de contabilidade.

Os primeiros avistamentos foram pouco mais do que vislumbres de homens armados, mas as legiões se retesaram sutilmente diante da notícia. A cada noite os soldados passavam óleo nas lâminas com cuidado extra e havia menos nomes nas listas de disciplina. Ordenou que os mais rápidos dos *extraordinarii* fizessem uma busca, mas eles perderam as presas nas florestas e nos vales, e um dos melhores capões quebrou a perna a pleno galope, matando o cavaleiro.

Júlio tinha convicção de que os espiões eram de Ariovisto, mas ainda estava surpreso quando um cavaleiro solitário apareceu num momento em que as legiões pararam para a refeição do meio-dia. O homem saiu trotando de um agrupamento de árvores sobre uma íngreme encosta de granito na linha da marcha, provocando uma quantidade de sinais e toques de alerta. Diante do som, os *extraordinarii* deixaram a comida intocada e correram para os cavalos, saltando às selas.

— Esperem! — gritou Júlio, levantando a mão. — Deixem que ele venha até nós.

As legiões formaram fileiras num silêncio terrível, cada olhar concentrado no cavaleiro que se aproximava sem qualquer sinal de medo. Júlio desembrulhou o telescópio e fixou as lentes, examinando o sujeito. O que viu o fez franzir a testa, mas não disse nada aos que estavam ao redor.

O estranho apeou ao chegar às primeiras fileiras da Décima. Olhou ao redor brevemente e assentiu ao ver Júlio com sua armadura e a quantidade de bandeiras e *extraordinarii* ao redor. Quando seus olhares se encontraram, Júlio lutou para não demonstrar o desconforto que sentia. Podia ouvir seus legionários murmurando nervosos, e um ou dois fizeram sinais protetores com as mãos, diante da aparência inumana do cavaleiro.

Ele vestia uma armadura de couro sobre tecido rústico, com a parte inferior das pernas desnudas. Placas de ferro redondo cobriam os ombros, fazendo-o parecer ainda mais forte do que era. Era alto, mas Ciro era centímetros maior, e Artorath o faria parecer anão. O rosto e o crânio é que faziam os romanos se entreolharem inquietos quando ele passava.

Parecia não pertencer a qualquer raça de homens que Júlio já vira, com uma linha de osso acima dos olhos fazendo parecer que espiava por trás de uma sombra constante. O crânio era raspado, a não ser por um comprido rabo-de-cavalo que brotava da nuca e balançava ao caminhar, com o peso de enfeites de metal escuro trançados por toda a extensão. O crânio em si era bastante deformado, com uma segunda crista acima da primeira.

— Você me entende? Qual é o seu nome e sua tribo? — perguntou Júlio.

O guerreiro o examinou sem responder e Júlio se sacudiu mentalmente, com a súbita consciência de que o sujeito devia saber do efeito que causava. Sem dúvida, Ariovisto provavelmente o escolhera por este motivo.

— Sou Redulf, dos suevos. Aprendi suas palavras quando meu rei lutou por vocês e recebeu o título de amigo por toda a vida — respondeu o sujeito.

Era estranho ouvir o latim vindo de um indivíduo de aparência tão demoníaca, mas Júlio assentiu, aliviado por não ter de depender dos intérpretes fornecidos por Mhorbaine.

— Então você é de Ariovisto?

— Já disse isso.

Júlio sentiu uma pontada de irritação. O sujeito era tão arrogante quanto seu senhor.

— Então fale o que lhe foi dito, garoto. Não admitirei delongas de sua parte.

O homem se enrijeceu diante da provocação e Júlio viu um rubor lento aparecer nas cristas ossudas de sua testa. Seria uma deformidade de nascimento ou resultado de alguma cerimônia estranha entre os homens do outro lado do Reno? Júlio chamou um mensageiro, murmurando que Cabera deveria ser trazido à frente da Coluna. Quando o mensageiro partiu, o guerreiro falou com a voz num volume para ser ouvida até longe:

— O rei Ariovisto vai recebê-lo perto da rocha conhecida como a Mão, no norte. Devo dizer que ele não permitirá que seus soldados de infantaria o acompanhem. Ele virá somente com seus cavaleiros e só permitirá o mesmo a você. Esses são os termos.

— Onde fica essa rocha? — perguntou Júlio estreitando os olhos, pensativo.

— A três dias de marcha para o norte. Dedos de pedra coroam o pico. Você saberá. Ele estará esperando-o.

— E se eu optar por ignorar seus termos?

O guerreiro deu de ombros.

— Então ele não estará lá, e irá se considerar traído. Você pode esperar guerra de nossa parte até que um dos nossos exércitos seja derrotado.

O riso de desprezo enquanto olhava os oficiais romanos ao redor deixava perfeitamente claro sua visão de qual seria esse resultado. Redulf olhou para Cabera quando este chegou, movendo-se lentamente apoiado num cajado e no braço do mensageiro. O velho curandeiro estava macilento devido às privações da marcha, mas mesmo assim seus olhos azuis espiaram fascinados o crânio incomum do guerreiro.

— Avise ao seu senhor que irei encontrá-lo onde você diz, Redulf — respondeu Júlio. — Vou honrar a amizade que minha cidade lhe deu, e irei encontrá-lo em paz na rocha que você mencionou. Agora volte correndo e diga que vi e ouvi.

Redulf o olhou com irritação ao ser dispensado, mas se conteve com outro riso de desprezo para as fileiras romanas antes de voltar ao cavalo. Júlio viu que Brutus tinha trazido os *extraordinarii* para formar uma ampla avenida pela qual o homem teve de cavalgar. Ele não olhava para a esquerda nem para a direita enquanto passava pelas fileiras, e rapidamente desapareceu à distância, no norte.

Brutus se aproximou e desceu do cavalo.

— Por Marte, que sujeito estranho! — falou. Em seguida notou um soldado da Décima ali perto fazendo um sinal protetor com os dedos. Franziu a testa, pensando no efeito causado sobre os homens mais supersticiosos sob seu comando.

— Cabera? Você o viu — disse Júlio. — Era uma deformidade de nascença?

Cabera olhou à distância, atrás do cavaleiro.

— Nunca vi uma tão regular, como se tivesse sido feita deliberadamente. Não sei, general. Teria certeza, talvez, se pudesse examiná-lo mais de perto. Vou pensar nisso.

— Acho que esse tal de Ariovisto não está pedindo paz e nos poupando o problema de lidar com seus homens feios, não é? — perguntou Brutus a Júlio.

— Ainda não. Agora que estamos perto, ele subitamente decidiu que vai se encontrar comigo, afinal de contas. É estranho como as legiões romanas conseguem influenciar a mente dos homens. — O sorriso de Júlio se desbotou enquanto ele pensava no resto da mensagem do rei.

— Ele quer que eu leve somente a cavalaria ao ponto de encontro, Brutus.

— O quê? Espero que você tenha recusado. Não vou deixá-lo nas mãos de nossos cavaleiros gauleses, Júlio. Nunca nesta vida. Você não deve lhe dar a chance de preparar uma armadilha, seja ele amigo de Roma ou não. — Brutus ficou pasmo com a idéia, mas Júlio falou de novo: — Roma nos observa, Brutus. Marco Antônio estava certo com relação a isso. Ariovisto deve ser tratado com respeito.

— Mhorbaine disse que o povo dele vivia na sela. Você viu como aquele desgraçado feio cavalgava? Se forem todos assim, você não quererá ser apanhado em terreno aberto tendo apenas os edui e um punhado de *extraordinarii*.

— Ah, não creio que serei — disse Júlio com um sorriso lento se espalhando no rosto. — Convoque os edui, Brutus.

— O que você vai fazer? — perguntou Brutus, apanhado de surpresa com a súbita mudança na postura do general.

Júlio riu como um menino.

— Vou colocar a Décima a cavalo, Brutus. Três mil dos meus veteranos e os *extraordinarii* devem ser o bastante para cortar as asas dele, não acha?

Pompeu terminou seu discurso ao senado e pediu que oradores se manifestassem antes da votação. Ainda que houvesse uma tensão frágil nos trezentos homens da cúria, pelo menos a ameaça de violência diminuíra nos debates, ainda que não nas ruas lá fora. Ao pensar nisso, Pompeu olhou para onde Clódio estava sentado, como um touro de cabeça raspada que nascera nas entranhas da cidade e crescera simplesmente por ser mais implacável do que os concorrentes. Com o domínio de Crasso sobre o comércio, Clódio deveria ter procurado uma aposentadoria tranqüila, mas em vez disso cortou os prejuízos e se candidatou ao senado. Pompeu estremeceu ao pensar nas feições brutais e chapadas. Algumas coisas que tinha ouvido eram claramente exageradas, disse a si mesmo. Se fossem verdadeiras significaria a existência de outra cidade escondida sob Roma, uma cidade que talvez Clódio já governasse. A figura taurina passou a ser vista em todas as sessões do senado, e quando o contrariavam, quadrilhas de raptores assolavam a cidade, desaparecendo no labirinto de becos sempre que guardas das legiões iam atrás. Clódio era suficientemente esperto para denunciar as quadrilhas em público, levantando as mãos, perplexo, sempre que a violência delas coincidia com algum entrave à sua ambição.

A volta das eleições para os cargos de tribuno tinha retirado um dos pilares do apoio popular de Clódio. Depois da lamentável procissão funerária há dois meses Pompeu havia seguido o conselho de Crasso. Para seu prazer, apenas um dos ocupantes originais do cargo foi trazido de volta ao senado. O público volúvel tinha votado num estranho para o segundo, e ainda que os inimigos de Pompeu o cortejassem de modo ultrajante, o novo tribuno ainda não declarara qualquer lealdade particular. Era simplesmente possível que Clódio não tivesse influenciado a eleição do sujeito, mas Pompeu duvidava disso. Ele não teria pruridos em ameaçar famílias para alcançar seus objetivos e Pompeu já testemunhara uma eleição em que homens honestos tinham se voltado contra ele sem motivo aparente. Nem mesmo tinham-no encarado enquanto apoiavam Clódio, e Pompeu mal pudera conter a fúria diante do frio triunfo do mercador. Em resultado, o trigo grátis distribuído à população agora tomava um quinto de todo o orçamento da cidade, e milhares de pessoas a mais vinham a cada mês para obter o direito de recebê-lo. Pompeu sabia que Clódio encontrava seus apoiadores mais brutais em meio a esses rapineiros sem raiz que vinham para a cidade. Não podia provar, mas achava que grande parte daqueles grãos nunca chegavam às bocas mais famintas. Em vez disso iam para a Roma sombria onde Clódio e homens como ele compravam vidas com tanta facilidade quanto vendiam grãos.

Pompeu sinalizou para Suetônio falar e se sentou enquanto o jovem romano se levantava e pigarreava. Nenhuma aversão aparecia no rosto de Pompeu, mas ele desprezava o sujeito que aparentemente seguia qualquer cão em busca de migalhas. A confiança de Suetônio tinha crescido à medida que Clódio o cobria de elogios e verbas. Ele falava suficientemente bem para sustentar a atenção do senado, e sua associação com Clódio lhe dera um status, por associação, que ele adorava.

— Senadores, tribunos — começou Suetônio. — Não sou amigo de César, como sabem muitos de vocês. — Ele se permitiu um pequeno sorriso ao ver os risinhos nas arquibancadas. — Todos ouvimos falar de sua vitória contra os helvécios na Gália, uma batalha muito digna que fez os cidadãos aplaudirem nos mercados. No entanto a questão de suas dívidas não é de pouca importância. Tenho as estimativas aqui.

Suetônio fingiu verificar um documento, mas sabia os números de cor.

— A Hermínio ele deve pouco menos de um milhão de sestércios. Aos outros emprestadores juntos, mais um milhão e duzentos mil. Estas não são quantias pequenas, senhores. Sem essas verbas os homens que as adiantaram em boa-fé podem muito bem ser lançados na pobreza. Eles têm o direito de apelar a nós quando César não demonstra qualquer sinal ou inclinação para voltar à cidade. A lei das Doze Tábuas é bastante clara na questão das dívidas e não devemos apoiar um general que zomba assim dos estatutos. Insisto em que o senado exija sua volta para saldar as dívidas na cidade. Não sendo possível, talvez uma garantia, da parte de Pompeu, de que o período dele na Gália tenha algum fim definido, de modo que os que passam por dificuldades com essas dívidas possam visualizar um acordo numa data estabelecida. Votarei a favor de chamar César de volta.

Ele se sentou e Pompeu ia sinalizar ao próximo orador quando viu que o novo tribuno tinha se levantado.

— Tem alguma coisa a acrescentar, Polônio? — perguntou Pompeu, sorrindo para o sujeito.

— Só que isso parece um porrete pequeno com o qual bater num general bem-sucedido. Pelo que entendo do assunto, essas dívidas são pessoais de César, apesar de ele usá-las para comprar suprimentos, armas e vestimentas para seus soldados. Quando ele voltar à cidade seus credores podem pôr as mãos nele cobrando as quantias, e se ele não puder pagar, as penalidades são duras. Até então não vejo um papel para o senado na exigência de seu retorno às mãos de agiotas empedernidos.

Um murmúrio de aprovação veio dos senadores e Pompeu conteve um sorriso. Um grande número deles tinha dívidas, e Suetônio precisaria ser gênio para fazer com que chamassem de volta um general com o objetivo de satisfazer a ânsia imunda de homens como Hermínio. Pompeu ficou satisfeito ao ver que Polônio falava contra a moção. Talvez não fosse uma marionete de Clódio, afinal de contas. Captou o olhar do tribuno e inclinou a cabeça quando o próximo orador se levantou, mal ouvindo o discurso de algum filho pouco importante da nobilitas.

Pompeu sabia da existência de muitos que descreviam sua dispensa dos tribunos e a restauração posterior como um golpe de mestre. Os membros mais antigos, especialmente, procuravam-no pela liderança e força para enfrentar os novos jogadores. Muitos deles tinham vindo procurá-lo em particular, mas no senado o medo os enfraquecia. Não eram muitos os que ousavam se arriscar à inimizade de alguém como Clódio. Mesmo para Pompeu, a idéia de Clódio se tornar cônsul um dia bastava para fazer o suor brotar na pele.

Enquanto o jovem senador arengava em seu discurso, o olhar de Pompeu foi até outro dos novos, Tito Milo. Como Clódio, viera ao senado quando seus empreendimentos mercantes se perderam. Talvez porque compartilhassem o passado os dois pareciam ter uma tremenda aversão mútua. Milo tinha o rosto vermelho de beber e era gordo, ao passo que Clódio era sólido. Ambos podiam ser grosseiros como a pior prostituta das sarjetas. Pompeu se perguntava, em particular, se poderiam ser lançados um contra o outro. Seria uma bela solução para o problema.

A votação foi feita rapidamente e pela primeira vez os apoiadores de Pompeu não hesitaram. Clódio não tinha falado e Pompeu sabia que era provável que ele favorecera Suetônio sem prometer apoio total. Não haveria súbitos relatórios sobre quadrilhas assolando os mercados naquela noite. Clódio captou o olhar pensativo de Pompeu e assentiu com a cabeçorra como um igual. Pompeu devolveu o gesto por hábito, mas sua mente fervilhava com alguns dos boatos mais medonhos. Diziam que Clódio empregava guarda-costas que usavam o estupro como ferramenta casual de persuasão quando estavam a serviço dele. Era apenas mais uma das histórias que circulavam como moscas ao redor do sujeito. Pompeu trincou os dentes ao ver o brilho secreto de diversão nos olhos de Clódio. Naquele momento invejou Júlio, na Gália. Apesar de todas as durezas de uma campanha, as batalhas dele deviam ser mais simples e mais limpas do que as enfrentadas por Pompeu.

CAPÍTVLO XXVIII

Brutus rugia ordens furiosas para a Décima que trotava nos pôneis gauleses em direção à massa distante de cavaleiros ao pé do penhasco conhecido como a Mão. Ainda que entendesse o desejo de Júlio ter os veteranos da Décima ao lado, eles cavalgavam como crianças desajeitadas. Se andassem mais rápido do que um passo de caminhada os cavalos se entrechocavam, e em qualquer terreno que não fosse totalmente liso os soldados de rostos vermelhos caíam, sofrendo a humilhação de ser forçados a correr atrás do animal até conseguir voltar às selas.

Como se isso não bastasse, Brutus fumegava por dentro ao pensar que Marco Antônio receberia o controle das legiões que esperavam atrás. Podia aceitar o fato de que Júlio queria Brutus e Otaviano com ele para controlar os *extraordinarii*, mas Marco Antônio não merecera o direito de ser o segundo no comando. Brutus estava num humor péssimo enquanto girava a montaria para responder a uma comoção atrás.

— Segurem as rédeas, por Marte, ou mandarei que sejam chicoteados! — gritou para um infeliz grupo de *triarii*. Com sua armadura pesada, eles montavam os cavalos como barulhentos sacos de trigo e Brutus revirou os olhos quando mais um se inclinou muito para a frente e desapareceu com um estrondo sob as pernas do pônei.

Esse não era um modo de se aproximar de uma possível batalha. A Décima estava acostumada aos ritmos de soldados de infantaria, e os homens suarentos que xingavam ao seu redor não tinham nada da calma à que estava acostumado.

Otaviano passou por ele usando seu poderoso capão para forçar uma fileira oscilante de pôneis a voltar à linha. Os dois trocaram olhares ao passar e Otaviano riu, claramente divertido com a situação. Brutus não respondeu com um sorriso, em vez disso xingou a Décima baixinho enquanto dois cavalos se juntavam diante dele, com os cavaleiros puxando as rédeas até que os animais torturados entraram em pânico e dispararam. Brutus os pegou com uma corrida rápida, mantendo-os firmes até que os legionários recuperassem o controle. Não se podia esperar que tivessem o equilíbrio tranquilo de milhares de horas de treinamento e ele só esperava que Júlio tivesse o bom senso de pedir uma parada muito antes de Ariovisto ver a falta de habilidade. Para homens nascidos na sela não havia como se enganar.

Antes de terem partido, Júlio viera até ele. Viu a frieza de Brutus e falou para tranquilizá-lo:

— Preciso ter você comigo, Brutus. Os *extraordinarii* são os únicos cavaleiros competentes que tenho e estão acostumados às suas ordens.

Então Júlio chegou mais perto dele, não querendo ser entreouvido.

— E se eu for obrigado a lutar, não quero Marco Antônio ao meu lado. Ele considera muito esse Ariovisto e a amizade do sujeito com Roma.

Brutus assentiu, mas as palavras não aliviaram seu sentimento de traição. O posto lhe era devido.

Os batedores viram a Mão e voltaram com a notícia antes do meio-dia. À medida que a Décima se aproximava do penhasco, Brutus pôde ver milhares de cavaleiros em fileiras perfeitas, adiante. Tinham escolhido para o encontro um lugar onde a cavalaria era atrapalhada por desfiladeiros íngremes de cada lado. A rocha que chamavam de Mão formava o ponto mais elevado a leste, com o lado oeste engasgado por uma densa floresta. Brutus se perguntou se Ariovisto tinha homens escondidos entre os carvalhos escuros. Sabia que ele próprio os colocaria lá, e esperava que as legiões não estivessem sendo atraídas para uma armadilha. Uma coisa era certa: se acontecesse uma retirada contra aqueles cavaleiros germânicos a Décima teria de realizá-la a pé, para não ser destruída.

Os cornicens soaram a ordem de apear, um sinal com duas notas que tinham combinado antes de sair do acampamento. Com alívio Brutus viu a Décima perder a falta de jeito ao tocar o chão.

Somente os *extraordinarii* permaneceram na sela para guardar os flancos. A Décima caminhou puxando os pôneis, num mau humor carrancudo. Brutus continuou atiçando-os, gritando aos centuriões para manter a ordem enquanto avançavam para o local de encontro onde estava o rei dos suevos germânicos. A tensão crescia à medida que marchavam mais para perto do inimigo, e Brutus pôde ver os detalhes dos homens à frente. Viu Ariovisto pela primeira vez quando o rei cavalgou com três outros e parou a sessenta metros de sua linha de frente. Júlio avançou para encontrá-lo acompanhado de Domício e Otaviano, com a tensão visível nas costas rígidas.

Brutus deu uma última olhada para as fileiras da Décima.

— A postos! — gritou enquanto trotava para se juntar ao general.

O ruído de quatro mil cavalos nervosos ficou para trás enquanto se juntava a Domício e Otaviano, os três resplandecentes nas armaduras de prata. Júlio usava o capacete que cobria o rosto, e quando Brutus se virou na cela para cumprimentá-lo viu o efeito das feições frias que o encaravam de volta.

— Agora vejamos o que esse reizinho tem a dizer. — A voz fria de Júlio saiu de trás da boca de ferro.

Os quatro impeliram os cavalos em formação perfeita, movendo-se sobre o terreno irregular.

Júlio reconheceu Redulf ao lado direito de Ariovisto e viu, com perplexidade, que os outros dois guerreiros junto ao rei tinham a mesma deformação estranha do mensageiro. Um deles tinha a cabeça raspada, mas o outro usava um tufo de cabelos pretos que não servia em nada para disfarçar a crista dupla, como se um peixe grande tivesse agarrado seu crânio e apertado. Todos eram barbudos e de aparência feroz, claramente escolhidos pela força. Estavam adornados com ouro e prata, deixando Júlio satisfeito por ter como guarda de honra os finalistas de seu torneio. Os perfeitos conjuntos de armaduras de prata suplantavam os guerreiros suevos e Júlio sabia que, homem por homem, seus companheiros seriam mais mortais.

O próprio Ariovisto não tinha a testa com crista como os guerreiros ao lado. Suas feições eram dominadas por sobrancelhas escuras e uma barba descuidada que cobria a maior parte do rosto, deixando livres apenas as bochechas e a testa. A pele era clara e os olhos que fitavam Júlio furiosos eram azuis como os de Cabera. O rei permaneceu perfeitamente imóvel à medida que Júlio se aproximava e parava sem fazer qualquer saudação.

O silêncio se manteve enquanto Júlio e o rei se observavam, nenhum dos dois querendo ser o primeiro a falar. Brutus olhou para além deles, para as fileiras de cavalos, e mais além ainda, onde uma força maior marcava a ponta sul das terras que Ariovisto havia tomado, vinte e quatro quilômetros abaixo do rio Reno. À distância Brutus podia ver dois acampamentos fortificados que poderiam ser gêmeos do estilo romano. A massa de cavaleiros suevos não estava em arrumação formal, mas Brutus podia ver que eles haviam limpado o terreno e poderiam saltar ao ataque num instante. Começou a suar ao ver as lanças compridas que eles carregavam. Cada homem da infantaria romana sabia que os cavalos não atacavam uma parede de escudos, assim como não podiam ser obrigados a se chocar contra uma árvore. Enquanto pudessem manter os quadrados, as legiões poderiam avançar através das forças de Ariovisto sem um perigo real. A teoria dava pouco conforto diante de tantos daqueles guerreiros pálidos e barbudos.

Júlio perdeu a paciência sob o calmo escrutínio do rei.

— Vim como você pediu, amigo de minha cidade — começou. — Ainda que esta não seja sua terra, vim até ela e honrei seus termos. Agora digo que você deve retirar seus exércitos para o outro lado da barreira natural do Reno. Retire-os imediatamente e não haverá guerra entre nós.

— Isto é a amizade romana? — rosnou Ariovisto subitamente, com a voz parecendo um estrondo grave que os espantou. — Eu lutei contra seus inimigos há dez anos e o título me foi dado, mas com que objetivo? Para que pudesse ser expulso de terras que ganhei por direito, somente porque vocês querem? — Seus dentes eram de um amarelo profundo em meio à barba e os olhos brilhavam sob as sobrancelhas grossas.

— Não era o direito de tomar quaisquer terras que você quisesse. Vocês têm seu lar do outro lado do rio e isso basta. Vou lhe dizer: Roma não permitirá que você tenha a Gália, nenhuma parte dela.

— Roma está longe, general. Você é tudo que representa sua cidade neste lugar e nunca conheceu a fúria de meus soldados brancos. Como ousa falar comigo assim? Eu cavalgava na Gália quando você não passava de uma criança! As terras que ganhei são minhas por direito de conquista, por uma lei mais antiga do que a sua. São minhas porque demonstrei a força para mantê-las, romano!

O rugido irado fez o cavalo de Júlio estremecer nervoso e o general deu um tapinha no pescoço do animal. Controlou o humor para responder:

— Estou aqui porque você recebeu o título de amigo, Ariovisto. Honro-o por minha cidade, mas digo outra vez: você atravessará o Reno e deixará as terras de Roma e dos aliados de Roma. Se você vive segundo o direito de conquista, destruirei seus exércitos pelo mesmo direito!

Júlio sentiu Brutus se remexer desconfortável na sela, à direita. A reunião não estava correndo como ele pretendera, mas a arrogância de Ariovisto o irritava.

— E o que você está fazendo, César? Com que direito toma as terras das tribos? Elas lhe foram dadas por seus deuses gregos, talvez? — Ariovisto deu um riso de zombaria enquanto levantava as mãos e sinalizava para o terreno verdejante ao redor. — Já teve respostas suficientes quando mandei seus mensageiros de volta com as mãos vazias. Não quero nada de você nem de sua cidade. Siga seu caminho e me deixe em paz, caso contrário não viverá. Lutei por estas terras e paguei o preço em sangue. Você não fez nada além de mandar uma matilha de rapineiros helvécios de volta às terras deles. Acha que isso lhe dá o direito de me enfrentar como igual? Eu sou rei, romano, e os reis não se perturbam com homens como você. Não temo suas legiões, em particular esses cavaleiros às suas costas, que não conseguem manter as montarias imóveis

Júlio resistiu à ânsia de olhar para trás, mas podia ver as fileiras perfeitas dos suevos e sabia que não haveria uma ordem igualmente calma em suas linhas. Ficou ruborizado sob a máscara, com alívio porque isso não podia ser visto.

— Eu *sou* Roma — falou. — Na minha pessoa você se dirige ao senado e ao povo. Você insulta minha cidade e todos os países sob nosso domínio. Quando...

Alguma coisa zumbiu acima da cabeça deles, vindo das fileiras dos suevos, e Ariovisto xingou. Júlio ergueu os olhos e viu uma dúzia de flechas compridas voando em arco na direção de sua preciosa Décima, e se virou selvagemente para Ariovisto.

— *Esta* é a sua disciplina? — perguntou com rispidez.

Ariovisto pareceu tão furioso quanto ele, e Júlio soube que o rei não tinha ordenado o ataque. Os dois exércitos se remexeram inquietos e outra única flecha voou acima.

— Meus homens estão ansiosos pela guerra, César. Eles vivem para se banhar em sangue. — Em seguida Ariovisto olhou para seus homens, por cima do ombro.

— Volte para eles e nós viremos pegar vocês — disse Júlio, com a voz opaca e definitiva sob a máscara. Ariovisto o encarou e Júlio viu um brilho de medo nos olhos do rei. Aquilo não combinava com nada que vira até aquele momento, e Júlio se perguntou qual seria o motivo.

Antes que Ariovisto pudesse responder, outra chuva de flechas zumbiu acima e Júlio girou o cavalo, gritando para forçar um galope de volta às fileiras. Brutus, Domício e Otaviano foram com ele, com os cascos trovejando no chão. Atrás, Ariovisto também cravou os calcanhares no animal e seus homens soltaram um grito enorme ao vê-lo retornar.

Júlio começou a dar ordens rápidas quando voltou à Décima. Os *extraordinarii* mais rápidos galoparam para o sul, ao encontro de Marco Antônio, com instruções de vir a toda velocidade para dar apoio. Outros foram mandados à floresta no oeste, procurar arqueiros escondidos ou uma força surpresa. Os pôneis gauleses foram levados para a retaguarda e finalmente a Décima estava livre da distração. Formou um enorme quadrado defensivo, com escudos se sobrepondo para enfrentar uma carga de cavalaria. Lanças foram preparadas e flechas ajustadas às cordas dos arcos. A primeira fila esperava pacientemente para repelir a primeira carga.

Que não veio. Para surpresa de Júlio, Ariovisto desapareceu na massa de cavaleiros e subitamente eles começaram a recuar em ordem perfeita. Alguns soldados da Décima gritaram e zombaram, mas os batedores não voltaram da floresta a oeste e Júlio não iria arriscar um avanço sem saber quem espreitava naquelas profundezas verdes.

Ariovisto levou seus homens para fora do alcance de lanças e em seguida de flechas, antes de parar de novo. Ainda que sem dúvida houvesse jovens de cabeça quente entre as fileiras dos suevos, eles mostraram a disciplina ao recuar, com algumas seções cobrindo as outras enquanto voltavam.

— Qual é o jogo desse sujeito? — murmurou Brutus ao lado de Júlio. — Enquanto se demora, ele deve saber que nossas legiões estão vindo atrás.

— Provavelmente quer nos atrair. Não gosto daquela floresta.

Enquanto Júlio falava, os primeiros batedores galoparam de volta para as fileiras romanas.

— Nada, senhor — ofegou o soldado enquanto se aproximava e saudava. — Nenhuma trilha nem fogueira antiga, nenhum sinal de uma força oculta.

Júlio assentiu, subitamente lembrando-se da última vez em que tinha aceitado o relatório de um batedor sem corroborá-lo.

Mais dois cavaleiros chegaram das árvores e fizeram relatório antes que Júlio ficasse satisfeito e pasmo com a situação. Ariovisto agira como se estivesse para lançar um ataque selvagem, mas seus homens estavam parados com uma indiferença imperturbável, sem se abalar com os gestos de chamada da fileira de vanguarda da Décima.

Júlio bateu irritado na sela. Será que eles teriam preparado armadilhas no terreno? Parecia improvável. Poços com lanças representariam mais incômodo para o exército deles, enquanto estivessem em número maior, do que para a única legião romana.

— Devemos esperar Marco Antônio? — perguntou Brutus.

Júlio calculou o tempo que as legiões levariam para chegar à sua posição e soltou o ar, frustrado. Iriam se passar horas antes que estivessem ali para ajudá-lo.

— Sim. Há algo que eu não entendo aqui. As forças deles são rápidas e, juntas, estão em maior número do que nós, talvez numa razão de dois para um. Ariovisto deveria atacar, a não ser que estivesse blefando, mas não vejo como. Não vou arriscar a vida da minha Décima numa armadilha enquanto não tivermos apoio.

Os soldados que ouviram isso trocaram olhares satisfeitos, mas Júlio não viu, já que estava espiando o inimigo. Para eles, um comandante que cuidava de seus homens era valioso.

Os cavaleiros suevos estavam parados em silêncio a mil passos da Décima e uma mosca zumbiu junto ao rosto de Júlio enquanto ele olhava para as fileiras germânicas.

— Mantenham-se a postos, senhores. Por enquanto vamos esperar.

Quando a vasta coluna das legiões tinha se juntado à Décima, Ariovisto também havia convocado sua força principal. Segundo a melhor estimativa dos batedores que ousavam enfrentar os dardos e flechas dos cavaleiros inimigos, devia haver sessenta mil guerreiros suevos. Cada cavaleiro trazia um soldado a pé que mantinha um ritmo fantástico, com uma das mãos segurando a crina do cavalo enquanto corria ao lado. Júlio se lembrou dos espartanos correndo para a batalha do mesmo modo e esperava não enfrentar oponentes de calibre semelhante. Brutus fizera uma observação marota sobre a batalha das Termópilas, lembrada dos tutores dos dois, há anos, mas o rei espartano fora capaz de defender um passo estreito nas montanhas, ao passo que Júlio podia ser flanqueado ou mesmo rodeado por uma força tão móvel. Um modelo melhor era a batalha de Canas, pensou, em que os romanos foram aniquilados, mas não verbalizou a preocupação.

Duas horas depois do meio-dia Júlio estava com dezesseis arcos-escorpião armados e apontados para o inimigo. Eram perfeitas armas defensivas contra uma carga, mas tão pouco manobráveis que ficavam para trás de um avanço depois dos primeiros disparos.

— Nunca ouvi falar de uma batalha como esta, Brutus, mas eles já esperaram demais. Mande Otaviano proteger nossos flancos com os *extraordinarii*. O resto é por nossa conta.

Baixou a mão, e por todas as fileiras os cornicens sopraram suas trompas compridas numa única nota que não significava ordem nenhuma. O som se destinava meramente a amedrontar o inimigo, e Júlio viu uma inquietação em meio aos suevos enquanto eles reagiam ao toque. Momentos depois os escorpiões dispararam, e lanças do tamanho de um homem atravessaram turvas a distância entre eles, mais rápidas do que poderiam ser vistas ou evitadas. Cavalos nas primeiras fileiras foram trespassados, com as grandes lanças continuando em frente para matar indiscriminadamente. Enquanto as equipes dos escorpiões trabalhavam febrilmente para recarregar, Júlio sinalizou o avanço. Com a Décima à frente, as legiões começaram a longa corrida para o inimigo, com lanças preparadas nas mãos. Mesmo se movendo rapidamente, nenhum homem deixou sua posição, e se os suevos atacassem eles poderiam formar quadrados impenetráveis praticamente sem alterar o passo.

Com a perfeição da disciplina as legiões se espalharam assim que passaram pelo aperto entre a floresta e a Mão. Brutus comandava a Terceira no flanco direito, e Marco Antônio assumiu o esquerdo.

Quando chegaram ao alcance para os arqueiros os homens prepararam os escudos, mas sem aviso as fileiras dos suevos começaram a se afastar de novo, muito mais depressa do que o avanço romano. Milhares de guerreiros recuaram e se arrumaram de novo a oitocentos metros de distância.

Não era longe demais, porém Júlio teve medo de ser atraído para os campos verdes. À sua frente podia ver o primeiro acampamento dos suevos lutando para fechar os portões. Centenas de carroceiros estavam em pânico tentando entrar. Júlio balançou a cabeça num espanto por Ariovisto té-los abandonado.

Bérico se destacou para o oeste para cuidar da paliçada, e outra legião de Arimino moveu facilmente adiante para ocupar o lugar daqueles cinco mil. Passaram pela paliçada enquanto Bérico dominava as pessoas de lá sem confusão ou derramamento de sangue. Júlio viu os braços levantados em pânico enquanto passava, mas o resto dos suevos estava de novo em movimento, as sólidas formações se tornando líquidas enquanto se separavam para se arrumar de novo a oitocentos metros de distância.

Júlio sinalizou para parar e as legiões se imobilizaram ofegantes. Brutus veio galopando da ala direita.

— Deixe-me levar os *extraordinarii*. Eu posso imobilizá-los por tempo suficiente para você trazer o resto — falou olhando furioso para os inimigos à distância.

— Não, não vou arriscar os únicos cavaleiros bons que tenho — disse Júlio lançando um olhar para os edui de aparência grosseira que gritavam, felicíssimos por se reunirem de novo aos seus pôneis. — Agora estamos dentro das terras dele. Quero um acampamento hostil montado ao redor da paliçada, como base. Não vou exaurir os homens correndo por toda a

Gália perseguindo-o. Quero as legiões atrás de paredes e portões de acampamento antes do cair da noite. Mande que as balistas sejam montadas quando as carroças chegarem. E um pouco de comida quente também. Não sei quanto a você, mas estou faminto.

Júlio olhou para a massa negra de cavaleiros suevos e balançou a cabeça.

— Ariovisto não é idiota. Tem de haver um motivo para essa covardia. Quando os acampamentos estiverem prontos convoque o meu conselho.

CAPÍTVLO XXIX

CONSTRUIR ACAMPAMENTOS FORTIFICADOS SOB O NARIZ DO INIMIgo era uma experiência nova para as seis legiões. Cada homem que pôde ser poupado cavava as trincheiras externas, jogando a terra solta para cima, formando grandes paredes, movendo muitas toneladas de terra até a altura de três homens. Os *extraordinarii* patrulhavam o perímetro, e por duas vezes durante a tarde longa pequenos grupos tinham cavalgado na direção deles, lançando dardos antes de voltar para suas próprias fileiras. Não eram nada mais do que os jovens mostrando coragem, mas Júlio não conseguia imaginar quais seriam os planos de Ariovisto. Seus guerreiros pareciam bastante ansiosos, mas o exército principal continuava mantendo distância, observando os romanos levantarem terra e derrubarem árvores. Júlio tinha sentido cheiro de temperos no ar enquanto o dia passava, e sabia que os suevos se ocupavam preparando comida para seus homens, como ele estava para fazer para os seus.

No fim da tarde os enormes acampamentos estavam prontos e as legiões marcharam para dentro de portões mais sólidos do que qualquer outro da Gália. Os carpinteiros das legiões eram experientes em transformar troncos pesados em traves, e os taludes de terra tinham suportes de madeira suficientemente sólidos para resistir ao ataque mais decidido. A visão do inimigo que recuava erguera enormemente o moral dos legionários, e ele esperava que isso continuasse.

Reuniu seu conselho na tenda dos generais dentro da fortificação, depois de uma refeição quente ter sido preparada e comida. Os cavalos dos edui tinham comido boa parte do suprimento de grãos, mas não poderiam pastar do lado de fora, com os suevos tão perto. Enquanto a noite caía Júlio esperou que Brutus viesse se juntar aos outros. Lâmpadas foram acesas e os primeiros vigias foram para os turnos de serviço sem escudos, subindo as escadas de madeira até o topo das fortificações, para prevenir algum ataque no escuro.

Quando Brutus se juntou a eles, Cabera trouxe uma bola de argila que tinha enrolado em tecido úmido. O barro brilhava à luz da lâmpada enquanto ele o moldava à semelhança de um rosto, puxando um nariz e gravando os olhos com as unhas.

— Se fossem postas cordas deste modo seria possível alterar a forma do crânio — falou enrolando um pedaço de corda ao redor da pequena cabeça e apertando com um pedaço de pau que torceu até que a argila começou a inchar. Quando tinha criado uma crista grossa acima dos olhos, repetiu o processo acima, até que uma cópia das estranhas feições dos suevos os encarava.

— Mas certamente o crânio quebraria, não é? — perguntou Otaviano, encolhendo-se diante da imagem.

Cabera balançou a cabeça.

— Num homem, sim, mas numa criança recém-nascida, quando o crânio ainda é macio, uma amarração dessas produziria as cristas. Esses homens não são demônios, apesar de todas as fofocas no acampamento. Mas são brutais. Nunca ouvi falar de uma raça que pudesse tratar as crianças de um modo tão maligno. O primeiro ano, talvez os dois primeiros, seriam passados em agonia, com essas coisas apertando os ossos. Duvido que eles sejam totalmente livres de dor. Se eu estiver certo, isso significa que marcam as castas de guerreiros praticamente desde o nascimento.

— Você deve mostrar isso pelos acampamentos, se é que os soldados estão falando a respeito, Cabera — disse Júlio, fascinado com a cabeça contorcida. — Os suevos não precisam de nenhuma vantagem a mais, com o número deles, e nossos homens são supersticiosos.

Uma comoção do lado de fora da tenda fez com que os conselheiros se levantassem imediatamente. Os guardas estacionados ali disseram palavras abafadas para alguém, e em seguida puderam ser ouvidos os sons inconfundíveis de uma briga. Brutus foi até a porta e puxou-a.

Dois dos escravos gauleses tomados dos suevos estavam se retorcendo no chão.

— Desculpe, senhor — disse um guarda rapidamente enquanto saudava Brutus. — O cônsul César disse que não queria ser perturbado e esses dois ignoraram meu aviso.

— Fez bem — respondeu Brutus. Em seguida abaixou a mão e ajudou um dos gauleses a ficar de pé. — O que havia de tão importante? — perguntou.

O homem olhou furioso para o guarda antes de falar, mas Brutus não entendeu sequer uma palavra da torrente que veio em resposta. Levantando as sobrancelhas, trocou olhares com o guarda.

— Acho que ele não entendeu o seu aviso. Adàn? Poderia vir e traduzir para mim, por favor?

Com Adàn ali, o homem falou mais depressa ainda. Nesse ponto seu companheiro tinha ficado de pé e ficou imóvel, carrancudo, coçando a barriga.

— Vocês vão ficar parados aí a noite toda? — perguntou Júlio, aproximando-se.

— Acho que o senhor vai querer ouvir — disse Adàn.

— Isso pelo menos explica por que não conseguimos atraí-los para a batalha — disse Júlio. — Se esse tal de Ariovisto é suficientemente idiota para ouvir os seus sacerdotes, só podemos nos beneficiar. Faltam três dias para a lua nova. Se ele não vai lutar conosco até lá, podemos empurrá-lo para o Reno e esmagá-lo contra o rio.

O clima de preocupação e raiva de Júlio tinha desaparecido com a notícia trazida pelos escravos gauleses. Os cavaleiros se regozijaram ao descobrir membros de seu povo, e a informação crucial explicava bastante sobre o comportamento do rei dos suevos.

Júlio prestou atenção enquanto Adàn traduzia a torrente de palavras do sujeito. Os sacerdotes tinham dito que Ariovisto morreria se lutasse antes da lua nova. Isso significava que a reunião irada fora uma espécie de blefe, e

Júlio tinha pagado para ver quando ordenou que a Décima entrasse em formação de combate. Júlio se lembrou do vislumbre de medo nos olhos do rei e finalmente entendeu. Era uma fraqueza num líder permitir que seus sacerdotes tivessem tanta influência sobre o exército, Júlio tinha certeza. Os gregos haviam sido prejudicados pela confiança nos oráculos. Sabia-se até mesmo de generais romanos que se retardaram e perderam posições porque as entranhas de pássaros ou peixes mostravam o desastre à espera. Júlio se recusava a trazer esse tipo de homens ao campo de batalha, convencido de que faziam mais mal do que bem.

Pôs o precário mapa da área sobre a mesa, preso com pesos de chumbo. Apontou para a linha preta que marcava o Reno serpenteando ao norte, a menos de vinte e cinco quilômetros. Mesmo com as pesadas carroças de bagagens, era uma distância que podiam atravessar facilmente antes da lua nova, e agradeceu aos deuses por entregar os escravos edui em suas mãos.

— Vamos levantar acampamento uma hora antes do amanhecer, senhores — disse aos generais. — Quero as balistas, os onagros e os escorpiões nos acompanhando até onde o terreno permitir. Se ficarem para trás devem ser levados lentamente para a batalha final. Otaviano comandará os *extraordinarii*, Marco Antônio tomará meu flanco direito. Bérico o esquerdo, e todos os escorpiões devem ser levados para a frente em qualquer parada. A Décima e a Terceira Gálica sustentarão o centro. Os homens devem ter um bom desjejum amanhã e encher os odres de água. Que todos saibam o que ficamos sabendo hoje. Isso lhes dará ânimo. Certifiquem-se de que cada homem tenha as lanças e armas em boas condições.

Parou enquanto Marco Antônio enchia sua taça, ruborizado de prazer com a posição que ganhara. Marco Antônio tinha ouvido falar da arrogância de Ariovisto no encontro, e aceitou que a amizade com Roma havia terminado. Sem dúvida os inimigos de César iriam se aproveitar disso no senado, mas era um problema para outro dia.

Crasso suspirou quando a escrava de Servília massageou os músculos travados em seu pescoço e nos ombros. A fruta congelada que ele tinha comido estava fria no estômago, e depois de ter relaxado totalmente na mesa o luxo de uma piscina quente o esperava, fumegando na noite aberta. Perto dele Servília estava deitada num divã acolchoado, olhando as estrelas. Mesmo não havendo lua para iluminar, o céu estava claro e dava para ver o minúsculo disco vermelho de Marte acima da linha do telhado que rodeava o pátio aberto. A piscina quente brilhava sob a luz das lâmpadas, e mariposas pesadas adejavam para as chamas, estalando ao morrer.

— Este lugar vale cada moeda — murmurou Crasso, encolhendo-se ligeiramente enquanto a escrava trabalhava num ponto dolorido entre as omoplatas.

— Sabia que você iria apreciar — respondeu Servília, sorrindo com prazer verdadeiro. — Poucos dos que vêm à minha casa têm olho para as coisas boas, mas o que somos sem elas?

Seu olhar pousou no reboco recém-pintado da nova ala da casa na cidade. Crasso tinha garantido o terreno e ela havia pagado a taxa integral do mercado, sem ressentimento. Qualquer outra coisa significaria uma mudança no relacionamento entre os dois e ela sentia apreço e respeito pelo velho deitado tão confortavelmente sob os dedos fortes da garota núbia.

— Então não vai me pressionar por informações? — perguntou ele sem abrir os olhos. — Não sou mais útil para você?

Servília deu um risinho, sentando-se.

— Velho pai, fique em silêncio, se é isso que deseja. Minha casa é sua enquanto você precisar. Não há qualquer obrigação.

— Ah, o pior tipo — respondeu ele, sorrindo sozinho. — O que você quer saber?

— Esses homens novos do senado, Clódio e agora Tito Milo, dono do mercado de carne. São perigosos? — Ainda que ela falasse em tom leve, Crasso soube que toda a atenção estava fixa na resposta.

— Muito — respondeu. — Não gosto de entrar no senado quando eles estão lá.

Servília fungou.

— Você não me engana com sua súbita dedicação ao comércio, velho. Duvido que haja uma única palavra dita por lá que não ache o caminho de volta a você.

Servília deu um sorriso doce e então ele abriu os olhos, piscando antes de se mexer sob as mãos da escrava para guiá-la até um novo lugar. Servília balançou a cabeça diante dos jogos dele.

— Como está indo sua nova legião?

— Bastante bem, minha cara. Quando meu filho Públio voltar da Gália devo arranjar uma utilidade para ela. Se eu sobreviver à inquietação atual.

— É tão ruim assim?

Crasso se apoiou nos cotovelos, com a expressão ficando séria.

— É. Esses homens novos agitam a turba de Roma e recrutam cada vez mais pessoas para suas gangues. As ruas não são mais seguras, nem mesmo para os senadores, Servília. Devemos agradecer por Milo ocupar tanto tempo de Clódio. Se um deles destruísse o outro, o vitorioso ficaria livre para criar o caos na cidade. Como está, cada um controla o colega, pelo menos por enquanto. Ouvi dizer que consideram que partes da cidade são deles, de modo que os seguidores de Clódio não podem passar por determinadas ruas sem ser espancados, mesmo de dia. A maior parte de Roma não consegue ver a luta, mas ela está aí. Já vi os corpos no Tibre.

— E Pompeu? Não vê a ameaça?

Crasso deu de ombros.

— O que ele pode fazer contra o código de silêncio? Os raptores temem seus senhores mais do que qualquer coisa que Pompeu possa fazer contra eles. Pelo menos Pompeu não vai atacar suas famílias depois de eles estarem mortos. Quando se pensa num julgamento, as testemunhas desaparecem ou ficam incapazes de lembrar. É uma coisa vergonhosa, Servília. Como se uma grande doença tivesse chegado à cidade; e não vejo como ela possa ser extirpada. — Crasso suspirou, enojado. — O senado é o âmago da disputa, e falei a verdade quando disse que fico feliz por meus negócios me afastarem de lá. Clódio e Milo se encontram às abertas para farejar e se provocar mutuamente antes que seus animais aterrorizem a cidade à noite. Os senadores não têm força de vontade para controlá-los. Todos os homens pequenos caíram no domínio de um ou de outro e Pompeu tem menos apoio do que imagina. Seus subornos não podem se igualar aos deles, nem suas ameaças. Às vezes desejo que Júlio volte. Ele não admitiria ver Roma caindo no caos enquanto tivesse vida.

Servília olhou para a brilhante estrela da tarde, tentando esconder o interesse. Quando se virou para Crasso viu que os olhos dele estavam abertos, examinando-a. Havia pouca coisa que o velho não soubesse ou não adivinhasse.

— Você tem notícias de Júlio? — perguntou ela enfim.

— Tenho. Ele me ofereceu concessões de comércio com as novas terras na Gália, mas acho que pinta um quadro mais bonito do que a verdade, para me tentar. Veja bem, se metade do que ele diz for verdadeiro eu seria um idiota em perder a oportunidade.

— Eu vi os cartazes pela cidade — disse Servília em voz baixa, pensando em Júlio. — Quantos irão responder?

— Com Clódio e Milo tornando a vida um sofrimento com sua luta, acho que haverá milhares atravessando os Alpes na primavera. Terra para ser ocupada: quem pode resistir a uma oferta assim? Escravos e comércio para cada homem com energia suficiente para fazer a viagem. Se eu fosse mais jovem e pobre, também consideraria a oferta. Claro, estou pronto para fornecer os depósitos e suprimentos para qualquer um que queira ir às fabulosas províncias novas dele.

Servília riu.

— Sempre mercador?

— Um príncipe mercador, Servília. Júlio usou a expressão em uma de suas cartas e eu gostei. — Ele dispensou a jovem escrava e se acomodou no banco comprido. — Júlio é mais útil do que imagina. Quando a cidade olha por tempo demais para dentro, para suas próprias questões, nós criamos homens como Clódio e Milo, que não se importam nada com os grandes acontecimentos do mundo. Os relatórios que Júlio paga para que sejam lidos em cada esquina elevam o espírito do curtidor ou tintureiro mais humilde dos mercados. — Ele deu um risinho. — Pompeu sabe disso, mas odeia ver Júlio tendo tanto sucesso. É obrigado a lutar por ele no senado sempre que Suetônio contesta alguma pequena violação da lei. É uma bebida bastante amarga para o sujeito, mas sem Júlio e suas conquistas Roma se tornaria um poço estagnado, com todos os peixes se comendo uns aos outros, por desespero.

— E você, Crasso? O que o futuro lhe guarda?

Crasso se levantou da mesa e entrou na piscina quente, sem ligar para a própria nudez.

— Descobri que a velhice é o bálsamo perfeito para a ambição desmedida, Servília. Todos os meus sonhos são para meu filho. — Seus olhos brilharam à luz das estrelas e ela não acreditou.

— Vai se juntar a mim? — perguntou ele.

Como resposta, Servília se levantou e abriu o broche que prendia o tecido fresco sobre o corpo. Estava nua por baixo e Crasso sorriu ao vê-la.

— Como você gosta de drama, minha cara! — falou com diversão.

Júlio xingou quando os quadrados romanos hesitaram. Depois de dois dias de perseguição tinha forçado os suevos a encará-los a apenas alguns quilômetros do Reno. Sabia que deveria ter esperado o ataque mas, quando veio, a reversão foi tão súbita que os exércitos se chocaram antes que as legiões romanas pudessem ao menos desamarrar as lanças.

Os guerreiros de Ariovisto eram tão brutais quanto os romanos tinham esperado. Não cediam terreno a não ser sobre o cadáver de seus homens, e a cavalaria redemoinhava como fumaça pelo campo de batalha, com cargas se formando no instante em que os romanos rompiam seus quadrados para atacar.

— Marco Antônio! Apóie a esquerda! — gritou Júlio, vislumbrando o general na massa em movimento. Não havia sinal de que sua ordem fora ouvida sobre o entrechoque das armas.

O campo de batalha estava no caos e, pela primeira vez, ele começou a temer a derrota. Cada cavaleiro suevo corria com outro homem pendurado na crina do cavalo e essa velocidade de movimento tornava quase impossível se contrapor. Júlio viu com horror que duas das legiões de Arimino estavam perto de ser dominadas no flanco esquerdo e não havia sinal de uma força de apoio chegando para ajudá-las. Não podia mais ver Marco Antônio. E Brutus estava embolado na luta, longe demais para ajudar. Arrancou um escudo da mão de um legionário e correu a pé pelo campo de batalha.

O choque das armas e homens agonizantes crescia em intensidade enquanto ele se aproximava. Podia sentir o medo em seus legionários e começou a chamá-los pelos nomes. A cadeia de comando parecia ter sido rompida no ataque e Júlio era obrigado a reunir optios e centuriões para lhes dar ordens.

— Juntem a Décima segunda e a Quinta. Dobrem o quadrado! — disse a eles, observando enquanto começavam a criar ordem com as fileiras ao redor. Seus *extraordinarii* estavam nos flancos impedindo que os suevos os cercassem. Onde estava Marco Antônio? Júlio se esticou para olhar em volta mas não pôde ver qualquer sinal dele em meio à confusão.

Sob o jorro constante de ordens de Júlio as duas legiões se juntaram e depois giraram para lutar, costas contra costas, enquanto os suevos esmagavam as pontas dos quadrados, arrancando homens com súbitos disparos de dardos e pedras. Repetidamente os cavalos galopavam contra as legiões e só paravam diante das paredes de escudos impenetráveis. Os legionários se adiantavam enquanto os cavaleiros tentavam se virar, e a carnificina era horrível.

Com o Reno atrás, os suevos não tinham para onde se virar e Júlio conheceu o pânico ao ver as primeiras filas de sua amada Décima sendo esmagadas por lanças atiradas a pleno galope. Os escudos salvavam muitos e eles se levantavam atordoados, trazidos de volta à posição pelos amigos ao redor.

Mesmo assim as legiões continuavam pressionando. As grandes balistas e os onagros foram trazidos e abriam tiras vermelhas no exército inimigo. A Décima rugiu quando Júlio se juntou de novo a ela, lutando ainda mais sob seu olhar vigilante.

Júlio viu que os flancos esquerdo e direito estavam se sustentando. Brutus controlava o direito, os *extraordinarii* e a cavalaria edui haviam contido os ataques dos suevos com coragem louca. Avançou com o centro e os suevos foram obrigados a recuar pela pura ferocidade das legiões.

Viu com orgulho que seus oficiais conheciam o trabalho, mesmo sem receber ordens. Quando os soldados de infantaria dos suevos atacavam, eles ampliavam a fileira para colocar o maior número possível de espadas na luta. Quando a cavalaria atacava, eles se apertavam em quadrados e continuavam lutando. As balistas e os onagros disparavam repetidamente, até estarem muito atrás, arriscando-se a que os mísseis caíssem sobre as tropas romanas.

Júlio viu Ariovisto reunir seus guarda-costas, mil dos melhores suevos. Todos eram uma cabeça mais altos do que os romanos, marcados com as estranhas cristas que amedrontavam os legionários. Atacaram a Décima no centro e Júlio viu o quadrado se formar um pouco tarde demais para impedir que os guerreiros com armaduras os alcançassem.

O centro se curvou e então, com um rugido, os soldados da Décima lutaram como maníacos numa fúria sanguinolenta. Júlio se lembrou de como eles tinham sido criados a partir da morte dos que tinham falhado e sorriu com um prazer maligno. A Décima era sua e não seria derrotada. Nunca fugiria.

Adiantou-se com os soldados ao redor, gritando para os flancos formarem chifres destinados a comprimir o inimigo. Captou um vislumbre dos cavalos escuros dos edui vindo da esquerda e isolando um bloco de suevos da força principal. A Décima passou por cima de cadáveres para chegar ao inimigo. O chão estava vermelho e brilhante enquanto os legionários aumentavam a velocidade formando uma carga, e Ariovisto foi obrigado a cavalgar de volta para a retaguarda, antes que a Décima e a Terceira, rugindo, pudessem alcançá-lo.

Todas as linhas romanas viram o rei recuar e reagiram, levantando a cabeça. Júlio exultou. O Reno estava a menos de um quilômetro e meio de distância e dava para ver a água brilhante. Chamou seus cornicens e ordenou que fossem atiradas lanças, observando a massa de mísseis impedir qualquer tentativa de Ariovisto refazer a formação. Uma abertura apareceu entre os exércitos e Júlio instigou seus soldados a ir para a frente, chamando os homens que conhecia. Enquanto mencionava seus nomes eles se empertigavam um pouco mais e se esqueciam do cansaço sob o olhar do general.

— Tragam as balistas e os escorpiões! — ordenou, e seus mensageiros serpentearam para trás, para ajudar as equipes suarentas a empurrar as armas pelo terreno irregular.

Sem qualquer sinal aparente toda a massa dos suevos formou outra carga e veio trovejando para as fileiras romanas. Lanças arrancaram alguns deles das selas e mataram cavalos que acabaram atrapalhando os que vinham atrás. Júlio sabia que era o último ataque e seus homens formaram quadrados apertados antes que ele pudesse ordenar.

Os compridos escudos romanos estavam sobrepostos e os homens de trás se prepararam para o impacto, com as espadas prontas. Nenhuma parte das fileiras romanas recuou da visão aterrorizante dos cavalos se aproximando. Quando o ataque hesitou, as legiões os despedaçaram.

O exército de Ariovisto começou a ser comprimido de encontro ao rio. Sem os *extraordinarii* e os edui, Júlio sabia que os germânicos teriam sobrepujado os romanos, mas mesmo martelando os flancos repetidamente as legiões continuaram a avançar, matando qualquer coisa à frente.

As margens do Reno fervilhavam de homens e cavalos que arriscavam a vida para atravessar a corrente. O grande rio tinha quase cem metros de largura e os que não possuíam montaria em que se agarrar foram varridos e se afogaram. Júlio podia ver minúsculos barcos de pesca atulhados de homens desesperados e viu um deles emborcar, as cabeças escuras dos suevos desaparecendo sob a água.

No flanco esquerdo mil inimigos largaram as armas e se renderam às legiões de Arimino que eles tinham fracassado em romper. Júlio prosseguiu com a Décima até estarem parados à margem do rio, olhando a massa de homens que se afogavam, apinhando a água desde o lado direito até o centro mais profundo. Os da Décima que tinham conseguido recuperar ou manter as lanças as atiravam contra os homens na água e Júlio viu muitos serem acertados assim, deslizando para o fundo sem nada além de um único grito.

Na margem oposta Júlio viu um barco chegar aos baixios e a figura de Ariovisto sair e cair de joelhos por um momento.

— Ciro! — gritou. Sua voz ecoou enquanto o nome era repetido nas fileiras da Décima, fazendo surgir a figura poderosa do legionário, ainda ofegando com o esforço da batalha. Júlio lhe entregou uma lança e apontou para a figura na margem oposta.

— Pode alcançá-lo?

Ciro sopesou a lança. Os soldados em volta recuaram para lhe dar espaço enquanto ele olhava por cima do rio largo.

— Depressa, antes de ele se levantar — disse Júlio rispidamente.

Ciro recuou alguns passos e depois correu para a frente, atirando a lança. Os homens da Décima ficaram olhando fascinados enquanto ela subia em direção ao sol e depois caía.

Ariovisto se levantou para encarar os romanos na outra margem e não a viu. A lança o derrubou, atravessando a armadura de couro por cima da barriga. O rei bamboleou frouxo enquanto os sobreviventes de seus guarda-costas o arrastavam para as árvores.

Depois de um momento de silêncio pasmo as legiões gritaram até ficar roucas. Ciro levantou um braço, saudando-as, e riu enquanto Júlio lhe dava um tapa nas costas.

— Um lançamento de herói, Ciro. Pelos deuses, nunca vi coisa melhor. O próprio Hércules não poderia superar. — Júlio rugiu de triunfo junto com os outros e sentiu a exultação que decorre da vitória, quando o sangue parecia correr como fogo pelas veias e os músculos cansados se enchiam de uma nova força. — Minha gloriosa Décima! — gritou. — Meus irmãos! Existirá alguma coisa que vocês não consigam alcançar? Você, Blino, eu o vi derrubar três guerreiros na fileira. Você, Régulo, reuniu sua centúria quando o pobre Décido caiu. Você lhe fará honra quando usar a pluma dele.

Um a um gritou o nome dos homens que estavam com ele, elogiando sua coragem. Não tinha perdido nada da luta do dia e eles se mantinham empertigados enquanto seu olhar varria o rosto dos homens. As outras legiões chegaram mais perto para ouvir e ele podia sentir o orgulho e o prazer. Levantou a voz para alcançar o mais longe possível.

— O que não podemos conseguir, depois disto? — Eles aplaudiram as palavras. — Somos os filhos de Roma e eu lhes digo que esta terra será nossa! Cada homem que lutou por mim terá terra, ouro e escravos para trabalhar para ele. Vocês serão a nova nobilitas de Roma e beberão vinho bom o bastante para fazer chorar. Juro diante de todos, por minha honra. Juro como cônsul. Juro como Roma na Gália.

Júlio se abaixou até a lama remexida da margem do rio, misturada com o sangue dos suevos. Pegou um punhado e estendeu para os homens reunidos.

— Estão vendo esse barro? Esse barro sangrento que estou segurando? Digo que ele é de vocês. Pertence a minha cidade tanto quanto as corridas de carruagens ou os mercados. Peguem-no, segurem nas mãos. Não podem sentir?

Ficou olhando com prazer as legiões copiarem seu ato, brincando e gargalhando. Os soldados riam para ele ao fazer isso, levantando seus pedaços de terra. Júlio fechou o punho, de modo que o barro pingou por entre os dedos.

— Talvez eu nunca volte para casa — sussurrou. — Este é o meu tempo. Este é o meu caminho.

CAPÍTVLO XXX

T ABBIC E ALEXANDRIA ENROLARAM AS CAPAS NO CORPO POR CAUSA do frio enquanto se aproximavam da porta trancada da oficina. As ruas estavam com uma camada de gelo sujo, tornando cada passo um perigo. Alexandria segurava o braço de Tabbic, para os dois se firmarem. Seus dois guardas fizeram a inspeção habitual da área enquanto Tabbic enfiava a chave na fechadura e xingava baixinho quando ela travou. Ao redor os trabalhadores de Roma iam para seus empregos e oficinas e um ou dois assentiram rigidamente para Alexandria ao passar, sofrendo com o vento cortante.

— A fechadura está congelada — disse Tabbic, tirando a chave e batendo o punho contra a placa ornamentada da porta.

Alexandria esfregou os braços enquanto esperava, sabendo que não adiantava dar conselho. Tabbic podia ser um velho irritadiço, mas ele próprio fizera a fechadura e, se alguém podia abri-la, era ele. Enquanto ela tentava ignorar o vento, Tabbic pegou suas ferramentas de joalheiro e usou um ponteiro minúsculo para limpar o gelo. Quando isso não funcionou, tentou algumas gotas de óleo e apertou uma mão e depois outra contra o metal, numa tentativa de aquecer o mecanismo, soprando nos dedos enquanto eles se congelavam ao contato.

— Aí vai — disse quando a fechadura finalmente estalou e a porta se abriu revelando os escuros recessos da oficina.

Os dentes de Alexandria chacoalhavam e suas mãos tremiam. Iria se passar algum tempo até que estivesse quente o bastante para tentar qualquer trabalho fino, e como sempre desejou que Tabbic empregasse um escravo para chegar mais cedo e acender a forja para eles. O velho não queria saber disso. Nunca possuíra escravos e ficara irritado com a sugestão de Alexandria, dizendo que ela, principalmente, deveria pensar de outro modo.

Como se isso não bastasse, era até mesmo possível que o escravo fosse fornecido por uma das quadrilhas, e todo seu precioso estoque desapareceria nos cofres de Clódio ou Milo. O mesmo motivo os impedia de contratar um guarda noturno, e a cada manhã Alexandria se sentia grata quando encontravam a oficina intocada. Com todas as armadilhas e trancas de Tabbic, até agora tinham tido sorte. Pelo menos não iria demorar muito até que completassem a compra de um novo local espaçoso numa área menos perturbada pelos raptores. Tabbic finalmente havia concordado com isso, nem que fosse para cumprir os pedidos maiores que eram a espinha dorsal do negócio deles.

Tabbic foi rapidamente acender a forja e Alexandria fechou muito bem a porta por causa do vento, esticando os dedos rígidos numa espécie de êxtase.

— Então já vamos, senhora — disse Tedo.

Como sempre, depois da caminhada matinal até a oficina, a perna dele mal o sustentava e Alexandria balançou a cabeça. Tedo nunca mudava de uma manhã para a outra, e ainda que ela jamais o mandasse de volta direto para o frio, ele ainda lhe dava a oportunidade.

— Não antes de você estar com alguma coisa quente dentro da barriga — disse ela com firmeza.

Tedo era um homem bom, mas seu filho até parecia mudo, dado o interesse que demonstrava pelos que guardava junto com o pai. Nas manhãs ele era particularmente mal-humorado.

Todos puderam ouvir os estalos bem-vindos das lascas de madeira na fornalha enquanto Tabbic a acendia. Alexandria quebrou o gelo num balde d'água que tinha enchido na véspera e derramou na velha chaleira de ferro que Tabbic tinha feito naquela mesma forja. A rotina era reconfortante e, junto com ela, os três homens começaram a relaxar à medida que a temperatura do cômodo passava acima do ponto de congelamento.

Alexandria levou um susto quando a porta se abriu atrás deles.

— Volte mais tarde — gritou, depois ficou quieta quando três homens de aparência endurecida entraram no espaço confinado e cuidadosamente fecharam a porta.

— Espero que isso não seja necessário — disse o primeiro.

Era o típico produto dos becos escondidos de Roma. Esperto demais para se interessar pelas legiões e maligno demais para qualquer tipo de trabalho normal. Alexandria percebeu que podia sentir o cheiro dele, um fedor de sujeira que lhe deu vontade de recuar um passo. O homem riu para ela, revelando dentes amarelo-escuros nas gengivas encolhidas. Não precisava ir em frente para que ela soubesse que ele era um dos raptores que se reuniam ao redor de Clódio ou Milo. Os donos de lojas na área contavam histórias terríveis das ameaças e da violência deles, e Alexandria se pegou esperando que Tedo não os provocasse. A ameaça risonha do sujeito a fez encarar a verdade de que seu guarda era simplesmente velho demais para esse tipo de trabalho.

— Estamos fechados — disse Tabbic atrás dela.

Alexandria ouviu um estalo fraco quando ele pegou algum tipo de ferramenta. Não olhou em volta, mas os olhos dos intrusos se fixaram nele. O líder fungou cheio de desprezo.

— Não para nós, velho. A não ser que vocês queiram ficar fechados para todo mundo — disse ele.

Alexandria o odiou pela arrogância de quem sabia das coisas. O sujeito não construía nem fazia nada, no entanto parecia achar que tinha direito de entrar em oficinas e lares de pessoas que trabalhavam duro e amedrontá-las.

— O que vocês querem? — perguntou Tabbic.

O líder dos três coçou o pescoço e examinou a coisa que tinha achado ali, antes de estalar algo escuro entre as unhas.

— Quero seu dízimo, velho. Esta rua não é segura enquanto você não pagar seu dízimo. Oitenta sestércios por mês e nada acontecerá. Ninguém vai ser espancado enquanto caminha para casa. Nada de valioso vai pegar fogo. — Ele parou e piscou para Alexandria. — Ninguém vai ser arrastado para um beco e estuprado. Vamos manter vocês em segurança.

— Seu imundo! — gritou Tabbic. — Como ousa vir à minha oficina com suas ameaças? Saia agora ou eu chamo os guardas. Leve seus amigos sorridentes junto!

Os três pareceram entediados com o jorro de indignação.

— Ora, velho — disse o primeiro, girando seus ombros enormes. — Veja o que eu lhe darei se você não largar este martelo. Ou quem sabe o garoto? Eu cuido dele aqui, na sua frente, se você quiser. De qualquer modo não vou sair enquanto você não der o primeiro pagamento mensal. Clódio não gosta de quem cria confusão, e agora esta rua é dele. É melhor pagar o que deve e ficar em paz. — Ele deu um risinho e o som fez Alexandria estremecer. — O truque é não pensar que é dinheiro seu. É apenas mais um imposto da cidade.

— Eu pago meus impostos! — rugiu Tabbic. Em seguida balançou o martelo pesado na direção do sujeito, fazendo-o se encolher. Os outros dois, atrás, chegaram mais perto e Alexandria pôde ver facas nos cintos deles.

Tedo desembainhou seu gládio curto num movimento rápido e a atmosfera na oficina mudou. Os três homens pegaram suas facas, mas Tedo segurava a espada com um punho mais forte do que a perna manca. Alexandria pôde ver a irritação no rosto do líder. Nenhum deles olhou em volta quando o filho de Tedo sacou sua adaga. O rapaz nem de longe representava a mesma ameaça do pai, e o líder dos raptores sabia disso. Mais importante, sabia que teria de matar o sujeito que tinha a espada ou ir embora.

— Não vou avisar mais, seu filho-da-puta. Saia — disse Tedo lentamente, olhando nos olhos do líder.

O líder dos raptores impeliu a cabeça para a frente e para trás num espasmo súbito, como um galo de briga. Tedo se moveu, mas o homem deu uma gargalhada áspera que encheu a oficina.

— É meio lento, não? Eu poderia acabar com você aqui, mas por que iria me incomodar quando é muito mais fácil esperá-lo no escuro? — Então ignorou Tedo e olhou de novo para Tabbic, ainda parado com o martelo erguido junto ao ombro.

— Oitenta sestércios no dia primeiro de cada mês. O primeiro pagamento no fim do dia de hoje. É somente um negócio, velho idiota. Eu levo o dinheiro agora ou volto para pegar um de vocês de cada vez?

De novo piscou para Alexandria e ela se encolheu ao ver o que havia naquele olhar.

— Não. Eu pago. E quando tiverem ido embora vou mandar os guardas cortarem vocês.

Tabbic enfiou a mão dentro do manto e o barulho das moedas fez os três homens sorrirem. O líder fez "tsk, tsk".

— Não, não vai. Eu tenho amigos. Um monte de amigos que ficariam com raiva se eu fosse levado ao Campo diante da faca do açougueiro. Sua mulher e seus filhos lamentariam muito se meus amigos ficassem com raiva de alguma coisa assim.

Habilmente ele pegou a bolsa de moedas que foi lançada, contando-as rapidamente antes de colocá-la dentro da túnica imunda. Riu da expressão deles e cuspiu um bolo de catarro escuro no chão de ladrilhos.

— É assim que se faz. Espero que os negócios sejam bons, velho. Vejo você no mês que vem.

Os três abriram a porta, inclinando-se contra o vento que entrou na oficina. Deixaram-na aberta e desapareceram nas ruas escuras. Tedo foi até lá e fechou-a, baixando a tranca. Tabbic realmente parecia um velho ao dar as costas para Alexandria, incapaz de encará-la. Estava pálido e trêmulo quando pôs o martelo na bancada e pegou sua vassoura comprida. Começou a varrer o chão em gestos lentos.

— O que vamos fazer? — perguntou Alexandria.

Por longo tempo Tabbic permaneceu quieto até ela sentir vontade de gritar a pergunta e romper o silêncio.

— O que podemos fazer? — disse ele finalmente. — Não vou arriscar minha família em troca de nada.

— Nós podemos fechar a oficina até a nova estar pronta. É quase do outro lado da cidade, Tabbic. Numa área melhor. Lá será diferente.

O desespero e o cansaço apareceram no rosto de Tabbic.

— Não. Aquele desgraçado não disse nada sobre a oficina estar aberta ou fechada. Vai querer o dinheiro mesmo se não vendermos uma única peça.

— Então será só por um mês. Até fecharmos e irmos embora — disse ela, querendo ver alguma fagulha de vida romper o sofrimento perplexo dele.

Tabbic odiava ladrões. Entregar moedas pelas quais tinha trabalhado por dias lhe doía mais do que uma dor física. Suas mãos tremeram enquanto mudava a posição da vassoura. Depois olhou-a.

— Não existe outro lugar, garota. Não sabe disso? Só estou surpreso por eles não terem vindo antes. Lembra-se do pequeno Geranas?

Alexandria assentiu. O sujeito era um joalheiro mais antigo ainda do que Tabbic, e produzia um belo trabalho em ouro.

— Usaram um martelo na mão direita dele quando não pôde pagar. Dá para acreditar nisso? Ele não pode ganhar a vida depois do que fizeram, mas eles não se importam. Só querem que a história se espalhe, de modo que homens como eu entreguem humildemente o que trabalhamos tanto para ganhar. — Então parou, apertando a vassoura com mais força até ela se partir ruidosamente.

— É melhor pegar as ferramentas, Alexandria. Temos três peças para terminar hoje.

A voz de Tabbic estava dura e chapada, e ele não fez qualquer gesto para continuar a rotina matinal enquanto a oficina se preparava para os clientes.

— Eu tenho amigos, Tabbic — disse Alexandria. — Júlio e Brutus podem estar longe, mas Crasso me conhece. Posso tentar alguma pressão contra eles. Deve ser melhor do que não fazer nada.

A expressão séria de Tabbic não mudou.

— Faça isso. Não pode fazer mal.

Tedo suspirou, finalmente embainhando a espada.

— Desculpe — murmurou ele.

Tabbic ouviu.

— Não se desculpe. Aquele desgraçado metido a besta não gostou do modo como você o enfrentou, apesar de todas as palavras dele.

— Então por que você pagou? — perguntou Alexandria.

Tabbic fungou.

— Porque o seu segurança iria matá-lo e eles voltariam para queimar a loja. Eles não podem deixar que nenhum de nós vença, garota, caso contrário o resto deixa de pagar.

Ele se virou para Tedo e bateu com a manzorra no ombro do segurança, ignorando o embaraço dele.

— Você agiu muito bem, mas vou arranjar um homem para substituir seu filho, entende? Você precisa de um matador, para seu tipo de trabalho.

Agora vou lhe dar uma bebida quente e algo para comer antes de ir embora, mas quero que esteja aqui com bastante antecedência esta noite, certo?

— Estarei — prometeu Tedo, olhando o rosto ruborizado do filho. Tabbic o encarou nos olhos e assentiu, satisfeito.

— Você é um bom homem. Só gostaria de que o necessário fosse apenas coragem.

Brutus examinou o vidro quebrado do relógio de água. Mesmo com luvas de pele seus dedos estavam entorpecidos de frio. Só queria voltar ao alojamento e se enrolar como um urso hibernando. No entanto as rotinas das legiões tinham de continuar. Apesar de o frio penetrar nos homens mais fundo do que qualquer coisa que eles tivessem visto, os turnos de vigia da legião precisavam ser marcados pelas três horas que a água levava escorrendo de uma tigela d'água à outra. Xingou baixinho quando seu toque retirou um pedaço do vidro, que caiu fazendo barulho na neve. Esfregou a barba que crescia no rosto. Júlio tinha percebido o benefício de suspender o barbear nos meses frios, mas Brutus descobriu que a umidade do hálito criava uma crosta de gelo depois de ficar apenas uma hora do lado de fora.

— As proteções não estão funcionando. Temos de acender fogo embaixo delas. Só o bastante para impedir a água de congelar. Você tem minha permissão para pegar algumas toras de lenha no depósito para cada uma delas. As sentinelas podem manter o fogo durante o turno. Acho que vão gostar do calor. Mande os ferreiros fazerem uma capa de ferro para proteger o vidro e a madeira das chamas, caso contrário metade vai ferver e evaporar.

— Sim, senhor. Obrigado — respondeu o tesserário, aliviado por não ter sido censurado. Em particular Brutus achava o sujeito um idiota por não ter pensado nisso, e o resultado era a destruição do único modo que a Décima tinha para estabelecer o tamanho de um turno de vigia.

Os soldados de Roma tinham finalmente entendido por que as tribos não guerreavam no inverno. A primeira neve caíra com intensidade suficiente para quebrar o telhado dos alojamentos, transformando os catres aconchegantes num caos de vento e gelo. No dia seguinte os montes de neve eram mais fundos e depois de um mês Brutus mal podia se lembrar de como era estar quente. Apesar de acenderem fogueiras enormes junto das paredes a cada noite, o calor chegava a apenas pouco mais de um metro, soprado para longe pelo vento incessante. Ele vira pedaços de gelo flutuante do tamanho de carroças dentro do Reno, e algumas vezes a neve caía a ponto de criar uma crosta móvel que ia de uma margem à outra. Imaginou se o rio congelaria antes da primavera.

Pareciam passar o dia inteiro na escuridão. Júlio tinha mantido os homens trabalhando pelo maior tempo possível, mas as mãos congeladas escorregavam e ferimentos feios o obrigaram a suspender as construções enquanto finalmente aceitava o inverno.

Brutus atravessou o acampamento com os pés escorregando dolorosamente nos buracos gelados deixados pelas carroças de carga. Como não havia pasto, tinham sido obrigados a matar a maior parte dos bois, não podendo desperdiçar os grãos dos suprimentos das legiões. Pelo menos a carne permanecia fresca, pensou Brutus, carrancudo. Seu olhar foi até a pilha de carcaças sob uma camada de neve. A carne estava dura como pedra, como todo o resto naquele lugar.

Subiu a barreira de terra do acampamento e espiou para a vastidão cinza. Flocos macios tocavam seu rosto e não derretiam de encontro à pele fria. Não podia ver nada lá fora, além dos tocos das primeiras árvores que eles tinham derrubado e arrastado para ser queimadas.

Pelo menos a floresta os protegera do vento enquanto havia durado. Agora sabiam que deveriam ter mantido as árvores mais próximas para ser cortadas no fim, mas nada que os romanos já tivessem visto poderiam tê-los preparado para a ferocidade daquele primeiro inverno. Era um frio de matar.

Brutus sabia que muitos homens não tinham roupas quentes o bastante. Os que haviam recebido couro de boi mantinham-no oleado diariamente, mas mesmo assim ele ficava duro como ferro. O valor atual de um par de luvas de pele era maior do que o salário de um mês, e crescia à medida que cada lebre e raposa num raio de cento e cinqüenta quilômetros era morta e trazida pelos caçadores.

Pelo menos as legiões finalmente haviam recebido pagamento. Júlio tinha capturado prata e ouro suficiente de Ariovisto para garantir três meses de salário atrasado a cada homem. Em Roma o dinheiro teria escorrido entre os dedos, gasto em prostitutas e vinho, mas aqui havia pouca coisa a fazer além de jogar, e muitos soldados voltaram à pobreza alguns dias depois de sua parte ser entregue. Os mais responsáveis haviam mandado uma parte do pagamento para parentes e dependentes em Roma.

Brutus invejava os que tinham sido mandados de volta a Arimino, atravessando os Alpes antes que as passagens se fechassem. Foi um gesto que agradou aos homens, mas Brutus soubera que tinha sido por necessidade. Num inverno tão duro, simplesmente ficar vivo já era bastante difícil. Os guerreiros suevos que tinham sobrevivido à batalha não podiam ser vigiados durante tantos meses escuros. Melhor vendê-los como gladiadores e guardas domésticos, separando-os e treinando-os. Com a tradição de que os lucros da venda dos escravos lutadores iam para os legionários, os suevos renderiam pelo menos uma moeda de ouro para cada homem que lutara contra eles.

O vento soprava mais forte ao longo da muralha e Brutus começou a contar até quinhentos, na cabeça, obrigando-se a ficar pelo menos durante esse tempo. Os que tinham de montar guarda lá em cima estavam num mundo de sofrimento cinza e precisavam vê-lo suportando-o também.

Apertou a capa em volta do peito, encolhendo-se a cada respiração que cortava a garganta até desejar que ela estivesse tão entorpecida quanto o resto do corpo. Cabera tinha-o alertado sobre o perigo e ele usava dois pares de meias de lã por baixo das sandálias, mas isso não parecia fazer qualquer diferença. Dezoito homens tinham perdido dedos dos pés ou das mãos desde a primeira neve, e sem Cabera teria sido mais. Tudo isso tinha acontecido nas primeiras semanas, antes que os soldados aprendessem a respeitar o frio. Brutus vira um dos pedaços pretos e encolhidos ser cortado com uma ferramenta para casco, e a coisa mais estranha fora o olhar passivo no rosto do legionário. Mesmo com mandíbulas de ferro cortando seu osso ele não sentiu dor.

O legionário mais próximo parecia uma estátua. Enquanto arrastava os pés até perto dele, Brutus viu que os olhos do sujeito estavam fechados, o rosto pálido e parecendo ferido sob a barba hirsuta. A penalidade por cair no sono durante o turno de vigia era a morte, mas Brutus deu um tapa nas costas do homem, cumprimentando-o, fingindo não notar o espasmo de medo quando os olhos se abriram, estreitando-se imediatamente por causa do vento.

— Onde estão suas luvas, garoto? — perguntou vendo os dedos azuis e endurecidos quando o soldado os retirou da túnica e ficou em posição de sentido.

— Perdi, senhor.

Brutus assentiu. Sem dúvida o sujeito era tão bom jogador quanto sentinela.

— E vai perder as mãos também se não as mantiver quentes. Fique com as minhas. Eu tenho outro par. — Brutus ficou olhando enquanto o jovem legionário tentava calçá-las. Não conseguiu, e depois de uma breve luta uma das luvas caiu. Brutus pegou-a e calçou sobre os dedos congelados do rapaz. Esperava que não fosse tarde demais. Num impulso abriu o fecho de sua capa forrada de pele e a enrolou no jovem soldado, tentando não se encolher quando o vento pareceu cortar cada parte de seu corpo exposto, apesar das camadas de roupa. Seus dentes começaram a bater e ele apertou o maxilar para silenciá-los.

— Por favor, senhor, não posso ficar com sua capa — disse a sentinela.

— Ela vai mantê-lo quente até acabar o turno de vigia, garoto. Depois você pode optar por deixá-la para o próximo que vier no seu lugar. Deixo a decisão por sua conta.

— Farei isso, senhor. Obrigado.

Brutus ficou olhando enquanto um início de cor começava a retornar às bochechas do soldado, antes de ficar satisfeito. Por algum motivo sentiu-se surpreendentemente alegre ao descer de volta. O fato de ter terminado a ronda pelo acampamento fazia parte disso, claro. Um cozido de carne fumegante e uma cama aquecida com tijolos quentes iriam ajudá-lo a suportar a perda de sua única capa e das luvas. Esperava estar igualmente animado na noite seguinte, quando teria de andar pelo acampamento sem elas.

Júlio pegou no fogo um atiçador de ferro e o mergulhou em duas taças de vinho. Cravos salpicados chiaram na superfície e o vapor saiu em redemoinhos enquanto ele recolocava o ferro nas chamas e oferecia uma taça a Mhorbaine.

Olhando ao redor, quase podia acreditar na permanência das novas construções. Mesmo no curto período antes das primeiras neves do inverno suas legiões tinham estendido a estrada desde a província romana no sul até cerca de oito quilômetros dos novos acampamentos. As árvores que haviam derrubado se tornaram as estruturas dos novos alojamentos e Júlio ficou satisfeito com o progresso, até que o inverno atacou numa única noite e na manhã seguinte uma sentinela foi encontrada morta de frio sobre a muralha. O trabalho na pedreira foi abandonado e o ritmo da vida mudou enquanto todas as tentativas de manter uma ligação permanente com o sul se transformavam numa luta mais básica pela sobrevivência.

Mesmo no meio de tudo isso Júlio havia usado o tempo. Os edui eram experientes em lidar com os invernos mais duros e ele os empregava como mensageiros para o máximo de tribos que conheciam. Na última contagem Júlio fizera alianças com nove delas e reivindicara as terras de outras três ao alcance da região deixada por Ariovisto. Quanto disso se sustentaria quando o inverno finalmente acabasse ele não sabia. Se cumprissem com as promessas, teria voluntários suficientes para formar mais duas legiões na primavera. Sem dúvida muitas das tribos menores haviam concordado apenas para aprender as habilidades que tinham destruído os helvécios e os suevos, mas Júlio planejara com Marco Antônio semear as legiões com seus homens de maior confiança. Tinha feito isso com os que Cato mandara para proteger seu filho. Havia transformado em legionários até mesmo os mercenários de Catilina. Quer soubessem ou não, os gauleses que vinham a eles iriam se tornar tão solidamente de Roma quanto Ciro ou o próprio Júlio.

Preocupava-se mais com as tribos que não respondiam a suas convocações. Os belgos haviam cegado o mensageiro edui e guiado seu cavalo até uma curta distância dos acampamentos romanos, deixando o animal achar o caminho de volta à comida e ao calor. Os nérvios tinham se recusado a receber seu homem e três outras tribos tinham seguido o caminho deles.

Júlio mal podia esperar pela primavera. O momento de exultação que experimentara quando Ariovisto foi acertado pela lança não se repetiu, mas ele ainda sentia uma confiança que mal podia ser explicada. A Gália seria sua.

— As tribos que você menciona nunca lutaram juntas, Júlio. É mais fácil imaginar os edui ficando costas contra costas com os arvernos do que algum desses aí se tornarem irmãos. — Mhorbaine bebericou seu vinho quente e se inclinou para perto do fogo, relaxando.

— Talvez, mas meus homens mal fizeram uma marca na maior parte da Gália. Ainda há tribos que nem ouviram falar em nós, e como elas podem aceitar o domínio de quem nunca viram?

— Você não pode lutar contra todas elas, Júlio. Nem suas legiões poderiam fazer isso.

Júlio fungou.

— Não tenha tanta certeza, amigo. Minhas legiões poderiam matar o próprio Alexandre se ele as enfrentasse, mas com este inverno não consigo ver para onde as levarei em seguida. Mais para o norte? Para o oeste? Será que devo procurar as tribos mais poderosas e vencê-las uma a uma? Quase espero que elas lutem juntas, Mhorbaine. Se eu puder derrubar as mais fortes, as outras aceitarão nosso direito sobre a terra.

— Você já dobrou as posses de Roma — lembrou Mhorbaine.

Júlio olhou para as chamas, sinalizando com a taça para o frio invisível, do outro lado.

— Não posso ficar sentado esperando que elas venham a mim. A qualquer momento posso ser chamado de volta a Roma. Outro homem poderia ser nomeado em meu lugar. — Ele se controlou antes de ir em frente, quando notou o interesse intenso de Mhorbaine. Apesar de este ter sido um aliado valioso, Júlio deixara que o vinho derramasse palavras demais.

A última carta de Crasso antes de o inverno fechar as passagens nos Alpes fora perturbadora. Pompeu estava perdendo o controle da cidade e Júlio ficara furioso com a fraqueza do senado. Quase desejou que Pompeu declarasse uma ditadura para acabar com a tirania de homens como Clódio e Milo. Esses eram apenas nomes para ele, mas Crasso levava a ameaça suficientemente a sério para revelar o medo, e Júlio sabia que o velho não era de ficar se assustando com sombras. Num determinado ponto chegou a pensar num retorno a Roma para aumentar a força de Pompeu no senado, mas o inverno da Gália pusera um fim nisso. Era estarrecedor pensar que, enquanto ele ganhava novas terras, a cidade amada caía na corrupção e na violência. Há muito tempo aceitara que a conquista de um país precisava chegar com sangue, mas essa visão não tinha vez em seu lar, e o simples pensamento o enfurecia.

— Há tanta coisa a fazer! — disse a Mhorbaine, de novo pegando o atiçador entre as chamas. — Só posso me atormentar com planos e cartas que nem consigo mandar. Achei que você disse que a primavera já deveria ter chegado. Onde está o degelo que você me prometeu?

Mhorbaine deu de ombros.

— Virá logo — disse ele, como tinha feito tantas vezes.

CAPÍTVLO XXXI

QUANDO A PRIMAVERA CHEGOU, MAIS DE SETE MIL FAMÍLIAS engarrafavam as estradas ao norte de Roma. Saindo das ruas apinhadas da cidade, teve início o êxodo para reivindicar as novas terras que Júlio prometera. Os que temiam a força de Clódio e Milo partiam para as amplas estradas querendo começar vida nova longe do crime e da sujeira da cidade, vendendo tudo que possuíam para comprar ferramentas, grãos e bois para puxar as carroças. Era uma jornada perigosa, com mais de quinhentos quilômetros até os contrafortes dos Alpes e os perigos desconhecidos mais além.

As legiões que Júlio levara de Arimino haviam deixado o norte sem os soldados que o patrulhavam, afinando a proteção de Roma até o ponto de rompimento. Ainda que as estalagens e fortalezas das estradas ainda tivessem homens, longos trechos intermediários eram assolados por ladrões, e muitas famílias eram atacadas e deixadas junto ao caminho, em desespero. Algumas eram apanhadas pelos que sentiam pena, outras eram deixadas implorando algumas moedas ou passando fome. Os que podiam se dar ao luxo de contratar guardas se saíam melhor. Mantinham a cabeça baixa quando passavam pelas pessoas que gemiam e choravam, paradas na chuva de primavera com as mãos estendidas.

Em sessões especiais do senado Pompeu lia os relatórios das vitórias de César à medida que os recebia. Era um papel agridoce que ele encontrara, e só podia balançar a cabeça diante da ironia de ter de apoiar César como um modo de controlar os novos homens do senado. Crasso o fizera ver que as vitórias na Gália eram tudo que impedia a cidade de cair no pânico absoluto enquanto Clódio e Milo lutavam por supremacia em suas secretas batalhas sangrentas. Apesar do poder real que eles haviam conquistado e da influência que brandiam com a brutalidade de um porrete, não tinham feito nada por Roma, além de se alimentar dela. Nem Clódio nem Milo perdiam qualquer relatório. Tinham sido formados nas sarjetas e nos becos escondidos da cidade, mas se empolgavam com os detalhes das batalhas travadas em seu nome, como qualquer outro cidadão.

A princípio Pompeu estivera preparado para declarar uma ditadura com o objetivo de controlá-los. Livre das restrições da lei poderia mandar executar os dois sem julgamento. Crasso alertara contra esse passo definitivo. Se eles fossem mortos, segundo Crasso, outros ocupariam seu lugar. E Pompeu, e talvez a própria Roma, não sobreviveriam. A hidra do crime romano ganharia novas cabeças e quem os substituísse não sairia ao ar livre nem compareceria ao senado. Crasso falara durante horas ao velho colega, e Pompeu viu a sabedoria nas sugestões. Em vez de resistir se esforçou para lisonjear e recompensar os chefes do crime. Tinha patrocinado Clódio para o cargo de magistrado principal e dado um grande jantar em sua homenagem. Juntos haviam escolhido candidatos para as eleições consulares, homens de menor importância que não fariam nada para alterar o frágil estado de trégua. Era um equilíbrio delicado que Pompeu encontrara, sabendo que Clódio tinha escolhido isso em parte para ajudá-lo contra Milo, enquanto a luta dos dois continuava.

Pompeu pensava nesses homens à medida que lia o último relatório no rostro. Ao elevar um deles tinha ganhado a inimizade do outro, e havia apenas ódio no olhar de Milo quando o encarou. No entanto agora Clódio falava seu nome, com orgulho da associação, e enquanto a primavera se transformava em verão Pompeu tinha visitado a casa dele na cidade e fora lisonjeado e cortejado de volta. Era um jogo perigoso, mas melhor do que espalhar os pedaços e tentar a ditadura. Do modo como as coisas estavam, ela significaria uma guerra civil e ele não tinha certeza de que emergiria como vitorioso.

Enquanto pigarreava para falar, Pompeu inclinou a cabeça para Clódio e viu o prazer dele diante até mesmo do sinal mais sutil de respeito. Era isso que Crasso tinha visto nos recém-chegados ao senado. Apesar de serem selvagens, ansiavam pela respeitabilidade do cargo, e desde que Pompeu iniciara o novo rumo nenhum de seus clientes sofrera nas mãos dos valentões de Clódio. Quando Pompeu estabelecera seu desejo de reconstruir a pista de corridas, foi Clódio que veio procurá-lo com oferta de verbas ilimitadas. Em gratidão Pompeu ergueu uma estátua dele, elogiando sua generosidade no senado. Milo tinha respondido com uma oferta de reconstruir a Via Ápia e Pompeu mascarou o prazer diante da transparência do sujeito, permitindo-lhe colocar seu nome na Porta Capena onde a estrada entrava na cidade pelo sul. Pela primeira vez em mais de um ano sentia que tinha o controle da cidade de novo enquanto os dois direcionavam as energias com mais sutileza, cada qual tão faminto quanto o outro pelo reconhecimento e a aceitação. Os novos cônsules foram conscientizados de sua posição precária e não faziam nada sem primeiro consultar seus senhores. Era uma situação de empate, e as batalhas particulares continuavam.

Pompeu leu a lista das tribos que Júlio tinha esmagado nas primeiras batalhas da primavera, sentindo prazer na imobilidade fascinada dos senadores. Eles ouviam espantados os números de escravos que haviam sido mandados por sobre os Alpes. Os remos tinham virado vassalos. Os nervos tinham sido destruídos praticamente até o último homem. Os belgos tinham sido obrigados a entregar as armas e se render. Os atuatuci tinham sido confinados numa única cidade murada e depois atacados. Cinqüenta e três mil tinham sido vendidos nos mercados de escravos em Roma, somente dessa tribo.

Pompeu leu os relatórios de Júlio e nem mesmo ele podia compreender a batalha oculta por trás das frases simples. Júlio não se esforçava para vender suas vitórias ao senado, mas o tom seco era ainda mais impressionante pelo que não dizia. Pompeu leu até as observações conclusivas, onde César confiava o relatório ao senado e estimava os ganhos anuais em impostos pelas terras que havia tomado. Nenhum som podia ser ouvido na cúria quando Pompeu chegou à última linha.

— "Declaro que a Gália foi pacificada e agora se submeterá ao governo legal de Roma."

Os senadores se levantaram e comemoraram até ficarem roucos numa demonstração espontânea, e Pompeu teve de levantar a mão para silenciá-los.

Quando conseguiram se conter, Pompeu falou com a voz preenchendo a câmara:

— Nossos deuses nos concederam novas terras, senadores. Devemos provar que somos dignos de governá-las. Assim como levamos a paz à Espanha, deveremos levá-la àquela terra mais selvagem. Nossos cidadãos construirão estradas e farão plantações para alimentar nossas cidades. Serão ouvidos em tribunais distantes que terão sua autoridade a partir de nós. Levaremos Roma a eles não por causa da força de nossas legiões, mas porque estamos certos, porque somos justos e porque somos amados pelos deuses.

— Pacificada? Disse a eles que a Gália está pacificada? — perguntou Brutus espantado. — Há lugares na Gália em que nem ouviram falar de nós! O que você estava pensando?

Júlio franziu a testa.

— Você preferiria que eu dissesse: "ainda é perigosa mas está quase pacificada"? Não são as palavras mais inspiradoras para trazer nossos colonos por sobre os Alpes, Brutus.

— Eu teria parado antes do "quase pacificada", também. É mais verdadeiro dizer que esses selvagens quase acabaram conosco em mais ocasiões do que ouso pensar. Que lutaram uns contra os outros durante gerações até que encontraram um inimigo comum em Roma e agora estamos com as mãos no pior ninho de vespas que já vi. Isso seria mais verdadeiro, pelo menos.

— *Certo*, Brutus. Está feito e é o fim. Conheço a situação tão bem quanto você, e as tribos que nunca viram um soldado romano vão nos ver logo que construirmos nossas estradas pelo país. Se o senado me vir como conquistador da Gália não falará mais em me chamar de volta ou me obrigar a pagar as dívidas. Podem contar o ouro que mandei de volta e usar os escravos para baixar o preço do trigo e da cevada. Estarei livre para ir direto ao mar e até mais além. Este é o meu caminho, Brutus; não dá para ver que eu o encontrei? Foi para isso que nasci. Tudo que peço são mais alguns anos, cinco, talvez, e a Gália *será* pacificada. Você diz que eles nunca ouviram falar de nós? Bem, então tomarei terras que Roma nem sabe que existem! Verei um templo de Júpiter se erguer sobre as cidades deles como um penhasco de mármore. Trarei nossa civilização, nossa ciência, nossa arte para as pessoas que vivem nessa imundície. Levarei nossas legiões até onde as terras encontram o mar e mais além. Quem sabe o que há do outro lado das costas distantes? Nem temos mapas dos países de lá, Brutus. Apenas lendas dos gregos sobre ilhas nevoentas na borda do mundo. Isso não estimula sua imaginação?

Brutus olhou para o amigo sem responder, sem saber se alguma resposta era realmente esperada. Tinha visto Júlio nesse clima antes, e às vezes isso ainda o tocava. Mas agora estava começando a se preocupar com a hipótese de Júlio não estar contemplando um fim para suas batalhas de conquista. Até mesmo os veteranos comparavam aquele jovem comandante a Alexandre, e Marco Antônio fazia isso descaradamente. Quando o belo romano fizera essa referência durante uma reunião de conselho, Brutus esperou que Júlio zombasse do elogio canhestro, mas apenas sorriu e segurou o ombro de Marco Antônio, enchendo a taça dele com vinho.

A planície dos helvécios fora cercada, as vastidões de terra divididas em fazendas para os colonos de Roma. Júlio fora temerário com suas promessas, e simplesmente para cumpri-las tinha de ficar no campo. Apenas para pagar suas legiões com prata era forçado a saquear cidades e mandar o dízimo de volta aos senadores. Brutus não conseguia ver um fim para isso e, único no conselho de Júlio, tinha começado a duvidar do propósito da luta que travavam. Como romano podia aceitar a destruição que era o arauto da paz, mas se tudo aquilo era apenas para satisfazer o desejo de poder por parte de Júlio, não podia sentir alegria.

Júlio jamais hesitava. Ainda que a coalizão dos belgos os tivesse pressionado cruelmente na primavera, as legiões haviam assumido parte da confiança do comandante e as tribos foram varridas sem misericórdia. Era como se todos estivessem tocados pelo destino e não pudessem perder. Às vezes até mesmo Brutus se contagiava e era capaz de aplaudir o homem que erguia a espada para eles, com o rosto de metal do capacete brilhando como algum deus malévolo. Mas conhecia o homem que estava por trás e o conhecia muito bem para andar em silêncio ao redor dele, como os legionários. Apesar de obterem as vitórias com força e velocidade, viam Júlio como o único responsável. Enquanto ele vivesse, os soldados sabiam que não seriam derrotados.

341

O IMPERADOR — CAMPO DE ESPADAS

Brutus suspirou. Talvez estivessem certos. Todo o leste da Gália estava sob controle das legiões e as estradas iam sendo construídas por centenas de quilômetros. Roma brotava do chão e Júlio era a semente sangrenta da mudança. Brutus olhava para o amigo e via o orgulho feroz. Afora o cabelo rareando e as cicatrizes, era praticamente o mesmo homem que ele sempre conhecera. No entanto os legionários diziam que era abençoado pelos deuses. Sua presença no campo de batalha valia pelo menos uma coorte a mais e eles se esforçavam para lutar bem por ele. Brutus sentia vergonha de seus pequenos ressentimentos e do cerne de aversão que lutava para negar.

Públio Crasso recebera o comando de duas legiões para viajar ao norte, e o humor atual de Júlio se devia ao fato de que o filho do senador provocara praticamente a rendição total das tribos de lá. Tinham o caminho aberto até o mar e, ainda que a princípio Brutus houvesse argumentado contra, sabia que nada impediria Júlio de levar suas preciosas legiões até a costa.

Os conselheiros de Júlio entraram na sala comprida do acampamento fortificado. Eles também tinham mudado na Gália, notou Brutus. Otaviano e Públio Crasso haviam perdido os últimos traços da juventude nos anos de campanha. Ambos mostravam cicatrizes e tinham sobrevivido, agora mais fortes. Ciro comandava sua coorte com uma dedicação a Júlio que fazia Brutus se lembrar de um cão fiel. Enquanto Brutus ainda conseguia discutir suas dúvidas com Domício ou Rênio, tinha descoberto que Ciro sairia de qualquer sala onde encontrasse a menor sugestão de crítica. Os dois romanos se entreolhavam com aversão, mascarada à força por causa de Júlio.

Como fingimos por ele!, pensou Brutus. Enquanto Júlio estava presente todos faziam o papel de irmãos, deixando de fora as discordâncias profissionais. Era quase como se não conseguissem suportar vê-lo desapontado.

Júlio esperou que o vinho fosse servido e colocou suas anotações na mesa. Já havia memorizado os relatórios e não precisaria examiná-los de novo. Enquanto submergia em suas dúvidas, Brutus se sentia um pouco mais ereto sob aquele olhar azul e via os outros reagirem do mesmo modo.

No fim do dia todos eram seus cães, pensou pegando a taça.

— Seu tratado com os vênetos fracassou, Crasso — disse Júlio ao jovem romano.

O filho do senador balançou a cabeça incrédulo e Júlio falou para aliviar sua perturbação:

— Eu não esperava que durasse. Eles são fortes demais junto ao mar para se sentir ligados a nós, e o tratado era apenas para segurá-los até podermos chegar ao noroeste. Precisarei do controle daquela costa se quiser atravessar o mar. — Júlio olhou à distância enquanto contemplava o futuro, depois sacudiu a cabeça, livrando-se dele. — Eles aprisionaram soldados da coorte que você deixou e estão exigindo a libertação de seus reféns em troca. Devemos destruí-los junto ao mar se quisermos trazê-los à mesa de negociação. Suspeito que eles acham que Roma luta apenas em terra, mas há alguns de nós que sabem da verdade.

Parou para deixar que eles rissem e encarou Ciro com um sorriso.

— Contratei construtores navais e carpinteiros para fazer um novo porto e navios. Pompeu fornecerá tripulações para velejar através dos Pilares de Hércules e rodear a Espanha para se encontrar conosco no norte. Isso serve muito bem aos meus planos e, de qualquer modo, não podemos deixar que a quebra de juramento deles fique sem resposta. Mhorbaine disse que outras tribos estão inquietas e olham qualquer desafio como falcões, para ver se não seremos capazes de reagir.

— Mas quanto tempo demorará até que os navios sejam construídos? — perguntou Rênio.

— Estarão prontos na próxima primavera, se eu conseguir verbas para pagá-los. Escrevi para pedir que o senado assuma o fardo de pagar por nossas novas legiões. Crasso me garantiu que fará o empréstimo se os senadores recusarem, mas há plenos motivos para supor que eles estão satisfeitos com nosso progresso aqui. Talvez, além disso, o inverno não seja duro demais este ano e possamos fazer os preparativos nos meses escuros.

Júlio tamborilou os dedos na mesa.

— Tenho um único relatório de um batedor no Reno. Mais tribos germânicas atravessaram para nossas terras e devem ser repelidas. Mandei cinco edui para confirmar os avistamentos e trazer uma nova estimativa dos números. Lutarei com eles antes de penetrarem muito em nossa terra. Assim que forem derrotados planejo atravessar o rio e persegui-los, como deveria ter feito com os suevos. Não posso permitir que tribos selvagens atravessem o rio para atacar nossos flancos sempre que farejem uma sugestão de fraqueza. Darei uma resposta que não esquecerão em uma geração e lacrarei o Reno depois de voltar.

Olhou ao redor da mesa enquanto os outros digeriam a notícia.

— Devemos nos mover depressa para esmagar cada ameaça assim que aparecer. Se houver apenas mais uma neste momento ficaríamos esticados de uma extremidade da Gália à outra. Levarei minha Décima e a Terceira Gálica até o Reno, sob o comando de Brutus. Não haverá conflito de lealdade contra um inimigo desses. Mhorbaine concordou que a cavalaria dele viajasse comigo de novo. O resto de vocês agirá independentemente, em meu nome.

"Crasso, quero que você volte ao noroeste e destrua as forças terrestres dos vênetos. Queime os navios deles ou pelo menos os force para longe da costa e impeça que desembarquem para pegar suprimentos. Domício, você levará a Quarta Gálica com ele, como apoio. Marco Antônio permanecerá aqui com sua legião. A Décima segunda e a Quinta de Arimino ficarão com você. Você será meu centro e espero que não perca nenhuma das terras que ganhamos, enquanto eu estiver fora. Use cautela, mas ataque se houver necessidade.

"A última tarefa é fácil, Bérico. Sua legião de Arimino merece um descanso e preciso de um bom homem para supervisionar os novos colonos que estão atravessando os Alpes. O senado mandará quatro pretores para governar as novas províncias e eles precisarão que alguém lhes mostre as realidades de nossa situação aqui."

Bérico gemeu e revirou os olhos, fazendo Júlio rir. A idéia de bancar a babá para milhares de romanos inexperientes nem de longe era uma tarefa ideal, mas Bérico era um bom administrador e Júlio tinha falado a verdade ao dizer que a legião merecia um período longe do ritmo constante de batalhas que havia suportado.

Júlio continuou a dar ordens e posições até que cada homem conhecia suas linhas de suprimentos e a extensão de sua autoridade. Sorriu quando eles reagiram com inteligência e respondeu a cada pergunta com o conhecimento completo que os outros tinham passado a esperar. Os legionários afirmavam que ele sabia o nome de cada homem sob seu comando, e quer isso fosse ou não verdade, Júlio tinha dominado cada aspecto da vida numa legião. Jamais ficava em dúvida ou incapaz de oferecer uma resposta rápida a qualquer pergunta, e tudo isso levou a estabelecer a confiança dos homens.

Brutus olhou de novo ao redor da mesa e não encontrou nada além de determinação naqueles que tinham recebido tarefas que significavam dureza, dor e talvez a morte para alguns ou todos. Enquanto Júlio abria seus mapas e começava a passar para questões mais detalhadas de terreno e suprimentos, Brutus ficou observando, mal ouvindo as palavras. Quantos homens naquela sala veriam Roma de novo?, perguntou-se. À medida que Júlio acompanhava a linha do Reno com o dedo e falava sobre suas avaliações, Brutus não podia imaginar um tempo em que o homem que ele acompanhava poderia ser obrigado a parar.

CAPÍTVLO XXXII

No PRIMEIRO DIA DE OUTONO DO QUARTO ANO DE JÚLIO NA GÁlia, Pompeu e Crasso atravessaram juntos o fórum, profundamente imersos numa conversa. Ao redor o grande espaço aberto no centro da cidade estava cheio de milhares de cidadãos e escravos. Oradores se dirigiam àqueles que podiam ser persuadidos a ouvir e suas vozes se espalhavam por sobre as cabeças da multidão falando de uma centena de assuntos diferentes. Escravos de casas ricas passavam rapidamente, carregando pacotes e rolos de pergaminho para seus senhores. Tinha virado moda vestir os escravos domésticos com cores fortes, e muitos usavam túnicas azuis ou douradas, uma miríade de tons que se entreteciam com os vermelhos e marrons mais escuros dos trabalhadores e mercadores. Guardas armados faziam um progresso pausado pelo fórum, cada grupo rodeando seu patrão no centro. Era o coração agitado e apressado da cidade, e nem Pompeu nem Crasso notaram as sutis diferenças de humor na multidão ao redor.

Pompeu só percebeu a encrenca que viria quando, devido a um empurrão forte, um dos seus legionários esbarrou nele. A pura perplexidade o fez esquecer os instintos de sobrevivência e ele parou. A multidão estava ficando mais densa no mesmo instante em que ele hesitava, e os rostos eram feios e mal-intencionados. Crasso se recuperou mais depressa e puxou Pompeu em direção ao prédio do senado. Se fosse haver outro tumulto, era melhor sair o mais depressa possível e mandar guardas para restaurar a ordem.

O espaço em volta dos senadores se encheu de homens empurrando e zombando. Uma pedra voou sobre a cabeça deles e acertou alguém na multidão. Pompeu viu um de seus lictores ser derrubado com uma porretada e sentiu um momento de pânico antes de juntar coragem. Sacou uma adaga do cinto e a segurou com a lâmina virada para baixo, de modo a ser usada para esfaquear ou cortar. Quando alguém da multidão chegou perto demais ele abriu a bochecha do sujeito sem hesitar, e o viu ficar para trás com um grito.

— Guardas! A mim! — rugiu.

A multidão pressionou e ele viu três homens corpulentos forçarem um de seus legionários para o chão, esfaqueando-o repetidamente enquanto ia desaparecendo. Uma mulher gritou ali perto e Pompeu ouviu seu chamado ser abafado pelos cidadãos cheios de horror, atrás dos homens que o estavam atacando. Eram os homens de Milo, tinha certeza. Deveria ter esperado isso depois do isolamento do líder deles no senado, mas estava com apenas um punhado de soldados e lictores e eles não bastariam. Usou sua adaga de novo e viu Crasso dar um soco, quebrando o nariz de um agressor.

Os lictores estavam armados com um machado cerimonial e cajados. Assim que os soltaram das amarras, os machados eram armas temíveis numa multidão, e eles literalmente abriram caminho para Pompeu e Crasso em direção à sede do senado. No entanto seu número ia diminuindo enquanto facas os golpeavam, e o círculo de segurança ao redor dos dois senadores se encolheu até praticamente não haver espaço para eles se moverem em meio à pressão de corpos.

Pompeu conheceu a esperança e o desespero no mesmo instante, quando ouviu trombetas soando do outro lado do fórum. Sua legião tinha vindo resgatá-lo, mas seria tarde demais. Dedos puxaram cruelmente sua toga e ele os golpeou com a adaga, serrando num frenesi até que eles caíram para longe. Crasso foi derrubado por outra pedra e Pompeu o arrastou para cima e para a frente, segurando-o enquanto o velho recobrava a consciência. Havia sangue em sua boca.

O ruído os martelava e então mudou ligeiramente. Novos rostos apareceram em números ainda maiores e Pompeu os viu derrubar os que lutavam para alcançá-lo. Bolos de homens gritando se separavam da massa, lutando não como legionários, mas com cutelos, ganchos de carne e pedras. Pompeu viu o rosto de um homem virar pasta, sob golpes repetidos, até que ele caiu.

Todo o movimento adiante cessou, e ainda que Pompeu pudesse ver a escadaria do senado a pouca distância, estava longe demais. Golpeava a adaga contra tudo que podia alcançar, numa fúria, e não sabia que estava gritando numa raiva insensata.

A pressão de corpos diminuiu sem aviso e Pompeu viu as facas ensangüentadas dos raptores erguidas quase numa saudação enquanto eles recuavam. Com corpos esmagados e gritando, havia homens feridos a toda volta, mas eles não atacaram. Pompeu os chamava, segurando a adaga a postos, com a lâmina paralela ao antebraço. O suor escorria e ele ficou olhando perplexo os homens recuarem para formar um caminho até o prédio do senado. Lançou um olhar naquela direção e considerou até onde chegaria se corresse, e decidiu não fazer isso. Não iria lhes mostrar as costas.

Nesse momento viu os uniformes de sua legião abrindo caminho pela turba e Clódio ali parado, ofegando. O líder criminoso parecia terrivelmente sólido em comparação aos outros. Mesmo não sendo um homem alto, era tremendamente forte e a multidão abriu caminho instintivamente ao redor dele, como lobos que desviam o olhar diante do mais brutal da matilha. Sua cabeça raspada brilhava de suor ao sol da manhã. Pompeu só pôde ficar olhando.

— Eles se espalharam, Pompeu, os que sobreviveram — disse Clódio. — Chame seus soldados. — Sua mão direita estava molhada de sangue e a lâmina que ele segurava tinha se partido perto do punho.

Pompeu se virou quando um oficial de sua legião ergueu a espada para golpear Clódio.

— Pare! — gritou, finalmente entendendo. — Estes são aliados.

Clódio assentiu diante disso e Pompeu ouviu a ordem ser repetida enquanto a legião se reunia ao seu redor, formando um quadrado de luta. Clódio começou a ser empurrado, mas Pompeu segurou o braço dele.

— Preciso adivinhar quem está por trás desse ataque? — perguntou.

Clódio encolheu os ombros enormes.

— Ele já está no prédio do senado. Não haverá qualquer ligação com ele, pode ter certeza. Milo é suficientemente esperto para manter as mãos limpas. — Como se numa ironia, Clódio jogou sua faca quebrada no chão e enxugou as mãos sangrentas na bainha do manto.

— Você estava com homens a postos? — perguntou Pompeu, odiando a suspeita constante que fazia parte de sua vida.

Clódio estreitou os olhos diante da implicação.

— Não. Nunca ponho os pés no fórum sem cinqüenta dos meus rapazes. Eles bastaram para alcançar você a tempo. Eu não sabia de nada até que a coisa começou.

— Então devemos nossa vida ao seu pensamento rápido. — Pompeu ouviu um gemido se interromper ali perto e girou. — Restou algum vivo para ser interrogado?

Clódio o encarou.

— Agora, não. Não se dá nomes nesse tipo de trabalho. Acredite, eu sei.

Pompeu assentiu, tentando ignorar a voz interior que se perguntava se Clódio tinha montado a coisa toda. Era um pensamento desagradável, mas ele estava ligado ao sujeito por uma dívida que duraria anos. Para muitos no senado uma dívida assim valeria a morte de alguns de seus serviçais, e Clódio era conhecido por ser implacável em todas as partes de sua vida. Pompeu encarou Crasso e adivinhou que o velho estava pensando a mesma coisa. Crasso levantou os ombros muito ligeiramente e os deixou cair, e Pompeu olhou de novo para o homem que os tinha salvado. Não havia como saber, e provavelmente nunca haveria.

Pompeu notou que ainda estava segurando a adaga e desenrolou os dedos dolorosamente do cabo. Sentia-se velho perto da força taurina de Clódio. Ainda que parte dele quisesse lavar o sangue da pele e afundar num banho quente em algum lugar isolado e acima de tudo seguro, sabia que mais era esperado de sua parte. Havia centenas de homens ao alcance da audição, e antes do anoitecer o incidente seria o principal assunto de conversa em cada loja e taverna da cidade.

— Estou atrasado para o senado, senhores — falou com a voz crescendo em força. — Limpem o sangue antes de eu voltar. Os impostos do trigo não serão adiados para ninguém.

Não era grande coisa em termos de espirituosidade, mas Clódio deu um risinho.

Com Crasso ao lado, Pompeu caminhou pela avenida aberta pelos homens de Clódio e muitos baixaram a cabeça respeitosamente enquanto eles passavam.

A Décima recuou em pânico, com as linhas organizadas se dissolvendo no caos de uma debandada completa. Milhares de cavaleiros senones a perseguiam, afastando-se da batalha principal onde as legiões de Arimino lutavam solidamente e mantinham a linha.

O acampamento fortificado da noite anterior estava a menos de um quilômetro e meio de distância, e a Décima em retirada a cobriu em grande velocidade, com Júlio entre os homens. Os *extraordinarii* protegiam a retaguarda dos ataques selvagens dos senones e nenhum homem se perdeu quando eles chegaram aos grossos portões da fortaleza e correram para dentro.

Os senones estavam se mostrando adversários difíceis. Júlio tinha perdido um grande número de soldados da Terceira Gálica numa emboscada numa floresta e em outras desde então. A tribo aprendera a não travar batalha direta contra as legiões. Em vez disso fazia escaramuças e se afastava, usando a cavalaria para importunar as forças romanas sem jamais se permitir ser surpreendida em lugares onde pudesse ser esmagada.

Os *extraordinarii* acompanharam os homens da Décima passando pelo portão do forte e o fecharam. Era uma situação humilhante, mas o forte fora projetado exatamente com esse objetivo. Além de dar proteção para a noite, permitia que as legiões recuassem para uma posição segura. Os cavaleiros senones gritaram e comemoraram enquanto cavalgavam ao redor das enormes paredes de terra, mas tiveram o cuidado de se manter fora do alcance. Por duas vezes antes Júlio fora obrigado a trazer toda a sua força de volta para dentro dos muros e os senones os vaiavam ao fazer isso de novo.

O rei cavalgava com eles e longos estandartes adejavam em lanças presas em sua sela. Júlio ficou olhando da muralha enquanto o líder dos senones brandia a espada em direção aos homens do forte, zombando. Júlio mostrou os dentes.

— Agora, Brutus! — gritou para baixo.

Os senones não podiam enxergar dentro do acampamento e seus gritos continuaram sem se alterar. Acima do trovão de seus próprios cascos não ouviram os *extraordinarii* que se reuniam na outra extremidade e instigavam as montarias ao galope atravessando o amplo acampamento, direto para o muro perto do portão.

À medida que eles ganhavam velocidade, cinqüenta homens da Décima usaram pedaços de madeira para derrubar blocos soltos que formavam a muralha. Ela caiu exatamente como Júlio havia projetado, deixando um espaço aberto suficientemente largo para cinco cavalos passarem lado a lado.

Os *extraordinarii* saíram como flechas, direto para o rei. Antes que seus cavaleiros pudessem reagir ele foi rodeado e arrancado do cavalo. Eles giraram diante do inimigo e galoparam de volta para a abertura na muralha, com o rei gritando atravessado na sela de Brutus.

Júlio abriu o portão e a Décima saiu marchando em triunfo. O pânico e o medo que tinham fingido desaparecera e os legionários atacaram os senones com um rugido. A Décima os golpeou com lanças e espadas e obrigou os gauleses a se afastar cada vez mais do forte e de seu rei capturado. Atrás deles o buraco na muralha foi preenchido com carroças que tinham sido deixadas com esse objetivo e Júlio saltou em sua sela para correr atrás deles, olhando para trás e vendo o forte ficar seguro de novo.

Tinha demorado uma noite sem luar para construir o muro falso, mas o ardil não poderia ter funcionado melhor. O rei dos senones fora crucial para os ataques deles, um homem capaz de responder a cada estratagema com velocidade e inteligência. Retirá-lo da batalha era um passo vital para derrotar a tribo.

Júlio foi até a linha de frente da Décima e viu o prazer dos legionários diante de seu aparecimento. As legiões de Arimino estavam sustentando a posição como fora ordenado, e agora a Décima podia atacar a retaguarda dos senones, esmagando-os entre as duas forças.

Desde o primeiro instante em que a Décima chegou às linhas deles, Júlio pôde sentir a diferença na massa de cavaleiros e soldados de infantaria. Os gauleses tinham contado muito com seu rei, e sem ele já estavam perto do pânico.

Apesar de tentarem se destacar em unidades, como o rei ordenara nos dias anteriores, o cerne da disciplina tinha desaparecido. Em vez de uma retirada ordeira para buscar vantagem tática, duas cargas se atrapalharam mutuamente enquanto eles tentavam se organizar. A Décima os arrancou das selas e foi adiante. Cavalos sem cavaleiros corriam relinchando pelo campo de batalha e os senones foram esmagados, centenas levantando os braços e se rendendo à medida que a notícia da captura do rei se espalhava.

A cinco quilômetros de distância ficava sua maior cidade e Júlio marchou com a Décima para lá assim que os guerreiros foram desarmados e amarrados como escravos. O preço deles incharia seus cofres ainda mais, e diziam que a cidade era rica. Depois de pagar a parte do senado ainda esperava ter o suficiente para aumentar sua frota e finalmente poder atravessar o difícil canal entre a Gália e as ilhas. Tinham capturado nove navios dos vênetos mas precisaria de mais vinte galeras para levar mais do que uma força de batedores ao mar. Mais um ano para construí-las e então ele levaria seus melhores homens a terras que nenhum romano já vira.

À medida que a Décima marchava para a fortaleza dos senones Júlio ria alto com a empolgação dessa perspectiva, enquanto sua mente se enchia com os milhares de detalhes de suprimentos e administração de que seus homens precisariam para sair a campo. Dentro de dois dias deveria se encontrar com uma delegação de três tribos que ocupavam o litoral, e esperava que eles trouxessem tributos e um novo tratado. Com a frota dos vênetos afundada ou presa em terra, toda aquela parte do norte tinha se rendido a ele, e agora que os senones foram removidos da equação a metade da Gália era sua. Não havia tribos que não tivessem ouvido falar das legiões. A Gália zumbia com as notícias de suas conquistas e ele raramente tinha um dia em que os líderes tribais não viajavam a seus acampamentos e esperavam sua assinatura num tratado. Adàn ficava ocupado e fora obrigado a pegar três outros escribas das tribos para cuidar das intermináveis cópias e traduções.

Júlio se perguntou o que faria com o rei capturado. Se ele fosse deixado vivo poderia liderar uma rebelião nos próximos anos. A capacidade do rei impedia a misericórdia, e Júlio decidiu seu destino sem arrependimento.

À medida que a cidade dos senones aparecia Júlio a observou com prazer, já imaginando os templos lá dentro. Sabia-se que os senones demonstravam seu amor pelos deuses com moedas e jóias, formando salas de tesouro com o passar dos anos. Depois de os ferreiros das legiões terem derretido o precioso metal em barras e cunhado novas moedas, Júlio tiraria tudo de valor de cada casa e edifício público. Deixaria o povo vivo e sob a proteção das legiões, mas precisava da riqueza para ir em frente.

Um vento frio o tocou vindo da planície, e Júlio estremeceu diante do primeiro arrepio de outro inverno. Estreitou os olhos enquanto espiava o leste, imaginando os Alpes e a distância que teria de atravessar. Pela primeira vez não passaria os meses de frio na Gália. Em vez disso viajaria a Arimino para uma reunião que decidiria seu futuro.

A carta de Crasso estalava de encontro à sua pele enquanto ele cavalgava, e Júlio esperava que ainda pudesse confiar nas promessas do velho. Não era a época certa para ser chamado de volta, com a Gália se abrindo diante dele. As ilhas do outro lado do mar assombravam seus sonhos. Ainda havia alguns que diziam que elas não existiam, mas Júlio subira nos penhascos da costa e as vira tremeluzindo brancas à distância.

A cidade dos senones se rendeu e os portões foram abertos. Júlio cavalgou sob os arcos, com a mente já em Arimino e no futuro.

CAPÍTVLO XXXIII

OS GUARDAS DA LEGIÃO NAS MURALHAS DE ARIMINO ESTAVAM BEM protegidos contra o frio. À medida que a noite caía eles puxaram as capas pesadas sobre as armaduras e enrolaram pedaços de tecido no rosto, de modo que restasse apenas uma fenda pequena.

Braseiros foram acesos ao longo de toda a crista de pedra e os legionários tiveram permissão de se amontoar em volta deles. A maioria era de recrutas novos, trazidos das cidades no sul para substituir os que lutavam por César na Gália. Mostravam a juventude nas piadinhas em voz baixa e nos frascos ilícitos de bebida que os faziam ofegar, engasgar e dar tapinhas nas costas uns dos outros.

Arimino era uma cidade de trabalhadores e havia poucas luzes nas janelas à medida que a noite de inverno escurecia. Antes do amanhecer as ruas se encheriam de novo com carroças e produtos para os navios. Os comerciantes trocariam uma moeda de bronze por alguns bocados de comida a caminho de outro dia de trabalho e os legionários nas muralhas seriam substituídos.

Em silhueta contra a cidade silenciosa, um dos guardas levantou a cabeça e olhou para a escuridão.

— Acho que ouvi cavalos por lá — disse ele.

Mais dois se afastaram do calor do braseiro e pararam ao seu lado. Ouviram em silêncio total e logo antes de se virarem de novo escutaram alguma coisa. O ruído parecia alcançar mais longe no estranho silêncio que vem do chão congelado.

O guarda mais novo estreitou os olhos e moveu a cabeça de um lado para o outro. Não havia nada além de escuridão fora das muralhas, no entanto poderia ter jurado que a escuridão se alterava sempre que ele fixava os olhos.

As sombras se fundiram em formas mais nítidas e o jovem legionário se enrijeceu, apontando.

— Ali! Cavaleiros... não dá para saber quantos.

Os outros não tinham a vista tão boa e só puderam ficar olhando para onde ele apontava.

— São dos nossos? — perguntou um, escondendo o medo. Sua mente estava cheia da imagem de bárbaros atacando as muralhas da cidade e o frio pareceu se intensificar quando ele estremeceu.

— Não dá para dizer. Será que devemos chamar o Velho Bronca?

A pergunta fez os três jovens soldados pararem. A possibilidade de atacantes era uma coisa, mas acordar o centurião com um alarme falso era simplesmente pedir encrenca.

Teras era o mais velho dos três. Não tinha mais experiência do que os outros, tendo se alistado com mais idade, depois de não conseguir sobreviver como mercador. No entanto eles o olharam como tinham aprendido a fazer em questões de dinheiro e garotas. Teras também não sabia grande coisa sobre isso, mas fingia um ar de conhecimento mundano que impressionava os recrutas mais jovens.

Enquanto eles hesitavam a força de cavaleiros chegou mais perto e o ruído metálico dos arreios se misturou ao som constante de homens em marcha. O vento noturno fazia estalar os longos estandartes que tremulavam de modo desagradável enquanto as figuras sombrias avançavam para o portão.

— Certo, vá chamá-lo — disse Teras mordendo o lábio, preocupado.

— Chegando ao portão! — gritou uma voz abaixo deles. Os guardas ficaram rígidos, em posição de sentido, como tinham sido treinados.

— Estamos fechados. Voltem de manhã — gritou uma das outras sentinelas, com os companheiros reprimindo um riso.

Ali estava um que deveria ser revistado em busca de bebida antes de vir

355

O IMPERADOR — CAMPO DE ESPADAS

para o turno de vigia, pensou Teras amargamente. Ele poderia ter dado um soco no jovem idiota, de pura frustração, mas as palavras tinham sido ditas. Teras fechou os olhos enquanto esperava durante um silêncio grávido.

— Vou encontrar quem disse isso e chutar seu traseiro até sangrar — respondeu a mesma voz, a meio caminho entre a diversão e a raiva. — Agora abram o portão.

Teras se virou para os homens junto à tranca, embaixo. Às vezes gostaria de ter continuado como mercador, apesar de perder mais dinheiro do que ganhava.

— Abram — falou. Os rapazes embaixo o olharam preocupados.

— A gente não deveria esperar o...

— Ah, abram. Está frio e eles são romanos. Se fossem bárbaros você realmente acha que estariam esperando a gente terminar a discussão?

No fim sua voz tinha subido até um grito e a raiva pareceu instigá-los como nenhuma outra coisa faria. As traves pesadas foram erguidas e o portão foi aberto com facilidade.

Brutus passou primeiro e apeou, entregando as rédeas do cavalo ao guarda mais próximo.

— Certo. Agora onde está aquele sacana metido a besta em cima da muralha?

Teras viu outro cavaleiro passar pelo portão, tão coberto de agasalhos quanto os guardas acima. Mesmo assim era uma figura imponente e Teras pôde ver como os homens que vinham atrás esperaram pacientemente que ele atravessasse o portão. Um oficial. Teras podia identificá-los a quilômetros de distância.

— Não temos tempo — disse o homem com clareza. — Já estou atrasado demais.

Com um rápido movimento de cabeça, Brutus passou a perna sobre o cavalo e montou de novo. O oficial não esperou por ele, bateu os calcanhares no animal e trotou pelas ruas escuras, com o resto acompanhando-o sem dizer palavra.

Teras contou toda uma centúria quando Bronca veio subindo até a muralha, ao lado dele. O portão foi fechado de novo e os jovens guardas retomaram as posições, não ousando atrair o olhar do centurião.

Bronca era um veterano, e se você acreditasse em todas as histórias que os homens contavam sobre ele o sujeito participara de todas as batalhas importantes desde os dias de Cartago. Apesar de isso indicar que teria centenas de anos de idade, ele falava dessas épocas como se tivesse estado lá pessoalmente, com uma clara implicação de que apenas sua presença salvara a República dos invasores, da má disciplina e, possivelmente, da pestilência. Qualquer que fosse a verdade, ele era cheio de cicatrizes, mal-humorado e profundamente ressentido por terem lhe dado recrutas para transformar em algo que se aproximasse de legionários.

— Você, você e... você — disse o velho soldado, sério, apontando finalmente para Teras. — Não sei o que acharam que estavam fazendo esta noite, mas amanhã vão cavar a latrina na estrada Famena. Isso eu sei.

Sem outra palavra, Bronca desceu os degraus escorregadios, ainda xingando baixo. Teras podia sentir o cheiro doce de álcool no hálito dele por algum tempo depois de o sujeito ter ido embora.

O jovem legionário que tinha gritado para Brutus foi arrastando os pés até Teras e retomou o posto perto do braseiro, esquentando as mãos. Ele abriu a boca para dizer alguma coisa.

— Não — disse Teras simplesmente. — Ou eu mato você.

Júlio achou o local do encontro sem muita dificuldade. A mensagem cifrada de Crasso tinha pedido que ele se lembrasse de onde tinham planejado a derrota de Espártaco. Ainda que Júlio não estivesse em Arimino por uma década, a cidade tinha um desenho simples e a casa era a única com luz numa rua vazia perto do cais. Ele tentara ao máximo possível manter segredo, saindo da Gália sem aviso para correr à frente dos informantes, com uma centúria da Décima, na maior velocidade possível. Tinham coberto os primeiros oitenta quilômetros em pouco mais de dez horas, e nenhuma vez os homens tinham reclamado ou descansado mais do que nas curtas paradas para comer e beber água. Quando estava certo de que até mesmo os espiões mais rápidos deviam ter ficado para trás, Júlio permitiu um passo mais lento nas passagens dos Alpes. E na verdade não poderiam ter ido mais rápido no ar frio e rarefeito. Quando haviam completado a descida Júlio teve certeza de que qualquer um que os seguisse teria de esperar até a primavera.

Deixou Brutus com a centúria para bloquear a rua. Foi até a porta da qual se lembrava desde a antiga campanha e bateu nas tábuas, apertando a capa para se proteger do frio.

Um homem que ele não conhecia a abriu, e Júlio se perguntou se era o dono da casa.

— Sim? — perguntou o sujeito, olhando-o inexpressivo.

— Gália — respondeu Júlio, e o homem ficou de lado para ele passar.

Júlio podia ouvir os estalos do fogo numa grande lareira, antes de entrar na sala. Pompeu e Crasso se levantaram para cumprimentá-lo e Júlio sentiu uma onda de afeto pelos dois enquanto apertava as mãos. Eles também pareceram senti-la e os sorrisos foram genuínos.

— Faz muito tempo, amigo. Trouxe meu filho? — perguntou Crasso.

— Como você pediu, sim. Devo mandar chamá-lo?

Júlio viu Crasso lutar por um momento antes de responder.

— Não, não até termos falado — disse o velho com relutância. — Há comida na mesa e vinho quente perto do fogo. Venha sentar-se e se aquecer.

Com uma pontada de culpa Júlio pensou em seus homens tremendo na noite lá fora. Crasso tinha pedido privacidade para o encontro, mas eles ainda precisariam encontrar comida e abrigo antes do amanhecer. Perguntou-se quantos homens poderiam ser apinhados na ampla casa de Arimino ou se acabariam dormindo em estábulos.

— Vocês estão na cidade há muito tempo? — perguntou. Os dois balançaram a cabeça.

— Só alguns dias — respondeu Crasso. — Se demorasse muito mais eu teria de voltar a Roma. Fico feliz por você ter vindo.

— Como poderia não vir, depois daquele bilhete misterioso? Senhas e marchas noturnas pelo norte. Tudo muito empolgante. — Júlio sorriu para os homens mais velhos. — Na verdade fico feliz por estar aqui e não na Gália durante o inverno. Vocês não fazem idéia de como faz frio nos meses escuros.

Os dois ex-cônsules trocaram olhares e Júlio viu que boa parte dos atritos entre eles havia se aplacado com o passar do tempo. Esperou com paciência que revelassem o motivo do encontro, mas agora que estava com os dois nenhum parecia seguro quanto ao modo de começar. Júlio mastigou um pedaço de cordeiro frio enquanto esperava.

— Você se lembra de nosso acordo? — disse Pompeu finalmente. Júlio assentiu.

— Claro. Vocês dois o honraram, como eu.

Pompeu grunhiu concordando.

— Mas o tempo não parou. Precisamos rever os termos.

— Foi o que presumi. Agora há novos cônsules e vocês estão se perguntando se ainda podem lucrar comigo. Diga do que precisam.

Crasso deu um risinho seco.

— Sempre tão direto, Júlio! Muito bem. O senado mudou muito nos anos em que você esteve longe.

— Eu sei — respondeu Júlio, e Crasso sorriu.

— É, tenho certeza de que você tem suas fontes. Fala-se em chamá-lo de volta da Gália, você sabe. Seus ataques no Reno não o favoreceram com os senadores. As tribos germânicas nunca fizeram parte de nossas ordens e Pompeu teve dificuldade para protegê-lo.

Júlio deu de ombros.

— Então agradeço. Considerei necessário manter a fronteira do Reno.

Pompeu se inclinou para a frente na cadeira e esquentou as mãos diante do fogo.

— Você sabe como eles são volúveis, Júlio. Um ano nos aplaudem, no outro pedem nossa cabeça. Sempre foi assim.

— Vocês poderão impedir que me chamem de volta? — perguntou Júlio, mantendo-se totalmente imóvel. Muita coisa dependia da resposta.

— É por isso que estamos aqui, Júlio — respondeu Pompeu. — Você quer que seu tempo na Gália seja estendido e eu posso lhe dar isso.

— Não se falou em limites quando parti — lembrou Júlio.

Pompeu franziu a testa.

— Mas a situação mudou. Você não é mais cônsul e nenhum de nós pode se candidatar de novo nos próximos anos. Há muitos homens novos no senado, que só o conhecem como um general num lugar tremendamente distante. Eles querem algum fim para os seus relatórios, Júlio.

Júlio o olhou calmamente, sem responder.

Pompeu fungou.

— Você deixou o norte desprotegido quando levou as legiões de

Arimino. Isso lhe custou muito apoio e mesmo agora estamos com poucas forças. Seus credores o perseguem no senado. Fala-se até em julgá-lo por ter matado Ariovisto. Todas essas coisas exigiriam que você cedesse o comando e voltasse para casa.

— Então qual seria o preço para eu ficar? Minha filha já lhe está prometida — disse Júlio em voz baixa.

Pompeu forçou um sorriso e Júlio pôde ver como ele estava cansado. Crasso falou primeiro:

— Entenda, Júlio. Eu estou satisfeito. O preço do meu apoio é a volta de meu filho para liderar minha legião. Pompeu garantirá uma província para mim e eu continuarei a formação de meu filho lá, agora que você o treinou. Ele fala bem de você nas cartas.

— Que lugar você tem em mente? — perguntou Júlio com interesse genuíno.

— Síria. Os partos estão se recusando a deixar que meus navios comerciem com eles. O general de uma legião pode ir onde nenhum mero mercador ousa.

— Um príncipe mercador — murmurou Júlio. Crasso riu para ele.

— Até um príncipe mercador precisa de uma boa legião ocasionalmente.

Júlio se virou para olhar Pompeu.

— Então Crasso tem a Síria para dominar em nome de Roma. Eu lhe dou o filho para liderar seus homens. O que Pompeu poderia precisar de mim? Ouvi dizer que Clódio e Milo criam tumultos nas ruas. Quer meu apoio? Você o teria, Pompeu. Se precisar de mim para apoiá-lo como ditador, eu voltaria com minha Décima para lidar com qualquer coisa que viesse em seguida. Dou minha palavra. Ainda tenho amigos lá e poderia cuidar disso para você.

Pompeu deu um sorriso tenso para o homem mais jovem.

— Senti falta de sua energia na cidade, Júlio. Verdade. Não, eu coloquei algemas em Clódio. E Milo é uma força desgastada. Seus relatórios estão desatualizados. Minhas necessidades são mais simples.

Ele olhou de novo para Crasso, e Júlio pensou na amizade que tinha brotado entre os dois. Era estranho o quanto as pessoas mudavam com os anos. Júlio jamais acreditaria que eles poderiam ser qualquer coisa além de aliados relutantes, mas pareciam tão confortáveis um com o outro quanto irmãos. Perguntou-se se Pompeu teria sabido do envolvimento de Crasso com Catilina. Sempre havia segredos em Roma.

— Preciso de ouro, Júlio — disse Pompeu. — Crasso disse que você encontrou grande riqueza na Gália, muito mais do que a cidade jamais vê em impostos.

Júlio olhou para Crasso com interesse, imaginando o quanto as fontes dele eram boas em fazer estimativas. Pompeu continuou, com as palavras se derramando, agora que tinha começado.

— Meu rendimento particular não é suficiente para reconstruir a cidade, Júlio. Partes foram danificadas nos tumultos e o senado não tem fundos. Se você tiver, eles seriam usados para terminar os templos e as casas que começamos.

— Sem dúvida Crasso pode adiantar o dinheiro, não é?

Pompeu ficou ligeiramente ruborizado.

— Eu lhe disse, Crasso — reagiu ele para o colega. — Não chegarei como um mendigo...

Crasso interrompeu, pondo a mão no braço de Pompeu para acalmá-lo.

— Não é um empréstimo que Pompeu está pedindo, Júlio, mas um presente. — Ele deu um sorriso torto. — Nunca entendi como o dinheiro pode ser um assunto tão desconfortável em alguns círculos. É bastante simples. O tesouro do senado não é suficientemente gordo para suprir os milhões necessários à reconstrução de partes da cidade. Outro aqueduto, templos, novas ruas. Tudo isso custa dinheiro. Pompeu não quer criar dívidas novas, nem mesmo comigo.

Júlio pensou, tristonho, nos navios que esperavam seu pagamento. Suspeitava que Pompeu não sabia de todo o conteúdo da carta que Crasso lhe mandara, mas pelo menos viera preparado. Algumas vezes a franqueza de Crasso era uma bênção.

— Eu tenho o dinheiro — falou. — Mas em troca quero que a Décima e a Terceira sejam acrescentadas à folha de pagamento do senado. Não posso continuar a pagar o salário dos soldados com minha própria bolsa.

Pompeu assentiu.

— Isso é... aceitável.

Júlio pegou outro pedaço de carne fria na mesa e comeu enquanto pensava.

— Eu precisaria que minhas ordens fossem confirmadas por escrito, claro. Mais cinco anos na Gália, garantidos do modo mais sólido que vocês consigam. Não quero ter de renegociar os termos no ano que vem. Crasso, o seu filho está pronto para o comando. Sinto perder um oficial tão bom, mas esse foi o nosso acordo e eu o cumprirei. Desejo sorte com sua nova província. Acredite quando digo que não é fácil abrir novos caminhos para Roma.

Pompeu ficou quieto. Assim, com um sorriso, Crasso falou por ele.

— E o ouro, Júlio?

— Esperem — respondeu ele, levantando-se.

Voltou com Públio e Brutus, os três lutando com um grande baú de cedro preso com tiras de ferro. Pompeu e Crasso se levantaram quando eles entraram na sala e Crasso foi abraçar o filho. Júlio abriu a caixa e revelou uma quantidade de gordas moedas amarelas suficiente para impressionar até mesmo Crasso, que se afastou do filho e passou a mão sobre o ouro.

— Tenho mais três destes, senhores. Mais de três milhões de sestércios, pelo peso. Basta?

Pompeu também parecia incapaz de afastar o olhar do metal precioso.

— Basta — disse com a voz pouco acima de um sussurro.

— Então temos um acordo? — perguntou Júlio, olhando de um para o outro.

Ambos os senadores assentiram.

— Excelente. Precisarei de quartos para meus homens esta noite, aqui ou numa taverna, se vocês puderem recomendar alguns lugares. Eles mereceram o direito de ter comida quente e um banho. Voltarei aqui ao amanhecer para examinar os detalhes com vocês dois.

— Há outra coisa que pode interessá-lo, César — disse Crasso, com os olhos brilhando. Olhou para Brutus enquanto falava, depois deu de ombros.

— Uma pessoa amiga viajou de Roma conosco. Vou lhe mostrar o caminho.

Júlio ergueu uma sobrancelha, mas Pompeu também parecia compartilhar uma diversão interna quando o olhar dos dois se encontrou.

— Então mostre o caminho — disse Júlio, acompanhando Crasso para os corredores mais frios da casa.

Pompeu se sentiu desconfortável com os homens que Júlio tinha trazido. Públio sentiu isso e pigarreou.

— Devo trazer o resto do ouro, cônsul, com sua permissão.

— Obrigado — respondeu Pompeu. Em seguida pegou uma capa num gancho da parede e saiu com eles para a noite.

Crasso pegou uma lâmpada num suporte de parede e guiou Júlio por um corredor comprido até os fundos da propriedade.

— Quem é o dono desta casa? — perguntou Júlio, olhando ao redor a riqueza da mobília.

— Eu. O dono passou por dificuldades e eu pude adquiri-la por um preço excelente.

Júlio sabia que o dono anterior devia ter sido um dos que sofreram com o monopólio do comércio que fora a parte de Crasso no acordo original dos três. Estava interessado em saber por que o velho não tentara estender a licença, mas a província que Pompeu lhe oferecera bastaria para ocupar seu tempo. Júlio esperava que Crasso tivesse o bom senso de deixar o filho tomar as decisões. Mesmo gostando do velho senador, o sujeito não era um general, ao passo que o filho poderia se tornar um muito bom.

— Por aqui, Júlio — disse Crasso, entregando-lhe a lâmpada.

Júlio pôde ver um deleite infantil nas feições enrugadas de Crasso, que o deixou espantado. Abriu a porta e a fechou para a escuridão atrás.

Servília nunca parecera mais linda. Júlio se imobilizou ao vê-la e procurou um lugar para pôr a lâmpada, com o processo simples parecendo subitamente difícil.

O cômodo era aquecido por uma lareira de tamanho suficiente para alguém ficar de pé dentro. Nenhum toque do inverno uivante chegava a eles, e Júlio bebeu as linhas da mulher que o observava sem falar. Estava deitada num divã comprido e usava um vestido vermelho-escuro, parecendo sangue de encontro à pele. Ele não sabia o que dizer e só ficou olhando em silêncio por longo tempo.

— Venha cá — disse Servília, estendendo a mão. Penduricalhos de prata tilintaram em seu pulso enquanto ela se movia. Júlio atravessou o cômodo e, ao tocar as mãos dela, dobrou-se em seu abraço e os dois estavam se beijando. Não havia necessidade de palavras.

Pompeu lamentou ter deixado o calor da casa em troca da rua invernal, mas uma curiosidade incômoda não o abandonava. Enquanto as caixas de ouro eram levantadas e carregadas para a casa, caminhou pela fileira de soldados silenciosos, assumindo naturalmente seu papel de oficial de Roma. Eles estavam em posição de sentido e o saudaram assim que ele apareceu, e agora sua inspeção era natural, quase esperada.

Em verdade Pompeu sentia uma responsabilidade pela Décima. Tinha sido sua ordem fundir a Primogênita com uma legião envergonhada na batalha, e ele sentia um interesse proprietário ao ler os relatórios de Júlio no senado. Os homens da Décima tinham se tornado os de maior confiança de Júlio e não era surpresa vê-los nas fileiras que ele escolhera para o encontro.

Falou com um ou dois e eles responderam nervosos às suas perguntas, olhando direto em frente. Um ou dois estavam tremendo, mas trincaram os maxilares enquanto ele passava, não querendo demonstrar qualquer fraqueza.

Parou diante do centurião e lhe deu os parabéns pela disciplina de seus homens.

— Qual é o seu nome? — perguntou, mesmo sabendo.

— Régulo, senhor.

— Tive o prazer de dizer ao senado como a Décima vem se saindo bem na Gália. Foi difícil?

— Não, senhor — respondeu Régulo.

— Ouvi dizer que os legionários consideram a espera a pior parte da guerra.

— Não é duro demais, senhor.

— Fico feliz em saber disso, Régulo. Pelo que ouvi dizer vocês não tiveram chance de deixar que as espadas enferrujassem. Sem dúvida haverá mais batalhas.

— Nós estamos sempre prontos, senhor — disse Régulo, e Pompeu foi em frente, falando com outro soldado logo adiante.

Crasso voltou para a sala aquecida. Seu filho estava esperando-o, e o velho senador foi até lá, rindo de orelha a orelha.

— Tenho muito orgulho de você, garoto. Júlio mencionou seu nome duas vezes nos relatórios ao senado. Você se saiu bem na Gália, tanto quanto eu poderia esperar. Agora está pronto para liderar uma legião para seu pai?

— Estou, senhor — respondeu Públio.

CAPÍTVLO XXXIV

Júlio acordou muito antes do alvorecer e ficou deitado no calor criado por Servília. Tinha deixado-a apenas uma vez, durante a noite, para pedir que Crasso tirasse seus homens do frio. Enquanto Crasso abria cômodos e mandava dar comida e cobertores para a centúria, Júlio fechou silenciosamente a porta outra vez e os esqueceu.

Agora, no escuro, podia ouvir os roncos dos soldados apinhados por toda a casa. Sem dúvida a cozinha estaria preparando o desjejum para eles e Júlio sabia que também deveria estar se levantando e planejando o dia. No entanto havia uma letargia deliciosa naquela escuridão quente e ele se espreguiçou, sentindo a pele fresca da mulher contra seu braço. Servília estremeceu e murmurou algo que ele não pôde entender, o bastante para fazê-lo se apoiar no cotovelo e olhar para o rosto dela.

Algumas mulheres ficavam mais belas à luz forte do sol, mas Servília era mais linda à noite ou sob a lua. Seu rosto não tinha nada da dureza que ele vira um dia. Ainda podia visualizar o desprezo ácido quando viera cavalgando à sua casa para o último encontro dos dois. Era um mistério para ele como podia ter engendrado tal ódio aparente e agora tê-la na cama, remexendo-se como um gato que sonhava. Poderia ter recuado depois do primeiro abraço, mas os olhos dela estavam cheios de um sofrimento estranho;

e ele nunca pudera resistir às lágrimas de uma bela mulher. Isso o excitava como nenhum sorriso ou coquetismo era capaz.

Bocejou em silêncio, a tensão fazendo o pescoço estalar. Se ao menos a vida fosse simples como ele queria! Se pudesse se vestir e ir embora sem nada mais do que um último olhar para a forma adormecida, teria uma lembrança perfeita da mulher que amara por tanto tempo. Isso bastaria para banir parte da dor que ela lhe causara. Olhou o sorriso de Servília no sono e sua expressão se aliviou, em resposta. Imaginou se estaria nos sonhos dela e pensou em algumas das seqüências extraordinariamente eróticas que assolaram seu sono nos primeiros meses passados na Gália. Inclinou-se perto do ouvido dela e sussurrou seu próprio nome, repetidamente, rindo sozinho. Talvez conseguisse fazer com que ela sonhasse com ele.

Imobilizou-se quando ela ergueu uma das mãos para coçar o ouvido sem acordar. O movimento no lençol macio revelou o seio esquerdo e Júlio achou a imagem terna e excitante ao mesmo tempo. Ainda que a idade tivesse deixado marcas em Servília, ali deitada seu seio era pálido e perfeito. Júlio ficou olhando fascinado o mamilo exposto, firme e escuro, e pensou em acordá-la com o calor da boca sobre aquele ponto.

Suspirou, recostando-se. Quando ela acordasse o mundo iria se intrometer de novo entre os dois. Ainda que Crasso mantivesse qualquer segredo, Brutus teria de ficar sabendo que sua mãe estava ali no norte. Júlio franziu a testa no escuro pensando na reação do amigo à notícia de que Servília compartilhava de novo a cama com ele. Vira o alívio de Brutus com o fim do relacionamento, pontuado por dois tapas em Roma. Vê-lo reacendido poderia ser um peso para ele. Cruzou as mãos na nuca enquanto pensava.

Não era possível retornar à Gália até a primavera; sempre soubera disso. Assim que as passagens ficassem bloqueadas nenhuma criatura viva poderia fazer a viagem. Num determinado ponto Júlio pensara em viajar até Roma, mas descartou a idéia. A não ser que pudesse ter certeza de fazer a viagem sem ser reconhecido, seria uma tentação grande demais para seus inimigos, com apenas uma centena de homens para protegê-lo. Roma era tão inalcançável quanto as passagens nos Alpes, e Júlio lutou contra um sentimento de claustrofobia ao pensar nos meses passados nas ruas pavorosas de Arimino.

Pelo menos suas cartas chegariam, pensou. E poderia ir aos estaleiros supervisionar a frota que tinha encomendado. Parecia uma esperança vã achar que os construtores liberariam as embarcações sem nada mais do que os depósitos, não importando o que prometesse. Mas sem elas seus planos para a travessia do mar seriam adiados, talvez até por mais um ano.

Suspirou. Sempre haveria batalhas a serem travadas na Gália. Mesmo depois de pagar tributo por dois verões uma tribo podia plantar suas bandeiras no chão duro e declarar guerra no terceiro. Sem o extermínio total, Júlio era obrigado a encarar o fato de que essas rebeliões poderiam continuar durante todo o seu tempo passado lá. Eram pessoas difíceis de derrubar.

Ficou com os olhos duros ao pensar nas tribos. Não se pareciam com os homens e mulheres que ele conhecera na infância em Roma. Cantavam e riam mais facilmente, apesar das vidas curtas e duras. Júlio ainda se lembrava da perplexidade na primeira vez que ficou sentado com Mhorbaine ouvindo um contador de histórias narrar um conto antiqüíssimo. Talvez parte tivesse se perdido com a tradução de Adàn, mas Júlio vira lágrimas nos olhos dos guerreiros veteranos, e durante a conclusão da história Mhorbaine chorou como uma criança, sem sinal de embaraço.

— Em que está pensando? — perguntou Servília. — Você parece tão cruel, aí sentado!

Júlio encarou os olhos escuros dela e forçou um sorriso a aparecer.

— Estava pensando nas canções da Gália.

Ela fez beicinho, acomodando-se sobre a almofada ao lado dele. O fogo estava apagado há muito e, com um tremor, ela puxou o cobertor para cobrir os ombros, formando um ninho de panos de onde o olhava.

— Eu viajo quinhentos quilômetros, me lanço numa noite de prazer lascivo e você ainda está pensando nuns bárbaros imundos? É espantoso.

Ele deu um risinho e a envolveu com um dos braços, puxando todo o embrulho para perto do peito.

— Não me importa por que você veio. Só estou feliz por ter vindo.

Isso pareceu satisfazê-la e ela inclinou a cabeça para ser beijada. Júlio meio se virou para responder e o perfume dela fez lembrar toda a paixão e a inocência do passado. Era quase doloroso demais.

— Senti saudades — disse ela. — Muita. Queria vê-lo de novo.

Júlio encarou-a, lutando com as emoções. Parte dele queria sentir raiva. Ela lhe havia causado tanto sofrimento que ele a odiara por longo tempo, ou pelo menos dizia a si mesmo que odiara. No entanto não tinha hesitado depois daquele primeiro momento na noite anterior. Todas as dúvidas e feridas internas haviam sumido e de novo ele se sentia vulnerável como qualquer jovem idiota.

— Então eu sou apenas a diversão de uma noite? — perguntou. — Você parecia não ter dúvidas quando deixei sua casa em Roma.

— Eu *tinha* dúvidas, mesmo então. Se não o tivesse mandado embora você se cansaria de ter uma velha na cama. Não interrompa, Júlio. Se eu não disser, talvez não consiga...

Júlio esperou enquanto ela ficava olhando para a escuridão. Uma das mãos de Servília apertou lentamente o tecido grosso que cobria os dois.

— Quando você quiser um filho, ele não poderá vir de mim, Júlio, não mais.

Júlio hesitou antes de responder:

— Tem certeza?

Ela suspirou levantando os olhos.

— Sim, claro que tenho. Tinha certeza quando você saiu de Roma. Talvez você já esteja pensando em filhos para levar adiante sua linhagem. Vai procurar alguma jovem com quadris largos para gerá-los e eu serei jogada fora.

— Eu tenho minha filha.

— Um filho, Júlio! Você não quer filhos para segui-lo? Com que freqüência o ouvi falar de seu pai? Você nunca se satisfaria com uma filha que não pode pôr os pés no prédio do senado. Uma filha que não pode liderar suas legiões.

— Foi por isso que me deixou? — perguntou ele, entendendo. — Eu posso arranjar uma esposa em qualquer família de Roma, para levar adiante o meu sangue. Nada entre nós mudaria.

Servília balançou a cabeça, cansada.

— Mudaria, Júlio. Precisa mudar. Você iria me olhar com culpa por cada hora que passássemos juntos. Eu não suportaria ver isso.

— Então por que está aqui? — perguntou ele, subitamente com raiva. — O que mudou para que você viesse até mim e fizesse tudo aparecer de novo?

— Nada mudou. Há dias em que não penso em você, e outros em que você está constantemente nos meus pensamentos. Quando Crasso me disse que vinha a este encontro, juntei-me a ele. Talvez não devesse ter feito isso. Ao seu lado o futuro é sofrimento para mim.

— Não entendo você nem um pouco, sabe? — disse Júlio baixinho, tocando o rosto dela. — Não me importo com filhos, Servília. Se em algum momento me importar, me casarei com alguma filha de senador por esse motivo. Se você for minha, não amarei nenhuma outra.

Servília fechou os olhos e, à primeira luz do alvorecer, Júlio viu lágrimas se derramando pelas bochechas da mulher.

— Eu não deveria ter vindo — sussurrou ela. — Deveria tê-lo deixado sozinho.

— Eu estava sozinho — disse ele, apertando-a. — Mas agora você está aqui comigo.

O sol de inverno tinha subido quando Júlio encontrou Brutus no pequeno pátio da casa, imerso numa conversa com Crasso sobre como alojar a centúria da Décima. Eles tinham trazido dez montarias da Gália e as abrigado no pátio na noite anterior, com cobertores grossos para proteger do frio. Brutus enchera os cestos de comida com grãos e quebrara a fina camada de gelo que se formara nos baldes d'água. Ao ouvir os passos, levantou os olhos.

— Gostaria de trocar uma palavra em particular — disse Júlio.

Crasso entendeu imediatamente e os deixou. Brutus começou a escovar o áspero pêlo de inverno dos cavalos, com movimentos longos.

— Então? — disse ele.

— Sua mãe está aqui.

Brutus parou de escovar e o encarou. Seu rosto se retesou com o conhecimento súbito.

— Para me ver ou para ver você?

— Os dois, Brutus.

— Então você levanta o punho para minha mãe e agora ela volta se arrastando para sua cama, é isso?

Júlio ficou tenso de fúria.

— Ao menos *uma* vez, pense antes de falar comigo. Não suportarei sua raiva agora, Brutus, juro. Mais uma palavra neste tom e mandarei enforcá-lo neste pátio. Eu mesmo puxarei a corda.

Brutus se virou para encará-lo e Júlio viu que ele estava desarmado. Ficou feliz com isso. Brutus falou com uma lentidão terrível, como se cada palavra lhe fosse arrancada.

— Sabe, Júlio, eu lhe dei muita coisa. Sabe quantas batalhas venci para você? Fui sua espada durante todos os anos da minha vida e nunca deixei de ser leal. Mas no primeiro *momento* em que sente uma pontada de raiva você me ameaça com uma corda?

Ele se inclinou muito perto de Júlio.

— Você se esquece. Eu estive junto desde o *início*. E o que ganhei com isso? Você me elogia como faz com Marco Antônio? Me dá o flanco direito quando arrisco a vida por você? Não, você vem aqui e me trata como se eu fosse seu cachorro.

Júlio só podia ficar olhando a fúria pálida à sua frente. A boca de Brutus se retorceu numa zombaria amarga.

— Muito bem, Júlio. Você e ela não são da minha conta. Ela deixou isso perfeitamente claro para mim, antes. Mas não ficarei aqui vendo vocês passarem o inverno... renovando o relacionamento. Será que me expressei de modo suficientemente doce para você?

Por um momento Júlio não pôde responder. Queria encontrar palavras para aliviar a dor do amigo, mas depois de suas ameaças elas seriam inúteis. No fim, trincou o maxilar e recuou para dentro da frieza.

— Não irei retê-lo se você quiser ir.

Brutus balançou a cabeça.

— Não. Seria desagradável para vocês dois ter a mim como testemunha. Viajarei para Roma até a primavera. Nada me prende aqui.

— Se é o que você quer.

Brutus não respondeu, simplesmente assentiu e voltou a escovar o animal. Júlio ficou parado num silêncio doloroso, sabendo que deveria falar. Brutus murmurava baixinho para o cavalo, colocando o freio em sua boca. Quando montou, olhou para o homem que reverenciava acima de todos.

— Como você acha que vai terminar desta vez? Vai bater nela?

— Não é da sua conta.

— Não gosto de vê-la tratada como uma das suas conquistas, Júlio. Quando você ficará satisfeito? Nem a Gália basta, com mais vinte navios sendo construídos. As campanhas precisam ter um fim, Júlio, ou será que ninguém lhe disse isso? As legiões devem voltar para casa quando a guerra termina, e não encontrar mais uma e mais uma.

— Vá para Roma. Descanse durante o inverno. Só se lembre de que precisarei de você na primavera.

Brutus desenrolou uma capa de pele e a amarrou com força nos ombros antes de montar. Tinha ouro suficiente na bolsa para comprar comida na viagem para o sul, e queria partir. No entanto, quando puxou as rédeas e olhou para o rosto arrasado do amigo, soube que não podia bater os calcanhares e ir embora sem falar de novo.

— Estarei aqui.

Crasso e Pompeu voltaram a Roma na manhã seguinte, deixando Júlio no comando da casa. Em uma semana ele havia se acomodado numa rotina de escrever cartas e relatórios de manhã com Adàn e passar o resto do dia com Servília. Viajava com ela aos estaleiros no oeste e durante aquelas semanas era como se fossem recém-casados. Agradecia por ela ter vindo. Depois da exaustão das campanhas na Gália era puro júbilo visitar os teatros de uma cidade romana e ouvir sua própria língua em cada boca nos mercados. Isso o fazia ansiar por ver Roma de novo, mas mesmo em Arimino precisava ter cuidado. Se os agiotas de sua cidade descobrissem que ele estava de volta no país exigiriam algum pagamento, e lhe restava muito pouco para manter seus homens durante o inverno.

Sabia que sua única vantagem estava no fato de que homens como Hermínio queriam o dinheiro mais do que o seu sangue. Se fosse preso e levado de volta à cidade eles ficariam sem nada. Mesmo assim, em público seus homens usavam capas sobre a armadura característica e Júlio evitava as casas de quem poderia conhecê-lo.

Deleitava-se com Servília e o amor que faziam era como água num deserto. Não conseguia aplacar a sede, e o perfume dela estava em sua pele e nos pulmões o tempo todo. À medida que o inverno começava a amenizar e os dias se alongavam, a idéia de se afastar dela era quase uma dor física. Às vezes pensava em levá-la embora ou arranjar visitas às novas terras que estava tomando para Roma. Milhares de outros colonos já cultivavam trechos do solo virgem e ele podia prometer pelo menos algum conforto.

Era apenas um sonho e os dois sabiam, mesmo quando fantasiavam sobre estabelecer uma casinha nas províncias romanas. Servília era como o senado: não poderia deixar a cidade. A cidade fazia parte dela: longe, ficava perdida.

Através dela Júlio ficou sabendo até onde Clódio e Milo tinham chegado no domínio das áreas mais pobres. Esperava que a confiança de Pompeu não estivesse equivocada e lhe escreveu de novo, prometendo apoio caso ele quisesse forçar uma votação a favor da ditadura. Mesmo sabendo que nunca poderia confiar totalmente no sujeito, havia poucos outros com força e capacidade para controlar a cidade tempestuosa, e a oferta era genuína. Ter Pompeu como ditador era preferível à anarquia.

Quando as geadas do inverno começaram a diminuir, Júlio já estava cansado da pálida imitação de Roma que era Arimino. Ansiava que as neves das montanhas fossem liberadas, mas o fim do inverno trazia uma culpa e um medo secretos. Cada dia que passava o trazia mais perto do ponto em que veria seu amigo mais antigo retornar ou saberia que teria de cruzar as montanhas sem ele.

CAPÍTVLO XXXV

Brutus havia tirado a capa no último estágio da cavalgada até Roma, no sul. Ainda que o ar continuasse frio, nem de longe era tão cortante como na Gália, e o esforço da cavalgada o mantinha quente. A montaria original fora deixada bem atrás, no primeiro posto de legião na Via Flamínia. Tinha pagado para cuidarem do animal e iria pegá-lo na última troca, quando voltasse. O sistema lhe permitira um novo animal a cada cinqüenta quilômetros e ele fizera a viagem em apenas sete dias.

Depois do primeiro júbilo de atravessar o portão da cidade, tudo azedou assim que ele olhou ao redor. Roma parecia a mesma em muitos sentidos, mas seus instintos de soldado trouxeram um alarma imediato. As cartas de Alexandria deveriam tê-lo preparado para as mudanças, mas ela não conseguira transmitir o sentimento de pânico explícito que pairava no ar. Metade dos homens por quem passava estavam armados de um modo ou de outro. Era algo que um olhar treinado identificava num instante. Eles andavam de modo diferente com uma lâmina escondida, e Brutus podia sentir uma tensão que nunca experimentara antes nas ruas de sua cidade natal. Ninguém se demorava ou conversava nas esquinas. Era quase como uma cidade sob cerco e inconscientemente ele copiou a multidão enquanto se apressava até a oficina de Alexandria.

Teve um momento de medo quando a encontrou com as portas pregadas e vazia. Os passantes o ouviram chamando, mas nenhum ousou encará-lo. Nem mesmo os mendigos estavam nas ruas e Brutus ficou parado enquanto pensava nas implicações. A cidade estava aterrorizada. Tinha visto isso entre povos que sabiam da proximidade de uma guerra.

Até mesmo bater na porta das outras lojas era preocupante. Os donos pareciam doentes de nervosismo ao vê-lo, e três deles apenas o encararam com olhar vazio enquanto ele tentava perguntar para onde Tabbic tinha ido. O quarto era um açougueiro que segurou um pesado cutelo, defensivamente, durante todo tempo em que Brutus esteve em sua loja. A lâmina de ferro parecia lhe dar uma confiança que faltava aos outros e ele direcionou Brutus para uma área a muitas ruas de distância. Brutus o deixou ainda segurando a arma.

Na rua o sentimento se intensificou de novo. Quando estivera na Grécia os veteranos falavam de uma "coceira" que lhes indicava a chegada de problemas. Brutus sentiu aquilo pinicando enquanto marchava em meio à multidão rala. Quando chegou ao endereço tinha quase certeza de que deveria levar Alexandria para fora da cidade antes que esta explodisse. O que quer que estivesse para chegar, ele não a queria no meio.

A nova oficina era bem maior e ocupava duas salas inteiras de um prédio bem cuidado. Brutus levantou a mão para bater e viu que a porta estava aberta. Então estreitou os olhos e desembainhou o gládio em silêncio. Preferiria parecer um idiota do que entrar despreparado numa situação perigosa, e nesse ponto estava se assustando até com sombras.

O interior era cinco vezes maior do que a oficinazinha que Tabbic possuíra antes. Brutus entrou com cuidado, o olhar se fixando nas figuras na outra extremidade. Alexandria e Tabbic estavam ali, com mais dois homens. Encarando-os havia mais quatro, de um tipo que ele vira com muita freqüência nas ruas lá fora. Nenhum deles o vira e Brutus se obrigou a andar em silêncio na direção do grupo, passando pela gigantesca forja nova encostada à parede e que lhe lançou calor enquanto ele passava. Os estalos do fogo escondiam o leve barulho de suas sandálias no chão de pedra, e ele estava muito perto quando um dos homens se adiantou e empurrou Alexandria.

Com um grito Brutus correu para a frente e os quatro homens giraram para encará-lo. Dois tinham facas e dois tinham espadas como a dele, mas

Brutus não parou a corrida. Alexandria gritou loucamente, e apenas o desespero na voz dela o fez conter o primeiro golpe.

— Não, Brutus! Não faça isso!

Os homens que a ameaçavam eram profissionais, dava para ver. Ficaram de lado para não serem expostos a lâminas vindas de trás enquanto o encaravam. Brutus baixou a espada e chegou ao alcance deles como se não tivesse o que temer.

— O que está acontecendo aqui? — perguntou olhando furioso para o homem que a havia empurrado.

— Não é da sua conta, garoto — disse um deles, sacudindo a espada rapidamente na direção de Brutus, para fazê-lo se encolher. Brutus o olhou impassível.

— Você realmente não faz a mínima idéia de com quem está falando, não é? — disse com um riso maligno. A ponta de sua espada fazia pequenos círculos no ar enquanto ele a segurava preguiçosamente ao lado do corpo. O movimento minúsculo parecia atrair a visão dos outros homens, mas o que tinha falado sustentou o olhar, não ousando desviá-lo. Havia algo terrível no modo como Brutus ficava parado casualmente diante de suas armas, e sua confiança intimidava a todos.

— Quem são eles, Alexandria? — perguntou Brutus sem olhá-la.

— Cobradores de Clódio — respondeu ela, levantando-se. — Estão exigindo mais dinheiro do que nós temos. Mais do que ganhamos. Mas você não deve matá-los.

Brutus franziu a testa.

— Por que não? Ninguém vai sentir falta deles.

Um dos raptores respondeu:

— Porque essa garota bonita não gostaria do que nossos amigos fariam com ela, garoto. Então afaste a espada...

Brutus cortou a garganta do sujeito e ficou parado sem expressão enquanto ele desmoronava, olhando os outros. Mesmo ele estando a apenas centímetros das espadas deles, nenhum ousou se mover.

— Mais alguém quer fazer ameaças? — perguntou.

Os homens o encararam arregalados e todos podiam ouvir os medonhos sons de engasgos vindos do chão. Ninguém olhou para baixo.

— Ah, deuses, não — ele ouviu Alexandria sussurrar.

Brutus a ignorou, esperando que algum dos homens rompesse a imobilidade que os continha. Vira Rênio intimidar grupos antes, mas sempre havia idiotas. Ficou olhando os homens arrastarem os pés afastando-se dele até estarem fora do alcance de seu gládio. Deu um passo decidido na direção deles.

— Nada de ameaças agora, rapazes. Nada de gritarem enquanto saem. Só vão embora. Eu descubro vocês, se for preciso.

Os homens trocaram olhares, mas nenhum rompeu o silêncio enquanto passavam pelas forjas até a porta da rua. O último a passar fechou-a em silêncio.

Alexandria estava pálida de raiva e medo.

— Então é isso — disse ela. — Você não sabe o que fez. Eles vão voltar com outros e queimar este lugar. Deuses, Brutus, você não ouviu o que eu disse?

— Ouvi, mas agora estou aqui — respondeu ele, enxugando a espada no corpo que esfriava aos seus pés.

— Por quanto tempo? Nós temos de viver com eles quando você tiver voltado para suas legiões, não percebe isso?

Brutus sentiu um relâmpago de raiva por dentro. Já estava farto de ser criticado por Júlio.

— Então eu deveria ter ficado olhando? É? Não sou quem você pensa, se espera que eu fique aqui parado enquanto eles a ameaçam.

— Ele está certo, Alexandria — interveio Tabbic, assentindo para Brutus. — Agora não dá para voltar atrás, mas Clódio não vai simplesmente nos esquecer, você sabe. Teremos de dormir na oficina durante as próximas noites. Você vai ficar conosco?

Brutus olhou para Alexandria. Não eram exatamente as boas-vindas que ele imaginara na viagem para o sul, mas deu de ombros.

— Claro. Pelo menos economizo o aluguel. Agora vou receber um beijo de boas-vindas ou não? Não de você, Tabbic, obviamente.

— Primeiro se livre deste corpo — disse Alexandria.

Ela havia começado a tremer com a reação e Tabbic pôs uma chaleira na forja para preparar uma bebida quente. Brutus suspirou e segurou o cadáver pelos tornozelos, arrastando-o pelo chão de pedras.

Quando ele estava fora do alcance da audição, Tedo se inclinou perto de Alexandria.

— Nunca vi nada tão rápido — falou.

Ela o encarou, aceitando a taça de vinho quente com especiarias das mãos de Tabbic.

— Ele venceu o torneio de César, lembra?

Tedo assobiou baixinho.

— A armadura de prata? Não acredito. Eu mesmo ganhei uma aposta com ele. Vai querer que eu fique aqui esta noite? Poderá ser uma noite longa quando Clódio ficar sabendo sobre o que aconteceu com o capanga.

— Você pode ficar?

O velho soldado desviou o olhar, sem graça.

— Claro que posso — falou carrancudo. — E vou pegar o meu filho, com sua permissão. — Ele pigarreou para encobrir o desconforto. — Se mandarem homens nos atacar esta noite, seria bom ter alguém como vigia no telhado. Ele não causará encrenca lá em cima.

Tabbic olhou para os dois e assentiu enquanto chegava a uma decisão.

— Vou levar minha mulher e meus filhos para ficarem uns dias na casa da irmã dela. Depois passarei na rua antiga e ver se posso trazer uns dois rapazes fortes para esta noite. Talvez eles gostem da chance de contra-atacar pelo menos uma vez, nunca se sabe. Tranque a porta quando eu tiver saído.

Os homens de Clódio vieram em força total no escuro, com tochas para incendiar a oficina. O filho de Tedo desceu correndo a escada dos fundos para gritar um alerta e Brutus xingou alto. Tinha pegado de volta a armadura de prata que ficara no último posto perto da muralha da cidade e agora prendeu as fivelas e amarras do peitoral enquanto se preparava. Olhou em volta o grupo variegado que tinha se reunido perto das forjas de Tabbic. O joalheiro trouxera quatro rapazes das lojas ao longo da rua antiga. Eles seguravam espadas boas, mas Brutus duvidava de que pudessem fazer mais do que golpear aleatoriamente com elas. Na última hora antes do escurecer ele lhes ensinara o valor de uma estocada repetida e os fizera treinar até que os músculos rígidos relaxaram. Os olhos deles brilhavam à luz da lâmpada enquanto olhavam o guerreiro com armadura de prata parado à frente.

— Teremos de sair e enfrentá-los se eles vieram botar fogo. Este lugar tem estrutura de madeira e é melhor estarmos com baldes d'água prontos para o caso de eles conseguirem passar. Se houver um número suficiente deles, pode ser... difícil. Quem vem?

Os quatro rapazes que Tabbic trouxera levantaram suas novas espadas em resposta e Tabbic assentiu. Tedo ergueu a mão com eles, mas Brutus balançou a cabeça.

— Você não. Um a mais não fará diferença lá fora, mas se eles passarem por nós alguém tem de estar aqui para proteger Alexandria. Não quero que ela fique sozinha.

Brutus a olhou e seu rosto ficou tenso de desaprovação. Alexandria tinha se recusado a ir com a mulher e os filhos de Tabbic, e agora ele temia por ela.

— Se eles vierem, Tedo vai segurá-los enquanto você vai até a escada dos fundos, certo? O filho dele vai guiá-la para os becos e você pode fugir. Isto é, se ainda quiser ficar. Este não é um lugar para você se eles vierem em bando. Já vi o tipo de coisa que pode acontecer.

O alerta a amedrontou, mas ela ergueu o queixo num desafio.

— Esta oficina é minha. Não vou fugir.

Brutus a encarou, apanhado entre a admiração e a raiva. Jogou uma pequena adaga para ela e a viu pegá-la habilmente no ar e verificar a lâmina. Sua pele estava pálida como leite, na semi-escuridão.

— Se eles passarem por nós você terá de agir — falou com gentileza. — Não quero ficar preocupado com o que farão com você.

Antes que ela pudesse responder, os gritos vieram da rua lá fora, e Brutus suspirou. Desembainhou o gládio e girou o pescoço para afrouxar os músculos.

— Então está certo, rapazes. De pé. Façam o que digo e terão uma lembrança para o resto da vida. Entrem em pânico e suas mães vão usar preto. Está claro?

Tabbic deu um risinho e os outros assentiram em silêncio, num espanto reverente pelo general prateado. Sem esperar por eles, Brutus caminhou pelo chão ecoante e abriu a porta de uma só vez. Clarões laranja se refletiram no metal que ele usava, enquanto saía.

Brutus engoliu em seco ao ver quantos homens tinham sido mandados para torná-los um exemplo. A multidão que se aproximava parou quando ele saiu e ficou imóvel, com seus cinco homens formando uma fileira simples de cada lado. Uma coisa era aterrorizar donos de lojas em ruelas, outra muito diferente era atacar soldados totalmente armados. Cada homem na multidão reconheceu a armadura de prata que Brutus usava, e seus gritos e risos morreram totalmente. Brutus podia ouvir os estalos das tochas enquanto eles o espiavam, com os olhos refletindo a fraca luz laranja e brilhando como uma matilha de cães.

Uma vez Rênio dissera que um homem forte podia enfrentar uma turba se tomasse a iniciativa e a mantivesse. Também tinha admitido que o blefe mais bem-sucedido poderia ser derrubado quando uma multidão podia se esconder por trás de seu número. Nenhum homem esperava seriamente morrer quando estava rodeado pelos amigos, e essa confiança podia levar a uma corrida contra espadas de um modo que nenhum deles, individualmente, teria ousado. Brutus esperava que eles não tivessem bebido. Respirou fundo.

— Esta é uma reunião ilegal — gritou. — Sou o general da Terceira Gálica e digo que devem voltar para seus lares e suas famílias. Tenho arqueiros no telhado. Não se envergonham atacando velhos e mulheres neste lugar.

Nesse momento desejou que Júlio estivesse junto. Júlio teria encontrado as palavras para mandá-los de volta. Sem dúvida eles terminariam carregando-o pelas ruas e entrando para uma nova legião. O pensamento fez Brutus sorrir apesar da tensão, e os que viram isso hesitaram. Alguns franziram a vista para a escuridão no alto, mas não havia o que ver. Se Brutus tivesse mais dois dias talvez pudesse ter encontrado alguns homens bons para pôr no telhado, mas apenas o filho de Tedo os olhava, e estava desarmado.

Um barulho súbito fez cada homem pular ou xingar, e Brutus se retesou, esperando o ataque. Viu que uma telha fora deslocada do telhado, despedaçando-se em meio à turba. Ninguém se feriu, mas Brutus viu outros rostos se erguendo e os viu conversar nervosamente entre si. Imaginou se aquilo fora deliberado ou se o rapaz seguiria a telha, despencando na multidão como o idiota desajeitado que era.

— Vocês devem sair do caminho! — gritou um homem na parte de trás da massa. Um rosnado da turba concordou com ele.

Brutus deu um riso de desprezo.

— Sou um soldado de Roma, seu filho-da-puta! — gritou. — Não fugi dos escravos. Não fugi das tribos na Gália. O que vocês têm que eles não têm?

A multidão carecia de um líder, dava para ver. Remexiam-se e se empurravam uns aos outros, mas não havia ninguém com a autoridade para forçá-los de encontro às espadas dos homens que estavam na rua diante da oficina.

— Vou dizer uma coisa — gritou Brutus. — Vocês acham que estão protegidos? Quando César voltar da Gália vai encontrar cada um dos homens que fez ameaças contra seus amigos. Isto está escrito em pedra, rapazes. Cada palavra. Alguns de vocês já irão receber o pagamento. Haverá listas de nomes para ele, e onde encontrá-los. Tenham certeza. Ele atravessará vocês como uma faca quente.

Na escuridão era difícil ter certeza, mas Brutus achou que a turba estava diminuindo à medida que os homens das bordas começavam a se esgueirar para longe. Uma das tochas foi largada e apanhada por outro homem. Não importando o que Clódio tinha dito, o nome de Júlio fora lido em cada esquina durante anos e funcionava como um talismã contra os que podiam se esgueirar na noite sem ser vistos.

Em pouco tempo Brutus estava diante de não mais do que quinze homens, sem dúvida os originais que Clódio mandara para incendiar a oficina. Nenhum deles poderia recuar sem ser arrastado da cama na manhã seguinte. Brutus podia ver os rostos deles brilhando de suor enquanto viam os números diminuírem em volta.

Falou gentilmente, sabendo que o desespero deles só poderia ser pressionado até certo ponto.

— Se eu fosse vocês, rapazes, sairia da cidade por um tempo. Arimino é bem calma e sempre há trabalho no cais para quem não se importa em suar um pouco.

O núcleo de homens olhou de volta com raiva, indeciso. Ainda eram muitos para Brutus achar que teria uma chance de vencer caso eles atacassem. Suas lâminas captavam a luz das tochas e não havia sugestão de fraqueza nas expressões duras voltadas para ele. Olhou para os homens ao seu lado e viu a tensão. Apenas Tedo parecia calmo.

— Nenhuma palavra, rapazes — murmurou. — Não provoquem nada agora.

Com uma fungadela de nojo, um dos homens que segurava uma tocha largou-a na rua e saiu andando. Mais dois seguiram-no e os outros se entreolharam numa comunicação silenciosa. Em grupos de dois e três eles se afastaram até restar apenas alguns poucos na rua.

— Se eu fosse um homem vingativo me sentiria muito tentado a acabar com vocês agora mesmo — disse Brutus. — Vocês não podem ficar aí parados a noite inteira.

Um deles fez uma careta.

— Clódio não vai deixá-lo se livrar assim, você sabe. De manhã ele vai provocar o inferno.

— Talvez. Eu posso ter uma chance de falar com ele antes disso. Ele pode ser razoável.

— Você não o conhece, não é? — disse o homem, rindo.

Brutus começou a relaxar.

— Então, vai voltar para casa? Está frio demais para ficar aqui fora.

O homem olhou para os dois últimos companheiros.

— Acho que vou. Era verdade o que você disse?

— Que parte? — respondeu Brutus, pensando em seus arqueiros inexistentes.

— Sobre ser amigo de César?

— Somos como irmãos — disse Brutus com facilidade.

— Ele é um homem bom para Roma. Alguns de nós gostariam que ele voltasse. Pelo menos os que têm família.

— A Gália não vai segurá-lo para sempre — respondeu Brutus.

O homem assentiu e se afastou no escuro com seus amigos.

CAPÍTVLO XXXVI

Brutus dormiu no chão da oficina por uma semana inteira. Na noite depois do ataque fracassado visitou a casa de Clódio no centro da cidade, mas a descobriu mais bem protegida do que uma fortaleza e cheia de homens armados. Seu sentimento de preocupação só se aprofundou, enquanto os dias se arrastavam. Era como se a cidade estivesse prendendo o fôlego.

Apesar de Tabbic ter aceitado seu conselho e mantido a família longe da oficina, Alexandria ficou cada vez mais irritadiça a cada dia em que era obrigada a dormir no chão duro. Todos os seus bens estavam presos à nova oficina, desde as paredes e o telhado até o estoque de metais preciosos e as forjas enormes. Ela não sairia dali, e Brutus não podia voltar ao norte enquanto sentisse que ela corria perigo.

Os rapazes que os haviam defendido contra os cobradores também ficaram. Tabbic tinha lhes oferecido um salário como guardas temporários, mas eles dispensaram suas moedas. Idolatravam o general prateado que pedira sua ajuda, e em troca Brutus passava algumas horas a cada dia ensinandolhes a usar as espadas que carregavam.

As multidões tensas ficavam menores por volta do meio-dia, quando boa parte da cidade parava para comer. Então Brutus saía com um ou dois rapazes para conseguir comida e informações. Pelo menos eles podiam preparar uma refeição quente nas forjas, mas as fofocas usuais nos mercados pareciam ter sido abafadas. Na melhor das hipóteses Brutus só conseguiu captar alguns fragmentos aqui e ali, e sentia falta de ter sua mãe na cidade. Sem ela os detalhes das reuniões no senado eram desconhecidos e Brutus sentia uma frustração crescente e uma cegueira enquanto a cidade ficava mais tensa a cada noite.

Apesar de Pompeu ter voltado a Roma parecia não haver ordem nas ruas, em especial depois do anoitecer. Mais de uma vez Brutus e os outros foram acordados por sons abafados de conflito. Do telhado podiam ver incêndios distantes no labirinto de ruas secundárias e becos. As gangues armadas não fizeram uma segunda tentativa de atacar a oficina, e Brutus se preocupou com a hipótese de os senhores delas estarem envolvidos numa luta mais séria.

No meio da segunda semana os mercados estavam cheios da notícia de que os raptores de Clódio tinham atacado a casa do orador, Cícero, tentando prendê-lo lá dentro enquanto ateavam fogo. O senador escapou, mas não houve um clamor contra Clódio, e para Brutus este era outro sinal de que a lei na cidade tinha se desmoronado. Suas discussões com Alexandria ficaram mais acaloradas e finalmente ela concordou em sair e esperar o fim da crise na propriedade de Júlio no campo. Roma estava rapidamente se tornando campo de batalha à noite, e a oficina não valia a vida deles. Mas, para quem fora escrava, a oficina era o símbolo de tudo que tinha alcançado, e Alexandria chorou amargamente ao deixá-la para as gangues.

Seguindo as orientações de Alexandria, Brutus arriscou uma ida à casa dela para pegar roupas e voltou com a mãe de Otaviano, Atia, para ajudar os que se amontoavam na oficina quando a escuridão baixava.

Cada dia se tornava uma agonia de frustração para o jovem general. Se estivesse sozinho teria sido bastante simples se juntar à legião de Pompeu nos alojamentos. Na situação atual o grupo de pessoas que contava com ele para a segurança parecia crescer a cada dia. A irmã de Tabbic tinha trazido o marido e os filhos para a segurança da oficina e se juntou às três jovens filhas de Tabbic. As famílias dos rapazes tinham feito aumentar o número ainda mais e Brutus se desesperava ao pensar em transportar vinte e sete pessoas pela cidade violenta, mesmo à luz do dia. Quando o senado declarou um toque de recolher ao pôr-do-sol Brutus decidiu que não podia esperar mais. Somente os cidadãos cumpridores da lei pareciam obedecer ao édito do senado. O toque de recolher não provocava efeito sobre as gangues violentas, e naquela mesma noite a rua perto da oficina foi incendiada, com gritos de dar pena ressoando na escuridão, até serem consumidos.

Enquanto a cidade carrancuda acordava na manhã seguinte Brutus armou seu grupo com tudo que Tabbic pôde encontrar, desde espadas e facas até simples barras de ferro.

— Vai ser bem uma hora andando pelas ruas e vocês podem ver coisas que dêem vontade de parar — falou.

Sabia que eles o olhavam como um salvador e se obrigou a permanecer animado diante daquela confiança.

— Não importando o que acontecer, não vamos parar, todo mundo entendeu? Se formos atacados, atacamos de volta e vamos em frente. Assim que passarmos pelo portão, a propriedade de Júlio fica a apenas algumas horas. Lá estaremos em segurança até que as coisas se acalmem.

Usava sua armadura de prata, mas agora ela estava opaca de sujeira e fuligem. Um a um os outros assentiram enquanto Brutus os olhava.

— Os problemas vão passar em alguns dias ou semanas. Eu já vi coisa pior, acreditem.

Pensou no que Júlio tinha contado sobre a guerra civil entre Mário e Sila e desejou que o amigo estivesse ali. Mesmo havendo ocasiões em que o odiava, existiam poucos homens que ele gostaria de ter às costas num momento de crise. Somente Rênio daria mais conforto.

— Todo mundo pronto? — perguntou. Em seguida respirou fundo e abriu a porta da rua, olhando para fora.

Entulho e sujeira tinham se empilhado nas esquinas. Cachorros que mal passavam de esqueletos latiam uns para os outros brigando pelos bocados. O cheiro de fumaça estava no ar e Brutus pôde ver um grupo de homens armados numa encruzilhada, como se fossem os donos da cidade.

— Certo. Agora andem depressa e me sigam — falou, com a voz traindo a tensão.

Saíram para a rua e Brutus notou o grupo de homens se mexer e se enrijecer quando foram vistos. Xingou baixinho. Uma das meninas pequenas começou a chorar e a irmã de Tabbic a pegou no colo, aquietando-a enquanto andavam.

— Eles vão nos deixar passar? — murmurou Tabbic junto ao ombro de Brutus.

— Não sei — respondeu Brutus olhando o grupo. Eram dez ou doze, todos marcados com fuligem espalhada na pele e no cabelo. A maioria tinha os olhos vermelhos do trabalho noturno e Brutus soube que eles atacariam se vissem a menor fraqueza.

Os homens desembainharam espadas e caminharam pela rua para bloquear o caminho deles. Brutus xingou baixinho.

— Tabbic? Se eu cair, não pare. Alexandria conhece a propriedade tão bem quanto eu. Eles não vão mandá-la embora.

Enquanto falava, Brutus aumentou o passo, desembainhando a espada num movimento suave. Sentiu uma fúria ao pensar que homens daqueles pudessem ameaçar os inocentes de sua cidade. Isso ia de encontro a suas crenças mais básicas e ele se sentiu espicaçado pelo choro das crianças atrás.

Os homens se espalharam e Brutus arrancou a cabeça do primeiro, empurrando o corpo com o ombro e matando mais dois no instante em que se viravam para correr. Em instantes o resto deles disparava para longe, com medo. Brutus os deixou ir, virando-se de novo para o grupo que Tabbic e Alexandria arrebanhavam, tentando impedir que as crianças olhassem para trás, para os cadáveres sangrentos que ele deixara.

— Chacais — disse Brutus rapidamente enquanto se juntava de novo ao grupo. As crianças o olharam aterrorizadas e ele percebeu que a armadura prateada estava suja de sangue. Uma das menores começou a soluçar, apontando para ele.

— Continuem indo para o portão! — falou rispidamente, de súbito com raiva de todos. Seu lugar era com a legião de Roma, e não arrebanhando meninas apavoradas. Olhou para trás e viu que os bandidos tinham se reunido de novo, olhando-o famintos. Não fizeram qualquer movimento em sua direção. Brutus escarrou e cuspiu nas pedras, enojado.

As ruas estavam praticamente vazias enquanto eles iam para o portão. Dentro do possível Brutus ficava nas ruas principais, mas mesmo ali faltavam os sinais da vida normal da cidade. O grande mercado de carnes de propriedade de Milo estava vazio e desolado, com o vento chicoteando folhas e poeira em volta dos pés deles. Passaram por toda uma fileira de lojas e casas depredadas e uma das crianças pequenas começou a chorar ao ver um corpo queimado preso numa porta. Alexandria apertou a mão sobre os olhos da criança até terem passado, e Brutus viu que as mãos dela estavam tremendo.

— Ali está o portão! — disse Tabbic para animá-los, mas no momento em que falou isso uma turba de homens bêbados e gargalhando virou uma esquina e se imobilizou ao ver Brutus. Como o grupo anterior, estavam imundos de cinza e sujeira dos incêndios que tinham provocado. Os olhos e os dentes brilhavam em contraste com a pele suja enquanto procuravam as armas.

— Deixem-nos passar — gritou Brutus, amedrontando as crianças atrás.

Os homens apenas riram zombando enquanto viam seus seguidores maltrapilhos. A zombaria foi cortada no instante em que Brutus se lançou entre eles, girando e cortando num frenesi. Seu gládio fora forjado pelo grande mestre espanhol das espadas e cada golpe atravessava roupas e membros, e grandes jorros de sangue saltavam ao redor. Não se ouviu gritando enquanto sentia as lâminas deles deslizarem junto à armadura.

Um golpe forte o atordoou fazendo-o se apoiar num dos joelhos, e Brutus rosnou como um animal, levantando-se com força renovada, enfiando o gládio no peito de um homem, por baixo. A lâmina rasgou as costelas enquanto Brutus era mandado para trás por um golpe de machadinha. A arma fora apontada para o pescoço, mas cortou a armadura de prata, permanecendo agarrada. Brutus não sentiu dor pelos ferimentos e só percebia levemente que Tabbic estava ali, com os rapazes. Pela primeira vez se perdeu totalmente na batalha e não se defendia, na luxúria para matar. Sem a armadura não teria sobrevivido, mas finalmente a voz de Tabbic atravessou sua fúria e Brutus parou para ver a carnificina em volta.

Nenhum dos raptores tinha sobrevivido. As pedras da rua estavam cobertas de membros e corpos despedaçados, cada qual rodeado por escuras poças que iam se espalhando.

— Tudo certo, rapaz, acabou — ouviu Tabbic dizer, como se de uma grande distância. Sentiu os dedos fortes do sujeito apertarem seu pescoço onde a machadinha estava alojada, e sua mente começou a clarear. O sangue escorria da armadura, e quando olhou para baixo o viu se esvaindo grosso de um ferimento na coxa. Tateou o rasgo, atordoado, num espanto pela ausência de dor.

Sinalizou com a espada para o portão. Estavam perto demais, e a idéia de parar era insuportável. Viu Alexandria rasgar a saia para amarrar sua perna enquanto ele ofegava como um cão, esperando a respiração voltar para mandar irem em frente.

— Não ouso tirar esse machado até saber a profundidade do corte — disse Tabbic. — Passe o braço em volta do meu ombro, garoto. Eu levo sua espada.

Brutus assentiu engolindo um cuspe emborrachado.

— Não parem — falou debilmente, cambaleando com eles. Um dos rapazes sustentou seu outro braço e juntos passaram à sombra do portão. Não havia ninguém vigiando. Enquanto as pedras mudavam sob seus pés, uma neve fraca começou a cair sobre o grupo silencioso e o cheiro de fumaça e sangue foi afastado pela brisa.

Clódio respirou fundo o ar gélido, espantado com a visão do fórum ao redor. Tinha jogado tudo numa última tentativa de derrubar Milo e a luta havia rasgado o centro da cidade, derramando-se finalmente para o fórum.

À medida que a neve caía, mais de três mil homens lutavam em grupos e pares, tentando matar uns aos outros. Não havia tática nem manobras e cada qual lutava no terror constante dos que estavam em volta, sem saber quem era amigo ou inimigo. Quando um dos homens de Clódio triunfava, era esfaqueado por trás ou tinha a garganta cortada por outro.

A neve caiu com mais intensidade e Clódio viu uma lama ensangüentada ao redor dos pés de seus guarda-costas enquanto um grupo dos gladiadores de Milo tentava alcançá-lo. Pegou-se sendo forçado para trás de encontro à escadaria de um templo. Pensou em correr para ele, mas sabia que não haveria onde se abrigar dos inimigos.

Será que seus homens estavam vencendo? Impossível dizer. A coisa tinha começado muito bem, com a legião de Pompeu atraída para leste da cidade para estancar um falso tumulto e vários incêndios. Os homens de Milo estavam espalhados por toda a cidade e Clódio tinha atacado a casa dele, derrubando os portões. Milo não estava lá, e o ataque falhou enquanto Clódio o procurava, desesperado para romper o impasse de poder que tinha de acabar com a morte de um ou de outro.

Não poderia dizer exatamente quando a guerra silenciosa dos dois havia se transformado em conflito explícito. Cada noite os forçava mais para perto, e de repente ele estava lutando pela vida no fórum, com a neve num redemoinho em volta e o prédio do senado acima de todos eles.

Clódio virou a cabeça enquanto mais homens vinham correndo de uma rua lateral. Respirou com alívio ao ver que eram seus, liderados por um dos seus oficiais mais próximos. Como os gladiadores de Milo eles usavam armadura e derrubavam os homens em luta, para alcançá-lo.

Virou-se e viu três figuras saltando para ele, com espadas estendidas. Derrubou o primeiro com um golpe esmagador de sua espada, mas o segundo enfiou uma adaga em seu peito, fazendo-o ofegar. Sentiu cada centímetro do metal, mais frio do que a neve que caía levíssima sobre a pele. Viu o homem ser arrastado para longe, mas o terceiro atacante conseguiu passar e Clódio rugiu em agonia enquanto uma faca entrava repetidamente em sua carne.

Caiu sobre um dos joelhos à medida que sua grande força cedia. E o homem continuava esfaqueando enquanto os amigos de Clódio ficavam loucos de fúria e sofrimento. Por fim chegaram ao agressor, mas enquanto eles o arrancavam para longe Clódio caiu suavemente na neve sangrenta. Dava para ver a escadaria do senado enquanto morria, e à distância pôde ouvir as trombetas da legião de Pompeu.

Milo lutou numa retirada difícil enquanto a legião entrava com força total no espaço aberto do fórum. Os que foram lentos demais ou estavam entrelaçados em lutas foram derrubados pela máquina de guerra e Milo gritou para seus homens se afastarem antes que fossem todos destruídos. Tinha gritado de empolgação quando Clódio caiu, mas agora precisava achar um local seguro para planejar e recuperar as forças. Não restava nada para atrapalhar seu caminho se ele ao menos pudesse sobreviver ao ataque da legião. Escorregou na neve enquanto corria com os outros, que se espalhavam como ratos diante da foice.

Muitos homens de Clódio foram apanhados antes de conseguir se afastar e também foram levados à fuga em pânico enquanto a legião destruía tudo à frente. O fórum se esvaziou em todas as direções, as ruas próximas se enchendo de gangues em fuga, ignorando os inimigos diante de um perigo maior. Os feridos gritavam enquanto corriam, mas os que caíam eram despedaçados enquanto a linha de legionários passava por cima.

Em pouco tempo o vasto espaço do fórum estava vazio, deixando as figuras imóveis e caídas dos mortos, já sendo cobertas por uma fina película de neve. O vento uivava ao longo dos templos. Os oficiais da legião conferenciaram entre si, gritando ordens para suas unidades. Coortes foram despachadas aos seus postos pela cidade e começaram a chegar mais relatórios dizendo que um tumulto havia brotado no vale Esquilino. Pompeu estava lá, com armadura completa. Deixou mil homens para controlar o centro da cidade e levou três coortes ao norte para fazer valer o toque de recolher violado.

— Liberem as ruas — ordenou. — Ponham-nos de volta dentro das casas até podermos controlar as gangues. — Atrás dele novos incêndios iluminaram o céu cinzento. E a neve ainda caía.

Naquela noite a cidade explodiu. O corpo de Clódio fora levado para o templo de Minerva e milhares de homens invadiram o prédio, loucos de sofrimento e raiva pela morte de seu senhor. Os legionários foram despedaçados e incêndios irromperam em toda a cidade enquanto os seguidores de Clódio caçavam Milo e seus apoiadores. Batalhas ferozes contra os homens de Pompeu foram travadas nas ruas, e por duas vezes os legionários foram obrigados a recuar sendo atacados por todos os lados e se perdendo no labirinto de becos. Alguns ficaram presos em prédios e queimaram com eles. Outros foram apanhados por grupos maiores e dominados por uma turba selvagem. Uma cidade não era local para uma legião lutar. Os oficiais de Clódio os atraíam obrigando mulheres a gritar, e depois caíam sobre eles, golpeando insensatamente até estarem mortos ou serem obrigados a fugir.

O próprio Pompeu foi obrigado a voltar para a sede do Senado por uma massa de homens. Finalmente derrotou-os com uma terceira carga de escudos, mas sempre havia mais. Pensou que cada homem de Roma tinha se armado e estava nas ruas, e o número era simplesmente avassalador. Decidiu recuar para a escadaria do senado e usar esse prédio para coordenar as forças que lhe restavam, mas enquanto voltava ao espaço aberto do fórum seu queixo caiu, num horror, ao ver os milhares de tochas em volta do prédio.

Tinham arrombado as portas de bronze e Clódio estava sendo carregado acima das cabeças para a escuridão lá dentro. Pompeu viu o cadáver sangrento do senador se sacudir e balançar enquanto era passado adiante, escada acima.

O fórum estava cheio de homens armados, gritando e rugindo. Pompeu hesitou. Nunca fugira de nada na vida, e o que estava testemunhando era o fim de tudo que amava em Roma, no entanto sabia que seus homens seriam destruídos se os levasse para o fórum. Metade da cidade parecia estar lá.

Dentro do escuro prédio do senado Pompeu viu chamas tremulando. Homens saíam gritando em comemoração nos degraus cobertos de neve, uivando enquanto balançavam as espadas no ar. Fumaça cinza saía pela porta e Pompeu sentiu lágrimas no rosto, quentes na pele fria.

— Para o meu teatro! Refazer formação no meu teatro — gritou aos homens que esperavam.

Eles recuaram da multidão em tumulto ao redor da Cúria e por fim Pompeu deu as costas para as chamas que estalavam através do telhado, despedaçando o mármore com estouros que ecoavam pelo fórum. Era uma dor pior do que ele poderia ter imaginado ao ver as figuras cabriolando diante das chamas. Só a escuridão escondia seus homens e ele sentiu uma enorme frustração por ser obrigado a recuar do coração de sua cidade. Sabia que só o amanhecer traria um fim àquilo. Os raptores tinham destruído o domínio da lei e estavam bêbados com seu novo poder. Mas quando a manhã chegasse estariam atordoados e exaustos, pasmos com o que tinham feito. Então ele traria a ordem, e iria escrevê-la em ferro e sangue.

A luz fraca da manhã escorria diante das altas janelas do teatro de Pompeu, iluminando as apinhadas fileiras de homens que ele convocara de toda a cidade. Além dos próprios senadores Pompeu mandara centúrias de sua legião trazer os tribunos, magistrados, edis, questores, pretores e todos os outros níveis de poder em Roma. Mais de mil homens sentavam-se nos amplos círculos ao redor do palco central olhando para Pompeu, e estavam sérios de medo e exaustão. Faltavam vários rostos nas fileiras, depois dos tumultos, e nenhum deles deixava de perceber a seriedade da situação.

Pompeu pigarreou e coçou brevemente a pele arrepiada dos braços nus.

O teatro não era aquecido e ele podia ver o hálito dos homens congelar no ar enquanto o observavam em silêncio.

— Ontem à noite foi o mais próximo que estive de ver o fim de Roma — começou.

Todos estavam sentados imóveis como estátuas para ouvir, e Pompeu viu determinação nas expressões. Todas as rivalidades mesquinhas tinham sido esquecidas diante dos acontecimentos da noite anterior e ele sabia que lhe dariam tudo para restaurar a paz na cidade antes que a noite caísse outra vez.

— Todos vocês ouviram dizer que Clódio foi morto na luta, que seu corpo foi queimado na cúria que ficou reduzida a cinzas. Boa parte da cidade foi destruída pelo fogo, e os corpos atulham cada rua e cada sarjeta. A cidade está no caos, sem comida ou água em grandes áreas. Esta noite boa parte da população estará faminta e a violência pode começar de novo.

Ele parou, mas o silêncio era perfeito.

— Meus soldados capturaram o senador Milo ao alvorecer, quando ele tentava escapar da cidade. Pretendo usar as horas do dia para revirar Roma em busca do resto de sua cadeia de comando, mas os julgamentos dariam aos seus apoiadores tempo para se reagrupar e se armar de novo. Não pretendo lhes dar outra chance, senhores. — Ele respirou fundo. — Convoquei-os aqui para votar me dando poderes de ditador. Se permanecer atado por nossas leis não posso responder pela paz da cidade esta noite ou em qualquer outra noite. Peço que se levantem para confirmar minha nomeação.

Quase como se fossem um só, os mil membros da classe governante se levantaram. Alguns mais depressa do que os outros, mas no fim Pompeu assentiu com satisfação feroz e sinalizou para se sentarem de novo.

— Estou diante de vocês como ditador. Agora declaro lei marcial em toda Roma. Um novo toque de recolher será imposto ao pôr-do-sol de cada dia e os que forem apanhados nas ruas serão executados imediatamente. Minha legião cortará os líderes e a tortura nos revelará os nomes dos homens-chaves nas fileiras das gangues de rua. Declaro que este prédio é a sede do governo até que o senado seja reconstruído. A comida será distribuída no fórum e nos portões norte e sul da cidade a cada manhã, até que a emergência acabe.

Olhou ao redor, para as fileiras de seu povo, e deu um sorriso tenso. Agora a coisa começaria a doer um pouquinho.

— Cada um de vocês entregará um dízimo de cem mil sestércios ou um décimo de sua riqueza, o que for maior. O tesouro do senado foi saqueado e precisamos de fundos para colocar a cidade em pé outra vez. Vocês serão pagos quando os cofres estiverem cheios de novo, mas até então esta é uma medida necessária.

Os primeiros resmungos de inquietação brotaram na câmara ecoante, mas era uma minoria minúscula. O resto fora obrigado a encarar a fragilidade daquilo que todos consideravam sólido, e não hesitaria em pagar pela segurança. Pompeu lamentou que Crasso não estivesse ali. Teria arrancado uma quantia gigantesca do velho. Uma carta com o pedido não teria a força de uma exigência feita pessoalmente, mas não havia o que fazer.

Pompeu prosseguiu depois de um breve olhar em suas anotações.

— Chamarei de volta uma legião da Grécia, mas até que ela chegue à cidade precisamos de cada homem que puder usar um gládio. Aqueles de vocês que empregam guardas deixarão números com os escribas ao saírem. Preciso saber com quantos homens armados podemos contar no caso de outros tumultos. Minha legião sofreu sérias baixas ontem à noite e esses homens devem ser substituídos prioritariamente se quisermos esmagar o crime organizado antes que ele recupere a força. Executarei os seguidores de Milo e Clódio sem cerimônia ou anúncio público. — Esta noite será a mais difícil, senhores. Se passarmos por isso a ordem será restaurada lentamente. Com o tempo cobrarei um imposto de todos os cidadãos em terras romanas, para reconstruir a cidade.

Ele ainda via um medo entorpecido em muitos rostos, mas outros mostravam os primeiros vislumbres de esperança em suas palavras. Pediu reações e muitos se levantaram para perguntar sobre detalhes da nova administração. Pompeu relaxou enquanto começava a responder às perguntas. O olhar perplexo já estava desaparecendo dos rostos enquanto entravam na rotina da velha sede do senado. Isso dava esperança a todos.

CAPÍTVLO XXXVII

BRUTUS SE APOIOU NO TOCO DO VELHO CARVALHO QUE TINHA CORtado com Tubruk, largando o cajado ali perto. Na floresta verde era fácil lembrar o sorriso do velho gladiador lhe dando as boas-vindas.

Encolhendo-se de dor, esticou a perna e coçou a linha roxa que ia desde logo acima do joelho até quase a virilha. Uma linha semelhante de pontos na clavícula mostrava como tinha chegado perto de ser morto em seu frenesi. Os dois ferimentos haviam se sujado e Brutus não lembrava muita coisa da primeira semana na propriedade. Clódia disse que ele teve sorte por não perder a vida, mas os lábios do talho tinham sido finalmente costurados, porém os pontos coçavam abominavelmente. Vagas imagens de ser banhado com panos úmidos vinham-lhe e ele fez uma careta de embaraço. Júlia tinha crescido e se tornado uma jovem com mais do que um toque da beleza da mãe. Pensou que Alexandria devia tê-la chamado de lado para uma conversa particular sobre os cuidados ao doente. Certamente houvera alguns dias em que a jovem não chegara perto dele, e quando Brutus a viu os olhos dela tinham relampejado como os de Cornélia quando ficava com raiva. Depois disso somente Alexandria banhara seu suor e sua sujeira.

Brutus deu um sorriso triste. Alexandria o tratava como se ele fosse um cavalo doente e o esfregava com um distanciamento rude que o deixava irado. Tinha sido um alívio ter força suficiente para descer até as salas de banho e se lavar em privacidade. Ela arrancaria sua pele se ele ficasse muito mais tempo na cama.

A floresta era pacífica. Um pássaro cantava nas árvores próximas e no caminho sinuoso sua mente podia ver dois meninos correndo em meio aos arbustos e crescendo até virar homens. Na época a amizade era uma coisa simples, algo que ele e Júlio davam como certo. Brutus lembrou-se de como os dois tinham apertado as mãos ensangüentadas, como se toda a vida pudesse ser reduzida a simples promessas e ações. Era estranho olhar de volta para aqueles dias quando tanta coisa acontecera. Havia ocasiões em que sentia orgulho do homem em que se transformara e outras em que teria dado qualquer coisa para ser o menino de novo, com todas as escolhas ainda adiante. Havia muitas coisas que mudaria, se pudesse.

Naqueles longos verões eles eram imortais. Sabiam que Tubruk sempre estaria ali para protegê-los e o futuro era simplesmente a chance de levar a amizade em frente, pelos anos e por outras terras. Nada jamais surgiria entre os dois, nem que a própria Roma desmoronasse.

Tirando uma faca do cinto, Brutus baixou-a até o primeiro ponto e cortou a linha. Com grande cuidado puxou através da pele a ponta cortada, indo até o último nó. Estava quieto em concentração, mas suava quando terminou e jogou a linha pegajosa no mato. Um débil fio de sangue escorreu através dos pêlos finos da coxa e ele o limpou com o polegar.

Levantou-se lentamente e se sentiu tonto e fraco. Decidiu deixar os pontos do pescoço como estavam, por enquanto, mas eles também coçavam abominavelmente.

— Achei que iria encontrá-lo aqui — disse Júlia.

Ele se virou e sorriu do modo canhestro como ela estava parada. Imaginou por quanto tempo a garota estaria olhando. Quantos anos teria, dezesseis? Com pernas longas e linda. Alexandria não ficaria satisfeita em saber que os dois tinham conversado na floresta sozinhos, por isso resolveu que não contaria.

— Pensei em caminhar um pouco. A perna está ficando mais forte, mas vai demorar um tempo até que eu possa confiar nela.

— Quando estiver curada você voltará para perto do meu pai.

Não era uma pergunta, mas ele confirmou com a cabeça.

— No máximo dentro de algumas semanas. A cidade está bastante calma, agora que Pompeu é ditador. Todos vamos deixar vocês em paz. Este velho lugar ficará calmo de novo.

— Não me incomodo — disse ela rapidamente. — Gosto de ter gente aqui, até as crianças.

Compartilharam um olhar de compreensão e Brutus deu um risinho. Apesar dos melhores esforços de Tabbic e sua irmã, os pequenos estavam aprontando feito loucos pela propriedade depois de apenas alguns dias, fascinados com a floresta e o rio. Clódia tinha salvado uma criança de se afogar em três ocasiões no lago fundo. Era estranho como os pequenos tinham se recuperado depressa do pesadelo da viagem para fora da cidade. Brutus achou que quando eles olhassem para trás, para aquele estranho ano de suas vidas, não iriam se lembrar de ter visto homens serem mortos, ou, se lembrassem, isso não se compararia em nada com o primeiro passeio a cavalo pelo pátio, com Tabbic segurando-os na sela. Crianças eram uma coisa estranha.

Júlia tinha herdado parte da graça da mãe, dava para ver. Seu cabelo era comprido e amarrado com uma tira de pano na nuca. Ela parecia se concentrar em seu rosto com uma intensidade particular sempre que ele falava, como se cada palavra fosse valiosa. Brutus imaginou como teria sido a infância da garota, crescendo naquela propriedade. Ele sempre tivera Júlio, mas, afora seus tutores e Clódia, a vida devia ter sido solitária para a filha do amigo.

— Fale do meu pai — disse ela, chegando mais perto.

Brutus sentiu uma dor começando na perna. Antes que os músculos pudessem ter um espasmo pegou o cajado e voltou a se sentar no toco de carvalho. Espiou dentro dos quartos da memória e sorriu.

— Ele e eu costumávamos subir nesta árvore quando éramos pequenos. Júlio era convencido de que podia subir em qualquer coisa e costumava passar horas nos galhos mais baixos, tentando arrumar um jeito de ir para o alto Se eu estivesse junto ele se apoiava nas minhas mãos, mas mesmo assim o próximo galho ficava alto demais para ser alcançado sem pular. Ele sabia que, se errasse, cairia de cabeça, talvez me derrubando junto. — Brutus começou a rir enquanto as lembranças voltavam.

Júlia veio sentar-se perto, na outra borda do toco. Mesmo dali dava para sentir o cheiro do óleo de flores que ela usava no banho. Brutus não sabia que flor era, mas o perfume o lembrava do verão. Respirou fundo e, só por um momento, deixou a mente brincar com a idéia de beijar a pele fresca do pescoço dela.

— Ele caiu? — perguntou Júlia.

Brutus fungou.

— Duas vezes. Na segunda me puxou da árvore e eu torci a mão. Ele ficou com um grande hematoma na bochecha como se tivesse levado um tapa, mas mesmo assim nós subimos de novo e ele alcançou o galho. — Brutus suspirou. — Acho que seu pai nunca mais subiu no carvalho de novo. Para ele não havia mais novidade.

— Gostaria de ter conhecido vocês nessa época — murmurou ela, e Brutus a olhou, balançando a cabeça.

— Não gostaria, não. Seu pai e eu éramos um par difícil. O surpreendente é termos sobrevivido.

— Ele tem sorte em ter você como amigo — disse ela ruborizando ligeiramente.

Brutus pensou de súbito em como Alexandria veria a cena, se estivesse caminhando na floresta. A garota era atraente demais para que ele estivesse bancando o jovem soldado bonitão. Logo ele estaria pedindo o braço dela para firmá-lo na volta para casa e roubaria um ou dois beijos no caminho. O cheiro de flores encheu seus pulmões e ele controlou os pensamentos desgarrados.

— Acho que vou voltar, Júlia. Você deve estar com frio.

Completamente sem controle consciente seu olhar foi até o pescoço e o volume dos seios da garota. Soube que ela vira e ficou furioso consigo mesmo. Desviou o olhar para a floresta enquanto se levantava.

— Você vem? — perguntou. — Já vai escurecer.

— Sua perna está sangrando de novo. Era cedo demais para tirar os pontos.

— Não. Já vi ferimentos suficientes para avaliar. De agora em diante vou andar ou cavalgar todo dia para recuperar as forças.

— Eu faço companhia, se você quiser. — Os olhos dela estavam grandes e escuros, e ele pigarreou para disfarçar a hesitação.

— Não acho que uma garota bonita deveria... — Ah, maravilhoso. Ele gaguejou e parou. — Eu me viro sozinho, obrigado. — Em seguida caminhou rigidamente de volta pelo caminho da floresta, em direção à casa, xingando-se em silêncio com toda a energia que pôde juntar.

Sob as estrelas frias Brutus fez sua égua andar pelo pátio principal, em direção ao estábulo, ofegando ligeiramente depois da cavalgada. Pensou em Alexandria dormindo no quarto dela e franziu a testa. Nada era simples como ele desejava, em especial com as mulheres de sua vida. Se quisesse discussões e silêncios tensos teria arranjado uma esposa. Deu um sorriso torto diante do pensamento, olhando a lua e desfrutando do silêncio. Os dois tinham sofrido durante as longas semanas vazias na propriedade, sem nada a fazer além de se curar e esquecer dos horrores dos tumultos. Havia ocasiões em que ficava doido para galopar, brigar ou levá-la para a cama durante uma tarde. Então seu ferimento o deixava furioso. Não ajudava em nada o fato de que fazer amor era limitado por sua capacidade de se apoiar no joelho, e odiava estar fraco.

Pensou que a amava, a seu modo, mas havia muitos dias em que eles discutiam por coisa nenhuma até ficarem carrancudos e magoados. Odiava os longos silêncios mais do que qualquer coisa. Algumas vezes se perguntava se só ficavam realmente apaixonados quando ele se encontrava em outro país.

O estábulo estava quente apesar do frio do ar noturno e das estrelas congelantes. A luz da lua passava por uma janela alta, dando um brilho pálido às baias de carvalho. Era um lugar pacífico, com apenas as formas escuras dos cavalos por companhia.

Ainda estava suando do esforço da cavalgada e fez uma careta ao ver como sua condição física havia piorado durante a doença. Apenas alguns quilômetros pelo campo tinham-no levado quase à exaustão.

A palha estalou atrás dele enquanto escovava a égua, e Brutus se imobilizou por um momento, imaginando quem mais estaria acordado àquela hora. Virou-se sem jeito ao ver Júlia encostada num poste, com o rosto pálido à luz suave.

— Foi longe desta vez? — murmurou ela. Parecia ter saído da cama, o cabelo solto nos ombros. Tinha um lençol macio enrolado no corpo e ele viu como o tecido se apertava mais de encontro aos seios, imaginando se ela podia ver onde seus olhos estavam fixos.

— Só alguns quilômetros esta noite. Está frio demais para a moça aqui. — A égua bufou suavemente e o cutucou pedindo para continuar com as escovadelas.

— Mas logo você estará indo embora. Ouvi Tabbic falando. Pompeu derrotou as quadrilhas.

— Derrotou mesmo. Ele é um homem duro.

Brutus podia ouvir a tensão na voz dela, uma tensão que não estivera presente antes. Quer fosse o estábulo quente, o cheiro de couro e palha ou simplesmente a proximidade de Júlia, pegou-se ficando excitado e agradeceu à escuridão por escondê-lo da vista da garota. Sem uma palavra virou-se de novo para a égua e passou a escova pelos flancos com movimentos longos.

— Meu pai me prometeu a Pompeu. Ele lhe contou? — disse ela subitamente, soltando as palavras num jorro. Brutus parou de escovar e olhou-a

— Ele não contou.

— Clódia diz que eu deveria ficar satisfeita. Ele nem era um cônsul quando os dois concordaram com o casamento, mas agora devo ser esposa de um ditador.

— Isso vai tirar você daqui — disse ele em voz baixa.

— E levar para onde? Para ser pintada por escravas a cada dia e não poder cavalgar? Já vi as mulheres dos senadores. Um monte de corvos com vestidos finos. E a cada noite terei um velho pesando em cima de mim. Meu pai é cruel.

— Ele pode ser, sim.

Brutus teria gostado de lhe falar sobre a pobreza que vira na cidade. Ela jamais conheceria a fome ou o medo como esposa de Pompeu. Júlio fizera uma escolha fria para a filha, mas havia vidas piores a se levar, e isso lhe garantira a Gália. Brutus viu imediatamente como o casamento ligaria as duas casas e talvez desse um herdeiro a Júlio. Por mais que ele gostasse da garota, via como ela devia ser abrigada, para não conhecer o mundo de verdade.

— Quando você irá para ele?

Ela sacudiu os cabelos, com raiva.

— Já teria ido se meu pai não estivesse fora da cidade. É apenas uma cortesia entre os dois. O trato já foi lacrado e o mensageiro de Pompeu veio com palavras *lindas* e presentes. Ouro e prata bastantes para me fazer engasgar. Você deveria ter visto que preço ele pagou pela escrava.

— Não, garota, você não será uma escrava para ele, não com o sangue de seu pai nas veias. Vai enrolá-lo nos dedos num instante. Você verá.

Ela se aproximou de novo e Brutus pôde sentir o cheiro de flores escuras. Enquanto Júlia estendia a mão ele segurou seus pulsos, deixando a escova cair na palha.

— O que está pensando? — murmurou ele, com a voz rouca. Nada daquilo parecia real, e mesmo na escuridão podia ver as linhas pálidas do pescoço dela contra as sombras.

— Estou pensando que não vou para ele como virgem — sussurrou ela, encostando-se de modo que seus lábios roçaram a garganta de Brutus. Ele pôde sentir a respiração ofegante da garota, e nada mais importou.

— Não — disse finalmente. — Não vai.

Levantando os pulsos de Júlia segurou o lençol que ela usava e o abriu gentilmente, expondo-a até a cintura. Os seios eram pálidos e perfeitos no escuro, mamilos duros. Ouviu-a respirar mais depressa enquanto passava a mão por suas costas, sentindo-a estremecer.

Então beijou-a até que boca de Júlia abriu o calor para ele. Sem outra palavra levantou-a nos braços e a levou até um monte de palha, e deitou-a. Os ferimentos eram uma dor distante que mal podia sentir enquanto tirava a roupa. Seu hálito também estava áspero na garganta, mas obrigou-se a se mover lentamente enquanto se curvava sobre ela, cuja boca macia se abriu de novo, com um grito.

O grupo reunido no pátio para voltar a Roma estava transformado dos refugiados cheios de poeira e terror que batera nos portões há quase dois meses. Clódia dissera às crianças que poderiam visitá-la quando quisessem, e uma ou duas teve de ser arrancada à força de perto dela na última manhã. A velha babá adorava os pequenos, e havia lágrimas dos dois lados.

Tabbic reclamara por cada dia passado longe da cidade e mal teve paciência para se despedir, agora que o dia chegara. Só ele, de todo o grupo, tinha feito várias viagens de volta assim que viu as muralhas da cidade outra vez vigiadas pela legião de Pompeu. A oficina tinha sobrevivido aos incêndios no bairro. Apesar de ter sido saqueada, a grande forja que era o coração do trabalho dos dois sobrevivera incólume. Tabbic já estava planejando uma nova porta com trancas para substituir a que fora quebrada, e foram seus relatórios sobre a nova paz que haviam trazido o fim da estadia na propriedade do campo. Pompeu tinha se mostrado implacável em destruir os líderes das gangues, e pelo menos durante o dia a cidade começava a se parecer consigo mesma outra vez. Havia boatos de que Crasso mandara uma quantia gigantesca para o senado e centenas de carpinteiros trabalhavam na reconstrução. Iria se passar algum tempo até que os cidadãos pensassem em luxos como jóias, mas Tabbic estaria pronto para eles. Sua pequena parte do trabalho era seu presente para a cidade, mas significava muita coisa. Pegar as ferramentas espalhadas era o primeiro passo no sentido de deixar para trás os horrores dos tumultos.

Brutus se sentira tentado a descansar a perna por mais um tempo, mas Alexandria tinha ficado cada vez mais fria com ele nos dias anteriores. Ele não achava que ela pudesse saber do que acontecera no estábulo, mas havia ocasiões em que a pegava olhando-o de lado, como se estivesse se perguntando quem ele era. Sem ter certeza de como sabia, tinha certeza de que, se ficasse para trás, seria a última vez que iria vê-la.

Estando tão ao sul, a primavera tinha chegado cedo e as árvores já estavam começando a florescer na floresta. Sem dúvida Júlio estaria esperando-o impaciente no norte, e com relutância Brutus soube que era hora de partir. Voltaria à rude companhia de seus legionários, mas de algum modo esse pensamento não o encheu de entusiasmo como antigamente. Posicionou o bloco de madeira de que precisava para montar, olhando disfarçadamente o pátio vazio ao redor enquanto segurava as rédeas. Júlia não estava ali e ele sentiu os olhos de Alexandria enquanto a procurava.

Um escravo doméstico abriu o portão pesado e o escancarou para que eles pudessem ver a trilha que levava até a estrada principal em direção à cidade.

— Aí está você! — disse Clódia. — Achei que ia perder a partida deles.

Júlia saiu da casa e foi se despedir de cada um deles e aceitar seus agradecimentos como senhora da casa. Brutus ficou olhando atentamente enquanto ela e Alexandria trocavam algumas palavras, mas as duas sorriram e ele não pôde ver tensão entre elas. Relaxou ligeiramente quando Júlia veio até ele e reagiu naturalmente quando ela se inclinou para lhe dar um beijo de despedida. Sentiu a língua da garota saltar contra seus lábios por um instante, fazendo-o congelar embaraçado. A boca de Júlia tinha gosto de mel.

— Volte — sussurrou Júlia enquanto ele montava na sela, não ousando olhar para Alexandria. Podia sentir o olhar dela se cravando em sua nuca e soube que estava com as bochechas em chamas enquanto tentava fingir que nada acontecera. Não era uma história para contar a Júlio, tinha certeza.

As crianças gritaram e acenaram em coro enquanto começavam a viagem para a cidade. Clódia tinha preparado pacotes de carne com pimentões cozidos para todos, e uma ou duas já estavam enfiando os dedos engordurados nos embrulhos de pano. Brutus lançou um último olhar para a propriedade que conhecia desde criança e a fixou na memória. Quando todo o resto da sua vida era capaz de se retorcer a ponto de ficar irreconhecível, algumas coisas permaneciam sólidas e lhe davam paz.

CAPÍTVLO XXXVIII

As TOCHAS TREMULAVAM REFLETINDO-SE NA COROA DOURADA DOS arvernos enquanto o sacerdote a erguia para os guerreiros. Na outra mão ele segurava um cordão de ouro que brilhava e se retorcia enrolado em seus dedos.

O sacerdote tinha pintado o corpo com sangue e terra em manchas compridas que o faziam parecer parte das sombras do templo. O peito estava nu e a barba alisada com argila em pontas brancas que estremeciam enquanto ele falava.

— O velho rei está morto, arvernos. Seu sangue será queimado, mas seu nome e seus feitos continuarão em nossa boca por todos os nossos anos. Ele era um homem, arvernos. Seu rebanho tinha milhares de cabeças e o braço que segurava a espada era forte até o fim. Ele espalhou sua semente para trazer filhos ao mundo, e suas esposas arrancam os cabelos e a pele, de tristeza. Não vamos vê-lo de novo.

O sacerdote olhou a tribo que tinha se apinhado no templo. Era uma noite amarga para ele. Durante vinte anos fora amigo e conselheiro do velho rei e compartilhava seu medo pelo futuro quando a idade e a fraqueza tinham começado a roubar seu fôlego. Quem, dentre os filhos, teria a força para liderar a tribo em tempos tão difíceis? O mais novo, Brigh, era apenas um menino, e o mais velho era um fanfarrão, fraco demais onde um rei deve ser forte. Madoc não seria rei.

O sacerdote olhou nos olhos de Cingeto que estava ali parado, sobre o mármore escuro, com os irmãos. Aquele era suficientemente guerreiro para liderá-los, mas seu temperamento já era famoso entre os arvernos. Tinha matado três homens em duelos antes de ficar adulto e o velho sacerdote teria dado tudo por mais alguns anos para ver quem ele se tornaria.

As palavras precisavam ser ditas, mas o sacerdote sentiu uma frieza no coração enquanto inspirava o ar.

— Qual de vocês tomará a coroa de minha mão? Qual de vocês merece o direito de liderar os arvernos?

Os três irmãos trocaram olhares e Brigh sorriu e balançou a cabeça.

— Isto não é para mim — falou e deu um passo atrás.

Cingeto e Madoc se entreolharam e o silêncio ficou opressivo.

— Sou o filho mais velho — disse Madoc finalmente, com a cor da raiva surgindo nas bochechas.

— Sim, mas não é o homem de quem precisamos agora — murmurou Cingeto baixinho. — Quem tomar a coroa deve se preparar para a guerra ou ver nossa tribo ser espalhada.

Madoc deu um risinho de desprezo. Era mais alto do que o irmão e usou a altura para intimidá-lo.

— Você vê algum exército nas nossas terras? Mostre onde estão. *Aponte-os.* — Ele cuspiu as palavras para o irmão, mas Cingeto já as ouvira antes.

— Estão vindo. Foram para o norte mas voltarão para as terras centrais em breve. Conheci o líder deles, que não deixará que vivamos nossa vida. Seus cobradores de impostos já roubaram os senones e venderam milhares como escravos. Eles não puderam impedi-lo e agora suas mulheres choram nos campos. Ele deve ser enfrentado, irmão. Você não é o homem para fazer isso.

Madoc fez uma careta de desprezo.

— Eram apenas senones, irmão. Os arvernos são homens. Se eles vierem nos incomodar nós os derrubamos.

— Você não consegue ver mais longe do que isso? — reagiu Cingeto rispidamente. — Você é cego, como os senones foram. Eu transformarei os arvernos numa tocha no escuro, para juntar as outras tribos. Vou liderá-los contra esses romanos até serem varridos da Gália. Não podemos ficar mais sozinhos.

— Você tem medo demais deles para ser rei, irmãozinho — disse Madoc mostrando os dentes.

Cingeto deu um tapa na boca de Madoc obrigando-o a recuar um passo.

— *Não* verei meu povo ser destruído por você. Se não ceder a mim, terei a coroa por desafio.

Madoc passou a língua sobre os lábios, sentindo o gosto de sangue. Seus olhos ficaram duros.

— Como quiser, irmãozinho. O fogo e os deuses estão olhando. Está certo.

Os dois se viraram de novo para o sacerdote e ele assentiu.

— Tragam os ferros. A decisão será pelo fogo.

Rezou para os deuses darem coragem ao homem certo para liderar os arvernos nos dias sombrios à frente.

Júlio ofegava guiando o cavalo pela passagem elevada. O ar era mais rarefeito aqui e, apesar de a primavera ter chegado aos vales, nos picos o ar doía nos pulmões até mesmo dos que estavam em melhor forma. Olhou para Brutus sofrendo lá atrás, abaixo da centúria da Décima. Ele perdera boa parte da energia recuperando-se dos ferimentos e havia ocasiões em que Júlio achava que teriam de deixá-lo para ir mais tarde. No entanto ele permanecia obstinadamente na trilha dos outros, cavalgando sempre que a passagem ficava plana.

Quando vira o cavaleiro empoeirado entrar em Arimino o ânimo de Júlio saltou para ouvir as últimas notícias da cidade. A formalidade fria do relatório que recebeu encheu-o de confusão. Queria sacudir o sujeito que entrou mancando na casa e falou de suas experiências de modo tão distanciado. A velha raiva tinha-o varrido enquanto escutava, mas não cedeu a ela. Servília tinha ido embora, e estava por sua conta emendar a divisão entre os dois.

Júlio podia se lembrar de milhares de vezes em que tinha usado algumas palavras, ou um elogio, ou mesmo um movimento de cabeça para estimular os homens ao seu redor. Sentia apenas tristeza ao perceber que seu amigo mais antigo precisava das mesmas mentiras inofensivas. Uma coisa era dar um tapinha nas costas de um soldado e vê-lo ficar um pouco mais empertigado. Outra muito diferente era abrir mão da honestidade em sua amizade mais antiga, e Júlio ainda não agira a partir dessa decisão. Depois do relatório inicial os dois mal tinham falado.

O pensamento de Júlio se voltou para Régulo, que caminhava ao seu lado pela neve. Era um dos que formavam o cerne da legião. Alguns se tornavam pouco melhores do que animais nas fileiras de Roma, mas homens como Régulo nunca pareciam perder essa última parte de sua humanidade. Podiam mostrar gentileza a uma mulher ou uma criança e depois ir para a batalha e jogar a vida fora em troca de algo maior do que eles próprios. Havia senadores que só os viam como instrumentos de morte, jamais como homens que podiam entender o que Roma significava. Os legionários sempre usavam seus votos nas eleições quando tinham chance. Escreviam para casa, xingavam e mijavam na neve como qualquer outro, e Júlio entendia como Mário os havia amado.

Liderar homens assim não era uma responsabilidade a ser exercida com leviandade. Eles o procuravam em busca de comida e abrigo, de ordem em suas vidas. O respeito deles era difícil de conquistar e podia ser perdido num único momento de covardia ou indecisão. Ele não aceitaria de outro modo.

— Vamos correr, Régulo? — perguntou entre duas respirações ofegantes. O centurião deu um sorriso tenso. O hábito de se barbear tinha voltado a todos em Arimino e Júlio viu que o rosto dele estava vermelho e irritado pelo vento.

— É melhor não deixar os cavalos para trás, senhor.

Júlio deu-lhe um tapa nas costas e demorou um momento olhando as montanhas ao redor. Era uma beleza mortal essa pela qual passavam. O branco doloroso dos altos picos brilhava ao sol, e atrás Brutus lutava para mantê-los à vista.

Régulo viu Júlio olhar para o caminho sinuoso.

— Devo voltar até ele, senhor? O passo do general está piorando.

— Muito bem. Diga que vou disputar uma corrida com ele até a Gália. Ele vai entender.

Os ferros compridos foram esquentados em braseiros até que as pontas ficassem vermelhas. Madoc e Cingeto tinham se despido até a cintura e agora se encontravam de pé, suando, no templo. Todos os familiares estavam presentes para testemunhar, e nenhum dos dois demonstrava qualquer medo enquanto o sacerdote verificava repetidamente os ferros até estar satisfeito. Os pêlos de sua mão direita se encolheram quando ele passou-a sobre o cesto de ferro.

Por fim o velho sacerdote se virou para os irmãos. O peito deles era mais pálido do que os braços e os rostos. Madoc era cheio de músculos, um touro como o pai tinha sido. Cingeto era uma figura mais compacta, mas não havia sequer um pedaço de carne sobrando nele. O velho sacerdote se preparou para falar com as silenciosas famílias dos arvernos.

— Um rei deve ter força, mas também determinação. Todos os homens sentem medo, mas ele deve dominá-lo quando a necessidade for grande. — O sacerdote parou um momento, saboreando as palavras do ritual. Seu velho mestre tinha usado uma vara comprida para corrigir qualquer recitação hesitante. Então ele o odiara, mas agora usava a mesma vara com os aprendizes no templo. As palavras eram importantes. — Por direito de sangue esses homens escolheram o julgamento do fogo. Um tomará a coroa e o outro será banido das terras dos arvernos. É a lei. Mas o homem para nos liderar deverá ter a mente tão afiada quanto sua espada. Deve ser inteligente, além de corajoso. Os deuses garantem que hoje há um homem assim diante de nós.

Os dois irmãos permaneceram imóveis enquanto ele falava, preparando-se para o que viria. O sacerdote pegou o primeiro ferro. Mesmo a extremidade escura que ele segurava fez sua mão se enrijecer.

— Ao mais velho vai o primeiro — falou, com os olhos na ponta incandescente.

Madoc estendeu a mão e pegou o ferro. Seus olhos estavam brilhantes de malícia enquanto se virava para Cingeto.

— Vejamos quem de nós é abençoado — sussurrou.

Cingeto não respondeu, mas o suor escorria de seu corpo. Madoc trouxe a haste cada vez mais perto do peito do irmão até que os pêlos louros começaram a chiar, soltando um cheiro forte. Então encostou-o na pele do irmão e apertou com força na carne.

Os pulmões de Cingeto se esvaziaram num grande jorro de ar. Cada músculo de seu corpo ficou rígido com a agonia, mas ele não gritou. Madoc apertou o ferro contra ele até que o calor diminuísse, e então seu rosto ficou tenso quando o recolocou no fogo.

Cingeto olhou para o inchaço marrom que tinha surgido na pele. O ferimento um líquido claro enquanto ele respirava fundo e se firmava. Sem dizer palavra pegou outro ferro e Madoc começou a respirar cada vez mais depressa.

Madoc grunhiu quando o metal tocou em seu peito e, numa fúria, pegou outro no braseiro. O sacerdote tocou sua mão, reprovando-o e ele o largou de lado, com a boca se abrindo e a respiração saindo áspera.

O julgamento do fogo tinha começado.

No fim do segundo dia nas montanhas o caminho difícil começou a se inclinar para baixo em direção à Gália. Júlio parou, encostando-se numa rocha. Quando ergueu os olhos pôde ver o platô da alta passagem acima e ficou pasmo por o terem deixado tão para trás. Todos estavam desesperados por comida e sono, e Júlio sentia uma estranha clareza de visão, como se a fome e o vento tivessem afiado seus sentidos. Abaixo a Gália se estendia com um verde mais escuro do que ele poderia ter acreditado existir. Seus pulmões pareciam enormes dentro do peito e ele respirava fundo pelo simples prazer de estar vivo num lugar assim.

Brutus sentia como se estivesse caminhando pelas montanhas durante toda a vida. A perna fraca latejava a cada vez que ele punha o peso sobre ela, e sem o cavalo para se encostar tinha certeza de que teria caído há muito tempo. Enquanto a centúria descansava, ele e Régulo serpenteavam pela coluna até a frente. Júlio ouviu alguns de seus homens comemorarem, gritando encorajamentos. Virou-se para vê-los e sorriu quando os dois responderam às vozes obrigando-se a ir em frente. A força da irmandade entre seus soldados jamais deixava de enchê-lo de orgulho. Enquanto Júlio observava, Brutus e Régulo sorriram dos gritos, gargalhando juntos quando Régulo murmurou alguma resposta.

Júlio olhou de novo para a Gália abaixo. Estendida diante dele parecia enganosamente pacífica, quase como se ele pudesse dar um passo e pousar direto no coração daquela terra. Esperava que um dia um viajante atravessando as passagens olhasse para baixo e visse cidades grandes como Roma. Mais para além ficava o mar que o chamava, e ele visualizou a frota que levaria a Décima e a Terceira. As tribos pagariam seu ouro em impostos e ele iria usá-lo para ver o que havia além dos longínquos penhascos brancos. Levaria Roma até a borda do mundo, onde nem mesmo Alexandre estivera.

Brutus chegou ao seu lado e Júlio viu círculos escuros em volta dos olhos dele. A subida tinha realmente prejudicado o amigo, mas em sua exaustão ele parecia ter perdido parte da frieza que trouxera de Roma. Quando os olhos dos dois se encontraram Júlio sinalizou para as terras lá embaixo.

— Já viu alguma coisa mais linda?

Brutus pegou uma garrafa d'água com Régulo e a inclinou entre os lábios rachados.

— Estamos numa corrida ou não? — perguntou ele. — Não vou esperar você.

Seguiu cambaleando encosta abaixo e Júlio ficou olhando-o com afeto. Régulo hesitou ao seu lado, sem saber se deveria ir atrás.

— Ande, fique com ele — disse Júlio. — Eu acompanho vocês.

O cheiro de carne e fogo era forte no templo. Os dois estavam sangrando e a pele se rachava a cada vez que os ferros eram usados. Por onze vezes tinham suportado a dor e agora Cingeto cambaleava com os dentes aparecendo brancos de encontro à pele, pronto para a décima segunda. Olhou o irmão, atento. O teste era tanto para a mente quanto para o corpo, e cada qual sabia que só poderia terminar quando um se recusasse a tocar o outro. A cada queimadura acrescentada os dois sabiam que teriam de enfrentar pelo menos mais uma, e esse conhecimento os comia por dentro enquanto a força ia diminuindo.

Madoc hesitou enquanto envolvia os dedos no ferro preto. Se o encostasse no irmão mais novo teria de suportar mais uma queimadura na pele. Não sabia se era capaz, mas o desejo de ver Cingeto humilhado ainda era forte.

O julgamento era um teste amargo. Através das ondas de dor o único consolo era a idéia de que, num instante, o algoz sentiria o mesmo. A determinação e a força se desmoronavam diante de tal tortura, e Cingeto sentiu a esperança saltar quando o irmão continuou hesitando. Seria crueldade dele arrastar o momento ou será que tinha perdido finalmente o gosto pelos ferros?

— Que os deuses me dêem força para mais um — ouviu Madoc sussurrar e quase gritou quando a ponta vermelha do metal saiu outra vez das chamas. Viu Madoc levantá-lo e fechou os olhos com ansiedade e medo. Todo o seu corpo tentava se afastar do contato e sempre havia o terror de que não tivesse a força de vontade para ir em frente quando a opção fosse sua. O espírito escolhia o vencedor do julgamento do fogo, jamais a carne, e agora Cingeto entendia de um modo que nunca seria capaz, se não experimentasse.

Um estrondo reverberou no templo e os olhos de Cingeto se abriram em perplexidade. Madoc tinha jogado o ferro no chão e agora estava diante dele, com a dor retorcendo o rosto em rugas de cansaço.

— Já chega, irmãozinho — disse Madoc, e quase caiu.

Cingeto estendeu a mão para firmá-lo e se encolheu quando suas queimaduras latejaram por causa do movimento.

O sacerdote sorriu de júbilo quando os dois se viraram para encará-lo. Já estava planejando sua colaboração para a história da tribo. Onze ferros suportados pelos príncipes dos arvernos! Não conseguia se lembrar de mais do que nove, e até mesmo o grande Ailpein tinha suportado apenas sete para se tornar rei há trezentos anos. Era um bom presságio e ele sentiu parte da preocupação sombria se afastar.

— Um para ser rei e outro para partir — disse em voz alta, repetindo a frase para as famílias reunidas. Adiantou-se até Cingeto e pôs a tira de ouro em sua testa e o cordão em volta dos tendões tensos do pescoço.

— Não — disse Cingeto olhando para o irmão. — Não perderei você depois desta noite, meu irmão. Ficará e lutará comigo contra eles? Vou precisar de você.

O sacerdote olhou-os boquiaberto e horrorizado.

— A lei... — começou ele.

Cingeto ergueu a mão, lutando contra a dor que ameaçava dominá-lo.

— Preciso de você, Madoc. Vai me seguir?

O irmão se empertigou, encolhendo-se quando sangue novo teceu trilhas peito abaixo.

— Sim, irmão. Seguirei.
— Então devemos convocar as tribos.

Júlia caminhou até a base da escadaria do velho prédio do senado e estremeceu ao ver o espaço vazio que tinha sido liberado adiante. O cheiro de fumaça ainda estava sutilmente no ar e era fácil imaginar o tumulto chegando até mesmo a esse local. O novo prédio já estava sendo construído e o barulho da multidão era acompanhado por marteladas e gritos dos trabalhadores.

Clódia agitava-se ao lado, nervosa no grande fórum.

— Pronto, você viu o dano e correu um risco que não deveria. A cidade não é segura para uma jovem, nem mesmo agora.

Júlia a encarou com escárnio.

— Você está vendo os soldados, não está? Agora Pompeu tem o controle; Brutus disse isso. Ele está ocupado com suas reuniões e seus discursos. Talvez tenha se esquecido de mim.

— Está falando bobagem, menina. Você não pode esperar que ele fique espreitando sob sua janela como um garoto. Não com a posição que tem.

— Mesmo assim, se espera me levar para a cama, deveria demonstrar um pouquinho de interesse, não acha?

Clódia olhou rapidamente em volta para ver se alguém da multidão estava se interessando pela conversa delas.

— Este não é um assunto adequado! Sua mãe teria vergonha se ouvisse você falar tão descaradamente — disse ela segurando Júlia pelo braço.

Júlia se encolheu e empurrou o braço dela, adorando a chance de deixar a velha desconfortável.

— Isto é, se ele não estiver velho demais para encontrar o que interessa. Você acha que ele pode estar?

— Pare com isso, garota, caso contrário acabo com esse seu sorriso com um tapa — sibilou Clódia.

Júlia deu de ombros, pensando deliciosamente na pele de Brutus junto à sua. Sabia que não deveria falar com Clódia sobre a noite no estábulo, mas seu medo fora levado para longe junto com a primeira dor aguda. Brutus fora gentil com ela e a garota encontrou uma fome particular que Pompeu desfrutaria quando finalmente a tornasse sua mulher.

Uma voz invadiu seus pensamentos, fazendo-a levar um susto, culpada.

— Estão perdidas, senhoras? Parecem bastante abandonadas, aí junto da escadaria antiga.

Antes que pudesse responder, Júlia viu Clódia se curvar e baixar a cabeça. O súbito servilismo da velha bastou para que ela olhasse pela segunda vez o homem que tinha falado com as duas. Sua toga o marcava como alguém da nobilitas, mas ele demonstrava uma confiança natural que, sozinha, bastaria. Seu cabelo brilhava com uma perfeição oleada, notou Júlia. Ele sorriu diante de sua avaliação, permitindo que os olhos baixassem até seus seios por um breve momento.

— Já estávamos indo, senhor — disse Clódia rapidamente. — Temos um encontro com amigos.

Júlia franziu a testa quando seu braço foi apertado com força de novo.

— Que pena — disse o rapaz, encarando a figura de Júlia. Então ela ruborizou, subitamente cônscia de que tinha se vestido com muita simplicidade para a visita.

— Se seus amigos não se importam em esperar, tenho uma pequena casa aqui perto onde vocês podem tomar banho e comer. Andar pela cidade é cansativo sem ter onde descansar.

Enquanto falava, o rapaz fez um gesto sutil para a cintura e Júlia ouviu o som nítido de moedas. Clódia tentou puxá-la para longe, mas ela resistiu, querendo acabar com a arrogância fácil do sujeito.

— Você não se apresentou — disse ela, aumentando o sorriso. Ele positivamente se envaideceu com o interesse.

— Suetônio Prando. Sou senador, querida, mas nem toda tarde é passada no trabalho.

— Eu já... ouvi falar do nome — disse Júlia devagar, mas não conseguia se lembrar exatamente. Suetônio assentiu como se esperasse ser conhecido. Ela não viu Clódia empalidecer.

— Seu futuro *marido* está esperando, Júlia — disse Clódia.

Teve sucesso em afastar a jovem alguns passos, mas Suetônio foi com elas, não querendo liberá-las tão facilmente. Pôs a mão sobre a de Clódia, para fazer com que parassem.

— Nós estamos conversando. Não há mal nisso. — De novo ele sacudiu as moedas e Júlia quase riu alto ao escutar.

— Você está se oferecendo para comprar minha atenção, Suetônio?— perguntou ela.

Suetônio piscou diante da pergunta direta. Entrando no jogo, piscou.

— Seu marido não se importaria? — perguntou, inclinando-se mais perto. Alguma coisa nos olhos frios mudou o clima instantaneamente e Júlia franziu a testa para ele.

— Pompeu ainda não é meu marido, Suetônio. Talvez ele não se importe se eu passasse a tarde com você. O que acha?

Por um momento Suetônio não entendeu o que ela havia dito. Então uma consciência doentia o dominou e seu rosto ficou feio.

— Conheço o seu pai, garota — murmurou ele, quase consigo mesmo. Júlia ergueu a cabeça lentamente enquanto a lembrança voltava.

— Eu achei que conhecia o nome! Ah, sim, sei quem você é. — Sem aviso ela começou a rir e Suetônio ruborizou numa raiva impotente. Não ousou lhe dizer uma palavra.

— Meu pai conta histórias maravilhosas sobre você, Suetônio. Você deveria ouvi-las, deveria mesmo. — Em seguida se virou para Clódia, ignorando seus olhos que imploravam. — Uma vez ele colocou você num buraco no chão, não foi? Lembro de ele ter contado a Clódia. Foi muito divertido.

Suetônio deu um sorriso tenso.

— Nós dois éramos muito pequenos. Bom dia para vocês.

— Está indo embora? Achei que íamos à sua casa, comer.

— Talvez outra hora — respondeu ele. Seus olhos estavam se arregalando de raiva e Júlia chegou um pouco mais perto.

— Tenha cuidado no caminho, senador. Os ladrões vão ouvir essas moedas que você carrega. — Em seguida forçou uma expressão séria no rosto enquanto ele ficava vermelho de raiva.

— Dê minhas lembranças à sua mãe, quando a vir de novo — disse ele subitamente, passando a língua pelo lábio inferior. Havia algo profundamente desagradável em seu olhar.

— Ela morreu — respondeu Júlia. Estava começando a desejar que não tivesse começado aquela conversa.

— Ah, *sim*. Foi uma coisa terrível — disse Suetônio, mas suas palavras foram tornadas vazias pelo rápido sorriso que ele não pôde controlar. Com um rígido cumprimento de cabeça, afastou-se pelo fórum, deixando-as.

Quando finalmente olhou para Clódia, Júlia ergueu as sobrancelhas.

— Acho que nós o chateamos — falou, com a diversão retornando.

— Você é um perigo para si mesma — disse Clódia rispidamente. — Quanto antes se tornar mulher de Pompeu, melhor. Só espero que ele tenha o bom senso de lhe dar uma surra quando você precisar.

Júlia segurou o rosto de Clódia.

— Pompeu não ousaria. Meu pai arrancaria a pele dele.

Sem aviso Clódia lhe deu um tapa com força. Júlia apertou os dedos na bochecha, perplexa. A velha tremeu, sem se arrepender.

— A vida é mais difícil do que você imagina, garota. Sempre foi.

O rei dos arvernos fechou a porta do salão, fazendo força contra o vento que provocou uma súbita pressão nos ouvidos e um jorro de neve no chão aos seus pés.

Virou-se para os homens que tinham se reunido a seu chamado, representando as tribos mais antigas da Gália. Os senones estavam presentes, além dos cadurços, dos pictones, dos turonos e dezenas de outros. Alguns eram vassalos de Roma, outros representavam apenas uma fração lamentável do poder que já haviam conhecido, com os exércitos vendidos para a escravidão e seus animais roubados para alimentar as legiões. Mhorbaine, dos edui, tinha recusado sua oferta, mas os outros procuravam sua liderança. Juntos eles poderiam reunir um exército que quebraria a espinha do domínio romano em suas terras, e Cingeto mal sentia o frio do inverno enquanto observava as feições aquilinas dos outros.

— Vocês aceitarão minhas ordens? — perguntou em voz baixa. Sabia que eles aceitariam, caso contrário não teriam viajado no inverno para falar com ele.

Um a um cada homem se levantou e ofereceu o apoio e seus guerreiros. Apesar de terem sentido pouco afeto pelos arvernos, os anos de guerra os haviam aberto a seus argumentos. Sozinhos poderiam cair, mas sob uma única liderança, um rei supremo, seriam capazes de expulsar os invasores da Gália. Cingeto assumira esse papel e, no desespero, eles o aceitaram.

— Por enquanto digo para esperar e se preparar. Forjem suas espadas e armaduras. Façam estoques de grãos e salguem uma parte de cada touro que matarem para a tribo. Não cometeremos os erros dos anos anteriores gastando as forças em ataques infrutíferos. Quando agirmos, será como um só, e só quando os romanos estiverem espalhados e fracos. Então saberão que a Gália não deve ser roubada de seu povo. Digam aos seus guerreiros que eles marcharão sob o comando do rei supremo, reunidos como aconteceu há mil anos, quando nada no mundo podia nos deter. Nossa história diz que somos um só povo, cavaleiros das montanhas. Nossa língua mostra a irmandade e o caminho.

Era uma figura poderosa, de pé diante deles. Nenhum dos reis baixou o olhar diante de sua expressão feroz. Madoc estava ao lado, e o fato de ter permitido que o irmão mais novo assumisse a coroa do pai não deixou de ser notado por todos. As palavras de Cingeto falavam de lealdades mais antigas do que as de tribo, e eles sentiram a pulsação acelerar ao pensarem na reunião dos povos antigos.

— A partir deste dia todas as disputas tribais estão mortas. Que nenhum gaulês mate um só de seu povo quando precisamos de cada espada contra o inimigo. Quando houver dissensão, usem meu nome — disse Cingeto em voz baixa. — Diga-lhes que Vercingetórix os convoca às armas.

CAPÍTVLO XXXIX

ÚLIO ESTAVA DE PÉ, COM UM DOS BRAÇOS ENROLADO NA PROA ALTA da galera, cheio de uma impaciência inquieta enquanto o litoral branco crescia diante de seus olhos. Tinha aprendido com as experiências desastrosas da primeira expedição e desta vez o ano era jovem para a travessia. A frota que agitava o mar formando espuma ao redor com os remos compridos era cem vezes maior do que a primeira e tinha lhe custado cada moeda e favor que acumulara na Gália. Júlio reduzira suas defesas para montar esse golpe através da água, mas os penhascos brancos dos britânicos tinham sido seu primeiro fracasso e ele não podia permitir um segundo.

Era difícil não se lembrar das espumas vermelho-sangue quando suas galeras foram lançadas contra a costa e esmagadas. Aquela primeira noite, quando as tribos de peles azuis os atacaram na água, estava gravada a fogo na memória.

Segurou a madeira com mais força enquanto se lembrava de como a Décima tinha forçado um desembarque pela escuridão do mar revolto. Muitos ficaram boiando de rosto para baixo, com as aves marinhas pousando em seus corpos que se entrechocavam e rolavam nas ondas. Não importando como olhasse, aquelas três semanas foram desastrosas. Chovera todos os dias com uma força ofuscante e frio mortal. Os que tinham sobrevivido à carnificina do desembarque estavam mais perto do desespero do que ele jamais vira. Por dias não souberam se alguma galera sobrevivera à tempestade. Apesar de Júlio ter escondido dos homens seu alívio, jamais se sentira mais grato do que quando viu suas maltratadas galeras se aproximando com dificuldade.

As legiões tinham lutado corajosamente contra as tribos de peles azuis, mas mesmo então Júlio sabia que não permaneceria ali sem ter uma frota para trazer provisões. Aceitara a rendição do chefe deles, Cômio, mas seus pensamentos já estavam na primavera seguinte.

As lições daquela costa rude tinham sido bem aprendidas. De cada lado Júlio podia ouvir os gritos dos comandantes determinando o ritmo dos remos. Os borrifos do mar se chocavam em seu rosto enquanto a proa subia e descia, e ele se inclinava para fora, com o olhar varrendo a costa em busca dos guerreiros pintados. Desta vez não haveria retorno.

Até onde podia ver, em todas as direções, suas galeras atravessavam as águas. Centenas de navios que ele havia implorado, comprado e contratado para levar cinco legiões inteiras de volta à ilha. Em baias nos conveses oscilantes havia dois mil cavalos para varrer as tribos pintadas.

Com um arrepio que tinha mais a ver com a lembrança do que o frio, viu as fileiras de guerreiros aparecendo nos penhascos, mas desta vez zombou deles. Que vissem chegar às suas costas a maior frota que o mundo já conhecera. Que vissem.

As ondas não tinham nada da fúria e da força que ele experimentara no ano anterior. No auge do verão o movimento mal sacudia as galeras pesadas e Júlio ouviu os cornicens sinalizando por toda a linha. Botes foram baixados e a Décima liderou o desembarque.

Júlio saltou para a arrebentação e mal pôde acreditar que era o mesmo litoral. Viu os homens arrastarem os barcos até os seixos da praia, para além do alcance das tempestades. A toda volta havia a energia intensa que ele conhecia há anos. Ordens eram gritadas, pacotes e armaduras eram apanhadas enquanto eles formavam um perímetro defensivo e convocavam as próximas unidades com trombetas de bronze. Júlio estremeceu quando a capa molhada bateu em sua pele. Caminhou pela praia e olhou para o mar, mostrando os dentes. Esperava que os britânicos pintados estivessem observando o exército que cortaria sua terra.

Ao levar tantos homens dos barcos para a terra alguns ferimentos e erros eram de se esperar. Uma das pequenas embarcações virou quando seus ocupantes tentavam sair e um optio teve o pé esmagado pelo peso. Uma boa quantidade de pacotes e lanças caiu no mar e teve de ser recuperada por seus donos, instigados pelos oficiais que gritavam. Com apenas um braço, Rênio escorregou ao sair de um barco, desaparecendo sob a água apesar das mãos que o seguravam. Foi arrastado para cima ainda rugindo de indignação. Apesar das dificuldades, desembarcar tantos sem perder uma só vida foi um feito, e quando o sol estava baixando no horizonte a Décima havia marcado o terreno para o primeiro acampamento hostil, bloqueando o caminho até a costa enquanto ainda estava vulnerável.

Não viram qualquer outro sinal das tribos que tinham defendido sua terra com tanta violência no ano anterior. Depois do avistamento inicial nos penhascos os britânicos haviam recuado. Júlio sorriu ao pensar na consternação nos acampamentos e nos povoados deles, e se perguntou o que teria sido feito de Cômio, o rei das colinas do sul. Só podia imaginar como devia ter sido para Cômio ver as legiões pela primeira vez e mandar seus guerreiros em direção ao mar, para expulsá-las de volta. Com um tremor lembrou-se dos cães enormes que lutavam com eles e causavam dezenas de ferimentos antes de tombar. Nem mesmo eles tinham bastado para derrotar os veteranos da Gália.

Cômio havia se rendido quando as legiões lutaram subindo as dunas e chegando aos campos mais além, esmagando os guerreiros azuis. O rei mantivera a dignidade enquanto entrava no acampamento improvisado na praia, para entregar sua espada. Os guardas o teriam impedido, mas Júlio acenou deixando-o entrar, com o coração disparando.

Lembrou-se do espanto que sentira ao finalmente falar com homens que eram apenas mitos em Roma. No entanto, apesar da aparência selvagem, descobriu que os bárbaros entendiam a fala gaulesa simples que ele havia lutado para aprender.

— Do outro lado da água os pescadores chamam vocês de "pretani", os pintados — dissera Júlio, lentamente sopesando a espada. — Que nome vocês têm para eles?

O rei azul olhara para os companheiros, dando de ombros.

— Não pensamos muito neles — respondeu.

Júlio deu um risinho ao lembrar. Esperava que Cômio tivesse sobrevivido ao ano que ele passara longe. Com a praia segura, Brutus trouxe a Terceira Gálica para apoiar a Décima e Marco Antônio aumentou o número de romanos no terreno elevado, cada coorte protegendo a próxima enquanto se moviam terra adentro em estágios marcados. Quando a primeira noite caiu, as galeras tinham recuado para as águas profundas onde não poderiam ser surpreendidas e as legiões estavam ocupadas com a tarefa de construir fortalezas.

Depois de anos na Gália elas cumpriam a tarefa familiar com calma eficiência. Os *extraordinarii* se juntavam nos limites das posições, prontos para dar o alarme e conter um ataque até que os quadrados pudessem se formar. As paredes de terra compactada e árvores derrubadas subiam com a facilidade resultante do longo tempo de prática, e enquanto as estrelas e a lua se moviam em direção à meia-noite os romanos estavam seguros e prontos para o dia.

Júlio convocou seu conselho assim que a primeira comida quente estava sendo distribuída aos que tinham trabalhado tão duro por ela. Aceitou um prato de cozido de legumes e cheirou-o, com apreciação, para que os legionários vissem. Os soldados sorriram quando ele provou e foi caminhando entre eles, falando com qualquer homem que atraísse seu olhar.

Bérico fora deixado na Gália, com apenas sua legião e os irregulares para cobrir aquele vasto território. O general de Arimino era um soldado experiente e sólido que não arriscaria os comandados, mas Brutus ficara pasmo diante do perigo de deixar tão poucos para sustentar a Gália enquanto eles estavam longe. Júlio esperara até ele terminar os protestos e depois continuou com os planos. Brutus não fizera parte do primeiro desembarque porque a tempestade tinha empurrado sua galera para o alto-mar. Não podia entender a necessidade de Júlio, de transformar o segundo golpe em algo devastador. Não tinha visto o mar ficar vermelho e os legionários recuarem dos guerreiros de pele azul e seus cães monstruosos.

Este ano, prometeu Júlio, os britânicos iriam se ajoelhar diante dele ou seriam esmagados. Tinha os homens e os navios. Tinha a estação do ano e a vontade. Enquanto passava para o interior da tenda de comando iluminada por tochas pôs a tigela de comida numa mesa para esfriar. Não comeria com a tensão que borbulhava por dentro. Roma estava distante como um sonho e havia momentos em que ele só podia balançar a cabeça, espantado, por se encontrar tão longe. Se ao menos Mário ou seu pai pudessem estar ali para compartilhar com ele! Mário teria entendido sua satisfação. Ele penetrara fundo o bastante na África para saber.

Seu conselho chegou em grupos de dois ou três e Júlio controlou os sentimentos para recebê-los com formalidade. Ordenou que trouxessem a comida e esperou enquanto se alimentavam, com as mãos cruzadas às costas olhando o céu noturno do lado de fora. Mandara fazer mapas toscos depois do primeiro desembarque, para orientá-los em direção ao norte, e os batedores que os tinham desenhado sairiam para avaliar a força dos guerreiros que encontrariam. Júlio mal podia esperar pelas primeiras luzes.

A notícia da frota tinha viajado depressa. Quando toda a força da invasão se tornara aparente, Cômio rasgou os planos que tinha feito para defender o litoral. Não havia como se enganar com a intenção de uma força tão vasta, e nenhuma chance de que os trinovantes pudessem enfrentá-la. Recuaram para uma fileira de fortalezas em colinas, dezoito quilômetros terra adentro, e Cômio mandou mensageiros a todas as tribos ao redor. Chamou os cenimagni e os ancalitas. Chamou os segonatiaci e os bibroci e eles vieram por medo. Nenhum homem vivo tinha visto uma quantidade tão grande de inimigos, e eles sabiam quantos trinovantes tinham sido mortos no ano anterior lutando contra um número muito menor.

A primeira noite foi passada em discussão enquanto Cômio tentava salvar a vida dos outros.

— Vocês não lutaram com eles da outra vez! — disse aos líderes. — Eram apenas alguns milhares e nos derrotaram. Com o exército que trouxeram agora não temos escolha. Temos de suportá-los como suportamos o inverno. É o único modo de sobreviver à passagem deles.

Cômio viu a raiva no rosto dos homens à frente. Beran, dos ancalitas, levantou-se e Cômio o encarou com resignação pálida, adivinhando as palavras antes de serem faladas.

— Os catuvelaunos dizem que vão lutar. Vão aceitar qualquer um de nós como irmão de espadas sob o comando do rei deles. Pelo menos é melhor do que ficar imóveis para sermos apanhados um por um.

Cômio suspirou. Sabia da oferta do jovem rei, Cassivelauno, e isso lhe deu vontade de cuspir. Nenhum dos homens ali parecia entender o nível de perigo do exército que desembarcara em seu litoral. Não havia fim para eles e Cômio duvidou de que pudessem ser empurrados de volta para o mar mesmo que cada homem da terra pegasse armas. O rei dos catuvelaunos estava cego pela própria ambição de liderar as tribos e Cômio não queria participar daquela tolice. Cassivelauno aprenderia do único modo possível, como acontecera com Cômio. Mas para os outros ainda havia esperança.

— Deixem Cassivelauno juntar as tribos sob seus estandartes. Não bastará, nem mesmo conosco. Diga, Beran, quantos homens você pode tirar de suas plantações e rebanhos para lutar?

Beran se remexeu inquieto com a pergunta, mas depois deu de ombros.

— Mil e duzentos, talvez. Menos, se eu mantiver um número suficiente para proteger as mulheres.

Sob o olhar sério de Cômio, cada um deles acrescentou os números.

— Somando todos nós, *talvez* possamos juntar oito mil guerreiros. Cassivelauno tem três, e as tribos ao redor dele podem trazer mais seis para a guerra, se todos concordarem em segui-lo. Dezessete mil, e contra nós meus homens contaram pelo menos vinte e cinco, com mais milhares a cavalo.

— Já vi coisa pior — disse Beran com um sorriso.

Cômio o encarou.

— Não viu. Eu perdi três mil dos meus melhores contra eles na praia e em meio às plantações. São homens duros, meus amigos, mas não podem nos governar estando do outro lado do mar. Ninguém jamais conseguiu fazer isso. Devemos esperar até que o inverno os mande de volta. Eles já sabem o que as tempestades podem fazer com seus navios.

— Será difícil pedir ao meu povo para deixar as espadas de lado — disse Beran. — Haverá muitos que quererão se juntar aos catuvelaunos.

— Deixe-os! — gritou Cômio, finalmente perdendo a cabeça. — Deixe qualquer um que queira morrer se juntar sob o comando de Cassivelauno e lutar. Eles serão destruídos. — Cômio coçou o osso do nariz. — Devo pensar primeiro nos trinovantes, não importando o que vocês decidirem. Agora restam poucos de nós, mas mesmo que eu tivesse uma horda de homens esperaria para ver como os catuvelaunos se saem na primeira batalha. Se o rei deles está tão faminto para liderar todos nós, deixem-no mostrar que tem força para isso.

Os homens se entreolharam, procurando um acordo. O espírito de cooperação era uma experiência incomum, mas nada na situação era normal, desde que a frota fora avistada naquela manhã.

— Você não é covarde, Cômio. Por isso ouvi o que disse. Vou esperar e ver como Cassivelauno se sai nas primeiras escaramuças. Se ele puder sangrar esses novos homens, vou me juntar a ele até o final. Não quero ficar parado de cabeça baixa enquanto matam meu povo. Seria duro demais.

— Seria ainda mais duro ver seus templos esmagados e os ancalitas transformados em cinzas — respondeu Cômio rispidamente. Em seguida balançou a cabeça. — Faça o que achar certo. Os trinovantes não participarão. — Sem outra palavra Cômio saiu da sala baixa e os deixou sozinhos.

Beran ficou olhando-o com a testa franzida.

— Ele está certo? — perguntou.

A mesma pergunta estava na mente de todos enquanto Beran se virava para os outros.

— Deixe que os catuvelaunos os enfrentem com os homens que puderem juntar. Colocarei meus batedores vigiando e se eles virem que esses "romanos" podem ser derrotados, marcharei.

— Os bibroci estarão com você — disse o líder deles. Os outros concordaram e Beran sorriu. Entendia como o rei dos catuvelaunos podia querer juntar as tribos sob seu comando. Os homens naquela sala podiam levar quase oito mil guerreiros ao campo de batalha. Que visão seria! Beran mal podia imaginar tantos homens unidos.

Júlio chegou às fortalezas dos trinovantes nas colinas a dezoito quilômetros do litoral. O som e o cheiro do mar estavam muito atrás de suas colunas em marcha e os legionários que olhavam para o futuro murmuravam apreciando enquanto passavam por campos de trigo e até vinhedos cultivados cujas uvas ácidas eles arrancavam ao passar. Maçãs selvagens cresciam ali, e no calor do fim do verão Júlio ficou satisfeito ao ver que a terra valia a pena. O litoral tinha mostrado pouco da promessa dos campos mais além, no entanto seus olhos procuravam constantemente a cicatriz escura das minas. Roma recebera a promessa de estanho e ouro dos britânicos, e sem isso Júlio sabia que a cobiça do senado jamais seria satisfeita.

As legiões se estendiam por quilômetros, separadas umas das outras por pesadas fileiras de carroças de carga. Tinham suprimentos para um mês e ferramentas e equipamentos para cruzar rios e construir pontes, até mesmo construir uma cidade. Júlio não deixara nada ao acaso nessa segunda tentativa contra os penhascos brancos. Sinalizou para os cornicens darem o toque de parada e ficou olhando as vastas colunas reagirem, as formações se alterando sutilmente na borda de sua visão enquanto passavam de fileiras em marcha para posições mais defensivas. Assentiu satisfeito. Era assim que Roma devia fazer guerra.

As fortalezas dos montes se estendiam numa linha irregular pela terra, cada qual uma sólida construção de madeira e pedra que guardava a crista da terra que se erguia íngreme. Um rio marcado em seus mapas como o "Sturr" corria abaixo e Júlio mandou seus aguadeiros começar o lento processo de refazer os suprimentos da legião. Ainda não estavam passando necessidade, mas a Gália ensinara a nunca desprezar a oportunidade de coletar água ou comida. Seus mapas terminavam no rio, e pelo que ele sabia podia ser a última fonte de água fresca até chegarem ao Tâmesis, o "rio escuro" a cem quilômetros da costa. Se é que ele existia.

Convocou Brutus e Otaviano e destacou uma coorte de seus veteranos da Décima para se aproximar das fortalezas. Enquanto dava as ordens viu a figura poderosa de Ciro marchar pelas fileiras até ele. Riu diante da expressão preocupada do grandalhão e respondeu à sua pergunta antes que fosse feita:

— Muito bem, Ciro. Junte-se a nós — gritou.

Ficou olhando o alívio preencher as feições do soldado gigante. A lealdade de Ciro ainda podia emocioná-lo. A armadura da Décima brilhava a ponto de doer, enquanto Júlio observava, e de novo sentiu-se cheio de uma empolgação poderosa. A qualquer momento o exército dos britânicos poderia aparecer para atacá-los, mas não havia nada fora de lugar nas fileiras perfeitas. As legiões estavam prontas, e algo da confiança do general aparecia nas feições dos soldados.

No ar puro e limpo Júlio ouvia pássaros chamarem muito acima enquanto cavalgava lentamente a encosta na direção da maior fortaleza. Co-

O Imperador — Campo de Espadas

meçou a listar as defesas e planejar como rompê-las se os ocupantes não se rendessem. Os muros eram bem construídos, e qualquer força de ataque teria de enfrentar uma chuva de projéteis de cima quando investisse contra os portões. Júlio imaginou as dimensões do aríete necessário para quebrar madeira tão grossa, e a resposta não o satisfez. Viu cabeças escuras delineadas nos muros altos e se sentou mais ereto, cônscio de que estava sendo observado e avaliado.

Dentro do forte houve gritos e trombetas soando. Júlio se enrijeceu quando o portão principal foi aberto. As fileiras de *triarii* à sua frente desembainharam as espadas sem qualquer ordem, já que cada um deles esperava um ataque de guerreiros gritando. Era o que Júlio teria feito se estivesse na colina, e apertou as rédeas enquanto o interior escuro do forte era revelado.

Nenhum guerreiro saiu correndo. Em vez disso um pequeno grupo de homens ficou parado à sombra e um deles levantou o braço numa saudação. Júlio ordenou que a coorte embainhasse as espadas para diminuir parte da tensão. Otaviano avançou um passo com seu cavalo e Júlio olhou para seu general.

— Deixe-me levar cinqüenta homens para dentro, senhor. Se for uma armadilha faremos com que eles se mostrem.

Júlio mirou seu jovem parente com afeto, não vendo qualquer sinal de medo ou hesitação nos olhos calmos. Se fosse uma armadilha, os que entrassem primeiro no forte seriam mortos, e Júlio ficou satisfeito ao ver que alguém com seu sangue mostrava tal coragem diante dos homens.

— Muito bem, Otaviano. Entre e sustente o portão para mim — respondeu sorrindo.

Otaviano gritou ordens para as primeiras cinco fileiras e elas começaram a correr pela última parte da colina. Júlio observou a reação dos britânicos e ficou desapontado ao vê-los manter o terreno sem qualquer sinal de medo.

Otaviano instigou a montaria num meio galope para passar pelo portão, e Júlio pôde ver sua armadura brilhando no pátio principal enquanto ele girava e cavalgava de volta. Quando Júlio trouxe o resto da coorte Otaviano tinha apeado, e uma rápida troca de olhares bastou para Júlio rir. Fora uma cautela desnecessária, mas ele aprendera sobre riscos na Gália. Havia ocasiões em que nada havia a fazer além de atacar e ter esperança, mas essas eram raras. Descobrira que, quanto mais pensava e planejava, havia menos ocasiões em que precisava depender da pura força e da disciplina de seus homens.

Apeou à sombra do portão. Os homens que o esperavam eram na maioria estranhos, mas viu Cômio e o abraçou. Era um gesto puramente formal, para ser visto pelos guerreiros que vigiavam no forte. Talvez os dois soubessem que apenas o tamanho do exército romano forçava a aparente amizade entre os dois, mas isso não importava.

— Fico feliz ao vê-lo aqui, Cômio — disse Júlio. — Meus batedores achavam que esta ainda era a terra dos trinovantes, mas não tinham certeza. — Ele falou rapidamente e com fluência, fazendo Cômio erguer as sobrancelhas, surpreso. Júlio sorriu como se isso não fosse nada e continuou:

— Quem são esses outros?

Cômio apresentou os líderes das tribos e Júlio cumprimentou todos, memorizando seus nomes e rostos e gostando tremendamente do desconforto deles.

— Você é bem-vindo na terra dos trinovantes — disse Cômio finalmente. — Se seus homens esperarem mandarei trazer comida e bebida. Quer entrar?

Júlio olhou atentamente para o sujeito e se perguntou se as suspeitas de Otaviano ainda poderiam se tornar realidade. Sentiu que estava sendo testado e finalmente jogou fora a cautela.

— Otaviano, Brutus... Ciro, comigo. Mostre o caminho, Cômio, e deixe o portão aberto, se não se importa. O dia está quente demais para deixar a brisa de fora.

Cômio o encarou friamente e Júlio sorriu. O centurião Régulo estava ali, e Júlio falou com ele finalmente antes de acompanhar os britânicos para dentro.

— Espere minha volta durante um turno de vigia. Você sabe o que deve ser feito se eu não for visto até lá.

Régulo assentiu sério e Júlio viu que as palavras não foram desperdiçadas quando a expressão de Cômio se endureceu.

A fortaleza parecia maior do que vista da trilha na colina. Com os outros britânicos Cômio levou os quatro romanos pelo pátio e Júlio não olhou para cima ou ouviu os pés dos guerreiros trinovantes se inclinando para olhá-los. Não iria honrá-los mostrando que tinha ouvido, mas Ciro se eriçou ao olhar para os níveis superiores.

Cômio guiou-os até uma sala comprida e baixa construída com pesadas traves cor de mel. Júlio olhou ao redor, para as lanças e espadas que adornavam as paredes, e soube que estava na câmara do conselho de Cômio. Uma mesa e bancos mostravam onde Cômio se sentava com seu povo e na extremidade mais distante havia um altar onde um fio de fumaça prateada passava por um rosto de pedra engastado na parede.

Cômio ocupou seu lugar à cabeceira da mesa e, sem pensar, Júlio foi para a outra extremidade. Era bastante natural que os romanos ocupassem um lado e os britânicos o outro, e quando estavam sentados Júlio esperou pacientemente que Cômio falasse. O sentimento de perigo tinha sumido. Cômio, melhor do que ninguém, sabia que as legiões do lado de fora transformariam as fortalezas em cinzas e sangue se Júlio não saísse, e Júlio tinha certeza de que a ameaça impediria qualquer tentativa de retê-lo ou matá-lo. Se isso não acontecesse achava que os britânicos ficariam surpresos com a selvageria posterior. Brutus e Otaviano sozinhos eram tão superiores a espadachins comuns que sua velocidade e habilidade quase pareciam mágicas, ao passo que um único golpe de Ciro poderia partir o pescoço de qualquer homem que não fosse extremamente forte.

Cômio pigarreou.

— Os trinovantes não se esqueceram da aliança do ano passado. Os cenimagni, ancalitas, bibroci e segontiaci concordaram em respeitar essa paz. Você honrará sua palavra?

— Sim — respondeu Júlio. — Se esses homens se declararem meus aliados, não irei perturbá-los além de cobrar reféns e algum tributo. As outras tribos verão que nada têm a temer de mim, se forem civilizadas. Vocês serão meus exemplos para eles.

Enquanto falava Júlio olhou ao redor da mesa, mas os britânicos não revelavam nada. Cômio pareceu aliviado e Júlio se acomodou no assento, para as negociações.

Quando Júlio finalmente saiu, os britânicos se reuniram ao longo das altas muralhas da fortaleza para vê-lo ir, com a tensão desaparecida dos rostos claros. Régulo observou atentamente enquanto seu general erguia um dos braços em saudação. A coorte girou no lugar e começou a marcha morro abaixo até as legiões que esperavam. Daquela altura o tamanho da força invasora podia ser vista, e Régulo sorriu ao pensar que toda batalha poderia ser tão fácil assim.

Enquanto a coorte era reabsorvida no grupo principal de homens, Júlio mandou um cavaleiro trazer Marco Antônio. Demorou uma hora para o general chegar e Júlio caminhou pelas fileiras de soldados que esperavam em silêncio, para recebê-lo.

— Estou indo para o norte, mas não posso deixar essas fortalezas às costas — disse Júlio enquanto Marco Antônio apeava e fazia uma saudação. — Você ficará aqui com sua legião e aceitará os reféns que eles mandarem. Não irá provocá-los para a batalha, mas se eles se armarem pode destruí-los completamente. Entende minhas ordens?

Marco Antônio olhou para as fortalezas que se erguiam acima de sua posição. A brisa parecia estar aumentando e ele estremeceu de repente. Não era um trabalho fácil, mas não poderia fazer nada além de saudar.

— Entendo, senhor.

Marco Antônio ficou olhando enquanto as grandes legiões de sua pátria se moviam com um estrondo que abalava o chão. A brisa continuou a aumentar e nuvens escuras vieram do oeste. Quando as primeiras paredes do acampamento estavam subindo, uma chuva forte começara a transformar a terra num barro pesado. Enquanto via sua tenda ser montada, Marco Antônio se perguntou quanto tempo seria deixado guardando os aliados em suas fortalezas secas e quentes.

Naquela noite uma tempestade de verão atacou a costa. Quarenta galeras romanas tiveram seus remos e mastros arrancados e foram jogadas contra os penhascos e esmagadas. Muitas outras perderam as âncoras e foram empurradas para o mar, jogadas e sacudidas na escuridão. O simples número delas tornou aquela uma noite de terror, com as tripulações em desespero pendurando-se sobre as amuradas com pedaços de pau para afastar as outras antes que fossem esmagadas.

Centenas perderam a vida em colisões ou afogamentos, e quando o vento amainou de novo, logo antes do amanhecer, foi uma frota abatida que se arrastou de volta para a praia de cascalho. Os que tinham visto a selvageria sangrenta dos primeiros desembarques gemeram ao ver uma escura crosta de corpos e madeira ao longo da costa.

Com o alvorecer o resto dos oficiais começou a restaurar a ordem. Galeras foram amarradas juntas e as traves de metal das armas de cerco foram baixadas como âncoras improvisadas para segurá-las. Quantidades de botes de desembarque tinham sido jogadas ao mar, mas os que sobreviveram passaram a manhã indo de navio em navio, compartilhando os suprimentos de água doce e ferramentas. Os porões escuros de três galeras estavam cheios com os feridos e os gritos deles podiam ser escutados ao vento.

Quando todos tinham comido e os capitães romanos discutiram a situação, alguns votaram por um retorno imediato à Gália. Os que conheciam Júlio bem se recusaram a ouvir a idéia e não admitiam pôr um único remo na água até receberem suas ordens. Diante da resistência, foram enviados mensageiros para Júlio e a frota esperou.

Marco Antônio recebeu os primeiros. A grande força da tormenta se perdera a alguns quilômetros da costa e ele não sofrera nada além de uma tempestade forte, mas os raios tinham-no acordado mais do que uma vez. Ouviu horrorizado os relatórios dos danos, antes de dominar o redemoinho de pensamentos. Júlio não tinha previsto outra tempestade danificando a frota, mas se estivesse ali teria dado a mesma ordem. As galeras não poderiam ser deixadas expostas para se transformar em destroços durante a campanha.

Abriu a boca para ordenar um retorno à Gália, mas o pensamento na fúria de Júlio impediu as palavras.

— Tenho cinco mil homens aqui — falou com uma idéia se formando. — Com cordas, em grupo, podemos trazer as galeras uma a uma e construir um porto seco para elas. Eu mal senti a tempestade, mas não precisaríamos ir muito longe da costa. Oitocentos metros e uma muralha de proteção manteriam a frota em segurança e pronta para quando César voltar.

Os mensageiros o olharam inexpressivamente.

— Senhor, são centenas de navios. Mesmo que trouxéssemos as tripulações de escravos para trabalhar, demoraria meses para transportar tantos.

Marco Antônio deu um sorriso tenso.

— As tripulações de escravos serão responsáveis por seus próprios navios. Temos cordas e homens para fazer o trabalho. Acho que duas semanas bastariam, e depois disso as tempestades podem soprar o quanto quiserem.

O general romano saiu da tenda com os marinheiros e convocou seus oficiais. Não podia deixar de pensar se alguém já fizera algo assim. Nunca tinha ouvido falar nisso, mas qualquer porto mantinha um ou dois cascos fora d'água. Sem dúvida esta era apenas uma extensão da mesma tarefa. Com esse pensamento suas dúvidas se dissiparam e ele se perdeu nos cálculos. Quando seus oficiais estavam prontos para serem orientados, Marco Antônio tinha uma lista de ordens para eles.

CAPÍTVLO XL

A SEMELHANÇA COM OS GAULESES ERA IMPRESSIONANTE QUANDO Júlio ordenou que suas legiões atacassem. As tribos britânicas do interior não usavam a pele azul, mas compartilhavam alguns dos nomes antigos que Júlio tinha ouvido pela primeira vez na Gália. Seus batedores haviam informado de uma tribo que se chamava de belgos, no oeste, talvez da mesma linhagem que ele destruíra do outro lado do mar.

Uma longa crista de morros formava uma cordilheira sobre a terra que as legiões subiram diante de flechas e lanças. Os escudos romanos eram à prova delas e o avanço foi inexorável. As legiões haviam suado para puxar as pesadas balistas morro acima, mas tinham provado seu valor enquanto os britânicos tentavam sustentar o platô e aprendiam a respeitar as grandes máquinas. Eles não possuíam nada que se comparasse à força pura dos arcos-escorpião e seus ataques eram despedaçados em tumulto à medida que as legiões se moviam para as encostas adiante. Júlio soubera que parte da vantagem deles estava na velocidade em terra aberta, e as tribos reunidas sob o comando de Cassivelauno recuavam à medida que cada posição era tomada e as fileiras romanas iam em frente.

Apesar da resistência, Júlio não podia fugir da suspeita de que as tribos estavam atraindo-os para um lugar da escolha delas. Só podia manter o ritmo, sempre à beira de debandá-las. Mandava os *extraordinarii* incomodar o inimigo em retirada com ataques rápidos sob o comando de Otaviano e Brutus. O terreno por onde as legiões passavam estava cheio de lanças e flechas disparadas, mas poucas tinham encontrado carne, e o avanço não se alterou durante os longos dias.

Por duas vezes na·segunda manhã foram atacados no flanco por homens deixados para trás pela principal força britânica. As manípulas não tinham entrado em pânico enquanto os enfrentavam, e os *extraordinarii* os atacaram como tinham sido treinados, esmagando os britânicos a toda velocidade.

À noite Júlio mandava os cornicens sinalizarem a montagem dos acampamentos e as carroças de carga traziam comida e água para os homens. As noites eram mais difíceis e as tribos mantinham uma balbúrdia de gritos que tornava o sono quase impossível. Os *extraordinarii* cavalgavam em turnos ao redor dos acampamentos para repelir ataques, e um número maior deles caía na escuridão, ferido por flechas invisíveis, do que em qualquer outro tempo. No entanto mesmo naquelas terras hostis a rotina continuava. Os ferreiros consertavam armas e escudos e os médicos faziam o máximo para cuidar dos feridos. Júlio agradecia pelos que Cabera treinara, mas sentia falta do velho amigo. A doença que o atacara depois de curar Domício era terrível, um ladrão que roubava sua mente em estágios sutis. Cabera não estivera suficientemente bem para fazer a segunda travessia, e Júlio só esperava que ele vivesse o bastante para ver todos retornarem.

A princípio tinha pensado que esmagaria as tribos de encontro ao rio, como fizera anos antes com os suebi junto ao Reno. Mas o rei dos catuvelaunos incendiara as pontes antes que as legiões pudessem alcançá-las e depois passaram os dias reforçando seu exército com guerreiros de todas as regiões ao redor.

Sob uma forte chuva de flechas disparadas da margem oposta Júlio mandara batedores encontrarem um lugar para vadear, mas apenas um parecia adequado para as legiões, e mesmo então foi obrigado a deixar para trás as armas pesadas que tinham esmagado os primeiros ataques dos britânicos e dado início à sua longa retirada.

Com relutância arrumou as balistas, os onagros e os arcos-escorpião ao longo da margem, para cobrir o ataque. Ocorreu-lhe que a melhor tática podia ser derrotada pelo terreno difícil. Suas legiões formaram uma coluna tão larga quanto as bandeiras que os batedores tinham enfiado na lama macia do Tâmesis, marcando os pontos de águas mais fundas. Não poderia haver subterfúgios num lugar assim. Uma salva de tiros das balistas estabeleceu o alcance atravessando o rio e deu às legiões uma área de chegada com quase trinta metros. Depois disso a ponta da coluna seria engolfada pelos britânicos. Os guerreiros das tribos tinham todas as vantagens e Júlio sabia que esse seria o ponto crucial da batalha. Se seus homens ficassem travados na margem oposta o resto das legiões não poderia atravessar. Tudo que tinham conseguido desde a costa poderia ser desperdiçado.

Havia algo estranho em se preparar para a guerra tendo o inimigo tão perto e ao mesmo tempo incapaz de fazer mais do que observar. Júlio podia ouvir seus oficiais rosnando ordens enquanto as fileiras se formavam, e à distância podia ouvir ecos de gritos semelhantes. Olhou por cima do escuro Tâmesis e mandou corredores até seus generais enquanto notava diferentes aspectos ao terreno e as formações dos britânicos. Eles pareciam bastante confiantes vaiando os romanos, e Júlio viu um grupo deles mostrar as nádegas e bater nelas, viradas em sua direção, para alegria geral dos amigos.

Entendia a confiança deles e sentia o suor nervoso pingar nos olhos enquanto dava ordens. As legiões estariam vulneráveis a tiros de flecha e lanças enquanto atravessassem o rio, e a contagem de mortos seria alta. Mandara batedores para cima e para baixo do Tâmesis, procurar outros pontos de travessia que pudesse usar para forças de ataque nos flancos, mas se existiam ficavam longe demais para valer a pena. Até mesmo os melhores generais eram ocasionalmente obrigados a contar com a habilidade e a pura feroci dade dos liderados.

Júlio não estaria entre os primeiros a atravessar. Otaviano tinha se apresentado como voluntário para liderar a passagem dos *extraordinarii*, com a Décima logo atrás. O jovem romano teria sorte se sobrevivesse à carga, mas Júlio cedera sabendo que a escolha teria de ser dele. A Décima iria com força total atrás da cavalaria, visando a estabelecer uma área clara para os outros seguirem imediatamente. Júlio chegaria com Brutus e a Terceira Gálica, e Domício iria logo em seguida.

O sol estava claro quando Júlio colocou o capacete com máscara de rosto inteiro. Os *extraordinarii* estavam sérios e as lâminas de suas *spatha* brilhavam enquanto mantinham a posição. Quando chegassem à margem oposta estariam a pleno galope e Júlio sentiu um momento de antecipação ofegante à medida que esperavam para levar a morte aos britânicos.

Em silêncio baixou o braço e os cornicens tocaram por toda a vasta coluna. Júlio ouviu Otaviano rugir e os *extraordinarii* saltaram em massa para a frente, na água rasa, indo cada vez mais depressa. Os cavalos transformavam a água em espuma enquanto os cavaleiros romanos baixavam as espadas por cima da cabeça das montarias e se inclinavam para a frente, prontos para as primeiras matanças. Flechas e lanças se cravavam neles, e cavalos e homens gritavam, manchando a água de vermelho quando seus corpos deslizavam na corrente. Os britânicos rugiram e vieram.

Era necessário ter precisão, mas cada homem nas pesadas balistas estava pronto. Enquanto os britânicos se adiantavam para enfrentar os *extraordinarii* Júlio sinalizou para as equipes e finalmente uma carga de ferro e pedras voou por cima da cabeça dos romanos que galopavam, despedaçando as primeiras fileiras impetuosas.

Grandes buracos apareceram na massa de inimigos e Otaviano foi para um deles, com o cavalo cambaleando ligeiramente ao chegar no terreno seco. Sua montaria bufava com força e ele estava encharcado de água gélida. Ouviu o grito da Décima atravessando o vau atrás dele e soube que os deuses romanos vigiavam os filhos de sua cidade, mesmo tão distantes.

Nessa primeira carga não havia espaço para pensar. Otaviano e Brutus tinham escolhido os *extraordinarii* por sua habilidade com os cavalos e a espada, e eles formaram uma ponta-de-lança sem que uma única ordem fosse gritada, atacando os britânicos e rasgando um caminho para dentro de suas fileiras.

A Décima não podia usar as lanças, com sua própria cavalaria tão perto, mas aqueles soldados eram os veteranos da Gália e da Alemanha, e quem os enfrentava era derrubado. Os britânicos recuaram desarrumados diante do ataque conjunto e sua principal vantagem foi perdida com velocidade incrível enquanto a Décima alargava a linha com a perfeição de uma dança e os espaços que criava eram preenchidos com as legiões que chegavam. Os quadrados se formaram nos flancos e os *extraordinarii* se moviam entre eles, com a velocidade e a agilidade protegendo-os das lanças e das espadas dos catuvelaunos.

Júlio ouviu trombetas uivando acima da cabeça dos inimigos e eles foram para trás e para os flancos, abrindo uma ampla avenida no meio. Através dela Júlio pôde ver uma nuvem de poeira e em seguida uma parede de cavalos e carruagens galopando numa velocidade suicida. Os cornicens romanos soaram a ordem de fechar, e os quadrados pararam, os homens sobrepondo os escudos e se firmando no solo estrangeiro para manter a posição.

Cada carruagem levava dois guerreiros e Júlio ficou maravilhado com a habilidade dos lanceiros que se equilibravam de modo tão precário em alta velocidade enquanto seus companheiros seguravam as rédeas dos cavalos. No último instante as armas eram disparadas e Júlio viu legionários serem mortos por uma onda de lanças, atiradas com força suficiente para atravessar até mesmo os escudos romanos.

Otaviano viu a carnificina resultante e gritou novas ordens. Os cavaleiros saíram dos flancos e atravessaram a linha de carruagens antes que elas pudessem disparar lanças de novo e dar a volta. Os britânicos se chocaram uns com os outros e Júlio viu cavalos e homens estripados e cortados, com o sangue jorrando. A Décima e a Terceira avançaram e fecharam o centro, dominando os homens das carruagens enquanto lutavam rugindo em desespero. Alguns cavalos britânicos entraram em pânico e Júlio viu mais de um derrubar legionários enquanto carruagens vazias eram arrastadas pelo campo atrás de suas montarias arregaladas.

— Os *extraordinarii* estão livres! — Júlio ouviu Brutus gritar e assentiu, ordenando as lanças. Não foi o mais disciplinado dos ataques. Muitos romanos tinham perdido as armas na luta, mas mesmo assim alguns milhares de hastes escuras voaram e fizeram aumentar o caos dos catuvelaunos que tentavam refazer a formação.

Júlio olhou para trás e viu que duas de suas legiões ainda estavam no rio, simplesmente incapazes de ir em frente contra a pressão de seus próprios homens. Sinalizou o avanço e a Décima respondeu com a disciplina que ele passara a esperar, travando escudos e forçando caminho através e por cima do inimigo.

A linha romana se alargou enquanto os *extraordinarii* recuavam para proteger os flancos. A primeira carga insana tinha reduzido o número dos cavaleiros, mas Júlio comemorou ao ver que Otaviano continuava lá. Seu jovem parente estava coberto de sangue, o rosto parecendo inchado e preto com um hematoma que se espalhava, mas estava gritando ordens e seus homens assumiram nova formação com algo do antigo lustro.

No terreno aberto as legiões romanas eram impossíveis de serem contidas. Repetidamente os catuvelaunos atacavam e eram obrigados a recuar.

Júlio marchava sobre montes de cadáveres que marcavam cada tentativa fracassada. Por mais duas vezes a Décima e a Terceira sustentaram as cargas das carruagens malignas, e então uma nota diferente soou nas trombetas inimigas e os catuvelaunos começaram a recuar, abrindo espaço entre os exércitos pela primeira vez desde a travessia do rio.

Os cornicens romanos soaram pedindo ritmo dobrado e as legiões começaram a correr, com os oficiais gritando para os homens manterem a formação. Os britânicos feridos foram derrubados quase imediatamente e os desgarrados exaustos caíam diante das espadas romanas ao mesmo tempo que gritavam. Júlio viu dois homens ajudando um terceiro até que foram obrigados a largá-lo quase aos pés da Décima que os perseguia. Todos os três foram pisoteados e esfaqueados por sua coragem.

À medida que o sol se movia Júlio correu com os outros, ofegando. Se o rei dos catuvelaunos achava que podia correr mais depressa do que suas legiões, iria aprender. Júlio viu apenas determinação nas fileiras em volta e sentiu o mesmo orgulho. As legiões iriam esmagá-los.

Mesmo assim verificava o terreno procurando emboscadas, ainda que duvidasse da possibilidade. Cassivelauno tinha visto que sua maior esperança era segurar os romanos junto ao rio, e devia ter jogado tudo que possuía naqueles primeiros ataques. Entretanto Júlio havia lutado em muitas batalhas para esperar uma surpresa, e seus *extraordinarii* atormentavam o inimigo adiante, enquanto grupos menores se espalhavam para atuar como batedores.

Foi quase com desapontamento que Júlio ouviu uma nota descendente e lamentosa vindo das trombetas inimigas. Adivinhou o significado mesmo antes de ver os primeiros britânicos largar as armas enojados. O resto fez o mesmo em seguida.

Júlio não precisou dar ordens para aceitar a rendição. Seus homens eram experientes o bastante e ele mal notou enquanto a Décima se movia entre os inimigos, obrigando-os a se sentar e recolhendo as armas para fazer valer a paz. Nem um único guerreiro foi morto depois da rendição inicial e Júlio ficou satisfeito.

Olhou em volta e viu casas agrupadas a menos de um quilômetro e meio adiante. As legiões estavam na borda das cidades ao redor do rio Tâmesis e Cassivelauno tinha se rendido à vista de seu povo, antes que a batalha o levasse para as ruas. Era uma decisão honrosa e Júlio cumprimentou o sujeito sem rancor quando este lhe foi trazido.

Cassivelauno era um rapaz de cabelos pretos e rosto carnudo que usava um manto claro preso com cinto e uma capa comprida nos ombros largos. Seus olhos estavam amargos quando Júlio os encarou, mas o britânico se apoiou num dos joelhos e baixou a cabeça antes de se levantar, com a lama fresca sujando a roupa de lã.

Júlio tirou o capacete, desfrutando o frescor da brisa na pele.

— Como comandante das forças de Roma aceito sua rendição — disse formalmente. — Não haverá mais matanças. Seus homens serão feitos prisioneiros até termos negociado reféns e tributos. Neste momento você pode se considerar vassalo de Roma.

Cassivelauno olhou-o interrogativamente enquanto ouvia as palavras. O rei olhou para as fileiras romanas e viu sua organização. Apesar da luta correndo por cerca de três quilômetros, as formações eram precisas e ele soube que tinha tomado a decisão correta. Aquilo havia-lhe custado muita coisa. Enquanto olhava o romano com a armadura suja, sandálias manchadas de sangue e barba de três dias no queixo, Cassivelauno só pôde balançar a cabeça, incrédulo. Tinha perdido a terra que seu pai lhe dera.

CAPÍTVLO XLI

VERCINGETÓRIX PLANTOU SUA LANÇA NO CHÃO DIANTE DO PORTÃO de Avaricum e enfiou uma cabeça romana na ponta. Deixando o troféu medonho para trás, cavalgou pelo portão indo até onde os líderes tribais tinham se reunido em seu nome.

A cidade murada no centro da Gália tinha uma população de quarenta mil pessoas e a maioria delas viera para a rua apontar e olhar o rei supremo. Vercingetórix cavalgou entre eles sem olhar para a esquerda ou a direita, com os pensamentos na campanha adiante.

Desmontou no pátio central e caminhou em meio aos claustros sombreados indo até o prédio principal do governo. Quando entrou eles o aplaudiram e Vercingetórix olhou o rosto dos líderes gauleses ao redor, com a expressão fria. Com um gesto rígido de cabeça, caminhou até o centro e esperou o silêncio.

— Apenas cinco mil homens estão entre nós e nossa terra. César partiu para atacar o povo pintado, assim como um dia veio à Gália. Este é o momento para o qual planejamos com tanta paciência. — Ele esperou o fim da tempestade de conversas e aplausos que ecoou pela câmara. — Vamos lhes dar boas-vindas calorosas no inverno, prometo. Vamos derrotá-los sorrateiramente, uma dúzia ou uma centena de cada vez. Nossa cavalaria vai atacar os comboios de suprimentos e vamos expulsá-los da Gália através da fome.

Os outros rugiram diante da idéia, como o jovem rei tinha esperado, mas mesmo assim seus olhos estavam frios ao se preparar para dizer o preço que eles deveriam pagar.

— As legiões têm apenas uma fraqueza, amigos: sua linha de suprimento. Quem, neste salão, não perdeu amigos e irmãos contra eles? Numa planície aberta não iríamos nos sair melhor do que os helvécios há anos. Todos os nossos exércitos juntos não poderiam derrubá-los em terreno aberto.

O silêncio era opressivo enquanto os líderes esperavam que o rei supremo continuasse.

— Mas eles não podem lutar sem comida, e para lhes negar a pilhagem temos de queimar cada plantação e cada aldeia na Gália. Devemos arrancar nosso povo do caminho de César e deixá-lo sem nada além de uma vastidão queimada para alimentar suas bocas romanas. Quando eles estiverem famintos de fome levarei meus homens para fortalezas como a de Gergóvia e os romanos verão quantas vidas perderão contra aquelas muralhas.

Olhou os homens da Gália ao redor, esperando que tivessem a força para seguir este caminho terrível.

— Podemos vencer. Podemos derrotá-los desse modo, mas será difícil. Nosso povo ficará com medo por ser obrigado a sair de suas terras. Quando reclamarem vocês irão lhes dizer que um dia eles cavalgaram cinco mil quilômetros para chegar aqui. Ainda somos um só povo, para quem consegue enxergar. A terra da Gália deve se erguer. Os celtas devem se erguer e se lembrar do antigo sangue que os convoca.

Eles se levantaram em silêncio e bateram as espadas e facas, num ruído estrondoso que preencheu o espaço e abalou os alicerces. Vercingetórix levantou os braços pedindo silêncio, que demorou muito a chegar. Seu povo estava de pé, com expressões ansiosas, e acreditava nele.

— Amanhã vocês começarão a levar suas tribos para o extremo sul, deixando apenas os que estiverem sedentos de guerra. Levem suas provisões de grãos, porque meus cavaleiros queimarão tudo que encontrarem. A Gália será nossa outra vez. Falo não como um dos arvernos, mas a partir da linhagem dos reis antigos. Eles nos observam agora e vão nos trazer a vitória.

O entrechoque de metal começou de novo e ficou ensurdecedor enquanto Vercingetórix saía para os claustros sombreados e baixava a cabeça inconscientemente ao passar pelo portão de Avaricum

Quando chegou aos seus cavaleiros sentou-se empertigado na sela e olhou com carinho para as bandeiras da Gália. Dezenas de tribos estavam representadas em dez mil cavaleiros, e realmente ele se sentia unido ao sangue antigo.

— É um bom dia para cavalgar — falou ao seu irmão Madoc.

— É mesmo, meu rei. — Juntos levaram os cavalos ao galope, afastando-se pela planície.

Júlio estava sentado num morro, sobre a capa estendida no chão úmido. Caía uma chuva fraca, e através dela dava para ver as galeras que tinha ordenado que fossem mandadas ao redor da costa para encontrar o local onde o rio escuro desaguava no mar. Com o calado raso elas puderam subir até o vau e ancorar logo à frente. Brutus e Rênio estavam sentados ao seu lado, observando os suprimentos serem descarregados por equipes da Décima e da Terceira.

— Vocês sabem que os capitães encontraram uma baía mais abaixo no litoral? — perguntou em voz alta. Suspirou. — Se eu soubesse, as tempestades que tomaram tantos navios teriam atacado em vão. É protegida por penhascos e águas profundas, com uma costa inclinada para os barcos. Pelo menos agora que a encontramos, saberemos para o futuro. — Ele passou a mão pelo cabelo molhado e sacudiu gotas da ponta do nariz.

— E chamam isso de verão? Juro que não vejo o sol há um mês.

— Sinto saudade de Roma — respondeu Brutus lentamente. — Só imaginar as oliveiras ao sol e os templos do fórum! Não acredito como chegamos tão longe de tudo isso.

— Pompeu estará lá, reconstruindo — disse Júlio com os olhos endurecendo. — O prédio do senado, onde estive com Mário, não passa de lembrança. Quando virmos Roma, Brutus, não será a mesma.

Ficaram sentados em silêncio enquanto cada um deles pensava na verdade daquelas palavras. Tinham-se passado anos desde que Júlio vira sua cidade, mas de algum modo sempre esperara que ela estivesse lá, sem mudanças, para quando voltasse, como se todo o resto na vida fosse preservado em vidro enquanto ele se preparava para fazê-lo se movimentar outra vez. Era um sonho infantil.

— Então você vai voltar? — perguntou Brutus. — Eu tinha começado a pensar que deixaria todos nós envelhecermos aqui.

Rênio sorriu sem falar.

— Vou, Brutus — respondeu Júlio. — Fiz o que vim fazer, e uma única legião bastará para segurar os britânicos. Talvez, quando for velho e a Gália estiver tão pacífica quanto a Espanha, eu volte aqui para levar a guerra ao norte.

Ele estremeceu de súbito e disse a si mesmo que era do frio. Era estranhamente pacífico olhar os esforços das tripulações das galeras lá embaixo, estando tão acima delas. As colinas ao redor do Tâmesis eram encostas suaves, e se não fosse pela garoa constante poderia parecer um longínquo mundo de luta que não poderia chegar perto dos homens na colina. Era fácil sonhar.

— Há ocasiões em que desejo que tudo isso termine, Brutus — disse Júlio. — Sinto falta da sua mãe. Da minha filha também. Estive em guerra desde que posso me lembrar, e a idéia de voltar à minha propriedade para cuidar das colméias e sentar ao sol é uma tentação terrível.

Rênio deu um risinho.

— Uma tentação à qual você tem sucesso em resistir a cada ano.

Júlio olhou incisivamente para o gladiador maneta.

— Estou na flor da juventude, Rênio. Se não realizar mais nada na vida, a Gália será minha marca no mundo.

Enquanto falava encostou uma das mãos inconscientemente na cabeça, sentindo a linha dos cabelos que recuava. A guerra envelhecia o homem mais do que a simples passagem dos anos, pensou. Antigamente achava que nunca poderia envelhecer, mas agora suas juntas doíam na umidade e a manhã trazia uma rigidez que a cada ano demorava mais para passar. Viu que Brutus havia notado o gesto e franziu a testa.

— Tem sido um privilégio servir com os dois, vocês sabem — disse Rênio de repente. — Eu já disse? Não gostaria de estar em nenhum outro lugar, senão com vocês.

Os dois olharam a figura cheia de cicatrizes que estava curvada para a frente, sentada sobre sua capa.

— Você está ficando piegas depois de velho — disse Brutus com um sorriso. — Precisa sentir o sol no rosto de novo.

— Talvez — disse Rênio, arrancando uma haste de capim. — Eu lutei por Roma por toda a vida, e ela permanece de pé. Fiz minha parte.

— Quer voltar para casa? — perguntou Júlio. — Você pode descer esse morro até as galeras e elas o levam de volta, amigo. Não vou recusar.

Rênio olhou para a multidão agitada junto ao rio e seus olhos se encheram de desejo. Então deu de ombros e forçou um sorriso.

— Mais um ano, talvez — falou.

— Há um mensageiro chegando — disse Brutus de repente, interrompendo os pensamentos dos outros. Os três se viraram para a figura minúscula que subia a colina a cavalo.

— Deve ser uma notícia ruim, para ele me procurar aqui — disse Júlio, ficando de pé. Nesse momento seu humor contemplativo foi rompido e os outros dois sentiram uma mudança nele, como uma alteração súbita no vento.

As capas úmidas estavam emboladas e os três sentiram o cansaço da guerra e dos problemas constantes, observando o cavaleiro solitário com uma espécie de temor.

— O que é? — perguntou Júlio assim que o homem estava suficientemente perto para ouvir.

O mensageiro se aproximou inquieto sob a observação deles, apeando e fazendo uma saudação atabalhoada.

— Vim da Gália, general — disse ele.

O coração de Júlio se encolheu.

— De Bérico? Qual é sua mensagem?

— Senhor, as tribos estão se rebelando.

Júlio xingou.

— As tribos se rebelam todo ano. Quantas desta vez?

O mensageiro olhou nervoso para os oficiais.

— Acho... o general Bérico disse que todas, senhor.

Júlio olhou inexpressivamente para o sujeito antes de assentir, resignado.

— Então devo retornar. Vá até as galeras lá embaixo e diga que não partam até que eu chegue. Diga ao general Domício para mandar cavaleiros ao litoral, chamar Marco Antônio. A frota deve atravessar para a Gália antes que comecem as tempestades de inverno.

Júlio ficou parado na chuva e viu o cavaleiro descer até o rio e as tripulações das galeras.

— Então será a guerra outra vez — falou. — Imagino se a Gália chegará a ver a paz de Roma durante minha vida. — Ele pareceu cansado com o fardo, e o coração de Brutus foi até o velho amigo.

— Você vai derrotá-los. Sempre derrota.

— Com o inverno chegando? — perguntou Júlio amargamente. — Há meses difíceis adiante, amigo. Talvez mais difíceis do que qualquer um que conhecemos.

Com um esforço enorme ele se controlou até que o rosto virado para os dois fosse uma máscara.

— Cassivelauno não deve saber. Seus reféns já estão a bordo das galeras, dentre eles o filho. Leve as legiões de volta ao litoral, Brutus. Irei por mar e mandarei a frota esperar por você lá. — Ele parou e sua boca se retesou com raiva.

— Farei mais do que derrotá-los, Brutus. Vou arrancá-los da face da terra.

Rênio olho para o homem que treinara e se encheu de tristeza. Ele não tinha chance de descansar, e a cada ano a guerra roubava mais um pouquinho de sua gentileza. Olhou para o sul, imaginando o litoral da Gália. Os gauleses lamentariam ter liberado a ira de César.

CAPÍTVLO XLII

O SOLDADOS IRREGULARES DA GÁLIA CONTAVAM COM QUASE TO-
das as tribos em suas fileiras. Muitos lutavam para as legiões há cinco anos
ou mais e agiam e pensavam como romanos. Seu pagamento era na mesma
prata e suas armaduras e espadas vinham das forjas das legiões regulares.

Quando Bérico mandou três mil deles para proteger um comboio de
grãos, poucas pessoas poderiam ter visto as diferenças sutis entre suas fileiras e as de qualquer outra força romana. Até mesmo os oficiais eram das
tribos, depois de tanto tempo no campo. Ainda que no início Júlio os tivesse misturado com seus melhores homens, a guerra e as promoções haviam
alterado a estrutura. Eles mal notaram.

O comboio de trigo tinha vindo da Espanha, por ordem de Bérico, e
precisava ser protegido enquanto serpenteava descendo dos portos do norte. Era o bastante para alimentar as cidades e povoados que tinham permanecido leais. O suficiente para mantê-los vivos durante o inverno enquanto
Vercingetórix queimava tudo que podia.

Os irregulares marchavam para o sul em ordem perfeita, no ritmo das
carroças mais lentas. Seus batedores se espalhavam por quilômetros para
alertar sobre algum ataque. Cada homem sabia que os grãos seriam uma
ameaça à rebelião que juntava forças no coração da Gália, e as mãos raramente se afastavam das espadas. Comiam carne fria de suas próprias rações

cada vez menores, enquanto seguiam viagem, e só paravam praticamente a tempo de montar um acampamento hostil a cada noite.

Quando chegou, o ataque não se pareceu com nada que eles poderiam esperar. Numa planície ampla, uma escura fileira de cavaleiros veio trovejando em sua direção. Os batedores galopavam enquanto a coluna reagia, colocando as carroças pesadas num círculo defensivo e preparando as lanças e arcos. Cada olhar, cheio de medo, estava fixo no inimigo enquanto o tamanho da cavalaria ficava aparente. Havia milhares cavalgando pela lama e pelo capim na direção das carroças. O sol fraco se refletia nas armas deles e muitos gauleses começaram a rezar a deuses antigos, esquecidos durante anos.

Marwen fora soldado de Roma desde que trocara a fome pelas moedas de prata há quatro anos. Ao ver o tamanho da força que vinha contra eles soube que não sobreviveria e experimentou a ironia amarga de ser morto por seu próprio povo. Não se importava nem um pouco com a política. Quando os romanos tinham chegado à sua aldeia e ofereceram um lugar no exército ele aceitara a doação e entregara à sua esposa e aos filhos, antes de sair para lutar por Roma. Fora melhor do que vê-los morrer de fome.

A promoção, quando veio, foi uma maravilha. Ele fizera parte das batalhas contra os senones e tinha cavalgado com Brutus para roubar o rei deles do coração dos gauleses. Aquele fora um dia incrível.

Perdido em lembranças amargas, a princípio não notou o rosto dos homens que se viravam para ele, esperando ordens. Quando os viu, deu de ombros.

— É aqui que nós merecemos o salário que ganhamos, garotos — disse em voz baixa.

Podia sentir o chão tremendo sob os pés enquanto os cavaleiros vinham como uma tempestade. As fileiras defensivas estavam sólidas ao redor das carroças. As lanças tinham sido enfiadas na lama para repelir a carga e não havia nada a fazer além de esperar a primeira aceleração do sangue. Marwen odiava a espera e quase desejava que aquilo chegasse logo para esmagar o medo que comia seu estômago por dentro.

Trombetas soaram e a fileira de cavalos que atacavam parou logo fora do alcance. Marwen franziu a testa ao ver um homem apear e caminhar para eles pelo terreno macio. Sabia quem era, mesmo antes de ter certeza do cabelo louro e do belo cordão de ouro trançado que o sujeito usava nas batalhas: Vercingetórix.

Ficou olhando incrédulo enquanto o rei se aproximava.

— Permaneçam imóveis — ordenou aos homens, subitamente preocupado com a hipótese de um de seus arqueiros deixar escapar uma flecha. Seu sangue bombeava no corpo e Marwen respirava mais depressa à medida que o rei se aproximava. Era um ato de bravura suicida e muitos homens murmuravam de admiração enquanto preparavam as lâminas para despedaçá-lo.

Vercingetórix chegou até perto deles, enfrentando o olhar de Marwen enquanto notava a capa e o elmo que indicava seu posto. Podia ser imaginação, mas vê-lo ali, tão perto, com a grande espada pendurada no quadril, era algo glorioso.

— Fale o que tem a dizer — disse Marwen.

Os olhos do rei relampejaram e a barba amarela se dividiu enquanto ele ria. Viu a mão de Marwen apertar o gládio.

— Você mataria o seu rei? — perguntou Vercingetórix.

Marwen deixou a mão baixar, confuso. Observou os olhos calmos do sujeito que o encarava com tamanha coragem e estremeceu.

— Não. Não mataria.

— Então me siga — disse Vercingetórix.

Marwen olhou para a direita e a esquerda, vendo os homens que comandava, e os viu assentir. Olhou de novo para Vercingetórix e, sem afastar o olhar, ajoelhou-se lentamente na lama. Como se num sonho, sentiu a mão do rei em seu ombro.

— Qual é o seu nome?

Marwen hesitou. As palavras de seu posto e sua unidade ficaram presas na garganta.

— Sou Marwen Ridderin, dos nérvios — disse finalmente.

— Os nérvios estão comigo. A Gália está comigo. De pé.

Marwen se levantou e descobriu que tinha as mãos trêmulas. Ouviu Vercingetórix falar de novo através dos pensamentos tumultuosos:

— Agora queimem os grãos que estão naquelas carroças.

— Há alguns romanos entre nós. Não somos todos da Gália — disse Marwen subitamente.

Os olhos claros do rei se viraram para ele.

— Quer deixar que eles vivam?

O rosto de Marwen se endureceu.

O IMPERADOR — CAMPO DE ESPADAS

— Seria certo — falou erguendo a cabeça em desafio.

Vercingetórix sorriu e deu-lhe um tapa no ombro.

— Então deixe que eles se vão, nérvio. Pegue as espadas e os escudos deles e os deixe ir.

Enquanto os irregulares da Gália marchavam atrás de seu rei, os cavaleiros ergueram as espadas para saudá-los. Atrás, as carroças de preciosos grãos estavam ocultas nas chamas que estalavam.

Quando desembarcou na baía abrigada de Porto Ítio, na costa da Gália, Júlio pôde ver enormes colunas de fumaça marrom à distância. Até mesmo o ar tinha gosto de batalha e ele sentiu uma raiva enorme ao pensar em outra rebelião.

Não tinha desperdiçado sequer um momento durante a travessia e já estava ocupado com ordens e planos que tinham de ser implementados antes que o inverno fechasse as montanhas. Mandar a Roma a notícia de seu segundo ataque aos britânicos seria uma corrida contra o tempo, mas ele precisava da boa vontade que isso provocaria nas ruas da cidade. Não haveria dízimo para o senado naquele ano, quando precisava de cada moeda para esmagar as tribos sob o comando de Vercingetórix. O nome estava na boca dos trabalhadores de nível mais baixo, e Júlio mal podia se lembrar do jovem furioso que tinha saído de sua primeira reunião com os chefes tribais, há oito anos. Nenhum dos dois era mais tão jovem. Cingeto havia se transformado num rei e Júlio sabia que não poderia permitir que ele vivesse. Os dois haviam percorrido um longo caminho desde o início e os anos tinham sido cheios de sangue e guerra.

Enquanto subia ao cais já estava imerso em conversa com Brutus, interrompendo-a para ditar a Adàn ao lado. *Extraordinarii* que cavalgavam rápido foram mandados para convocar Bérico, e assim que ele chegasse Júlio reuniria seu conselho para planejar a campanha. Um olhar para a fumaça marrom no horizonte bastou para firmar sua decisão. Essa terra era sua e ele não hesitaria nem mesmo que cada homem na Gália tomasse armas contra ele.

As legiões que haviam retornado ocuparam o porto e construíram seus acampamentos segundo a rotina, mas havia uma tensão e um cansaço tangíveis nas fileiras. Os legionários também tinham lutado por anos com Júlio, e um bom número ficava enjoado ao pensar em mais um ano de guerra, ou talvez um tempo maior. Até mesmo os mais endurecidos se perguntavam quando tudo aquilo acabaria e poderiam colher as recompensas prometidas.

No terceiro dia Júlio reuniu o conselho na fortaleza litorânea que tinham construído, parte de uma cadeia que um dia dominaria o litoral da Gália.

Domício chegou primeiro, usando a armadura de prata que ganhara. Uma barba escura cobria as bochechas e a armadura tinha perdido boa parte do brilho. O peitoral, especialmente, era um sofrido testamento das guerras travadas por Júlio. Sem dizer palavra apertou a mão e o antebraço de Júlio no cumprimento de legionário, antes de ocupar seu lugar.

Marco Antônio abraçou o general quando se encontraram. Júlio tinha motivo para estar satisfeito com ele ao ver a contabilidade do tesouro. As quantias em ouro e prata nas reservas eram vastas, mas estavam diminuindo dia a dia enquanto as cidades da Gália esperavam para ver se a rebelião teria sucesso. O suprimento de comida já era crítico e Júlio estava grato a Marco Antônio por ter assumido parte de seu fardo. Os milhares de legionários precisavam ser alimentados e receber água antes que pudessem lutar, e já era claro que Vercingetórix estava tentando cortar os suprimentos. Todas as colunas de fumaça tinham sido fazendas, e quando os *extraordinarii* galopavam até elas as encontravam vazias e desertas. Júlio sentiu uma admiração relutante pela implacabilidade do novo rei. Vercingetórix tinha feito uma escolha que também mataria os povoados e cidades que permanecessem fiéis às legiões. Milhares de pessoas de seu povo morreriam devido à aliança, e um número ainda maior se as legiões não pudessem acabar com aquilo depressa. Era um custo alto, mas a fome era tão capaz de prejudicar os romanos quanto as espadas.

Júlio tinha escolhido para a reunião uma sala que dava para o mar, e pássaros circulavam e gritavam lá fora, sobre as rochas cinzentas. Cumprimentou cada homem com prazer verdadeiro à medida que entravam. Bérico tinha recebido um ferimento na primeira luta com Vercingetórix e estava com o ombro e o peito envoltos em bandagens. Ainda que o general de Arimıno parecesse cansado, não pôde deixar de responder ao sorriso de Júlio enquanto este lhe indicava um assento e servia uma taça de vinho em sua mão boa. Otaviano entrou com Brutus e Rênio, no meio de uma discussão sobre táticas para a cavalaria. Os três cumprimentaram Júlio e o fizeram sorrir diante da confiança que demonstravam. Pareciam não compartilhar suas dúvidas e preocupações, mas estavam acostumados a tê-lo ali para resolvê-las. Ele não tinha ninguém.

Enquanto se reuniam, Júlio ficou animado com o clima dos outros. Os anos de guerra não tinham abalado seus amigos. Quando falavam da última rebelião era com raiva e resistência, e não com derrota. Todos tinham investido anos na terra hostil e cada um estava furioso por ver o futuro ameaçado. Mesmo falando entre si, cada homem observava Júlio procurando algum sinal de que estava para começar. Ele era o centro. Quando ficava ausente, era como se a parte mais pura do impulso e da energia de todos tivesse sido retirada. Ele unia homens que não suportariam a companhia uns dos outros em circunstâncias diferentes. Uma ligação tão grande que eles nem pensavam nela enquanto se acomodavam e ele os encarava. Júlio estava simplesmente ali e eles se sentiam um pouquinho mais vivos do que antes.

Finalmente Cabera foi trazido por dois homens da Décima que tinham agido como seus auxiliares. Júlio foi até ele, assim que o velho curandeiro estava acomodado, e segurou suas mãos frágeis. Falou baixo demais para os outros ouvirem acima do ruído das gaivotas e do vento.

— Cheguei mais distante do que qualquer outro homem de Roma, Cabera. Estive na beira do mundo. Você me viu aqui, há tanto tempo?

A princípio Cabera não pareceu ouvir, e Júlio ficou triste com as mudanças que a idade haviam trazido. A culpa também espicaçava sua consciência. Fora a pedido de Júlio que Cabera havia curado o joelho estraçalhado de Domício, e esse ato de vontade fora demais para seu corpo envelhecido. Desde aquele dia ele não tivera mais força. Por fim os olhos se ergueram e a boca seca e rachada se curvou nos cantos.

— Você está aqui porque optou por isso, Caio — disse o velho. Sua voz era pouco mais alta do que uma respiração saindo, e Júlio se inclinou para perto dos lábios. — Nunca vi você nesta sala terrivelmente fria. — Cabera fez uma pausa e os músculos de seu pescoço pularam num espasmo enquanto ele respirava mais fundo.

— Eu já disse que vi você ser morto por Sila? — sussurrou.

— Sila está morto há muito, Cabera.

Cabera assentiu.

— Eu sei, mas vi você assassinado na casa dele e de novo nas celas de um navio pirata. Vi você cair com tanta freqüência que algumas vezes fico surpreso ao vê-lo tão forte e vivo. Não entendo as visões, Júlio. Elas me causaram mais dor do que jamais imaginei.

Com uma tristeza crescente Júlio viu que havia lágrimas nos olhos do velho. Cabera notou a expressão dele e deu um risinho seco, um som estalado que prosseguiu e prosseguiu. Apesar de o braço esquerdo do velho estar inútil em seu colo, ele ergueu o outro e puxou Júlio mais para perto.

— Eu não mudaria um dia das coisas que vi. Você entende? Não tenho muito tempo e seria um alívio. Mas não lamento nada do que aconteceu desde que entrei em sua casa há tanto tempo.

— Eu não teria sobrevivido sem você, velho. Você não pode me deixar agora — murmurou Júlio com os olhos se enchendo de lágrimas e lembranças.

Cabera fungou e coçou o rosto.

— Algumas escolhas nos são negadas, Caio Júlio. Alguns caminhos não podem ser evitados. No fim você também passará pelo rio. Eu o vi de mais modos do que posso dizer.

— O que você viu? — perguntou Júlio, doido para saber, no entanto preso a um medo entorpecedor. Por um instante pensou que Cabera não tinha ouvido, de tão imóvel que o velho estava.

— Quem sabe onde suas escolhas o levarão? — A voz continuou sibilando. — No entanto não vi você velho, meu amigo, e uma vez o vi cair sob facas nos primeiros dias da primavera. Nos Idos de Março eu o vi tombar, em Roma.

— Então nunca estarei em minha cidade nesse dia — respondeu Júlio. — Juro, se isso lhe der paz.

Cabera ergueu a cabeça e olhou para além de Júlio, onde as gaivotas gritavam lutando por algum pedaço de comida.

— Algumas coisas é melhor não saber, Júlio, eu acho. Nada mais é claro para mim. Eu lhe falei das facas?

Gentilmente Júlio pôs as mãos do velho no colo e arrumou as almofadas para que ele se sentasse.

— Disse, Cabera. Você me salvou de novo. — Com ternura infinita pôs o velho sobre as almofadas para deixá-lo confortável.

— Fico feliz com isso — disse Cabera fechando os olhos.

Júlio ouviu uma respiração comprida sair dele e a figura frágil ficou absolutamente imóvel. Júlio soltou um grito abafado ao ver a vida se esvair, e tocou o rosto do velho. O silêncio pareceu prosseguir por longo tempo, mas o peito estava imóvel e não se moveu de novo.

— Adeus, velho amigo — disse Júlio.

Ouviu um som raspado na madeira quando Rênio e Brutus vieram para perto. Os anos se afastaram, de modo que quem estava ali eram dois meninos e seu tutor, vendo um homem segurar um arco sem qualquer tremor nos braços.

Júlio ouviu os outros membros do conselho se levantar ao perceberem o que tinha acontecido. Virou os olhos vermelhos para eles e os soldados não puderam encarar a dor em seu rosto.

— Querem se juntar a mim nas orações pelo morto, senhores? Nossa guerra vai esperar mais um dia.

Enquanto as gaivotas gritavam ao vento lá fora, o murmúrio baixo das vozes preencheu a sala fria. No fim houve silêncio e Júlio sussurrou mais algumas palavras enquanto olhava para o corpo encolhido do velho.

— E agora estou à deriva — falou tão baixo que somente Brutus, ao lado, pôde ouvir.

CAPÍTVLO XLIII

Estava escuro na tenda e Adàn tinha apenas uma vela de sebo para lhe dar luz suficiente para escrever. Ficou sentado em silêncio total, olhando César esparramado num banco com o braço estendido para fazerem um curativo. Havia sangue nas primeiras camadas e a tira de pano em si estava suja, tendo sido tirada de um cadáver. Por um momento seus olhos se abriram com a dor e Adàn viu que eles estavam opacos de tanta exaustão.

O médico juntou seu saco de equipamentos e saiu, deixando entrar um sopro de ar no interior abafado, que fez a vela tremular. Adàn olhou as palavras que tinha registrado e desejou que Júlio dormisse. Todos estavam com fome, mas o inverno havia queimado tanta carne do comandante quanto de qualquer soldado. Sua pele estava manchada de amarelo e esticada no crânio, e Adàn viu depressões escuras por baixo dos olhos, que lhe davam uma expressão de morte.

Achou que Júlio caíra no sono e começou a juntar os rolos de pergaminho para sair sem acordá-lo. Imobilizou-se quando o general coçou as manchas de suor da túnica e depois esfregou o rosto. Adàn balançou a cabeça ligeiramente ao ver as mudanças no homem desde que o conhecera. A Gália havia tomado mais do que dado.

— Onde parei? — perguntou Júlio, sem abrir os olhos. Sua voz era um grasnar que fez Adàn estremecer na escuridão.

— Avaricum. O médico entrou quando eu estava escrevendo sobre o último dia.

— Ah, sim. Está pronto para continuar?

— Se o senhor quiser. Talvez fosse melhor se eu o deixasse descansar um pouco.

Júlio não respondeu, além de coçar o queixo barbado.

— Avaricum veio logo depois do assassinato de três coortes sob o comando de Bérico. Está escrevendo isto?

— Estou — sussurrou Adàn. Para sua surpresa, sentiu a ardência de lágrimas começando enquanto Júlio se obrigava a ir em frente, e não pôde explicá-las.

— Nós construímos uma rampa até a muralha e invadimos a cidade. Não pude conter os homens depois do que eles tinham visto. Não tentei contê-los. — Júlio fez uma pausa e Adàn pôde ouvir sua respiração como um sussurro áspero acima do ruído das legiões do lado de fora.

— Oitocentos sobreviveram a nós, Adàn. Registre a verdade para mim. De quarenta mil homens, mulheres e crianças, apenas oitocentos sobreviveram quando terminamos. Queimamos a cidade em volta deles e pegamos todo o grão que tinham nos depósitos. Mesmo então dava para contar as costelas dos soldados que estavam comigo. Vercingetórix tinha ido em frente, claro, e cada cidade à qual chegávamos estava destruída. Ele impelia o gado à sua frente não nos deixava nada além de pássaros e lebres selvagens. Para alimentar quarenta mil homens, Adàn. Sem as provisões de Avaricum estaríamos acabados.

— Nós os debandamos repetidamente sempre que os pegamos em terreno aberto, mas todas as tribos da Gália tinham se juntado a ele e a cada vez o rei nos suplantava em número. Bérico foi morto no terceiro mês, ou no quarto, não lembro. Seus próprios irregulares o pegaram numa emboscada. Não encontramos o corpo.

Júlio caiu no silêncio enquanto se lembrava de como Bérico tinha se recusado a acreditar que os homens que treinara iriam matá-lo. Fora um homem decente e tinha pagado essa crença com a vida.

— Vercingetórix prosseguiu para o sul até as fortalezas nas colinas de Gergóvia, e não pude romper as muralhas.

Adàn ergueu os olhos diante do silêncio e viu a boca de Júlio se retorcer de raiva. Mesmo assim ele ficou deitado de olhos fechados e a voz grasnada parecia vir lá do fundo.

— Perdemos oitocentos homens em Gergóvia e quando a primavera chegou vi meus soldados comerem trigo verde até vomitar. Mesmo assim destruímos os exércitos que ousaram ocupar o campo contra nós. Brutus e Otaviano se saíram bem contra os estandartes de lá, mas os números, Adàn... Cada tribo que chamamos de amiga se ergueu contra nós e há ocasiões... não. Corte isso. Minhas dúvidas não são para ser escritas.

— Não pudemos matá-los de fome em Gergóvia, e nossos homens estavam enfraquecendo. Fui obrigado a ir para o oeste, para conseguir suprimentos, e mesmo assim mal conseguimos encontrar o bastante para não morrer de fome. Vercingetórix mandou seus generais contra nós e lutamos o tempo todo enquanto ele corria à frente durante a noite. Marchei mil e seiscentos quilômetros este ano, Adàn. Vi a morte caminhando comigo.

— Mas agora nós o retivemos em Alésia — disse Adàn em voz baixa.

Júlio lutou para se sentar e se apoiou nos joelhos, com a cabeça frouxa.

— A maior fortaleza de morro que já vi na Gália. Uma cidade sobre quatro colinas, Adàn. Sim, ele está retido lá. Nós passamos fome do lado de fora enquanto ele espera nossa morte.

— Agora estão vindo grãos e carne do sul. O pior já passou.

Júlio deu de ombros tão debilmente que poderia ter sido uma respiração.

— Talvez. Escreva isto para mim. Construímos trincheiras e fortificações por trinta quilômetros ao redor de Alésia. Levantamos três grandes colinas com a terra retirada, tão grandes que permitiram construirmos torres de vigia em cima. Vercingetórix não pode sair enquanto permanecermos aqui. E vamos permanecer. Nossos prisioneiros falam dele como rei de todos os gauleses, e até que ele seja morto ou capturado continuarão a se rebelar. Nós os cortamos aos milhares e eles continuarão vindo a cada primavera enquanto seu rei estiver vivo. Que saibam em Roma, Adàn. Que entendam o que estamos fazendo aqui.

A porta da tenda se abriu e Brutus estava ali no escuro, olhando para Adàn ao ver a luz da chama minúscula.

— Júlio? — disse ele.

— Estou aqui — respondeu a voz, praticamente um sussurro.

— Você precisa sair mais uma vez. Os batedores voltaram e dizem que um exército de gauleses está vindo para substituir a defesa das fortalezas.

Júlio o encarou com olhos vermelhos que pareciam mais mortos do que vivos. Levantou-se e cambaleou devido à exaustão. Brutus se aproximou para ajudá-lo a vestir a armadura e a capa vermelha que os homens precisavam ver

— Então os gauleses que escaparam da fortaleza foram trazer um exército de volta — murmurou Júlio enquanto Brutus começava a amarrar o peitoral às tiras de ferro ao redor do pescoço dele. Os dois estavam sujos e fediam de suor, e Adàn ficou pasmo com a ternura de Brutus ao pegar um trapo e enxugar a armadura, entregando a espada de Júlio que estava encostada, esquecida, num mastro. Sem uma palavra Adàn pegou a capa vermelha no gancho e ajudou Brutus a colocá-la sobre os ombros do general. Poderia ter sido sua imaginação, mas com a armadura achou que Júlio ficava um pouco mais ereto, com a pura força de vontade forçando parte do cansaço a sumir do rosto.

— Convoque o conselho, Brutus, e me traga os batedores. Vamos lutar dos dois lados, se necessário, para acabar com esse rei

— E depois vamos para casa? — perguntou Brutus.

— Se sobrevivermos, amigo. Finalmente iremos para casa.

Os generais romanos que chegaram ao acampamento central ao pé de Alésia mostravam as marcas das guerras que tinham lutado. Bebendo água que fora tão racionada quanto a comida, nenhum deles tivera tempo suficiente para fazer a barba ou lavar a sujeira de meses no campo. Deixaram-se cair nos bancos e ficaram sentados apáticos, cansados demais para falar. A terra queimada e meses de guerra desde a volta da Britânia tinham prejudicado a todos e agora esse último golpe os levara à beira do desespero.

— Generais, vocês ouviram os batedores. E há pouco mais para eu acrescentar. — Júlio havia apanhado um odre de água preciosa com um guarda e o virou na boca para afastar a poeira da garganta. — Os homens estão comendo finalmente, ainda que os suprimentos sejam escassos e de má qualidade. Sem o sacrifício de nossos colonos teríamos ainda menos. Agora os gauleses reuniram todas as tribos contra nós e até mesmo a cavalaria edui desapareceu para se juntar a eles. Mhorbaine finalmente me traiu.

Júlio parou e coçou o rosto.

— Se os batedores estiverem certos temos pouca chance de sobreviver à batalha. Se vocês me pedirem tentarei uma rendição honrosa para salvar a vida das nossas legiões. Vercingetórix mostrou que não é idiota. Teríamos permissão de voltar aos Alpes com nossos colonos. Essa vitória iria estabelecê-lo no papel de rei supremo e acho que ele aceitaria. É isso que vocês querem?

— Não, não é — disse Domício. — Os homens não aceitariam isso de nossa parte, principalmente de você. Deixe que eles venham, César. Vamos destruí-los de novo.

— Ele fala por mim — acrescentou Rênio e os outros assentiram. Brutus e Marco Antônio se juntaram às vozes e Otaviano se levantou. Apesar dos rostos cansados ainda havia determinação. Júlio sorriu diante da lealdade.

— Então vamos nos sustentar ou cair em Alésia, senhores. Sinto orgulho de ter conhecido vocês todos. Se é aqui que os deuses dirão que isso termina, que seja. Lutaremos até o último homem.

Júlio coçou as feridas no rosto e deu um sorriso pesaroso.

— Talvez devamos usar um pouco da água de beber para parecermos romanos amanhã. Tragam-me os mapas. Faremos planos para humilhar as tribos mais uma vez.

Vercingetórix estava de pé sobre as altas muralhas de Alésia, olhando para a planície. Tinha corrido até as alturas varridas pelo vento ao ouvir os primeiros relatórios de seus vigias e segurou com ferocidade a pedra meio desmoronada ao ver a massa de tochas se movendo na direção deles.

— É Madoc? — perguntou Brigh ansioso.

O rei olhou para o irmão mais novo e segurou o ombro dele num súbito jorro de afeto.

— Quem mais seria? Ele trouxe os exércitos da Gália para varrê-los de vez. — Olhando ao redor inclinou a cabeça para perto. — Os príncipes dos arvernos são difíceis de derrotar, não é?

Brigh riu para ele.

— Eu tinha começado a perder a esperança. Não resta mais de um mês de comida...

— Então diga aos homens para comer bem esta noite. Amanhã veremos os romanos serem derrotados. Então abriremos caminho passando pelas fortalezas e muralhas deles e reivindicaremos a Gália. Não veremos mais dessas legiões durante uma geração.

— E você será rei?

Vercingetórix riu.

— Eu *sou* rei, irmãozinho. Rei de uma nação maior. Agora que as tribos se lembram do chamado do sangue, não há nada no mundo para nos derrubar. A alvorada terminará com isso e então estaremos livres.

A primeira luz cinzenta revelou um acampamento de cavaleiros gauleses que se estendia por cinco quilômetros pela terra. À medida que as legiões acordavam escutaram fracos gritos de comemoração vindos das grandes fortalezas interligadas de Alésia enquanto os habitantes viam os que tinham vindo ajudá-los.

A manhã era fria, apesar da promessa de verão. A comida que fora trazida da província romana ao pé dos Alpes foi preparada e distribuída em pratos de estanho, a primeira refeição quente há dias, para os homens. Com os gauleses arrumados à frente, eles comeram sem júbilo e os pratos foram esvaziados depressa demais. Muitos homens os lamberam procurando as últimas migalhas de alimento.

As fortificações romanas em volta de Alésia eram suficientemente altas para fazer os gauleses hesitarem ao pensar no melhor modo de atacar. As muralhas chegavam a seis metros de altura e eram defendidas por quarenta mil dos melhores soldados do mundo. Não era um trabalho fácil, mesmo com o número colossal de guerreiros que Madoc havia reunido.

O próprio Madoc não fazia idéia de quantos estavam com ele, só sabia que nunca vira um exército tão grande reunido num só lugar. Mesmo assim ficou cauteloso, como Vercingetórix lhe dissera quando ele escapou de Alésia para convocar as tribos.

— Lembre-se dos helvécios — dissera Vercingetórix.

Mesmo quando estavam em número muito menor os romanos tinham derrotado cada exército mandado contra eles, e os que ainda viviam eram veteranos e sobreviventes, os mais difíceis de serem mortos. Madoc desejou que seu irmão estivesse ali para comandar os cavaleiros. Podia sentir a observação e a esperança dos defensores nas fortalezas de Alésia e isso o intimidava. Nesse ponto sabia que seu irmão era um rei melhor do que ele jamais seria. Madoc sozinho não poderia ter juntado as tribos, mais unidas do que nos últimos mil anos. Antigas disputas foram esquecidas e no fim todas mandaram seus melhores homens para ajudar o rei supremo a quebrar a coluna vertebral da ocupação romana.

Agora tudo dependia de sua palavra e dezenas de milhares esperavam-no enquanto o sol nascia.

Júlio subiu numa colina para se dirigir aos homens com quem tinha lutado por nove anos na Gália. Conhecia centenas pelo nome e quando chegou ao topo e se apoiou na base da torre de vigia viu rostos familiares esperando que ele falasse. Será que sabiam como estava cansado? Haviam compartilhado as privações da marcha e as batalhas através da Gália. Tinham-no visto se esforçar mais do que qualquer um deles, ficando dias seguidos sem dormir até não lhe restar nada além de uma vontade férrea que o mantinha de pé.

— Não pedirei que lutem por Roma! — rugiu para eles. — O que Roma sabe de nós, aqui? O que o senado entende sobre o que somos? Os mercadores em suas casas, os escravos, os construtores e as prostitutas não estavam conosco em nossas batalhas. Quando penso em Roma não consigo pensar neles, tão distantes. Meus irmãos são os que vejo diante de mim.

As palavras saíam facilmente diante das legiões. Ele conhecia a todos, e uma saudação começou enquanto olhavam a figura com a capa escarlate. Júlio não poderia explicar a ligação com uma pessoa estranha, mas isso nunca fora necessário. Eles o conheciam pelo que ele era. Tinham-no visto ferido e exausto depois de uma marcha. Cada homem ali possuía uma lembrança de quando ele lhes falara, e guardava isso como um tesouro, mais do que as moedas de prata que recebia.

— Não vou pedir que lutem esta última vez por Roma. Pedirei que lutem por mim — falou e eles ergueram a cabeça mais alto para ouvi-lo, com os gritos de comemoração aumentando de volume entre as fileiras. — Quem ousa dizer que é Roma enquanto vivermos? Sem nós a cidade é apenas pedra e mármore. Somos seu sangue e sua vida. Somos seu propósito. — Júlio estendeu a mão para as hordas do exército gaulês. — Que honra ter tantos vindo contra nós! *Eles* conhecem nossa força, minhas legiões. Sabem que temos o espírito inquebrantável. Vou lhes dizer: se eu pudesse trocar de lugar e estar lá, sentiria medo do que veria. Estaria aterrorizado. Porque eles não são nós. Alexandre teria orgulho de caminhar com vocês, como eu tenho. Teria orgulho de ver suas espadas erguidas em seu nome. — Ele olhou para a multidão e viu Rênio ali, encarando-o. — Quando nossos corações e nossos braços estão cansados, nós vamos em frente — rugiu Júlio. — Quando nosso estômago está vazio e a boca seca, nós *vamos em frente*.

Ele parou de novo e sorriu.

— Bom, senhores, somos profissionais. Vamos despedaçar esses amadores desgraçados?

Eles bateram as espadas e os escudos, e cada garganta berrou aprovando.

— Defender as muralhas! Eles estão vindo! — gritou Brutus, e os legionários correram para suas posições. Mantinham-se eretos enquanto Júlio descia e caminhava entre eles, orgulhoso de todos.

Madoc sentiu um toque de medo ao ver toda a extensão das fileiras romanas ao redor de Alésia. Quando tinha escapado, há apenas um mês, as primeiras trincheiras estavam sendo cavadas no barro, e agora as paredes eram sólidas e estavam cheias de soldados.

— Acender tochas para queimar os portões e as torres — ordenou, vendo as fileiras de luzes se acendendo em meio às tribos.

O estalar das chamas era o som da guerra e ele sentiu o coração disparar, em resposta. Mesmo assim se preocupava ao olhar as vastas fortificações agachadas na terra, esperando por eles. A velocidade dos cavalos gauleses seria desperdiçada contra uma barreira daquelas. Se os romanos não pudessem ser tentados a sair, Madoc sabia que cada passo seria sangrento.

— Lanças a postos! — gritou para as fileiras. Sentia milhares de olhos fixos nele enquanto desembainhava a espada longa e a apontava para as forças romanas. Seus amados arvernos estavam prontos no flanco direito e ele sabia que os cavaleiros seguiriam as ordens. Desejava ter a mesma certeza com relação aos outros no calor da batalha. Assim que começassem a morrer, Madoc temia que perdessem o pouco de disciplina que conseguira impor.

Levantou o punho e o baixou num movimento rápido, instigando o cavalo num galope para liderá-los. Atrás veio um trovão que abafou todos os outros sons e então os gauleses rugiram. Os cavalos voaram em direção às muralhas e cada mão segurava uma lança pronta para ser atirada.

❖

— Balistas a postos! Onagros, escorpiões a postos! Esperar as trombetas! — gritou Brutus à esquerda e à direita. Os romanos não tinham ficado à toa nas horas de escuridão e agora cada máquina de guerra que possuíam estava virada para fora, pronta para esmagar o inimigo maior. Cada olho nas muralhas observava a horda galopando para eles, e seus rostos estavam luminosos de ansiedade.

Enormes toras encharcadas em óleo foram acesas soltando uma fumaça sufocante que não diminuiu em nada o entusiasmo dos que estavam prontos para lançá-las sobre a cabeça dos gauleses.

Brutus assentiu enquanto avaliava o alcance e dava um tapinha no ombro do cornicen mais próximo. O sujeito respirou fundo e a nota longa soou, quase engolida na liberação de centenas de enormes braços de carvalho se chocando contra os apoios. Pedra e ferro voaram pelo ar com um zumbido e os romanos mostraram os dentes enquanto esperavam o primeiro toque da morte.

Madoc viu os disparos e por um momento fechou os olhos e rezou. Ouviu os estalos e estrondos dos projéteis ao redor e gritos agonizantes que deixou para trás. Quando abriu os olhos ficou pasmo ao se ver vivo e gritou alto, de puro prazer. Tinham sido abertas fendas em meio às tribos, mas elas se fecharam à medida que a distância até as legiões diminuíam, e agora o sangue de seus seguidores estava quente.

Os gauleses dispararam as lanças com toda a fúria de quem sobrevivera às máquinas romanas. Elas voaram em arco por cima das muralhas e, antes que pudessem pousar, Madoc tinha chegado às valas amplas que acompanhavam a borda das muralhas romanas. Trinta mil de seus melhores homens saltaram das selas e começaram a subir, cravando as espadas na terra para passar sobre os espetos destinados a atrapalhá-los.

Madoc vislumbrou os legionários acima enquanto subia, e sem aviso a terra cedeu e ele caiu até a base. Gritou de raiva e começou a subir de novo, mas ouviu o estalo de chamas e viu um grupo de romanos erguer e jogar alguma coisa enorme por sobre a borda, na direção dele. Tentou saltar para longe, mas aquilo o acertou com um estalo de ossos e escuridão

Das muralhas Júlio viu quando o primeiro ataque foi lançado. Ordenou que as máquinas de guerra disparassem de novo e de novo, usando toras e pedras que quebravam as patas dos cavalos, rolando entre eles. Os portões nas muralhas estavam se queimando, mas isso não importava. Não pretendia esperar que caíssem.

Ao longo dos quilômetros de fortificações os legionários romanos iam derrubando os que os alcançavam, usando escudos e espadas num frenesi. Os corpos começaram a se empilhar ao pé da muralha e Júlio hesitou. Sabia que seus soldados não poderiam lutar naquele ritmo por muito tempo, fracos como estavam. No entanto os gauleses pareciam decididos a manter um assalto direto, jogando as vidas contra o ferro romano.

O vasto núcleo dos cavaleiros nem pudera chegar às linhas romanas passando por seu próprio povo, e Júlio temeu que, se mandasse as legiões, elas seriam engolfadas. Seu rosto endureceu enquanto tomava a decisão.

— Otaviano. Leve os *extraordinarii* contra eles. Minha Décima e a Terceira irão atrás de você, como fizemos contra os britânicos.

Os olhos dos dois se encontraram por um instante e Otaviano fez uma saudação.

Cordas foram presas aos portões para puxá-los para dentro, assim que as grandes barras de ferro fossem removidas. A madeira estava queimando bastante e quando os portões caíram o sopro de ar fez as chamas saltarem. Os *extraordinarii* galoparam através do fogo para esmagar o inimigo, com os cascos ressoando nos portões. Desapareceram na fumaça. A Décima e a Terceira jorraram atrás.

Júlio viu equipes de soldados apagando as chamas e puxando os portões de volta para a posição antes que os gauleses pudessem se aproveitar da bre- cha. Era um momento perigoso. Se os *extraordinarii* não pudessem forçar os gauleses a recuar, as legiões prontas para atacar e apoiá-los não poderiam se mover. Júlio franziu os olhos através da fumaça, seguindo uma águia de legião que corria através da massa fervilhante de gauleses. Viu-a cair e ser levantada por um soldado desconhecido. A Décima de Arimino estava pronta para sair, e Júlio não sabia o que ela encontraria.

Olhou as fortalezas de Alésia e os homens que deixara permanentemente vigiando-as para a possibilidade de um ataque. Quantos poderia deixar como reserva? Se Vercingetórix saísse Júlio tinha certeza de que suas legiões hesitariam finalmente, marteladas por dois lados. Não podia deixar que isso acontecesse.

Rênio atraiu seu olhar enquanto se aproximava com um escudo pronto para ser posto acima da cabeça de Júlio. Júlio sorriu brevemente, permitindo que ele ficasse. O gladiador estava pálido e velho, mas seus olhos examinavam o campo incessantemente para proteger seu general.

Júlio viu um espaço livre aparecer no terreno ensangüentado, coberto por corpos que se moviam debilmente e pelos mortos. Alguns eram romanos, mas a vasta maioria era do inimigo cravado por lanças e esmagado. Um gigantesco arco estava se abrindo na confusão enquanto a Décima empurrava os gauleses para trás, andando sobre carne com a pressão de uma barreira de escudos. Júlio viu as últimas lanças atiradas desaparecendo no meio dos gauleses e avaliou que era tempo.

— Décima e Oitava no apoio! — gritou. — Baixem os portões! — De novo as cordas foram retesadas e mais dez mil soldados correram para substituir os que tinham saído antes.

Então as máquinas de guerra ficaram silenciosas à medida que as legiões abriam caminho entre os gauleses. Os quadrados firmes foram engolfados e perdidos de vista, depois apareceram como pedras numa enchente, ainda sobrevivendo, ainda sólidos enquanto desapareciam de novo.

Com quatro legiões no campo Júlio mandou mais uma para segui-los, mantendo apenas os homens suficientes para sustentar as muralhas e vigiar as fortalezas às costas. Os cornicens esperavam perto do general e ele os fixou com os olhos duros.

— Ao meu aviso, tocar a chamada.

Segurou a beira da capa com a mão livre e torceu-a. Era difícil ver o que estava acontecendo, mas escutou vozes romanas gritando ordens, e ao longo de toda a muralha os gauleses estavam falhando em enfrentar a ameaça que saíra para dominá-los. Júlio se obrigou a esperar.

— Agora toquem as trombetas. Depressa! — disse por fim, olhando o campo de batalha enquanto as notas longas gemiam acima dele. As legiões tinham ido longe e lutado de todos os lados, mas não permitiriam uma debandada, ele sabia. Os quadrados recuariam passo a passo, organizados, contra os cavaleiros, matando o tempo todo.

Os gauleses moviam-se como líquido amargo, redemoinhos de homens gritando e morrendo enquanto as legiões lutavam pelo caminho de volta. Júlio gritou loucamente ao ver as águias aparecendo de novo. Levantou o braço que tremia. Os portões baixaram e ele viu as legiões jorrarem de volta para dentro das muralhas, gritando desafios contra o inimigo.

Os gauleses se adiantaram e Júlio olhou as equipes das balistas, esperando com impaciência desesperada. Todo o exército gaulês corria para eles e o momento era perfeito, mas não ousava ordenar que atirassem sem saber se suas legiões estavam de volta em segurança.

Mal viu as lanças sendo disparadas, mas Rênio viu. Enquanto Júlio se virava, Rênio levantou o escudo e o sustentou contra o impacto atordoante das pontas que zumbiam. Grunhiu e Júlio se virou para agradecer, com o rosto afrouxando ao ver a ruína ensangüentada do pescoço de Rênio.

— Pronto! Todos estão em segurança, senhor! — gritou seu cornicen.

Júlio só pôde ficar olhando enquanto Rênio caía.

— Senhor, devemos disparar agora! — disse o cornicen.

Mal ouvindo-o, Júlio baixou o braço e as grandes balistas estrondearam em resposta. Toneladas de pedras e ferro rasgaram de novo os cavaleiros da Gália, abrindo enormes espaços no campo. As tribos estavam apinhadas demais para evitar o tiroteio e milhares de guerreiros foram esmagados, jamais se levantando de novo.

Um silêncio poderoso cresceu enquanto as tribos recuavam para fora do alcance. Júlio ouviu debilmente seus homens comemorando ao ver o número de mortos deixados no campo. Foi até Rênio e fechou com os dedos os olhos fixos. Para seu horror, suas mãos começaram a tremer e ele sentiu gosto de metal na boca.

Otaviano veio trotando entre os legionários para olhar o local onde Júlio estava ajoelhado, encharcado de suor gélido.

— Mais uma, senhor? Estamos prontos.

Júlio ficou atordoado. Não podia ter um ataque na frente de todos eles, não podia. Lutou para negar o que estava acontecendo. Os ataques estavam silenciados há anos. Não *deixaria*. Com um esforço tremendo levantou-se cambaleando, obrigando-se a focalizar. Tirou o capacete e tentou respirar fundo, mas a dor no crânio crescia e luzes fortes espocavam. Otaviano se encolheu ao ver os olhos vítreos.

— As legiões estão firmes, general. Estão prontas para lutar de novo, se o senhor quiser.

Júlio abriu a boca para falar, mas não pôde. Desmoronou no chão e Otaviano saltou da sela, correndo para segurá-lo. Mal notou o corpo de Rênio ao lado e gritou para o cornicen chamar Brutus.

Brutus veio numa corrida, empalidecendo ao entender.

— Tire-o das vistas, depressa — gritou para Otaviano. — A tenda de comando está vazia. Segure as pernas dele antes que os homens vejam. — Eles levantaram a figura que se retorcia, mais leve devido aos anos de fome e guerra, arrastando-a para o interior sombreado do posto de comando.

— O que vamos fazer? — perguntou Otaviano.

Brutus arrancou o capacete de metal dos dedos rígidos de Júlio e o levantou.

— Tire a roupa dele. Muitos homens nos viram trazê-lo para dentro. Eles devem vê-lo sair.

Os homens soltaram gritos de comemoração quando Brutus caminhou ao sol fraco, usando o capacete e a armadura do amigo. Atrás dele, Júlio estava deitado despido num banco, com Otaviano segurando a túnica enrolada entre os dentes dele, enquanto o general se retorcia e tremia.

Brutus correu à muralha para avaliar o estado do inimigo e viu que ele ainda recuava do segundo ataque esmagador das balistas. Na escuridão da tenda o tempo parecera maior. Viu as legiões o olharem, esperando ordens, e conheceu um momento do mais puro pânico. Não estivera sozinho no comando desde que tinha posto os pés na Gália. Júlio sempre estivera presente.

Atrás da máscara olhava em desespero ao redor. Não conseguia pensar em nenhum estratagema além do mais simples de todos. Abrir os portões e matar tudo que se mexesse. Júlio não teria feito isso, mas Brutus não podia ficar olhando da muralha enquanto seus homens saíam.

— Arranjem-me um cavalo! — gritou. — Não deixem nenhuma reserva. Vamos até eles.

Enquanto os portões se abriam de novo Brutus passou cavalgando, liderando as legiões. Era o único modo que conhecia.

Enquanto viam toda a força das legiões saindo ao campo, os gauleses se juntaram num medo caótico, temerosos de ser atraídos de novo para ser esmagados pelas máquinas de guerra. Suas fileiras estavam desarrumadas sem os líderes que foram mortos nos primeiros ataques.

Brutus viu muitos homens das tribos menos importantes simplesmente bater com os calcanhares nos flancos dos animais e fugirem do campo de batalha.

— É melhor fugirem mesmo! — gritou loucamente.

Ao seu redor os *extraordinarii* obrigaram as montarias a galopar, com as armas ensangüentadas em posição. As legiões rugiram enquanto aceleravam através da planície e quando se chocaram contra as primeiras fileiras não havia nada que as segurasse.

CAPÍTVLO XLIV

AO ANOITECER OS GAULESES QUE SOBREVIVERAM TINHAM DEIXA-do o campo de batalha, voltando aos seus lares e terras tribais para levar as notícias da derrota. As legiões romanas passaram a maior parte da noite na planície, despindo cadáveres e arrebanhando os melhores cavalos para seu próprio uso. Na escuridão os romanos se separaram em coortes que assolaram quilômetros ao redor de Alésia, matando os feridos e recolhendo armaduras e espadas dos mortos. Quando outro amanhecer se aproximava eles retornaram às fortificações principais e voltaram os olhares malévolos para as fortalezas silenciosas.

Júlio não tinha saído dos sonhos torturados antes do pôr-do-sol. A violência do ataque sacudira seu corpo devastado, e quando o abandonou ele afundou num sono que era próximo da morte. Otaviano esperou com ele na tenda, lavando seu corpo com um pano úmido.

Quando Brutus voltou, sujo de sangue e imundície, ficou olhando por longo tempo a figura pálida. Havia muitas cicatrizes na pele, e sem os adereços do posto havia algo vulnerável naquela figura devastada.

Brutus se ajoelhou ao seu lado e tirou o capacete.

— Eu fui sua espada, amigo — sussurrou.

Com ternura infinita ele e Otaviano trocaram a armadura golpeada e as roupas até que, de novo, Júlio estivesse coberto. Ele não acordou, mas quando o levantaram seus olhos se abriram vítreos por um momento.

Quando os dois recuaram, a figura no banco era o general romano que conheciam. A pele estava machucada, com o cabelo desgrenhado, até que Otaviano passou óleo e o amarrou.

— Ele vai voltar? — murmurou Otaviano.

— Com o tempo, sim. Vamos deixá-lo sozinho agora.

Brutus ficou olhando o peito de Júlio subir e descer debilmente e ficou satisfeito.

— Vou montar guarda. Haverá alguns que quererão vê-lo — disse Otaviano.

Brutus o olhou e balançou a cabeça.

— Não, garoto. Vá ver seus homens. Esta honra é minha.

Otaviano o deixou assumindo a posição do lado de fora da tenda, uma figura imóvel na escuridão.

Brutus não mandara a exigência da rendição de Vercingetórix. Mesmo com a armadura e o capacete sabia que Adàn não se enganaria sequer por um momento, e essa honra pertencia a Júlio. Enquanto a lua subia, permaneceu de guarda na tenda, mandando embora todos que vinham dar os parabéns. Depois dos primeiros, a notícia se espalhou e ele foi deixado em paz.

Na privacidade da escuridão silenciosa Brutus chorou por Rênio. Tinha visto o cadáver e o ignorado enquanto, junto com Otaviano, levava o corpo de Júlio para a tenda. Era quase como se alguma parte dele tivesse registrado cada detalhe da cena para ser lembrada quando a batalha terminasse. Apesar de ter apenas olhado rapidamente o velho gladiador, podia ver seu cadáver como se fosse dia quando ele fechou os olhos.

Não parecia possível que Rênio não estivesse vivo. Ele fora a coisa mais próxima de um pai que Brutus tivera na vida, e não tê-lo ali trazia uma dor que forçava as lágrimas a se derramar.

— Descanse agora, seu velho sacana — murmurou, sorrindo e chorando ao mesmo tempo. Viver tanto tempo para simplesmente morrer com uma lança era obsceno, mas Brutus sabia que Rênio teria aceitado isso, como aceitava qualquer outra dificuldade na vida. Otaviano tinha lhe dito que ele segurou o escudo para proteger Júlio, e Brutus soube que o gladiador consideraria isso um preço justo.

Um barulho vindo de dentro disse-lhe que Júlio tinha finalmente acordado, antes de a porta da tenda ser puxada.

— Brutus? — perguntou Júlio, franzindo a vista para a escuridão.

— Estou aqui. Peguei seu capacete e os liderei. Eles acharam que era você.

Sentiu a mão de Júlio no ombro e novas lágrimas escorreram pela sujeira do rosto.

— Nós vencemos?

— Quebramos a espinha deles. Os homens estão esperando que você exija a rendição do rei. É a última coisa a fazer antes de terminarmos.

— Rênio caiu finalmente. Estava me protegendo com um escudo.

— Sei. Eu vi. — Nenhum dos dois precisava dizer mais. Ambos o conheciam desde que eram pouco mais do que meninos, e alguns sofrimentos são barateados pelas palavras.

— Você os liderou? — perguntou Júlio. Apesar de sua voz estar ficando mais forte, ele ainda parecia confuso.

— Não, Júlio. Eles seguiram você.

Ao amanhecer Júlio mandou um mensageiro a Vercingetórix e esperou a resposta que sabia que viria. Cada homem e mulher em Alésia teria ouvido falar da carnificina de Avaricum. Ficariam aterrorizados com os soldados sérios que olhavam para a fortaleza. Júlio tinha se oferecido para poupá-los se Vercingetórix se rendesse até o meio-dia, mas quando o sol nasceu não havia resposta.

Marco Antônio e Otaviano permaneciam com ele. Não havia o que fazer além de esperar e, um a um, os que estavam juntos desde o início vieram ficar ao seu lado. Às vezes a falta de alguns rostos não parecia valer o preço. Bérico, Cabera, Rênio, muitos outros. Júlio tomou o vinho que lhe ofereceram, sem sentir o gosto, e se perguntou se Vercingetórix lutaria até o fim.

As legiões nunca ficavam em silêncio depois da matança. Cada homem tinha seus amigos particulares com quem se jactar e, na verdade, havia muitas histórias de bravura. Muitos outros não puderam responder seus nomes na chamada matinal e os corpos pálidos que foram trazidos para dentro eram testemunho da luta que tinham travado juntos. Júlio escutou um grito de agonia quando um soldado reconheceu um dos cadáveres e se ajoelhou, chorando até que outros de sua centúria o levaram para se embebedar.

A morte de Rênio abalara todos. Os homens que tinham lutado com o velho gladiador amarraram seu pescoço com o pano arrancado de uma túnica e o arrumaram com sua espada. Desde Júlio até o legionário mais raso, todos tinham sofrido com seus ataques de mau humor e os treinamentos. Mas agora que ele se fora os homens vieram num sofrimento silencioso tocar sua mão e rezar por sua alma.

Com os mortos arrumados ao sol frio, Júlio olhou para as muralhas de Alésia e pensou em maneiras de expulsar os gauleses da fortaleza usando fogo. Não podia simplesmente ficar parado com a Gália finalmente em suas mãos.

Não poderia haver mais rebeliões. Nos próximos dias a notícia da derrota seria levada a cada povoado minúsculo e cada cidade em todo o vasto país.

— Aí vem ele — disse Marco Antônio interrompendo os pensamentos de Júlio.

Todos se levantaram ao mesmo tempo, esforçando-se para ver o rei que descia o caminho íngreme até onde as legiões o esperavam. Era uma figura solitária.

Vercingetórix não era mais o jovem guerreiro furioso que Júlio recordava de há tanto tempo. Montava um cavalo cinzento e usava armadura total que brilhava às primeiras luzes. De repente Júlio teve consciência de sua sujeira e já ia tirar a capa, mas deixou a mão cair. Não devia qualquer honra especial ao rei.

O cabelo louro de Cingeto estava amarrado em tranças grossas que iam até os ombros. A barba era cheia e brilhava com óleo, cobrindo os elos de ouro que usava no pescoço. Cavalgava com facilidade, segurando um escudo ornamentado e uma grande espada pousada na coxa. As legiões esperaram em silêncio por aquele homem que lhes causara tanto sofrimento e dor. Algo em sua descida imponente os mantinha quietos, permitindo-lhe um último momento de dignidade.

Júlio caminhou para encontrar o rei, tendo Brutus e Marco Antônio de cada lado. Enquanto ia até o pé da estrada, o resto de seus generais ficaram atrás, e todos continuaram sem falar.

Vercingetórix olhou para o romano e ficou pasmo com as diferenças desde que tinham se encontrado pela primeira vez, há quase uma década. Sua juventude fora deixada nos campos da Gália e somente os olhos frios e escuros eram os mesmos. Com um último olhar para as fortalezas de Alésia, Vercingetórix apeou e levantou o escudo e a espada. Largou-os aos pés de Júlio e recuou, sustentando o olhar do romano por longo tempo.

— Vai poupar os outros? — perguntou.

— Eu lhe dei minha palavra.

Vercingetórix assentiu, com a última preocupação se desvanecendo. Depois se ajoelhou na lama e baixou a cabeça.

— Tragam correntes — disse Júlio, e o silêncio foi despedaçado enquanto as legiões batiam as espadas e os escudos numa cacofonia que abafou qualquer outro som.

CAPÍTVLO XLV

Enquanto o inverno chegava outra vez Júlio atravessou os Alpes com quatro de suas legiões para estacionar ao redor de Arimino. Trouxe quinhentos baús de ouro em carroças, o bastante para pagar o dízimo ao senado cem vezes. Seus homens marchavam com moedas nos bolsos, e a boa comida e o descanso haviam restaurado boa parte do lustro e da força. A Gália estava finalmente calma e novas estradas se estendiam pela terra fértil de um litoral ao outro. Apesar de Vercingetórix ter queimado cem fazendas romanas, a terra foi ocupada por novas famílias antes do fim do verão e elas continuavam chegando, atraídas pela promessa de colheitas e paz.

Apenas três mil legionários da Décima tinham sobrevivido às batalhas na Gália, e Júlio presenteara com terra e escravos cada homem sob seu comando. Dera-lhes ouro e raízes e sabia que eles eram seus, como Mário um dia lhe explicara. Eles não lutavam por Roma nem pelo senado. Lutavam por seu general.

Não quis saber de um único deles passar uma noite ao relento, e cada casa em Arimino era subitamente lar de dois ou três soldados, atulhando a cidade de vida e moedas. Os preços subiram praticamente da noite para o dia e no fim do primeiro mês o último vinho secou, bem diante do porto da cidade.

Brutus tinha vindo com a Terceira Gálica e começou a beber até perder a consciência assim que se sentiu livre e sozinho na cidade. A perda de Rênio o havia abalado tremendamente, e Júlio escutava relatórios contínuos sobre o envolvimento de seu amigo em brigas diferentes a cada noite. Recebia os estalajadeiros que traziam suas reclamações e pagava as contas sem um murmúrio de protesto. No fim mandou Régulo para impedir que Brutus matasse alguém numa fúria bêbada. E então os relatórios falavam dos dois causando tumulto juntos na cidade, provocando ainda mais danos do que Brutus sozinho.

Pela primeira vez desde a Espanha Júlio não sabia o que o próximo ano lhe traria. Um milhão de homens tinha morrido na Gália para servir à sua ambição, e mais um milhão foi vendido para pedreiras e fazendas romanas, desde a África até a Grécia. Possuía mais ouro do que jamais vira e atravessara o mar para derrotar os britânicos. Tinha esperado sentir júbilo com o triunfo. Tinha se igualado a Alexandre e descoberto um novo mundo para além dos mapas. Tinha tomado mais terras numa década do que Roma conseguira ocupar em um século. Quando era menino, se pudesse ter visto Vercingetórix ajoelhado, teria se glorificado naquilo, vendo apenas a realização. Mas não saberia o quanto sentiria falta dos mortos. Sonhara com estátuas e seu nome sendo dito no senado. Agora que essas coisas eram reais, não dava importância. Até mesmo a vitória era vazia porque significava o fim da luta. Havia coisas demais a lamentar.

Tinha ocupado a casa de Crasso no centro da cidade e à noite achava que ainda podia sentir o perfume de Servília. Não mandou chamá-la, mas sentia-se só. De algum modo o pensamento de que ela iria arrancá-lo da depressão era demais para suportar. Recebia os dias sombrios do inverno como reflexos de si mesmo e abraçava o mau humor como se fosse um velho amigo. Não queria pegar as rédeas da vida e prosseguir. Na privacidade da casa de Crasso podia desperdiçar os dias na preguiça, passava as tardes olhando o céu escuro e escrevendo seus livros.

Os relatórios que havia escrito para a cidade onde nascera tinham se tornado algo a mais para ele. Cada lembrança ficava de algum modo contida enquanto a anotava. A tinta não podia exprimir o medo, a dor e o desespero, e isso estava certo. Aliviava sua mente anotar cada parte dos anos na Gália e depois colocar de lado para Adàn passar a limpo.

Marco Antônio se juntou a ele na casa, no fim da primeira semana. Passou a trabalhar tirando os panos que cobriam a mobília e se certificando de que Júlio comesse pelo menos uma refeição boa por dia. Júlio tolerava a atenção com boa vontade razoável. Ciro e Otaviano chegaram à casa alguns dias depois e os romanos passaram a trabalhar tornando-a tão limpa quanto um refeitório de legião. Tiraram os papéis atulhados nos cômodos principais e trouxeram à casa uma agitação que Júlio achou cada vez mais difícil não ver com bons olhos. Apesar de a princípio gostar do isolamento, estava acostumado a ter oficiais em volta e só levantou os olhos numa indignação fingida quando Domício apareceu para ocupar um quarto e na noite seguinte Régulo trouxe Brutus dobrado sobre o ombro. Lâmpadas foram acesas em toda a casa, e quando Júlio desceu à cozinha achou três mulheres da cidade trabalhando duro para fazer pão. Aceitou a presença delas sem dizer uma palavra.

Os carregamentos de vinho da Gália chegavam de navio e eram rapidamente apanhados pelos cidadãos sedentos. Marco Antônio conseguiu ficar com um barril e, numa noite em que conseguiram esquecer as barreiras de patente, beberam até perder a consciência para esvaziá-lo de uma vez e ficaram deitados onde caíram. De manhã Júlio deu a primeira gargalhada em semanas enquanto os amigos cambaleavam e se chocavam nos móveis, xingando.

Com as passagens fechadas a Gália era tão distante quanto a lua, e deixou de perturbar seus sonhos. Os pensamentos de Júlio se voltaram para Roma e ele escreveu cartas para todos os conhecidos da cidade. Era estranho pensar nas pessoas que não via há anos. Servília estaria lá, e a nova sede do senado devia estar pronta. Roma teria um novo rosto cobrindo as cicatrizes.

Nas manhãs, com a porta do escritório fechada para o resto da casa, Júlio escrevia longamente para a filha, tentando fazer uma ponte com uma mulher desconhecida. Tinha dado permissão para Júlia se casar em sua ausência há dois anos, mas desde então não tivera notícias. Quer ela as lesse ou não, era um bálsamo para sua consciência escrevê-las, e Brutus tinha insistido para que ele experimentasse.

Era tentador pegar alguns cavalos e voltar à cidade, mas Júlio estava cauteloso com as mudanças que poderiam ter ocorrido em sua ausência. Sem imunidade consular ficaria vulnerável aos inimigos. Mesmo o senado tendo-lhe deixado o cargo de tribuno, isso não o salvaria das acusações de ter matado Ariovisto ou de ter excedido suas ordens ao atravessar o Reno. O senado devia mais do que um Triunfo a Júlio, mas ele duvidava de que Pompeu ficasse satisfeito em vê-lo homenageado pelos cidadãos. Casar-se com a filha de Júlio deveria ter servido como uma rédea para seu humor, mas Júlio o conhecia muito bem para confiar em sua boa vontade, ou em sua ambição.

O inverno se passou num conforto lento. Os homens raramente falavam das batalhas que tinham travado, mas quando Brutus estava bêbado arrumava pãezinhos na mesa e demonstrava a Ciro o que os helvécios deveriam ter feito.

Quando chegou o solstício de inverno as legiões comemoraram junto com a cidade, acendendo lâmpadas em cada casa de modo que a promessa da primavera podia ser vista nas ruas. Arimino brilhava como uma jóia na escuridão e os bordéis faziam turnos duplos a noite inteira. A partir desse ponto a atmosfera mudou sutilmente. Com a noite mais longa deixada para trás, os relatórios de danos e arruaças vinham com mais freqüência à mesa de Júlio, até que ele se sentiu meio tentado a mandar todo mundo para as planícies, acampar nos campos vazios. Lentamente começou a passar um tempo cada vez maior cuidando dos suprimentos e pagamentos, voltando às rotinas que o haviam sustentado por toda a vida adulta.

Sentia mais falta de Rênio e Cabera do que podia acreditar. Tinha sido uma surpresa perceber que era o homem mais velho dos que compartilhavam a casa de Crasso. Os outros pareciam esperar que ele proporcionasse ordem às suas vidas, mas ele não tinha ordem nenhuma, e os hábitos da guerra eram fortes demais para serem postos de lado com tranqüilidade. Apesar de conhecer alguns homens da casa há anos, era o oficial comandante e sempre havia uma ligeira reserva nos modos deles quando estavam por perto. Às vezes Júlio achava estranhamente solitária a casa movimentada, mas a chegada da primavera ajudou bastante a terminar a restauração de sua boa vontade. Começou a cavalgar nos arredores da cidade com Brutus e Otaviano, melhorando a forma física dos três. Ciro o observava atentamente sempre que estavam juntos, sorrindo quando toques do antigo Júlio ficavam visíveis, ainda que brevemente. O tempo curava o que não aparecia, e apesar de ainda haver dias sombrios, todos os homens sentiam o nascer da primavera no sangue.

❖

O maço de cartas que chegou num amanhecer luminoso se parecia com qualquer outro. Júlio pagou ao mensageiro e formou as pilhas. Reconheceu a letra de Servília numa para o filho e ficou satisfeito ao encontrar outra para si, perto do final. Seu humor era de antecipação agradável quando levou a carta para a sala da frente e acendeu a lareira, estremecendo enquanto rompia o lacre.

Enquanto lia, Júlio se levantou de onde estava e ficou parado à claridade do sol nascente. Leu três vezes a carta de Servília antes de começar a crer, e então se deixou afundar no assento.

O príncipe mercante havia tombado.

Crasso e seu filho não tinham sobrevivido aos ataques dos partos na Síria. A maior parte da legião que Júlio havia treinado conseguira se livrar, mas Crasso tinha liderado um ataque louco ao ver o filho sem o cavalo, afastado do resto dos homens pelo inimigo. Os legionários recuperaram os corpos dos dois e Pompeu declarou um dia de luto pelo velho.

Júlio ficou sentado olhando para o sol até que a claridade foi demasiada e seus olhos arderam. Todos os nomes antigos tinham ido embora e, apesar das muitas falhas, Crasso fora seu amigo nos tempos mais sombrios. Júlio podia ler o sofrimento de Servília nas frases bem-arrumadas que descreviam a tragédia, mas não conseguia pensar nela. Levantou-se e começou a andar pela sala.

Além do sentimento pessoal de perda, foi obrigado a considerar como a morte de Crasso mudaria o equilíbrio do poder em Roma. Não gostava das conclusões a que chegou. Pompeu é que sofreria menos. Como ditador estava acima da lei e do triunvirato, e só sentiria falta da riqueza de Crasso. Júlio se perguntou quem herdaria a fortuna do velho agora que Públio também estava morto, mas isso não importava. Muito mais importante era o fato de que Pompeu não precisava mais de um general bem-sucedido no campo. Ele podia ver um homem assim como uma ameaça.

Enquanto pensava nas implicações a expressão de Júlio ficou vazia. Se Crasso tivesse sobrevivido, algum novo compromisso poderia ser martelado entre eles, mas essa esperança morrera na Pártia. Afinal de contas, Júlio sabia que se estivesse na posição de Pompeu seria rápido em tirar da frente alguém que pudesse significar perigo. Como Crasso lhe dissera um dia, a política era um negócio sangrento.

Com um tremor súbito foi até a mesa e abriu o resto das cartas, olhando apenas as primeiras linhas de cada uma até se imobilizar, e respirou fundo.

Pompeu tinha lhe escrito e Júlio sentiu uma ânsia súbita enquanto lia as ordens pomposas. Nem mesmo havia uma menção a Crasso nas linhas, e Júlio jogou a carta no chão, enojado, enquanto começava a andar de um lado para o outro de novo. Mesmo sabendo que não deveria ter esperado mais do ditador, ainda era um choque ler seu futuro nas linhas.

A porta da sala se abriu com estrondo e Brutus entrou, segurando seu próprio maço de cartas.

— Já soube? — perguntou Brutus.

Júlio assentiu, com planos se formando na mente.

— Mande homens para juntar as legiões, Brutus. Eles engordaram e ficaram lentos durante o inverno, e quero-os fora da cidade ao meio-dia de amanhã para começar as manobras.

Brutus o olhou boquiaberto.

— Então vamos voltar à Gália? E Crasso? Não acho...

— Você escutou? — rugiu Júlio. — Metade de nossos homens está inútil com suas prostitutas e o vinho. Diga a Marco Antônio que estamos partindo. Que ele comece no cais, juntando todo mundo.

Brutus ficou totalmente imóvel. Perguntas vinham aos seus lábios e ele as conteve, com a disciplina forçando uma saudação. Saiu e Júlio pôde ouvir sua voz acordando os outros pela casa.

Júlio pensou de novo na carta de Pompeu e na traição. Nenhum sinal dos anos em que os dois se conheciam estivera presente nas palavras. Era uma ordem formal para voltar a Roma — sozinho. Voltar ao único homem no mundo que poderia temê-lo o bastante para matá-lo.

Sentiu-se tonto e fraco enquanto pensava nas implicações. Pompeu não tinha rivais além de um, e Júlio não confiava sequer por um instante na promessa de passagem livre. Mas desobedecer provocaria uma luta mortal que poderia muito bem destruir a cidade e tudo que Roma conseguira no correr dos séculos.

Balançou a cabeça para limpá-la. Aquela cidade o estava sufocando e ele ansiava pela brisa das planícies. Lá poderia pensar e planejar a resposta. Juntaria os homens às margens do rio Rubicão e rezaria pela sabedoria de fazer a escolha certa.

❖

Régulo estava parado sozinho no pequeno pátio da casa de Crasso, olhando a carta que tinha nas mãos. Uma mão desconhecida escrevera as palavras no pergaminho, mas só poderia ter havido um autor. Apenas duas palavras se acomodavam como aranhas no centro da página em branco, e no entanto ele as relia repetidamente com o rosto tenso e duro.

Elimine-o.

Régulo se lembrava de como conversara com Pompeu na última vez em que tinham estado em Arimino. Na época não havia hesitado, mas isso fora antes de estar na Britânia com Júlio e o visto lutar em Avaricum, Gergóvia, Alésia. Acima de tudo a última. Régulo vira Júlio liderar as legiões além do ponto em que qualquer outro teria caído e se destruído. Então soubera que seguia um homem maior do que Pompeu. E agora tinha uma ordem para matar o general.

Sabia que seria fácil. Júlio confiava nele completamente depois de tantos anos juntos, e Régulo achava que havia amizade entre os dois. Júlio deixaria que ele chegasse perto e seria apenas mais uma vida a acrescentar às que Régulo havia tirado em nome de Roma. Apenas mais uma ordem a obedecer, como obedecera a tantos milhares de outras.

A brisa do amanhecer arrepiou a pele do centurião enquanto ele rasgava a carta ao meio, depois em quatro, não parando até que os pedaços subiram no vento e voaram. Era a primeira ordem que já desobedecera, e isso lhe trouxe paz.

CAPÍTVLO XLVI

POMPEU SE ENCOSTOU NAS COLUNAS DO TEMPLO DE JÚPITER E olhou para a cidade enluarada abaixo do Capitólio. Ditador. Balançou a cabeça e sorriu na escuridão.

A cidade estava silenciosa e já era difícil imaginar as quadrilhas e os tumultos que um dia tinham parecido o fim do mundo. Olhou para a nova sede do senado e se lembrou das chamas e dos gritos na noite. Dentro de alguns anos Clódio e Milo estariam praticamente esquecidos na cidade, mas Roma continuava, e era somente dele.

Os senadores haviam lhe estendido o prazo da ditadura sem a menor pressão de sua parte. Fariam isso de novo, sem dúvida, enquanto ele quisesse. Tinham visto a necessidade de uma mão forte para cortar todas as leis que eles próprios haviam amarrado. Algumas vezes isso era necessário, simplesmente para fazer a cidade funcionar.

Parte de Pompeu desejava que Crasso tivesse sobrevivido para ver o que ele fizera a partir do caos. A força da tristeza sentida ao saber da morte dele o surpreendera. Os dois se conheciam há praticamente trinta anos, através de guerra e paz, e Pompeu sentia falta da companhia do velho. Supunha que era possível se acostumar com qualquer coisa.

Tinha visto muitos caírem em seu tempo de vida. Havia ocasiões em que não podia acreditar que ele é que sobrevivera aos tempos turbulentos, enquanto homens como Mário e Sila, Catão e Crasso tinham atravessado o rio. No entanto ele ainda estava ali e havia mais de uma disputa na vida. Algumas vezes o único modo de triunfar era sobreviver quando todos os outros morriam. Isso também podia ser uma habilidade.

Uma pluma de vento fez Pompeu estremecer e pensar em voltar a casa para um descanso. Seus pensamentos se voltaram para Júlio e as cartas que tinha mandado para o norte. Será que Régulo tiraria a decisão de suas mãos? Desejava que sim. A parte dele que mantinha a honra sentia vergonha pelo que tinha ordenado e ainda contemplava. Pensou na filha de Júlio, agora pesada com a nova vida crescendo por dentro. Ela possuía uma dureza que a fizera atravessar a pressão de ser mulher do homem mais poderoso de Roma. Mesmo assim ele não podia compartilhar seus planos com alguém que tinha o sangue de César. Ela cumprira bem o seu dever e o antigo acordo feito com seu pai. Não havia mais nada de que ele precisasse, da parte dela.

Não poderia haver compartilhamento do poder, agora entendia isso. Júlio seria morto no norte ou obedeceria às suas ordens e o resultado seria o mesmo.

Suspirou ao pensar isso e balançou a cabeça com pesar genuíno. César não poderia viver, caso contrário um dia entraria no senado e os anos de sangue começariam de novo.

— Não permitirei — sussurrou Pompeu na brisa, e não havia ninguém para ouvir.

Júlio sentou-se à margem do Rubicão e olhou para o sul. Desejava que Cabera ou Rênio estivessem ali para aconselhá-lo, mas no fim a decisão era somente sua, como já acontecera com tantas outras. Suas legiões se estendiam pela noite ao redor e ele podia ouvir as sentinelas percorrendo suas rondas na escuridão, gritando as senhas que significavam rotina e segurança.

A lua estava clara sob um céu límpido de primavera e Júlio sorriu ao olhar os homens que estavam sentados com ele. Ciro estava de um lado, Brutus e Marco Antônio do outro, olhando o fio brilhante do rio. Otaviano estava ali perto com Régulo. Domício, deitado de costas, olhava as estrelas. Era fácil imaginar Rênio ali, e Cabera junto dele. De algum modo, na imaginação, eram os homens de quem ele se lembrava, antes que a doença e os ferimentos os tivessem levado. Públio Crasso e seu pai tinham-se ido, e Bérico também. O pai de Júlio e Tubruk. Cornélia. A morte acompanhara todos e derrubara um por um.

— Se eu levar as legiões para o sul será guerra civil — disse Júlio em voz baixa. — Minha pobre cidade sofrida verá mais sangue. Quantos morrerão este ano, por mim?

Ficaram em silêncio por longo tempo e Júlio soube que eles mal podiam imaginar o crime de atacar sua própria cidade. Mal ousava dar voz ao pensamento. Sila tinha feito isso e era desprezado na memória. Não havia recuo para nenhum deles depois de tal ato.

— Você disse que Pompeu prometeu passagem livre — disse Marco Antônio finalmente.

Brutus fungou.

— Nosso ditador não tem honra, Júlio. Lembre-se disso. Ele espancou Salomin quase até a morte no torneio, e houve honra nisso? Ele não tem condições de pisar onde Mário caminhou. Se você for sozinho ele jamais o deixará partir. Irá passá-lo pela faca assim que você atravessar o portão. Você sabe disso, tanto quanto qualquer um de nós.

— Mas que opção você tem? — perguntou Marco Antônio. — Uma guerra civil contra nosso próprio povo? Será que os homens nos seguiriam?

— Sim — o rosnado grave de Ciro soou vindo do escuro. — Nós seguiríamos.

Nenhum deles soube como responder ao grandalhão, e houve um silêncio tenso. Todos podiam ouvir o rio sussurrando sobre as pedras e as vozes dos homens ao redor. A alvorada estava próxima e Júlio não se encontrava mais perto de saber o que faria.

— Estive em guerra desde que consigo lembrar — disse em voz baixa. — Algumas vezes me pergunto para que tudo isso serviu se eu parar aqui. Por que desperdicei a vida dos meus amigos se eu for humildemente para a morte?

— Pode não *ser* a morte! — disse Marco Antônio. — Você disse que conhece o sujeito, mas ele prometeu...

— Não — interrompeu Régulo. Em seguida deu um passo para perto de Júlio enquanto Marco Antônio o observava. — Não, Pompeu não deixará você viver. Eu sei.

Júlio viu as feições tensas do centurião ao luar e se levantou.

— Como?

— Porque eu fui um homem dele, e você não deveria sair de Arimino. Eu recebi a ordem dele para matá-lo.

Todos se levantaram e Brutus se colocou solidamente entre Régulo e Júlio.

— Seu *desgraçado*. De que está falando? — perguntou Brutus, com a mão pousando no cabo da espada.

Régulo não o olhou. Em vez disso sustentou o olhar de Júlio.

— Não pude obedecer à ordem — disse ele.

Júlio assentiu.

— Fico feliz por você ter percebido isso. Sente-se, Brutus. Se ele fosse me matar, acha que contaria a todos nós primeiro? Sentem-se!

Com relutância todos se acomodaram de novo na grama, mas Brutus ficou olhando Régulo com fúria, ainda inseguro.

— Pompeu tem uma legião guardando Roma — disse Domício especulativamente. Júlio o encarou e Domício deu de ombros. — Quero dizer, a coisa poderia ser feita se nós nos movêssemos rápido demais para ele se reforçar. Poderíamos estar junto às muralhas em uma semana se forçássemos o passo. Com quatro legiões veteranas contra ele, Pompeu não poderia sustentar a cidade nem mesmo por um dia.

Marco Antônio ficou pasmo diante disso e Domício deu um risinho ao ver sua expressão. Já havia mais luz, à medida que a alvorada se aproximava, e eles se entreolharam mutuamente, contidos, enquanto Domício prosseguia levantando as mãos:

— Poderia ser feito, só isso. Uma aposta pelo prêmio inteiro. Um lance de dados por Roma.

— Você acha que poderia matar legionários? — perguntou Júlio.

Domício coçou o rosto e desviou o olhar.

— Estou dizendo que talvez a coisa não chegue a esse ponto. Nossos soldados foram endurecidos na Gália e sabemos o que eles podem fazer. Não creio que Pompeu tenha nada que possa se comparar.

Brutus olhou para o homem que seguira desde a infância. Havia engolido mais amargura em todos os anos do que poderia acreditar, e enquanto ficavam ali sentados juntos não sabia se Júlio sequer compreendia o que lhe fora dado. Seu orgulho, sua honra, sua juventude. Tudo. Conhecia Júlio melhor do que qualquer um deles e viu o brilho nos olhos do amigo enquanto ele contemplava outra guerra. Quantos deles sobreviveriam à sua ambição? Os outros pareciam tão confiantes que isso fez Brutus sentir vontade de fechar os olhos para não enjoar. Mas apesar de tudo sabia que Júlio poderia atraí-lo com uma palavra.

Domício pigarreou.

— A escolha é sua, Júlio. Se quiser que voltemos à Gália e nos perçamos, estou com você. Os deuses sabem que nunca seremos encontrados em alguns lugares que vimos. Mas se quiser ir a Roma e arriscar tudo uma última vez, ainda estou com você.

— Um último lance? — disse Júlio, e fez disso uma pergunta para todos.

Um a um eles assentiram, até restar apenas Brutus. Júlio ergueu as sobrancelhas e deu um sorriso suave.

— Não posso fazer isso sem você, Brutus. Você sabe.

— Um último lance, então — sussurrou Brutus, antes de desviar os olhos.

Enquanto o sol nascia, as legiões veteranas da Gália atravessaram o Rubicão e marcharam para Roma.

NOTA HISTÓRICA

COMO ACONTECEU COM OS DOIS LIVROS ANTERIORES, CREIO QUE uma nota explicativa pode ser útil, em especial quando algumas vezes a história é mais surpreendente do que a ficção.

Mencionei por todo o livro Alexandre, o Grande, como herói de Júlio. Certamente a vida do rei grego devia ser bem conhecida de todos os romanos educados, complementando seu interesse naquela cultura. Ainda que o cenário fosse Cádiz e não um povoado espanhol deserto, o biógrafo Suetônio, do século I, dá os detalhes de César suspirando frustrado aos pés da estátua de Alexandre. Aos trinta e um anos Júlio não havia realizado nada em comparação. Não poderia saber que suas maiores vitórias viriam depois desse ponto.

Além das esposas, Júlio é citado como tendo uma grande quantidade de amantes, mas Suetônio disse que Servília era a que ele mais amava. Júlio realmente lhe comprou uma pérola avaliada em meio milhão de denários. Talvez um dos motivos para ter invadido a atual Inglaterra tenha sido para encontrar mais delas.

Ele foi questor na Espanha antes de voltar como pretor, assunto que não abordei por questões de ritmo. César era um homem mais ocupado do que qualquer escritor pode esperar abordar, e até mesmo uma versão condensada preenche estes livros até quase explodir.

Ele realmente montou um combate de gladiadores com armaduras de prata sólida e contraiu dívidas gigantescas buscando a fama. É verdade que num determinado ponto teve de sair da cidade para evitar os credores. Tornou-se cônsul com Bíbilo e expulsou o colega do fórum depois de uma discordância. Na ausência de Bíbilo, tornou-se uma espécie de piada em Roma dizer que um documento era assinado por Júlio e César.

Como ponto de menor importância, o vinho Falerno que Júlio derramou na tumba da família era tão caro que uma taça custava uma semana de pagamento de um legionário. Infelizmente as uvas cresciam no monte Vesúvio, perto de Pompéia, e em 79 d.C. o sabor se perdeu para sempre.

A conspiração de Catilina foi tão importante em seu tempo quanto a da Pólvora, na Inglaterra.* A conspiração foi traída quando um dos participantes contou a uma amante, que revelou o que ouvira. Júlio foi citado, na certa caluniosamente, como um dos conspiradores, bem como Crasso. Ambos sobreviveram ao levante sem manchas no caráter. Catilina deixou a cidade para comandar o exército rebelde enquanto seus amigos deveriam criar o caos e o tumulto na cidade. Parte das provas contra eles revelaram que uma tribo gaulesa fora procurada para ceder guerreiros. Depois de um debate acalorado sobre seu destino, os conspiradores menos importantes foram estrangulados ritualmente. Catilina foi morto no campo.

As conquistas na Gália e na Britânia compõem quase toda a segunda parte deste livro. Segui os acontecimentos principais que começaram com a migração dos helvécios e a derrota de Ariovisto. Vale mencionar que algumas vezes o próprio Júlio César é a única fonte existente para detalhes desta campanha, mas ele registra erros e desastres tão fielmente quanto suas vitórias. Por exemplo, César narra com honestidade como um relatório equivocado o fez recuar de seus próprios homens, acreditando que eram o inimigo. Em seus comentários ele coloca como sendo de 386.000 homens o número dos helvécios e das tribos aliadas. Apenas 110.000 foram mandados para casa. Contra eles, César tinha seis legiões e auxiliares — no máximo 35.000 homens.

---

*Conspiração da Pólvora, trama para explodir o Parlamento inglês e Jaime I em 5 de novembro de 1605, o dia de abertura do Parlamento. Um levante de católicos ingleses deveria se seguir. Nos preparativos, foi armazenada pólvora no porão da Câmara dos Lordes. A trama foi exposta quando um conspirador avisou a um parente para não comparecer ao Parlamento naquele dia. Um dos conspiradores, Guy Fawkes, foi aprisionado ao entrar no porão. Os outros foram mortos imediatamente ou presos e executados. (*N. do T.*)

Suas batalhas raramente eram um simples teste de força. Ele formava alianças com tribos menos importantes e depois ia ajudá-las. Lutava à noite, se necessário, em todos os terrenos, flanqueando, subornando e manobrando para enganar os inimigos. Quando Ariovisto exigiu somente a cavalaria no encontro dos dois, Júlio ordenou que os soldados de infantaria da Décima montassem, o que deve ter sido uma visão incrível.

Preocupei-me com a possibilidade de as distâncias que ele cobria terem sido exageradas, até que minha prima participou de uma caminhada de cem quilômetros. Ela e o marido a completaram em vinte e quatro horas, mas soldados de um regimento de ghurkas terminaram em nove horas e cinqüenta e sete minutos. Duas maratonas e um terço, sem parar. Devemos ser cuidadosos nestes tempos modernos em que aposentados parecem capazes de esquiar descendo o Everest, mas acho que as legiões da Gália podiam ter igualado esse ritmo, e que, como os ghurkas, podiam lutar no final.

Não é grande exagero supor que Adàn podia ter entendido a língua dos gauleses, ou mesmo o dialeto dos britânicos, até certo ponto. Os celtas originais atravessaram a Europa vindo de um local desconhecido — possivelmente as montanhas do Cáucaso. Colonizaram a Espanha, a França, a Grã-Bretanha e a Alemanha. A Inglaterra só se tornou predominantemente romano-saxã muito depois e, claro, mantém boa parte dessa diferença nos tempos modernos.

É difícil imaginar a visão de mundo de Júlio. Ele era um leitor prolífico e devia conhecer as obras de Estrabão. Sabia que Alexandre tinha viajado para o Oriente e que a Gália era muito mais perto. Devia ter ouvido falar da Britânia através dos gregos, depois de Pytheas ter viajado até lá três séculos antes; talvez o primeiro turista genuíno do mundo. Apesar de termos perdido os livros de Pytheas, não há motivo para eles não estarem disponíveis naquela época. Júlio devia ter ouvido falar de pérolas, estanho e ouro para atraí-lo através da Gália. Geograficamente ele achava que a Britânia ficava a leste da Espanha, e não ao norte, com a Irlanda no meio. Poderia até mesmo ser um continente grande como a África, pelo que ele pôde ver naquele primeiro desembarque.

Sua primeira invasão da Britânia, em 55 a.C., foi desastrosa. Tempestades esmagaram os navios e a resistência feroz das tribos de pele azul com seus cães malignos quase o destruiu. A Décima literalmente teve de abrir caminho através da arrebentação. Ele ficou apenas três semanas e no ano seguinte levou oitocentos navios de volta, desta vez forçando o caminho até o Tâmisa. Apesar da vasta frota, Júlio tinha se distanciado demais e não voltaria pela terceira vez. Pelo que sabemos, os britânicos nunca pagaram o tributo que prometeram.

Vercingetórix teria um lugar semelhante ao rei Artur na história e na lenda se conseguisse vencer sua grande batalha contra Júlio. Napoleão III ergueu uma estátua para ele mais tarde, reconhecendo seus feitos e seu lugar na história. Ele uniu as tribos e percebeu que queimar a terra e fazer com que as legiões passassem fome era o único modo de derrotá-las. Até mesmo sua grande horda acabou sendo derrotada pelas legiões. O rei supremo da Gália foi levado acorrentado até Roma e executado.

Os detalhes exatos do triunvirato com Crasso e Pompeu não são conhecidos. Certamente o arranjo beneficiava os três e o período de Júlio na Gália continuou por muitos anos depois de seu ano consular haver terminado. De modo interessante, quando Pompeu mandou a ordem para ele voltar sozinho depois da Gália, Júlio praticamente havia completado o hiato de dez anos que a lei exigia antes de se candidatar ao posto de cônsul. Se Júlio tivesse garantido um segundo mandato nesse ponto ele seria intocável, o que Pompeu devia temer.

Clódio e Milo não são personagens fictícios. Ambos fizeram parte do caos que quase destruiu Roma enquanto Júlio estava na Gália. Gangues de rua, tumultos e assassinatos se tornaram comuns demais, e quando Clódio foi finalmente morto seus seguidores realmente o cremaram no prédio do senado, que foi incendiado no processo. Pompeu foi eleito o único cônsul com mandato para estabelecer a ordem na cidade. Mesmo então o acordo do triunvirato poderia ter se mantido caso Crasso não fosse morto lutando contra os partos com seu filho. Com a notícia dessa morte havia apenas um homem no mundo que poderia ter desafiado Pompeu pelo poder.

Por fim, fiz uma ou duas afirmações no livro que podem incomodar os historiadores. É discutível se os romanos tinham aço ou não, mas é possível criar uma capa mais dura no ferro macio batendo-o no carvão. Afinal de contas o aço é apenas ferro com um conteúdo de carbono um pouco mais elevado. Não creio que isso estivesse fora do alcance deles.

Preocupei-me com a hipótese de Artorath, um gaulês, ter quase dois metros e dez de altura, ser demais para alguns, mas sir Bevil Grenville (1596-1643) tinha um guarda-costas chamado Anthony Payne que media dois metros e vinte e três centímetros. Ouso dizer que ele seria capaz de pôr Artorath nos ombros.

Há centenas de outros pequenos fatos que eu poderia colocar aqui, se houvesse espaço. Se mudei a história no livro, espero que tenha sido mais deliberadamente do que por simples erro. Certamente tentei ser o mais acurado possível. Para os que gostariam de ir além destas poucas páginas, posso recomendar *Caesar's Legion*, de Stephen Dando-Collins, que é fascinante, e também *The Complete Roman Army*, de Adrian Goldsworth, ou qualquer outra coisa deste autor. *Os doze Césares*, de Suetônio, deveria ser lido em todas as escolas. Minha versão é a tradução de Robert Graves, e aparentemente o imperador do qual você mais gostar é bastante revelador sobre seu caráter. Finalmente, para os que querem saber mais sobre Júlio, não há coisa melhor do que ler o livro *Caesar*, de Christian Meier.

Conn Iggulden

Este livro foi composto na tipologia Lapidary333
BT, em corpo 13/15, e impresso em papel
off-white, no Sistema Cameron da
Divisão Gráfica da Distribuidora Record.